はしがき

本書、「私鉄車両編成表 2024」は 2024(令和06)年4月1日現在在籍する28,184両を網羅しています。

今年版からの新規掲載は、2023.08.26に開業した宇都宮ライトレールと、北陸新幹線金沢～福井～敦賀間開業よって北陸本線敦賀～福井～大聖寺間を承継、2024.03.16に開業したハピラインふくいです。宇都宮ライトレールは、路面電車の新規開業路線としては実に75年振り、1948.04.10に開業した現在の万葉線以来です。また北陸本線関連では、大聖寺～金沢間はＩＲいしかわ鉄道が承継、路線網を拡大しています。廃止路線は、2023.12.27に廃止となった上野懸垂線(2019.11.01運転休止)。箱根登山鉄道は小田急箱根グループ再編により、社名を小田急箱根と変更、箱根ロープウェイ、箱根観光船が一体経営となりました。また、近江鉄道は2024.04.01、上下分離方式に移行、線路、駅等の保有は近江鉄道線管理機構に、六甲ケーブルも上下分離が図られ、第三種鉄道事業者は阪神電気鉄道、また能勢電鉄のケーブルカーが2023.12.03をもって廃止となりました。

新規延伸路線は、2024.03.23、北大阪急行電鉄南北線の千里中央～箕面萱野間 2.5kmが開業、Osaka Metro御堂筋線列車の直通運転区間が広がったほか、北大阪急行電鉄では9300系３編成30両を増備しています。このほか神戸市交通局西神線・山手線・北神線は6000形の増備を受けて、1000-02形、7000系がすべて淘汰となったこと、沖縄都市モノレールにて2023.08.10から３両編成が運転開始となりました。

大手系の新製車両は、東武鉄道では「スイートルーム」「コンパートメント」等、豪華な車内設備が評判なＮ100系、スペーシアＸが誕生、2023.07.15から営業運転を開始。現在４編成が活躍しています。京成電鉄は3100形１編成８両を増備、京浜急行電鉄は1000形22次車となる６両編成、８両編成が１本ずつ加わり、８両編成の制御装置は次世代フルＳｉＣ素子へと変わっています。西武鉄道はロングシートの40000系50代４編成40両、京王電鉄は5000系１編成10両、東京地下鉄は丸ノ内線用2000系14編成84両と南北線８両運転化に対応、9200系２両で、丸ノ内線では02系の定期運用が終了となっています。東京

都交通局は [illegible] 里・舎人ライナ [illegible] 系２編成16両、[illegible] 00系３編成６両 [illegible]、南海電気鉄道は[illegible]系４両編成12両と２両編成１本、大阪市高速電気軌道は400系10編成60両。またこの400系の増備を受けて中央線から20系が消滅となっています。西日本鉄道は9000形３両編成１本と２両編成２本の７両です。

2023年度は、小田急電鉄、東急電鉄、近畿日本鉄道、京阪電気鉄道、阪急電鉄では新製車両はありませんでしたが、小田急電鉄ではＶＳＥ、50000形が定期運行を終了、東急電鉄は東横線にて2023.08.10から「Ｑ ＳＥＡＴ」を４・５号車に連結した指定席サービスが開始となっており、４編成が充当となっています。京阪電気鉄道では、「プレミアムカー」の増強にて余剰となっていた3000系が13000系に改造、13800形として組み込まれています。近畿日本鉄道は廃車車両もありませんでしたが、2024年度には新型車両の導入が発表となっており、車両の大きな変動が予想されます。

このほか、札幌市交通局、函館市企業局、岩手開発鉄道、阿武隈急行、千葉都市モノレール、新京成電鉄、横浜市交通局、しなの鉄道、静岡鉄道、長良川鉄道、えちぜん鉄道、福井鉄道、京都市交通局、泉北高速鉄道、神戸新交通、広島高速交通、広島電鉄、伊予鉄道、長崎電気軌道、南阿蘇鉄道に新製車両が加わっています。

譲受車両はハピラインふくい、ＩＲいしかわ鉄道に移ったＪＲ西日本521系のほか、上毛電気鉄道に東京メトロ03系、銚子電気鉄道に南海2200系、アルピコ交通に東武20000系、北陸鉄道に東京メトロ03系、熊本電気鉄道に静岡鉄道1000系等でした。

なお，本書ではロープウェイ(普通索道)と東武・小田急ロマンスカーの1978.10.01現在の運用図表と編成表を収録し、私鉄全路線一覧を専用アプリ「ＤＪ鉄道楽ナビ」の本棚にて公開しました。

末尾ながら、ご協力を賜りました各社各位には厚く御礼申し上げます。

2024年６月　ジェー・アール・アール

●表 紙 写 真：路面電車としては、実に75年ぶりの新規開業路線となった宇都宮LRT。2023(令和５)年８月26日開業後の業績は好調で、市内交通の新しいモデルになりつつある。2022.11.17　宇都宮ライトレール車両基地

●裏表紙写真：1981(昭和56)年の登場以降、福岡市交通局の顔として活躍してきた1000系。今年度から、新形式4000系に順次置き換えが始まる予定だ。2020.6.20　ＪＲ筑肥線下山門駅付近

目 次

私鉄車両編成表

＊本書は **2024 年 4 月 1 日現在**の私鉄車両の編成を、主要な線区別、使用方別にまとめている。
＊編成表は、車号順（車両の番号の小さい順）もしくは左側を上り方として表示している。
＊矢印で示した駅名は編成の向きを表す目安で、その項に記載された車両・編成の運転区間を表したものではない。
＊編成表は、基本編成での表記を原則としている。
（ただし、実際の使用方が判別しにくいと思われる場合は、実際の使用方で編成表を作成するとともに、特記している）
＊両数表は4月1日現在で集計し、4月1日付の竣工・廃車の取扱い（両数に含むか否か）は、各社の慣例にならっている。
＊大手私鉄と大都市の公営交通（地下鉄）については、優先席・車いす対応スペース・弱冷房車を記号や太字などで区別した。
＊大手私鉄とこれに準ずる企業体の全般検査施工箇所は、車両基地の欄に〔全〕または該当する線区の頁に記入した。
＊車種を表す記号の細かい分類については、原則的に各社の基準による。
＊機関車の出力は、小数点以下を四捨五入して表示している。
＊日付は、すべて西暦で表示してある。
＊車両形式、両数右に表示の丸中数字は片側客用ドア数［路面電車の連接車は編成あたり］

※編成表のおもな記号・略号は以下のとおり
Mc……制御電動車　M……中間電動車　Tc……制御車　T……付随車　Ts……グリーン車

※電車の主要機器については以下の略号で示す（ただし、1両あたりの搭載数を示すものではない）
主制御器……🅁（抵抗制御）　🄲（電機子チョッパ）　🅅（VVVF）
🄵（界磁チョッパ、界磁位相制御、界磁添加励磁制御、分巻界磁抵抗）
補助電源……Ⓜ（電動発電機）　Ⓢ（インバータ）　DD DC-DCコンバータ　＊Ⓜ、Ⓢ、DDは冷房用電源兼用
空気圧縮機…CP

※車体形状は以下の略号で示す
①外形
箱形（電車・気動車・客車）　凸形（機関車）　凸形（機関車）　L形（機関車）

②先頭車
非貫通　貫通　非常口付き
＊一般的な貫通式の形態であっても、幌の取付けなどができないものは非常口付きに含める

③中間車
運転台撤去車でドア・仕切の残るもの　簡易運転台取付車

④貫通路・連結器
\+　－
貫通路＝左側は狭幅（標準）、右側は広幅（貫通幌の幅で判断）
連結器＝－は半永久タイプ（半永久形、棒状連結器）
先頭車連結器については5頁参照

⑤集電装置
◇＝パンタグラフ
下枠交差式パンタグラフ
＞＝Z型・シングルアーム式パンタグラフ
／＝ビューゲル・トロリーポール

⑥冷房（空調）装置
分散式　集中式　床下式

⑦連接車（モノレール・新交通は幌なしで表示）
○●　○○　●○　（● 駆動軸　○ 付随軸）

札幌市交通局　南車両基地・東車両基地・西車両基地・車両センター　409両

南北線（南車両基地）　120両　④

←真駒内　　麻生→

5000形　120両［密連］

女①	♿②	③	④	⑤♿	⑥
Tc1 5100	M1 5200	M1 5300	T 5400	M1 5500	Tc2 5600
S	V	V	CP	V	S
5101	5201	5301	5401	5501	5601
5102	5202	5302	5402	5502	5602
5103	5203	5303	5403	5503	5603
5104	5204	5304	5404	5504	5604
5105	5205	5305	5405	5505	5605
5106	5206	5306	5406	5506	5606
5107	5207	5307	5407	5507	5607
5108	5208	5308	5408	5508	5608
5109	5209	5309	5409	5509	5609
5110	5210	5310	5410	5510	5610
5111	5211	5311	5411	5511	5611
5112	5212	5312	5412	5512	5612
5113	5213	5313	5413	5513	5613
5114	5214	5314	5414	5514	5614
5115	5215	5315	5415	5515	5615
5116	5216	5316	5416	5516	5616
5117	5217	5317	5417	5517	5617
5118	5218	5318	5418	5518	5618
5119	5219	5319	5419	5519	5619
5120	5220	5320	5420	5520	5620

東西線（東車両基地）　168両　④

←新さっぽろ　　宮の沢→

8000形　168両［密連］

①	♿②	③	女④	⑤	⑥♿	⑦
Tc1 8100	M1 8200	M2 8300	T1 8400	T3 8600	M4 8800	Tc2 8900
S	V	V	CP		V	S
8101	8201	8301	8401	8601	8801	8901
8102	8202	8302	8402	8602	8802	8902
8103	8203	8303	8403	8603	8803	8903
8104	8204	8304	8404	8604	8804	8904
8106	8206	8306	8406	8606	8806	8906
8107	8207	8307	8407	8607	8807	8907
8108	8208	8308	8408	8608	8808	8908
8109	8209	8309	8409	8609	8809	8909
8110	8210	8310	8410	8610	8810	8910
8111	8211	8311	8411	8611	8811	8911
8112	8212	8312	8412	8612	8812	8912
8113	8213	8313	8413	8613	8813	8913
8114	8214	8314	8414	8614	8814	8914
8115	8215	8315	8415	8615	8815	8915
8116	8216	8316	8416	8616	8816	8916
8117	8217	8317	8417	8617	8817	8917
8119	8219	8319	8419	8619	8819	8919
8120	8220	8320	8420	8620	8820	8920
8121	8221	8321	8421	8621	8821	8921
8122	8222	8322	8422	8622	8822	8922
8123	8223	8323	8423	8623	8823	8923
8124	8224	8324	8424	8624	8824	8924
8125	8225	8325	8425	8625	8825	8925
8126	8226	8326	8426	8626	8826	8926

東豊線（西車両基地）　80両　④

←栄町　　福住→

9000形　80両［密連］

①♿	②♿	♿③	♿④	
Tc1 9100	M1 9200	M2 9300	Tc2 9800	新製月日
CP	V	V	S	
9101	9201	9301	9801	15.05.08川重
9102	9202	9302	9802	15.05.29川重
9103	9203	9303	9803	15.06.02川重
9104	9204	9304	9804	15.06.09川重
9105	9205	9305	9805	15.07.01川重
9106	9206	9306	9806	15.07.14川重
9107	9207	9307	9807	15.08.12川重
9108	9208	9308	9808	15.09.15川重
9109	9209	9309	9809	15.10.08川重
9110	9210	9310	9810	15.11.06川重
9111	9211	9311	9811	15.12.08川重
9112	9212	9312	9812	16.01.08川重
9113	9213	9313	9813	16.02.09川重
9114	9214	9314	9814	16.03.07川重
9115	9215	9315	9815	16.04.06川重
9116	9216	9316	9816	16.05.11川重
9117	9217	9317	9817	16.06.03川重
9118	9218	9318	9818	16.06.25川重
9119	9219	9319	9819	16.07.29川重
9120	9220	9320	9820	16.09.06川重

▽9000形は2015.05.28から営業運転開始

▽全般検査は各線区の車両基地で行なう
南車両基地（南北線自衛隊前付近）
東車両基地（東西線ひばりが丘付近）
西車両基地（東西線二十四軒付近）
車両センター（電車事業所前付近）

▼優先席……全車両に設置
▼車いす対応スペース……♿の車両に設置

▼女は女性と子どもの安心車両。
始発から9時まで実施
南北線は、2008.12.15～
東西線は、2009.07.13～
▼ホームドア（可動式ホーム柵）設置完了にあわせてワンマン運転実施。
南北線は、2013.04.01～
東西線は、2009.04.01～
東豊線は、2017.04.01～

▽9102編成は、2016.03.17から
北海道日本ハムファイターズ のラッピング車両

5000形	
5100	20
5200	20
5300	20
5400	20
5500	20
5600	20
	120
8000形	
8100	24
8200	24
8300	24
8400	24
8600	24
8800	24
8900	24
	168
9000形	
9100	20
9200	20
9300	20
9800	20
	80
計	368

一条線・山鼻線・山鼻西線・都心線(車両センター)[路面電車]　41両(36＋5)

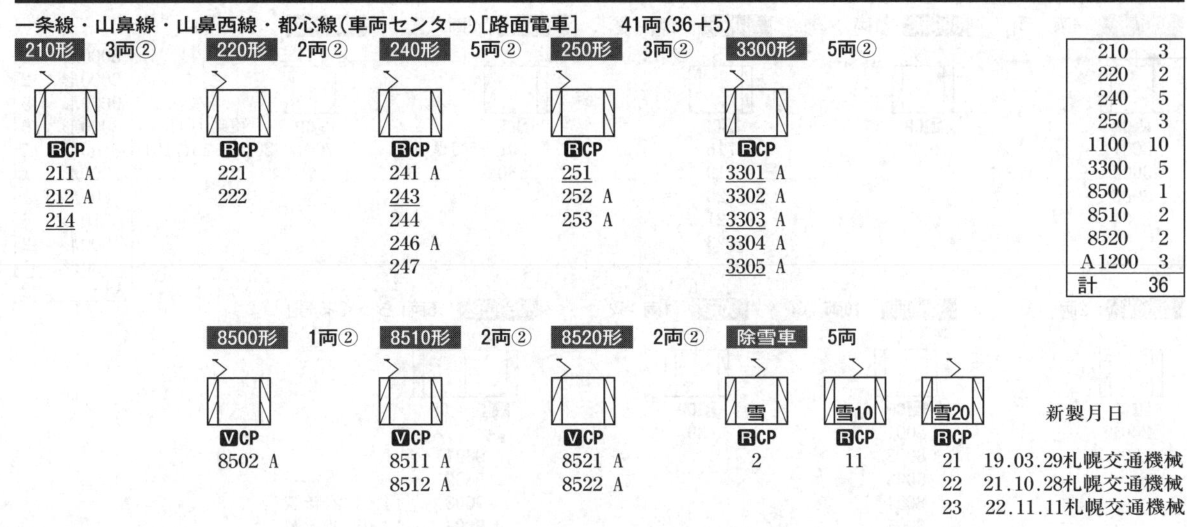

210	3
220	2
240	5
250	3
1100	10
3300	5
8500	1
8510	2
8520	2
A1200	3
計	36

新製月日

21　19.03.29札幌交通機械
22　21.10.28札幌交通機械
23　22.11.11札幌交通機械

1100形　10両　「シリウス」②

新製月日

1101　18.09.07アルナ
1102　19.09.25アルナ
1103　19.09.25アルナ
1104　20.09.18アルナ
1105　20.09.18アルナ
1106　21.09.17アルナ
1107　21.09.17アルナ
1108　22.09.29アルナ
1109　22.09.29アルナ
1110　23.09.27アルナ

A1200形　3両　「ポラリス」②

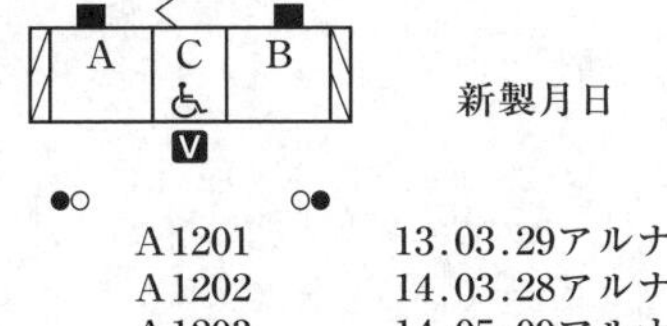

新製月日

A1201　13.03.29アルナ
A1202　14.03.28アルナ
A1203　14.05.09アルナ

▽2020.04.01　上下分離方式の導入により、運送事業は一般財団法人 札幌市交通事業振興公社に。施設・車両の保有整備はこれまで通り札幌市交通局が担う

▽8500形·8510形·8520形はＶＶＶＦ制御(8510形は、2012年度に機器更新)
▽車体塗色　無印=上半・ベージュ／下半・グリーン(境目に白帯)
Ａ=新標準色(ライトグリーン・スカート部分ホワイト)
▽3300形は330形の電機品を流用し、車体を新製
▽＿＿は全面広告車
211=ロゴスホールディングス(22.08.01 ～)　212=東急不動産(23.07.01 ～)
214=コニサーオイル(23.08.01 ～)　221=幌北学園(22.10.01 ～)
246=サイサン(22.07.01 ～)
247=ビッグ(22.09.01 ～)　252=ビッグ(22.07.01 ～)　253=日本ケミカル(23.06.01)
3301=ワミレス(21.07.01 ～)　3303=有楽製薬(22.04.01 ～)
8502=モユク札幌(23.09.01 ～)
243=札幌市電リバイバルカラーPJ(23.08.01 ～)[クラウドファンディング事業]
▽Ａ1200形は低床車両、Ｃ車は台車なし。2013.05.05から営業運転開始
▽1100形は低床車両。2018.10.27から営業運転開始
▽1100形・Ａ1200形に車いす対応スペース設置
▽2015.12.20 西４丁目～すすきの間(約400m)開業に伴い環状運転開始。
行先表示は、方向と行先を併記。方向は時計回りが「外回り」、反時計回りが「内回り」。行先が決まっていない環状運転は「循環」、行先が決まっている場合は電停名を表示

▽札幌市交通資料館(南北線自衛隊前駅南側高架下)に、
地下鉄1000形(1001-1002)、市電10形22、600形601、320形321、M100形101、Ｄ1040形1041、Ａ800形(A801-A802)、雪８、雪11、雪ＤＳＢ１などを保存。
2024.05.01、リニューアルオープン

連結器の種類(区分)　車両と車両をつなぐ両端連結器　(2019 から掲載)

表示	連結器名称など
自連	柴田式自動連結器[旧国鉄機関車等に採用]　など
密連	柴田式密着連結器[ＪＲ各社の電車等に広く採用されている連結器]
	密着連結器(緩衝器内蔵)[おもにモノレール・新交通にて採用]　など
市交密連	市交(旧大阪市交)型密着連結器
トムリンソン	トムリンソン式密着連結器
小型密着	密着式小型自動連結器(ＮＣＢ-Ⅱ形密着連結器)[旧国鉄ＤＣ・ＰＣ等に採用]
小型自連	小型の自動連結器。自連とそのまま連結可
収納	収納[ロマンスカー等連結器が前面に出ていない]
+	電気連結器装備(先頭車)[中間車に表示は電気連結器装備、ただし貫通路がない場合は連結器]

函館市企業局　交通部

駒場車庫　37両(32＋5)　**37**両

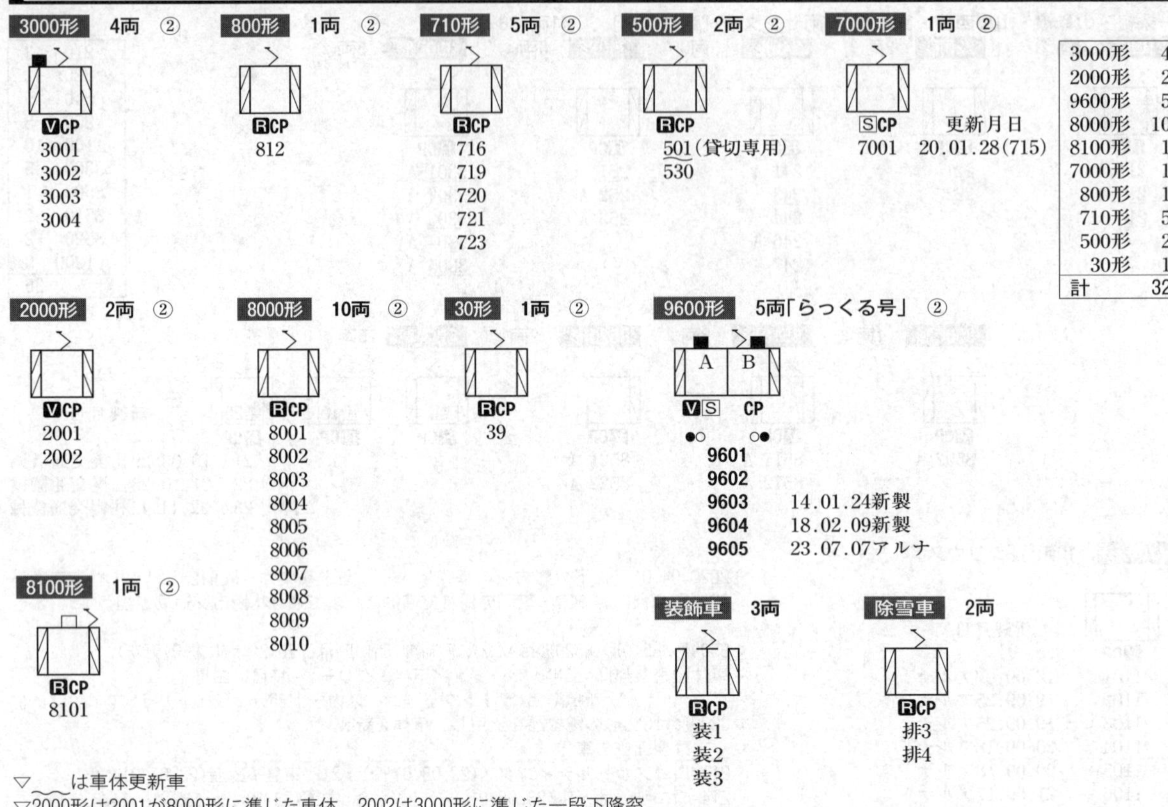

形式	両数
3000形	4
2000形	2
9600形	5
8000形	10
8100形	1
7000形	1
800形	1
710形	5
500形	2
30形	1
計	32

▽～～は車体更新車
▽2000形は2001が8000形に準じた車体、2002は3000形に準じた一段下降窓
▽7000形は710形の車体更新車。制御装置は間接自動→間接非自動、補助電源装置はＳＩＶへ
▽8000形は800形の車体更新車
▽8100形は800形の更新による部分低床車
▽30形(39)は「箱館ハイカラ號」と称する２軸・オープンデッキのレトロ車両。
４月13日～10月中旬、土曜・休日を中心とした期間運行。
運転日など詳細は函館市企業局交通部のホームページ参照
▽9600形は２車体２台車の超低床車、車いす対応スペースあり
▽車体リニューアル
2001=17.03.17、2002=19.03.22、3001=18.03.23、3002=16.03.18、3004=19.03.25、
8001=17.03.31、8002=18.03.30、8003=19.03.29、8005=23.03.17(車体改良、補助電源装置取替)
▽車両改良(冷房装置=エアコン２台、補助電源装置取替)　8101=21.12.24

●全面広告車スポンサー一覧(2024.04.01 現在)

7001　シゴトガイド(20.04.20 ～)
716　ペシェ・ミニョン(22.11.01)
719　長谷川水産
720　西武建設運輸(20.03.01 ～)
721　ー非広告車両ー(24.03.31 ～)
723　五島軒(20.04. ～)
812　ー非広告車両ー
39　ー非広告車両ー
501　ー非広告車両ー
530　ー非広告車両ー
2001　ゴールドジム
2002　コカ・コーラ
3001　マリンブルー号(復刻)(22.12.01)
3002　HK-R 函太郎(20.04.01 ～)
3003　五勝手屋
3004　タナベ食品
8001　函館カールレイモン
8002　函館米穀
8003　うみ街信用金庫(17.01.23 ～信用金庫名称変更)
8004　不動産企画ウィル(21.09.28)
8005　日商興産(23.05.01 ～)
8006　ジャックス
8007　ＭＳ保険サービス北海道(19.10.01 ～)
8008　ニューメディア函館センター
8009　いちたかガスワン
8010　布目(15.11.17 ～)
8101　美鈴商事(22.01.17)
9601　転生したらスライムだった件[講談社](21.10.01)
9602　コバック(21.02.15 ～)
9603　ー非広告車両ー
9604　道水(21.07.13)
9605　ー非広告車両ー

▽2011.04.01　函館市交通局は、函館市企業局交通部と組織改編

道南いさりび鉄道　函館（ＪＲ北海道函館運輸所構内）　9両

←函館（ＪＲ北海道）・五稜郭　　　　木古内→

キハ40形　9両［小型密着］　②

キハ40

1793　ながまれ仕様
1796　濃赤色（17.06.03～営業）
1798　旧国鉄急行形色（19.03.17～営業）
1799　ながまれ仕様
1807　旧国鉄標準色（朱色。18.06.02～営業）
1810　濃緑色（17.03.26～営業）
1812　山吹色（17.12.04～営業）
1814　３列座席　濃赤色（23.10.14～営業）
1815　３列座席　白塗色（17.08.01～営業）

▽2016.03.26 ＪＲ北海道江差線（五稜郭～木古内間 37.8㎞）を承継して開業。
開業に合わせ、清川口（北斗市役所・かなで～る前）、渡島当別（トラピスト修道院入口）　以上２駅に副駅名
▽車体所属標記は　南イサ

津軽鉄道　五所川原機関区　17両

←津軽五所川原　　　　津軽中里→

津軽21形　5両②［小型密着］

21-101
21-102
21-103
21-104
21-105

ＤＬ　2両［自連］
ＤＤ350形

ＤＤ35 1（180ps×2）
ＤＤ35 2（220ps×2）

客車　5両［自連］

オハフ33形②
331

オハ46形②
462
463

ナハフ1200形②
1202
1203

ラッセル車　1両［自連］
キ100形
キ101

貨車　4両［自連］
トム１形1･2･3
タム500形501

▽オハ462はイベント車、オハフ33形とオハ46形は石炭ストーブ付き
▽客車列車（気動車を併結）は、冬期（12月１日～３月31日）を中心に運転
〔冬季=「ストーブ列車」、夏季=「風鈴列車」、秋季=「鈴虫列車」。運転日など詳細は津軽鉄道のホームページなどを参照〕
▽津軽21形はワンマン運転が可能。車いす対応スペース設置。愛称は「走れメロス」
▽ＤＬには季節やイベントに応じたヘッドマークを取付け

青函トンネル記念館　1両

←体験坑道　　鋼索（竜飛斜坑線）　　青函トンネル記念館→

セイカン１

▽1988.07.09開業
▽ＪＲ津軽線三厩駅から龍飛行き外ヶ浜町循環バス〔外ヶ浜町営バス〕30分、
青函トンネル記念館下車
なお、ＪＲ津軽線は蟹田～三厩間大雨にて被災、2022年８月から不通となっているため、三厩駅までは、蟹田駅からの代行バスか、北海道新幹線奥津軽いまべつ駅から今別町循環バスを利用
▽営業期間…4月19日～11月04日（2024年度）
詳細は、青函トンネル記念館のホームページを参照

青い森鉄道

運輸管理所（青森信号場）　**22両**

←青森　目時・盛岡（ＩＧＲいわて銀河鉄道）→

青い森701	9
青い森700	9
青い森703	2
青い森702	2
計	22

青い森701系　**18両**［密連］ ③

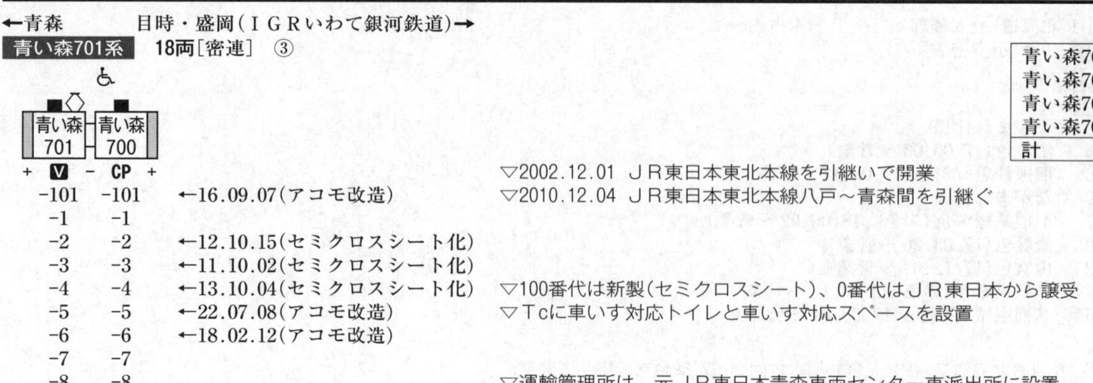

701	700	
-101	-101	←16.09.07（アコモ改造）
-1	-1	
-2	-2	←12.10.15（セミクロスシート化）
-3	-3	←11.10.02（セミクロスシート化）
-4	-4	←13.10.04（セミクロスシート化）
-5	-5	←22.07.08（アコモ改造）
-6	-6	←18.02.12（アコモ改造）
-7	-7	
-8	-8	

▽2002.12.01 ＪＲ東日本東北本線を引継いで開業
▽2010.12.04 ＪＲ東日本東北本線八戸～青森間を引継ぐ

▽100番代は新製（セミクロスシート）、0番代はＪＲ東日本から譲受
▽Ｔcに車いす対応トイレと車いす対応スペースを設置

▽運輸管理所は、元ＪＲ東日本青森車両センター東派出所に設置

青い森703系　**4両**［密連］ ③

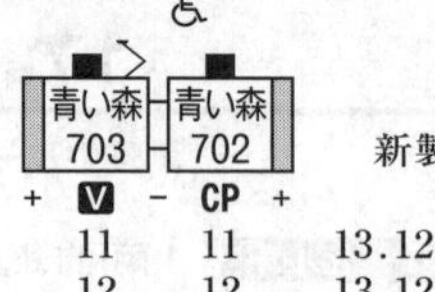

703	702	新製月日
11	11	13.12.04総合
12	12	13.12.04総合

ＩＧＲいわて銀河鉄道

運輸管理所（盛岡駅）　**14両**

←八戸（青い森鉄道）・目時　盛岡・北上（ＪＲ東日本）→

IGR7001	7
IGR7000	7
計	14

ＩＧＲ7000系　**14両**［密連］ ③

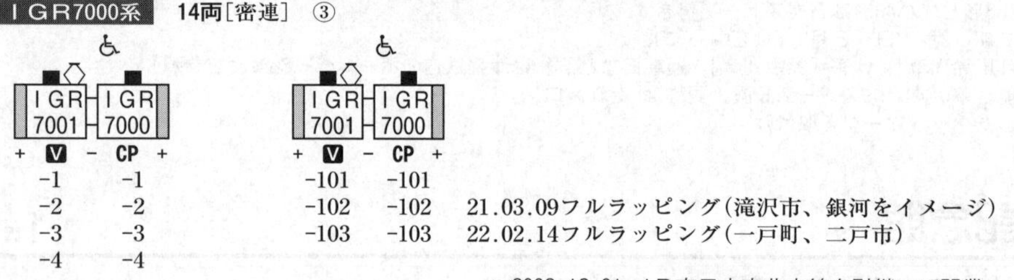

7001	7000
-1	-1
-2	-2
-3	-3
-4	-4

7001	7000	
-101	-101	
-102	-102	21.03.09フルラッピング（滝沢市、銀河をイメージ）
-103	-103	22.02.14フルラッピング（一戸町、二戸市）

▽2002.12.01 ＪＲ東日本東北本線を引継いで開業
▽100番代は新製、0番代はＪＲ東日本から譲受
▽Ｔcに車いす対応トイレと車いす対応スペースを設置
▽100番代はセミクロスシート

弘南鉄道　車両区・平賀検修所・大沢検修所　30両

弘南線（車両区・平賀検修所）　14両［小型密着］

←弘前　黒石→

7000形　14両③

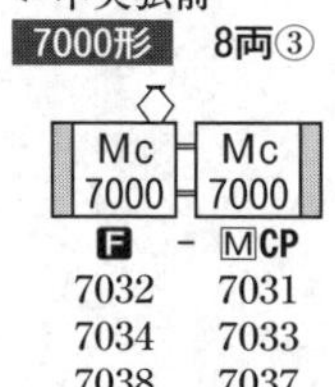

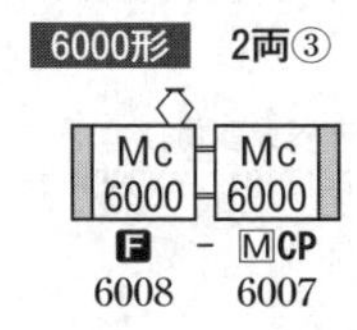

F	-	ⓂCP
7154		Ⓕ7101※
7152		7102
7153		7103
7155		7105

F	-	ⓂCP
7021		7011
7022		7012
7023		7013

電気機関車　1両［自連］

ＥＤ33形

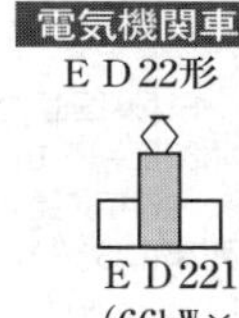

ＥＤ333

(93kW×4)

ラッセル車　1両［自連］

キ100形　キ104

貨車　1両［自連］

ホキ800形　ホキ1245

デハ7010	3
デハ7020	3
デハ7100	4
デハ7150	4
計	14

▽Ⓕはフランジ塗油器取付
▽全車ワンマンカー
▽※=イベント車両(23.01.18)
「津軽時巡(つがるときめぐり)号」

大鰐線（車両区・大沢検修所）　10両［小型密着］

←中央弘前　大鰐→

7000形　8両③

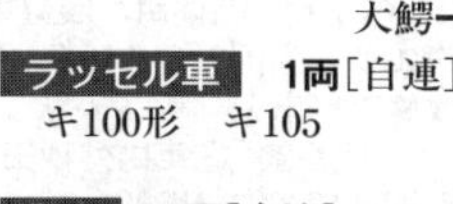

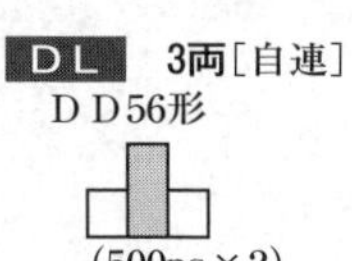

F	-	ⓂCP
7032		7031
7034		7033
7038		7037
7040		7039

6000形　2両③

F	-	ⓂCP
6008		6007

電気機関車　1両［自連］

ＥＤ22形

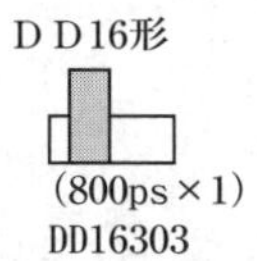

ＥＤ221

(66kW×4)

ラッセル車　1両［自連］

キ100形　キ105

貨車　1両［自連］

ホキ800形
ホキ1246

デハ7000	8
デハ6000	2
計	10

▽デハ6000·7010·7020·7100·7150形は東洋電機、デハ7000形は日立の電機品を使用
▽旧形式対照：デハ6000形=東京急行電鉄6000系、デハ7010·7020·7100·7150形=東京急行電鉄7000系
▽電車はステンレス車体、ただし、デハ6000形はセミステンレス
▽全車ワンマンカー

八戸臨海鉄道　八戸貨物機関区　3両

ＤＬ　3両［自連］

ＤＤ56形

(500ps×2)
DD56 4　←14.07.01北陸重機

ＤＤ16形

(800ps×1)
DD16303

ＤＥ10形

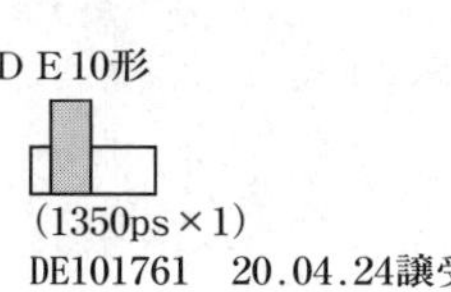

(1350ps×1)
DE101761　20.04.24譲受

▽路線は、八戸貨物〔青い森鉄道〕～北沼間 8.5km

▽ホキ800形はバラスト運搬用で、青い森鉄道の保線作業にも使用
▽DD16形の旧形式=ＪＲ東日本DD16形
DE10形の旧型式=ＪＲ東日本DE10形
▽DD56 2・3は2020.04.09廃車(譲渡)

秋田内陸縦貫鉄道　阿仁合車両区　11両

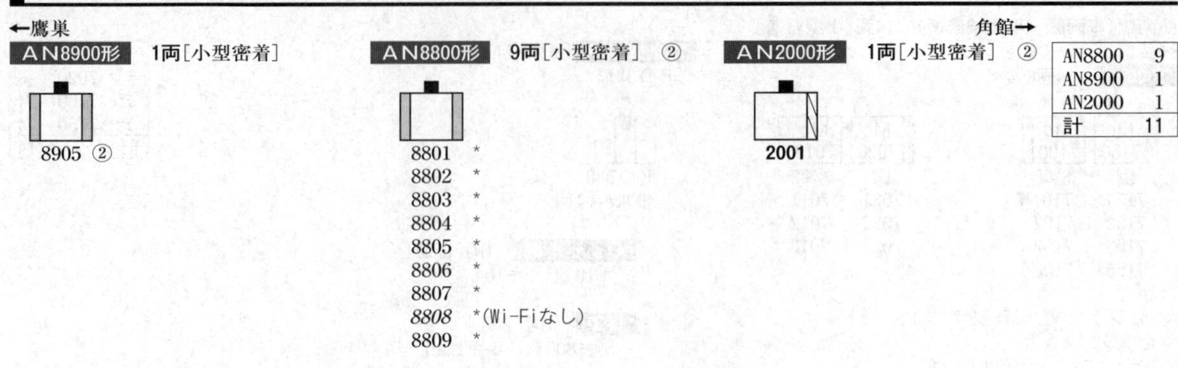

AN8800	9
AN8900	1
AN2000	1
計	11

▽1986.11.01 国鉄角館線と阿仁合線を引継ぎ開業、1989.04.01 比立内～松葉間開業

▽8905はトイレ付き
▽2001はラウンジ・トイレ・車いす対応スペース(太字)付きのイベント仕様
観光列車　秋田縄文号　2021.02.11に改造。同日、車両をお披露目
▽斜字はお座敷車で、イベント、団体用。展望車両(AN2001)と連結、「お座敷もりよし号」にて運転する日もある
▽AN8800·8900形は全車エンジン更新済み(DMF13HS→DMF13HZ)
▽* 印は秋田犬列車 改修工事車
(①車両改修　②シート張替　③車内外秋田犬ラッピング　④Wi-Fi[外国語ガイド音声ペン取付])
AN8801=17.12　AN8802=18.02　AN8803=18.12　AN8804=17.10　AN8806=17.07　AN8807=17.01　AN8809=16.12
AN8805=17.02(車体改修)、20.02(観光列車「笑[EMI]」列車に改修、座席変更)
AN8808=19.03(車体改修)、18.04(トイレ洋式化＋叉鬼[またぎ]列車に改修)
▽AN8808=車体改修、車内改修、ワンマン機器更新(22.03)
▽AN8904は21.09.12ラストランをもって廃車

由利高原鉄道　矢島運転車両基地　5両

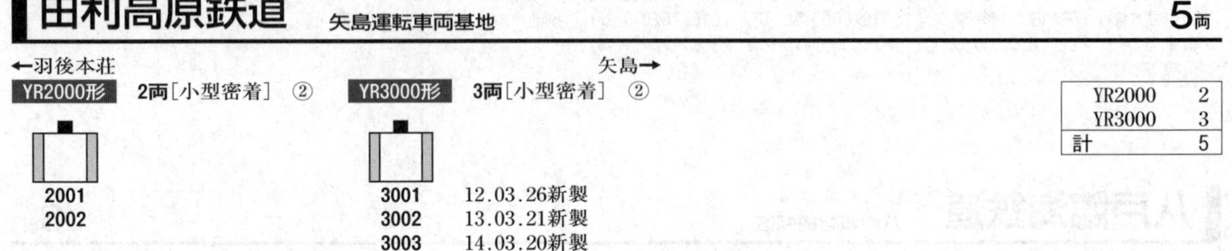

YR2000	2
YR3000	3
計	5

▽1985.10.01 国鉄矢島線を引き継いで開業

▽編成両数…２両=4D、3D、その他の列車は単行(2024.04.01から)
▽全車両に「おばこ」の愛称付き
▽YR2000形・YR3000形は車いす対応スペース、トイレ付き
▽2002はロングシート、木製テーブル、ビデオ、カラオケ、ＢＳ放送付きのイベント対応車
▽2001は18.06.24 鳥海おもちゃ列車「なかよしこよし」
▽リニューアル、ラッピング=YR2001(23.03.10)、YR2002(22.09.10)

三陸鉄道　運行本部(宮古駅)　26両

リアス線
←盛・釜石　宮古・久慈→
36形　26両[小型密着]　②

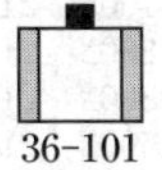

36-101
36-102
36-105
36-109
36-202
36-207
36-208
36-209
36-701　←13.02.24新潟トランシス
36-702　←13.02.24新潟トランシス
36-703　←13.02.24新潟トランシス
36-704　←14.03.24新潟トランシス
36-705　←14.03.24新潟トランシス
36-706　←14.03.24新潟トランシス
36-711　←18.11.16新潟トランシス
36-712　←18.11.16新潟トランシス
36-713　←18.11.16新潟トランシス
36-714　←18.11.16新潟トランシス
36-715　←19.03.04新潟トランシス
36-716　←19.03.04新潟トランシス
36-717　←19.03.04新潟トランシス
36-718　←19.03.04新潟トランシス
36-R1　←14.03.28改造
36-R2　←14.03.28改造
36-R3　←14.03.24新潟トランシス
36-Z1　←14.03.24新潟トランシス

▽2014.04.05　南リアス線吉浜〜釜石間運転再開。これにて南リアス線全線復旧
▽2014.04.06　北リアス線小本〜田野畑間運転再開。これにて北リアス線全線復旧
▽2019.03.23　ＪＲ東日本山田線釜石〜宮古間の移管を受けて、同区間復旧。
南リアス線(盛〜釜石間)、北リアス線(宮古〜久慈間)は、
リアス線(盛〜釜石〜宮古〜久慈間、営業キロ163.0㎞)に。定期列車運行開始は03.24
▽36-Ζ形·36-R形·36-700形は相互に連結可能(電気指令式ブレーキ採用)
36-100形·36-200形との連結はできない
▽全車両トイレ付き
▽36-Ζ形・36-R形・36-700形は車いす対応スペースあり(トイレまたは出入口付近)
▽36-200形には飲料水の自動販売機を設置
▽36-R1·R2はレトロ調車両「さんりくしおさい」、
36-R3はレトロ調車両、36-Z1はお座敷車「さんりくはまかぜ」
▽36-100形、200形はリニューアル車(ブレーキの二重化、空気バネ台車に交換、
エンジン出力を300ps→330psにアップ)
▽ラッピング車両
701=「ゴルゴ13」(22.06〜)
702=「スマイルとうほくプロジェクト」(22.03〜)
703=「ゾロリ」(21.03〜)
704=「三陸元気！ＧＯＧＯ号」(23.04〜)[連続テレビ小説「あまちゃん」放送開始10周年記念]

岩手開発鉄道　盛駅　49両

←赤崎・盛　岩手石橋→
ＤＬ　**4両**[自連]
ＤＤ56形

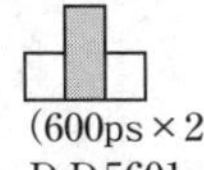

(600ps×2)
ＤＤ5601
ＤＤ5602　23.07.27新潟トランシス

ＤＤ56形

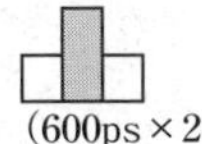

(600ps×2)
ＤＤ5651　21.02.17　機関換装(DMF31SD1→6L16CX[600PS])
ＤＤ5653　19.12.12　機関換装(DMF31SD1→6L16CX)

貨車　**45両**(私有貨車)[自連]
ホキ100形
101·102·105〜107·109〜114
116·119〜138·140〜152

▽ホキ116、122、123、151、152=21.03.19 制御弁変更(EA-1制御弁化)
▽DD5601=22.01.19機関換装(DMF31SD1→6L16CX[600PS])
▽冷房装置追設工事　DD5651=22.05.31、DD5653=22.06.02

仙台市交通局 富沢車庫・荒井車庫 144両

南北線(富沢車庫) 84両

←富沢　泉中央→

1000N系　84両(アルミ車体)［密連］④

	① Tc1 1100N	②♿ M1 1200N	③♿ M2 1300N	④ Tc2 1600N
	-	V	-	SCP -
01	1101	1201	1301	Ⓟ1601
02	1102	1202	1302	Ⓟ1602
03	1103	1203	1303	1603
04	1104	1204	1304	1604
05	1105	1205	1305	1605
06	1106	1206	1306	1606
07	1107	1207	1307	1607
08	1108	1208	1308	1608
09	1109	1209	1309	1609
10	1110	1210	1310	1610
11	1111	1211	1311	1611
12	1112	1212	1312	1612
13	1113	1213	1313	1613
14	1114	1214	1314	1614
15	1115	1215	1315	1615
16	1116	1216	1316	1616
17	1117	1217	1317	1617
18	1118	1218	1318	1618
19	1119	1219	1319	Ⓟ1619
20	1120	1220	1320	1620
21	1121	1221	1321	1621

▽全列車ワンマン運転。全駅ホーム柵設置
▽Ⓟはレール塗油器取付車
▽７人掛けシートに縦手すりを設置。これにより６人掛けと変更
▽1000N系の車号末尾にNは付かない
▽2024.07 南北線に新型車両3000系を導入予定

▼優先席……全車両に設置
▼車いす対応スペース……♿の車両に設置

1000N系	
1100N	21
1200N	21
1300N	21
1600N	21
	84
2000系	
2100	15
2200	15
2400	15
2500	15
	60
計	144

東西線(荒井車庫) 60両

←荒井　八木山動物公園→

2000系　60両(アルミ車体)［密連］③

	①♿ Mc1 2100	②♿ M1 2200	♿③ M2 2400	♿④ Mc2 2500
	SCP -	V -	V -	SCP
01	2101	2201	2401	2501
02	2102	2202	2402	2502
03	2103	2203	2403	2503
04	2104	2204	2404	2504
05	2105	2205	2405	2505
06	2106	2206	2406	2506
07	2107	2207	2407	2507
08	2108	2208	2408	2508
09	2109	2209	2409	2509
10	2110	2210	2410	2510
11	2111	2211	2411	2511
12	2112	2212	2412	2512
13	2113	2213	2413	2513
14	2114	2214	2414	2514
15	2115	2215	2415	2515

▽鉄輪式リニアモーター方式
▽全列車ワンマン運転。全駅ホーム柵設置
▽全車両に車いす対応スペース、優先席を設置
▽リンク式操舵台車採用

▽東西線(荒井～八木山動物公園間)は、2015.12.06開業。
途中、仙台駅にて、地下鉄南北線、ＪＲ(東北新幹線・東北本線・仙山線・仙石線)と接続
▽八木山動物公園駅はレール標高136.4mの地下にある地下鉄駅

▽仙台市電保存館(富沢車両基地構内、公開は土休日を中心に開館)に、モハ１形１、モハ100形123、モハ400形413などを保存、展示

仙台空港鉄道　6両

←仙台（ＪＲ東日本）・名取　仙台空港→

SAT721系　6両［密連］　③

クモハSAT721	3
クハSAT720	3
計	6

Mc 721 - Tc 720

＋ V － ⓈCP ＋

Mc 721	Tc 720
-101	**-101**
-102	**-102**
-103	**-103**

▽2007.03.18開業
▽クモハSAT721形の連結面に荷物置場、
　クハSAT720形に車いす対応スペース（太字）と車いす対応トイレを設置
▽車両検修はＪＲ東日本仙台車両センターで実施

仙台臨海鉄道　仙台港機関区　5両

ＤＬ　5両［自連］

ＳＤ55形

（600ps×2）
ＳＤ55 103

ＤＥ65形

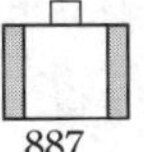

（1350ps×1）
ＤＥ65 1
ＤＥ65 2
ＤＥ65 3
ＤＥ65 5

▽ＳＤ55103は、ＤＤ55形のエンジンを換装して改番
▽秋田臨海鉄道から借入中であったＤＥ65 2は2017.03.17に譲受。1250PS
　19.11.20=ナンバープレートのブロックプレート化
▽ＤＥ65 1は、元ＪＲ東日本ＤＥ151538（20.10.04譲受、21.10.01運用開始［全検施工］）
▽ＤＥ65 3は、元ＪＲ東日本ＤＥ101536（19.07.05譲受、20.06.01運用開始［全検施工］）
▽ＤＥ65 5は、元秋田臨海鉄道ＤＥ101250（21.03.01譲受、21.03.31運用開始）
　このＤＥ65 5のみ、向きが逆（エンド異なる）
　また、この機関車のみナンバープレート形状を変更（23.10.01 ～運用開始）
▽ＤＥ65 1・3・5　のエンジンは1350PS

▽路線は、陸前山王〔東北本線〕～仙台港～仙台北港間 5.4km、仙台港～仙台埠頭間 1.6km、仙台港～仙台西港間 2.5km

山形鉄道　荒砥運転所　6両

←赤湯　荒砥→

YR-880形　4両［小型密着］　②

882（花むすび［自社］）
883（ベニ花　白鷹町）
884（サクラ　南陽市）
886（アヤメ　長井市）

YR-880-2形　2両［小型密着］　②

887
888（ダリア　川西町）

▽1988.10.25 ＪＲ東日本長井線を引継ぎ開業
▽車両ごとの愛称は、県花や沿線の都市を
　代表する花にちなんだもの
▽YR-880-2形はオールロングシートでトイレなし
▽YR-882 2013.08.31=エンジンを13ＨＺに換装
▽YR-882 17.01.10=ロングシート化
▽2023.04.22　開業100周年

福島交通　桜水車庫　14両

←福島　飯坂温泉→

1000系　14両（ステンレス車体）［小型密着］③

1000系	
1100	6
1200	6
1300	2
計	14

Mc 1100 - Tc 1200

V － ⓈCP

Mc 1100	Tc 1200	
1107	**1208**	
1103	**1204**	
1101	**1201**	←19.01.09
1105	**1206**	←19.01.09

Mc 1100 - M 1300 - Tc 1200

V － V － ⓈCP

Mc 1100	M 1300	Tc 1200
1109	**1313**	**1210**
1111	**1314**	**1212**

▽1000系は17.04.01から営業運転を開始
▽1200・1300に車いす対応スペース（太字）設置
▽３両編成は平日朝夕ラッシュ時のみ運転

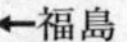

阿武隈急行　車両基地(梁川駅構内)　20両

←福島　槻木・仙台(ＪＲ東日本)→

8100系　6両[密連]　②

Mc 8100	Tc 8100
FM -	CP
8111	8112
8115	8116
8117	8118

ＡＢ900系　14両(ステンレス車体)[密連]　③

Tc AB900	Mc AB901	
SCP	V	
AB900-1	AB901-1	19.03.15総合
AB900-2	AB901-2	20.03.26総合
AB900-3	AB901-3	22.03.15総合
AB900-4	AB901-4	23.03.15総合
AB900-5	AB901-5	23.03.15総合
AB900-6	AB901-6	24.03.15総合
AB900-7	AB901-7	24.03.15総合

8100系	
ＡＭ8100	3
ＡＴ8100	3
ＡＢ900系	
ＡＢ900	7
ＡＢ901	7
計	20

▽2019.07.01営業運転開始
▽AB900に車いす対応大型トイレ
▽AB900-2 編成=22.07.24(ポケモンラッピング電車「阿武急ラブラス＆ラッキートレイン」)

▽1986.07.01 国鉄丸森線を引継ぎ開業
▽丸森～福島間は1988.07.01開業
▽8100系の全ドアは半自動式。AT8100形にトイレ
▽全車、ＡＴＳ-Ｐsを搭載
▽全車両、行先表示器ＬＥＤ化、標識灯カバーを変更

福島臨海鉄道　鉄道事業所　4両

ＤＬ　4両[自連]

ＤＤ56形	ＤＤ55形	ＤＢ25形
(600ps×2)	(600ps×2)	(200ps×1)
ＤＤ56 1	ＤＤ5531	ＤＢ25 3
ＤＤ56 2		

▽ＤＤ56形、ＤＤ55形が本線用、
　ＤＢ25形は入換用
　ＤＤ55 31=2012.09.25機関換装(600ps×2)
▽ＤＢ25形は東邦亜鉛㈱が所有
▽ＤＤ55･ＤＤ56形の塗色は赤をベースにクリーム色の帯

▽2015.01.13 東日本大震災の復興事業に伴い、
　小名浜駅を西側に約600m移転、営業開始。
　この移転工事完成に伴い、営業キロ数を変更

▽路線は、泉〔常磐線〕～小名浜間 4.8km

野岩鉄道　技術区　4両

←(東武鉄道)・新藤原　会津高原尾瀬口→

6050系　4両[密連]　②

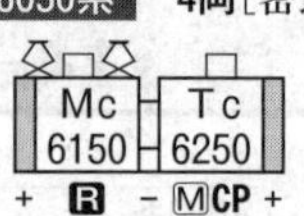

Mc 6150	Tc 6250	
+ R -	MCP +	2パン化
61102	62102	18年度
61103	62103	18.02.21 23.04.19 トイレ洋式化　23.10.05 61103=座席畳化、62103=自転車スペース、フリースペース設置

▽車両の管理は東武鉄道に委託
▽営業キロ数は、新藤原～会津高原尾瀬口間30.7km
▽クハ6250形にトイレ設備
▽2022.03.12改正にて、会津鉄道会津高原尾瀬口～会津田島間乗入れ終了

会津鉄道　田島車両基地(会津田島駅構内)　11両

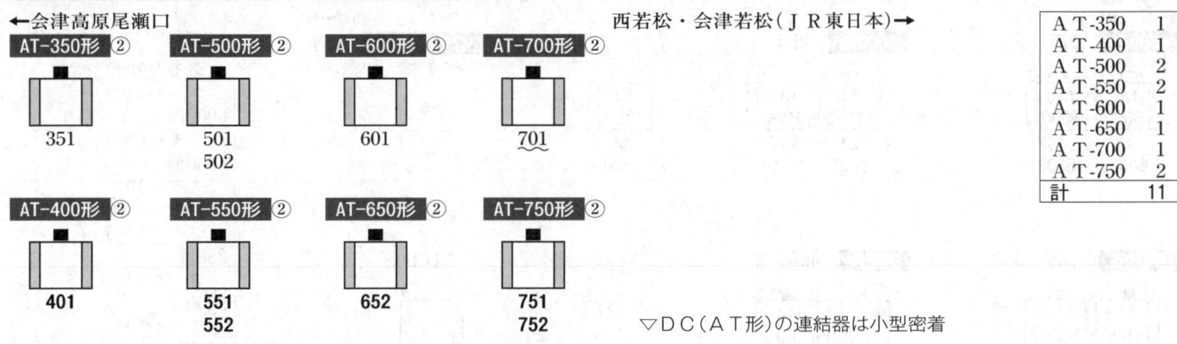

形式	両数
ＡＴ-350	1
ＡＴ-400	1
ＡＴ-500	2
ＡＴ-550	2
ＡＴ-600	1
ＡＴ-650	1
ＡＴ-700	1
ＡＴ-750	2
計	11

▽ＤＣ(ＡＴ形)の連結器は小型密着

▽1987.07.16　ＪＲ会津線を引継ぎ開業
▽太字の車両はトイレ付き(AT-400･550･650･750形は車いす対応)
▽6050系は、2022.03.12改正にて、野岩鉄道、東武鉄道への乗入れ終了。03.31にて廃車
▽AT-351はトロッコ車(AT-401とともに2021.07.10、会津木綿を基調としたデザインにラッピング変更)
▽AT-401は愛称「風覧望」、会津若松寄りがハイデッカーの展望室・半室お座敷車両で、AT-351と連結
▽旧形式：AT-400=ＪＲキハ40
▽AT-500･550形は全長18.5m、エンジン出力350ps、
▽AT-502は14.06.27、野口英世肖像画から「ゆるキャラ」に変更
AT-552は、14.04.05から「花咲くあいづ」をイメージ、沿線市町村の「ゆるキャラ」を配置
AT-501=12.03.25(自転車を固定する器具を車内に設置[２箇所、合計６台]に伴い定員変更)
12.03.17(車体塗装を白を基調に緑のライン、窓枠部黒に変更)
AT551=22.07.16(ラッピングを「猫駅長」に変更)
▽AT-600･650形はエンジン出力420ps、転換式クロスシート、車いす対応スペース付き、「AIZUマウントエクスプレス号」に使用
▽AT-700･750形はエンジン出力420ps、回転式リクライニングシート、通路床面にカーペットを敷き、
外装は極上の会津キャンペーンである「深みのある赤色」を基調に、窓枠は黒、ワンポイントマーク「あかべぇ」の
マスコットを貼り付け、一目で「会津」をイメージするカラーリングとした。
前8500形の後継車両として「ＡＩＺＵマウントエクスプレス号」に使用
▽「ＡＩＺＵマウントエクスプレス号」は、2012.03.17から、東武日光まで乗入れ開始(2022.03.11乗入れ終了)。
磐越西線喜多方までは、引続き、土休日を中心に延長運転

わたらせ渓谷鐵道　大間々検修庫　15両

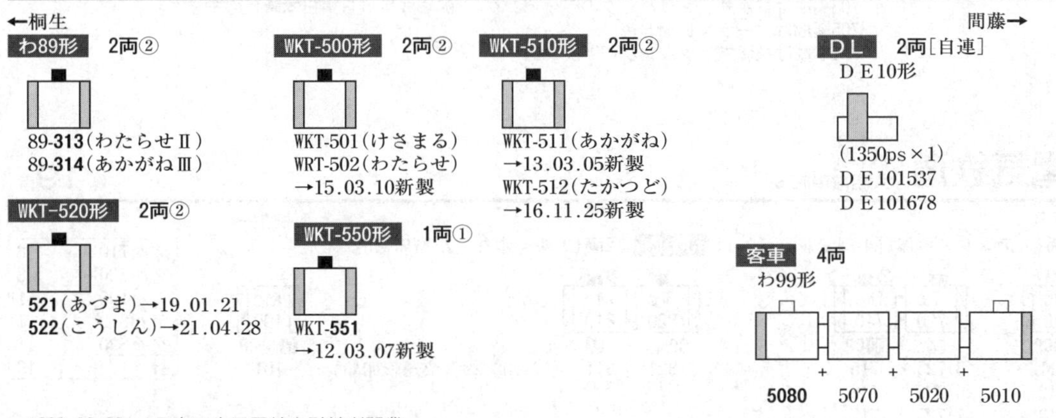

▽1989.03.29　ＪＲ東日本足尾線を引継ぎ開業
▽わ89形は、セミクロス。フランジ塗油器取付
▽太字はトイレ付き
▽ＷＫＴ-500形は、ロングシート、車いす対応スペースあり、フランジ塗油器付き
▽ＷＫＴ-510形は、セミクロスシート、車いす対応スペースあり、フランジ塗油器付き
ＷＫＴ-511のみ「トロッコわっし一号」カラー
▽ＷＫＴ-550形は、「トロッコわっし一号」。クロスシート、車いす対応スペースあり、フランジ塗油器付き
窓周りは赤と橙(オレンジ)の「トロッコわっし一号」カラー
▽WKT520形はクロスシート、車いす対応スペースあり、フランジ塗油器付き
▽わ99形は「トロッコわたらせ渓谷号」に使用。
5020(かわせみ)・5070(やませみ)は、京王電鉄5000系から改造のトロッコ客車(客用扉なし)。
5010・5080は元ＪＲスハフ12形で、5010の便所・洗面所は使用中止。
車体外部に5010=ＷＲ１、5080=ＷＲ２と標記されている。
▽「トロッコわたらせ渓谷号」「トロッコわっし一号」の運転日は、わたらせ渓谷鐵道のホームページなどを参照
▽ＤＣ(わ89・ＷＫＴ形)と客車の連結器は小型密着

上信電鉄 高崎車両区

29両

←下仁田　　　　高崎→

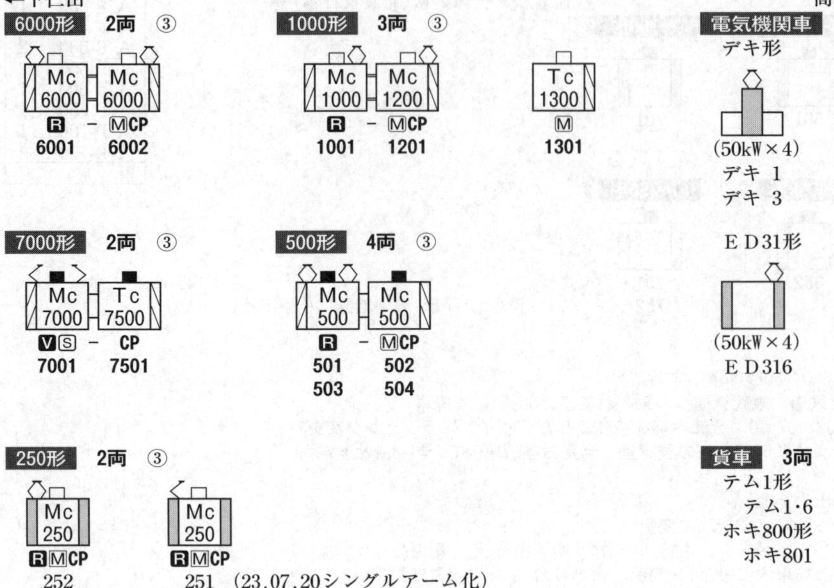

7000形	
クモハ7000	1
ク　ハ7500	1
6000形	
クモハ6000	2
1000形	
クモハ1000	1
クモハ1200	1
ク　ハ1300	1
250形	
デ　ハ250	2
500形	
クモハ500	4
700形	
クモハ700	5
ク　ハ750	5
計	23

貨車 3両
テム1形
テム1・6
ホキ800形
ホキ801

700形 10両 ③

CP	RM	登録月日
Ⓕ751	701	19.03.10
Ⓕ752	702	19.03.23
753	703	19.09.06
754	704	19.12.06
755	705	20.02.27

▽電車の連結器は小型密着。機関車と貨車は自連
▽クハ751・752にフランジ塗油器取付
▽500形=西武鉄道元101系
▽営業列車はすべて2両編成でワンマン運転
▽クハ1301はデハ250形と連結する
▽太字は全面広告車、6001-6002(群馬日野自動車)、503-504(マンナンライフ)、1001-1201(桃源堂)、7001-7501=高崎市のラッピング
▽500形は車いす対応スペースあり
▽7500形クハ7501=2013.03.29新製。7000形クモハ7001=2013.10.18新製
▽700形は19.03.10から運行開始。元JR東日本107系。702編成は下仁田町ラッピング
703編成は群馬サファリパークのラッピング、704編成はJR東日本時代のまま、
705編成はコーラルレッド色
701編成は桃源堂ラッピング(22.09.02)

上毛電気鉄道 大胡電車庫

19両

←中央前橋　　　　西桐生→

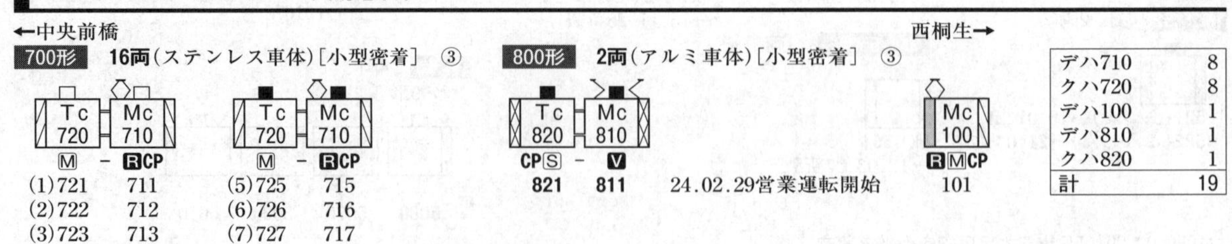

Tc 720	Mc 710
(1)721	711
(2)722	712
(3)723	713
(4)724	714
(8)728	718
(5)725	715
(6)726	716
(7)727	717

デハ710	8
クハ720	8
デハ100	1
デハ810	1
クハ820	1
計	19

▽デハ101の塗色は茶色(ブドウ色2号)、おもに貸切運行用に使用される[自連]、2扉
▽デハ710形・クハ720形はワンマン車、旧形式は京王電鉄3000系
▽先頭部(窓回り)の塗色は(1)=フィヨルドグリーン、(2)=ロイヤルブルー、(3)=フェニックスレッド、
(4)=サンライトイエロー、(5)=ジュエルピンク、(6)=パステルブルー、(7)=ミントグリーン、(8)=ゴールデンオレンジ
(4)=水族館電車(2013.04.28)
▽800形　旧形式は東京地下鉄日比谷線03系。各車に車いす対応スペースを設置
▽大胡電車庫にデキ3021(元東京急行電鉄)、テ241(元東武鉄道)を静態保存している

秩父鉄道 熊谷車両区

209両

←三峰口　　熊谷・羽生→

7000系 6両(ステンレス車体)④

M2c 7200	T 7100	M1c 7000
CP	S	F
7201	**7101**	7001
7202	**7102**	7002

6000系 9両[小型密着]②

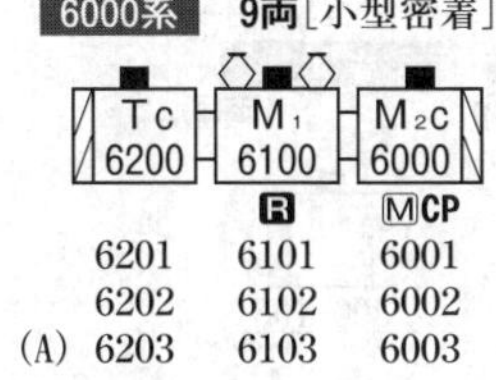

	Tc 6200	M1 6100	M2c 6000
		R	MCP
	6201	6101	6001
	6202	6102	6002
(A)	6203	6103	6003

客車 4両[小型密着]

12系②

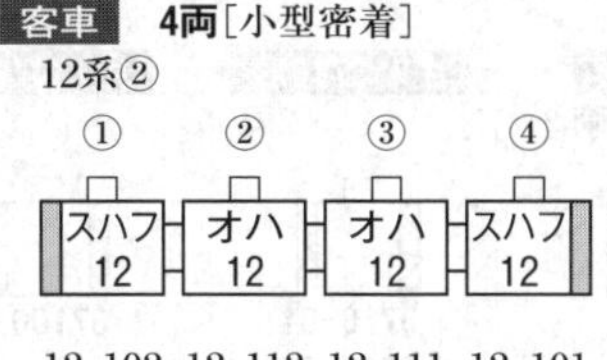

①	②	③	④
スハフ12	オハ12	オハ12	スハフ12
12-102	12-112	12-111	12-101

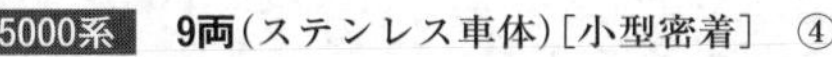

5000系 9両(ステンレス車体)[小型密着] ④

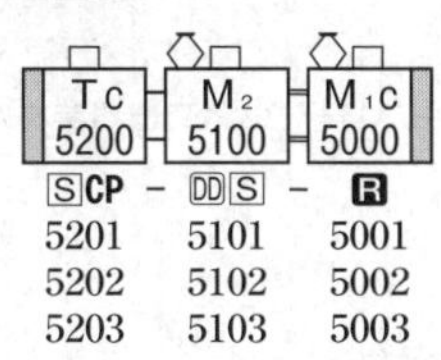

Tc 5200	M2 5100	M1c 5000
SCP	DDS	R
5201	5101	5001
5202	5102	5002
5203	5103	5003

▽スハフ12の便所・洗面所は撤去
▽塗色は茶色、内装はレトロ調
　12系は「パレオエクスプレス」に使用する

▽6000系は急行「秩父路号」、
▽(A)は、ベージュとマルーンの
　秩父鉄道オリジナル色

▽7000系・7500系の連結器も小型密着

▽パレオエクスプレスは三峰口行きの4号車、
　熊谷行きの1号車が指定席
　(座席指定券、自由席は整理券が必要)

7500系 21両(ステンレス車体) ④

Mc 7500	M 7600	Tc 7700
S	F	CP
<u>7501</u>	**7601**	7701
7502	**7602**	7702
7503	**7603**	7703
<u>7504</u>	**7604**	7704
7505	**7605**	7705
<u>7506</u>	**7606**	7706
7507	**7607**	7707

7800系 8両(ステンレス車体)[小型密着] ④

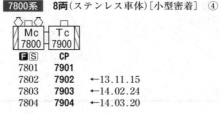

Mc 7800	Tc 7900	
FS	CP	
7801	**7901**	
7802	**7902**	←13.11.15
7803	**7903**	←14.02.24
7804	**7904**	←14.03.20

▽電車はすべてワンマンカー
▽旧形式対照：7800系·7500系·7000系=東京急行電鉄8090系·8500系、
　　　　　　6000系=西武鉄道101系、5000系=都営地下鉄6000系
▽太字は車いす対応スペース設置
▽7202·7002の前面は非貫通
▽下線を付した車両は、ⓈではなくⓂを搭載
▽7502-7602-7702=ジオパークのラッピング(2014.09.23)
▽7505-7605-7705=「秩父三社トレイン」のラッピング(2015.12.18)
▽7503-7603-7703=「ラグビーW杯トレイン」(19.02.28)
▽7507-7607-7707=「彩色兼備」(19.11.02)
▽7501-7601-7701=「超平和バスターズ」(21.03.31)

形式	両数
7800系	
デハ7800	4
クハ7900	4
	8
7500系	
デハ7500	7
デハ7600	7
クハ7700	7
	21
7000系	
デハ7000	2
サハ7100	2
デハ7200	2
	6
6000系	
デハ6000	3
デハ6100	3
クハ6200	3
	9
5000系	
デハ5000	3
デハ5100	3
クハ5200	3
	9
12系	
スハフ12	2
オハ12	2
	4
計	57

電気機関車 17両[自連]

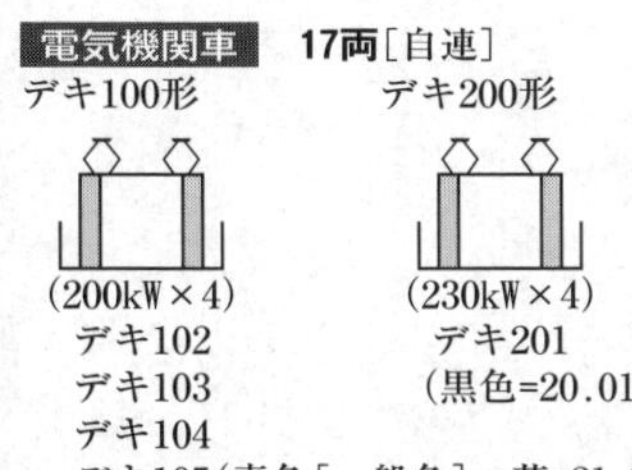

デキ100形 (200kW×4)
デキ102
デキ103
デキ104
デキ105(青色[一般色]→茶=21.10.11)
デキ107
デキ108

デキ200形 (230kW×4)
デキ201
(黒色=20.01.16)

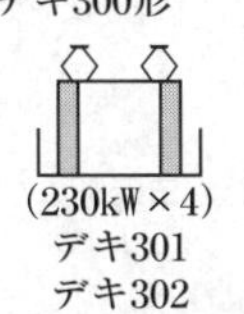

デキ300形 (230kW×4)
デキ301
デキ302
(標準色=23.07.21)
デキ303

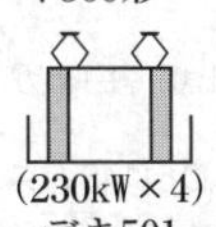

デキ500形 (230kW×4)
デキ501
デキ502(黄色→青色=23.01.18[オリジナル色])
デキ503
デキ504(ピンク)
デキ505(緑色→青色=22.12.14[オリジナル色])
デキ506(青色→赤色=20.03.30)
デキ507

▽デキ103は2014.07.03に青(一般色)に変更

蒸気機関車 1両 [自連]

C58形
C58363

貨車 134両[自連]

種別	形式	車号	両数
無がい貨車	トキ500形	トキ506・512	**2両**
救援車	スム4000形	スム4044・4046	**2両**
砂利散布車	ホキ1形	ホキ1・2	**2両**
私有貨車	128両		
砿石車	ヲキ100形	ヲキ113·114·116·120·122·123·125 ～ 133·135·137 ～ 145·147 ～ 152·154 ～ 162·165 ～ 172·174 ～ 182·184 ～ 243	**115両**
砿石緩急車	ヲキフ100形	ヲキフ115 ～ 117·121 ～ 124·126 ～ 130·132	**13両**

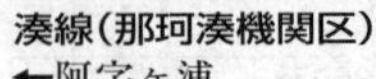

ひたちなか海浜鉄道　那珂湊機関区　8両

湊線(那珂湊機関区)

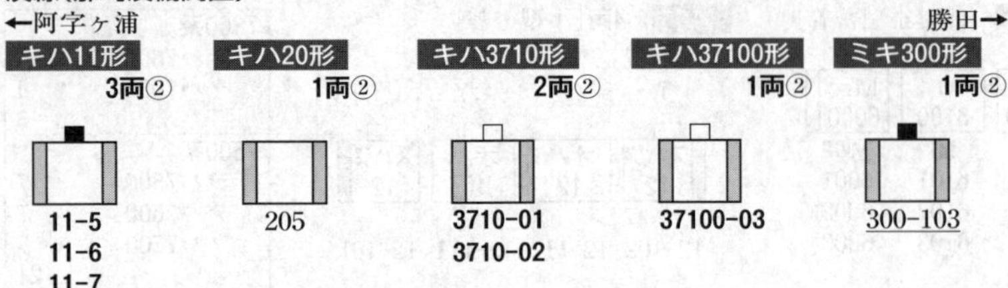

キハ	11	3
キハ	20	1
キハ	3710	2
キハ	37100	1
ミキ	300	1
計		8

▽全車ワンマンカー。連結器は小型密着
▽旧形式対照
　キハ11-5(ＪＲ東海キハ11123)、キハ11-6(東海交通事業キハ11203)、キハ11-7(東海交通事業キハ11204)
　キハ11形は2015.12.30から営業運転開始
　キハ20形=水島臨海鉄道キハ20形=ＪＲキハ20形
　ミキ300形=三木鉄道ミキ300形
▽キハ205は冷房車、朱4号・クリーム4号の塗分け
▽キハ3710·37100形は新塗色(上=クリーム、下=濃緑、境目に金帯、扉は黄色)
▽キハ37100形は車いす対応スペースなどバリアフリー関係の充実が図られている
▽ラッピング車　キハ37100-03=高木製作所(22.04～)
　　　　　　　　キハ3710-01=井上工務店
　　　　　　　　キハ3710-02=コマツ茨城工場10周年ラッピング
　　　　　　　　キハ11-5=磯崎自動車工業(23.04～)
　　　　　　　　キハ11-7=クリーニング専科
▼車いす対応スペース…太字の車両に設置

真岡鐵道　検修区(真岡駅構内)　14両

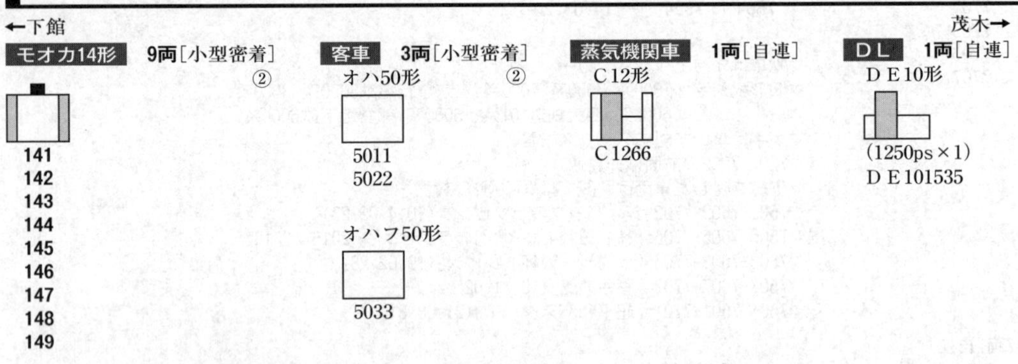

▽1988.04.11 ＪＲ東日本真岡線を引継ぎ開業
▽客車の塗色は茶色に赤帯(帯色は2010年6月29日の出場で白帯から変更)
▽モオカ14形は車いす対応スペース付き
▽ＳＬキューロク館(真岡駅)に、蒸気機関車49671、Ｄ51146、スハフ4425、ヨ8593、ワフ15形16、
　ト１形60、ワ１形12、キハ20247、ＤＥ101014、ヨ8016を展示

筑波観光鉄道　2両

←宮脇　鋼索　筑波山頂→

Ａ　わかば
Ｂ　もみじ

▽つくばエクスプレスつくば駅から筑波山シャトルバス約40分、筑池山神社入口から徒歩約15分
▽車体塗色は「わかば」が緑系、「もみじ」が赤系

関東鉄道 水海道車両基地・竜ヶ崎駅構内

56両

常総線(水海道車両基地)　53両(52＋1両)

←取手　　下館→

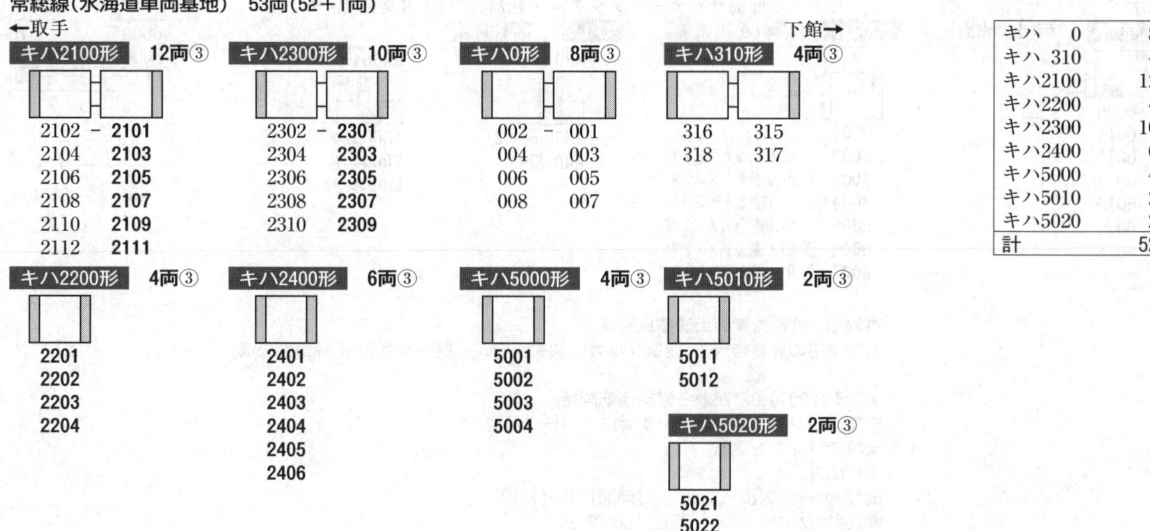

キハ2100形　12両③

2102 - **2101**
2104　**2103**
2106　**2105**
2108　**2107**
2110　**2109**
2112　**2111**

キハ2300形　10両③

2302 - **2301**
2304　**2303**
2306　**2305**
2308　**2307**
2310　**2309**

キハ0形　8両③

002 - 001
004　003
006　005
008　007

キハ310形　4両③

316　315
318　317

キハ2200形　4両③

2201
2202
2203
2204

キハ2400形　6両③

2401
2402
2403
2404
2405
2406

キハ5000形　4両③

5001
5002
5003
5004

キハ5010形　2両③

5011
5012

キハ5020形　2両③

5021
5022

キハ　0	8
キハ 310	4
キハ2100	12
キハ2200	4
キハ2300	10
キハ2400	6
キハ5000	4
キハ5010	2
キハ5020	2
計	52

DL　1両

DD502形

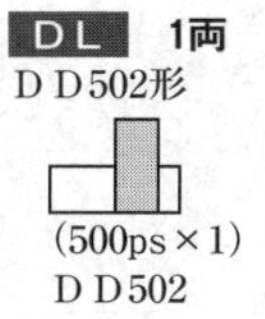

(500ps×1)
DD502

竜ヶ崎線(竜ヶ崎駅構内)　3両

←竜ヶ崎　　佐貫→

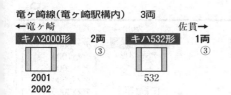

キハ2000形　2両 ③

2001
2002

キハ532形　1両 ③

532

キハ2000	2
キハ532	1
計	3

▽旅客車は全車冷房車。連結器は小型密着
▽貫通幌は全車両の下館方(竜ヶ崎線車両は佐貫方)に取付
▽太字の車両は車いす対応スペース付き
▽全車ワンマンカー
▽キハ2300･2400･5000･5010･5020形は電気指令式ブレーキ
▽車両更新、機関換装他(新潟製→コマツ製)　2106=24.02.19(2023年度)
▽常総線：復刻塗装(赤・クリーム)　2401=21.04.16　2402=21.07.24
▽広告車　2201＋2202=クリーニング専科[15.11.01]
2002=龍ケ崎市「まいりゅう」ラッピング(3代目)[23.01.28]
2203=ふらっと294(取手市、つくばみらい市、常総市)[2020.02.27]
2204=個別指導の明光義塾[22.02.25]
2403=ろうきんラッピング(青)[22.08.05]
2404=ろうきんラッピング(ピンク)[23.03.24]
2405=茨城放送(Lucky FM)[21.04.30]
5003=茨城県シルバー人材センター[21.07.27]
5004=鉄道むすめ(関東鉄道、首都圏新都市鉄道)[20.03.07]

鹿島臨海鉄道 神栖駅

17両

←水戸　　鹿島サッカースタジアム・鹿島神宮（ＪＲ鹿島線）→

6000形 7両［小型密着］②

6006
6011
6013
6014
6015
6016
6018

8000形 7両［小型密着］③

8001
8002 17.01.07新潟トランシス
8003 17.01.07新潟トランシス
8004 18.03.17新潟トランシス
8005 19.03.16新潟トランシス
8006 20.03.14新潟トランシス
8007 21.03.13新潟トランシス

ＤＬ 3両［自連］

KRD形
（550ps×2）
KRD 5

KRD64形
（560ps×2）
KRD64-1
KRD64-2

6000形	7
8000形	7
計	14

▽路線は、旅客営業の大洗鹿島線ほか、
　貨物専用の鹿島臨港線（鹿島サッカースタジアム～奥野谷浜間19.2㎞）がある

▽8000形は2016.03.26から営業運転開始。
　座席はロングシート、車いす対応スペース設置
▽全線でワンマン運転
▽車体広告
　6018=ガールズ＆パンツァー【両面】（23.11.19）
　6015=アクアワールド［両面］（17.12.29）
　8002=ＪＸ金属 ラッピング（22.07.10）
　8003=ＪＸ金属 ラッピング（22.07.10）
　8006=クリーニング専科［両面］（23.04.19）
　8007=鹿島アントラーズサポーターカー（室内）（24.02.29）

銚子電気鉄道 仲ノ町車庫

9両

←銚子　　外川→

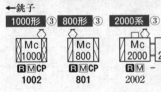

1000形 ③
Mc 1000
ⓇⓂCP
1002

800形 ③
Mc 800
ⓇⓂCP
801

2000系 ③
Mc 2000 − Tc 2500
ⓇⓂ − ⓈCP
2002 2502

3000系 ③
Mc 3000 − Tc 3500
Ⓡ − ⓈCP
3001 3501

22000形 2両 ②
Tc 22000 − Mc 22000
ⓂCP − Ⓡ
22007 22008 24.03.09

電気機関車
デキ 3形
（30kW×2）
デキ 3

デハ800	1
デハ1000	1
デハ2000	1
クハ2500	1
デハ3000	1
クハ3500	1
デハ22000	1
クハ22000	1
計	8

▽デハ1000形の旧形式は営団地下鉄2000形
▽太字はワンマンカー
▽3000系（伊予鉄道700系［713＋763］←京王電鉄5000系）は2016.03.26から営業運転開始
▽2000系（伊予鉄道800系←京王電鉄2010系）は2010.07.24から営業運転開始。
　これにともなって、デハ700･800形は2010.09.23限りにて営業運転から離脱。デハ700形は2012年度廃車
▽車体色
　2002-2502=銚電オリジナル色（ローズピンク＋ベージュ）［2015.04.03］
　デキ3=黒色［2013.02.09］
▽1002は2015.01.10ラストラン
▽22000形　旧形式は南海2200系。2024.03.29から営業運転開始
▽連結器　800形は自連、2000系、22000系は小型密着、3000系は小型密着、1000系はアダプター付き、機関車は自連

いすみ鉄道 大多喜運輸区 6両

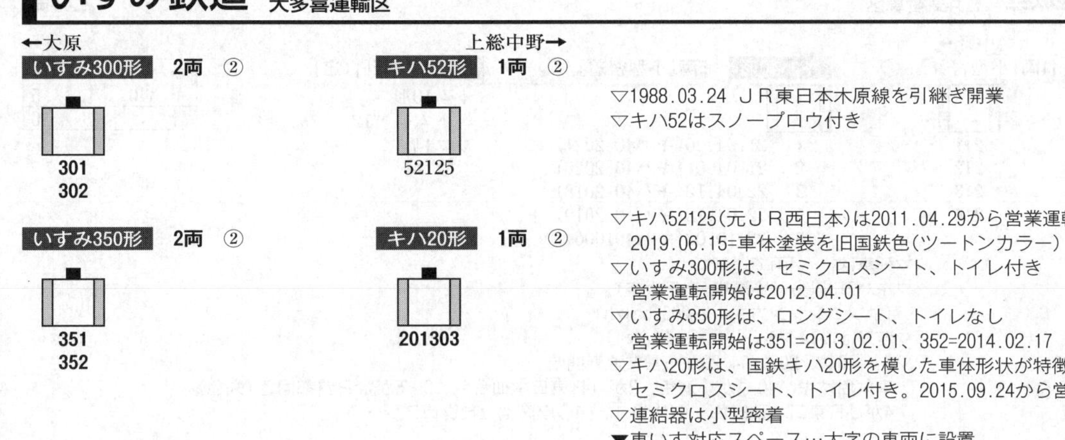

▽1988.03.24 ＪＲ東日本木原線を引継ぎ開業
▽キハ52はスノープロウ付き

▽キハ52125(元ＪＲ西日本)は2011.04.29から営業運転開始
2019.06.15=車体塗装を旧国鉄色(ツートンカラー)
▽いすみ300形は、セミクロスシート、トイレ付き
営業運転開始は2012.04.01
▽いすみ350形は、ロングシート、トイレなし
営業運転開始は351=2013.02.01、352=2014.02.17
▽キハ20形は、国鉄キハ20形を模した車体形状が特徴。
セミクロスシート、トイレ付き。2015.09.24から営業運転を開始
▽連結器は小型密着
▼車いす対応スペース…太字の車両に設置

千葉都市モノレール 殿台車両基地(動物公園駅より分岐) 34両

←千葉みなと　　県庁前・千城台→

1000形 16両(アルミ車体)[密連] ②

	♿Mc1	Mc2♿	
	1000	1000	
	+ Ⓡ	ⓈCP +	
13	**1025**	**1026**	拓匠開発
14	**1027**	**1028**	ヤマザキパン
15	**1029**	**1030**	フィニッシャーリース
16	**1031**	**1032**	博全社(24.02.25～休車)
17	**1033**	**1034**	大幹
18	**1035**	**1036**	安西製作所
19	**1037**	**1038**	センチュリー21大宝地建
20	**1039**	**1040**	井澤興業

0形 18両(アルミ車体)[密連] ②

	♿Mc1	Mc2♿	新製月日	
	0	0		
	ⓋCP	ⓋⓈ		
21	**001**	**002**	12.02.27	千葉県酪農農業協同組合連合会
22	**003**	**004**	12.04.23	キートスチャイルドケア
23	**005**	**006**	12.09.28	なごみの米屋
24	**007**	**008**	13.11.30	富士住建
25	**009**	**010**	19.12.20	アルティーリ千葉
26	**011**	**012**	20.02.15	
27	**013**	**014**	20.07.18	広島建設セナリオハウス
28	**015**	**016**	20.10.09	ドッドライン
29	**017**	**018**	24.02.23	博全社

▽サフェージュ式・直流1500Ｖ
▽ⓋⓇⓈCPは屋根上に取付け
▽1000形は塗装車、1025以降は電気連結器を取付
▽全車に車いす対応スペース設置
▽ 0形には、「URBAN FLYER(アーバンフライヤー)」の愛称。塗装車。電気連結器なし
▽運転系統　1号線=千葉みなと～県庁前。2号線=千葉みなと～千城台
▽終日2両編成で運転

小湊鐵道　五井気動車区　**24両**

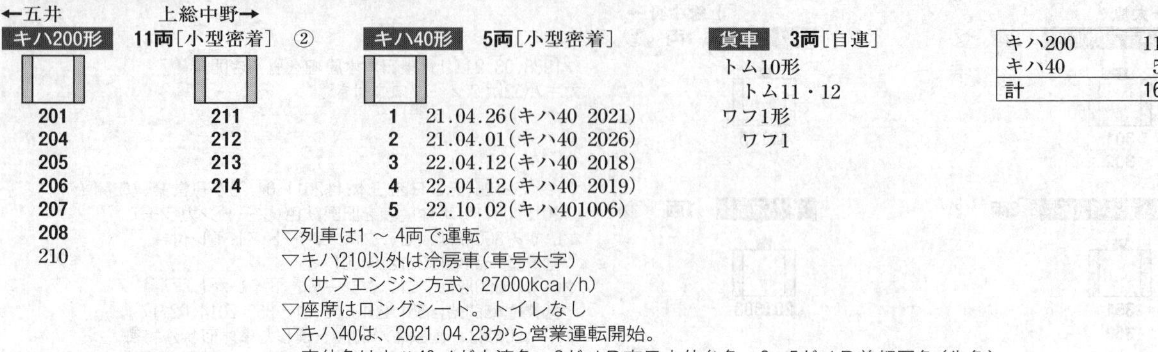

←五井　　上総中野→

キハ200形　**11両**［小型密着］ ②

201
204
205
206
207
208
210

211
212
213
214

キハ40形　**5両**［小型密着］

1　21.04.26（キハ40 2021）
2　21.04.01（キハ40 2026）
3　22.04.12（キハ40 2018）
4　22.04.12（キハ40 2019）
5　22.10.02（キハ401006）

貨車　**3両**［自連］

トム10形
　トム11・12
ワフ1形
　ワフ1

キハ200	11
キハ40	5
計	16

▽列車は1～4両で運転
▽キハ210以外は冷房車（車号太字）
　（サブエンジン方式、27000kcal/h）
▽座席はロングシート。トイレなし
▽キハ40は、2021.04.23から営業運転開始。
　車体色はキハ40 1が小湊色、2がＪＲ東日本仙台色、3・5がＪＲ首都圏色（朱色）、
　4がＪＲ東日本秋田色。キハ40 1～4の座席はセミクロスシート

房総里山トロッコ　**5両**［自連］ ①

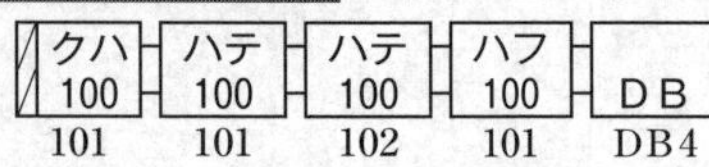

101　101　102　101　DB4

▽「房総里山トロッコ」として運転。2016.11.15から営業運転開始
　2019.05.01 「里山ノロッコ」から改称
▽ＤＢ４は、小湊鉄道開業時に導入した４号蒸気機関車（コッペル社製）を模した
　25ｔディーゼル機関車
▽クハ100形は制御客車。冷房付２軸車
▽ハテ100形はオープン構造の展望車。２軸車
▽ハフ100形は緩急車。冷房付２軸車　　製造はいずれも北陸重機製

京葉臨海鉄道　機関区（村田）　**7両**

ＤＬ　**7両**［自連］

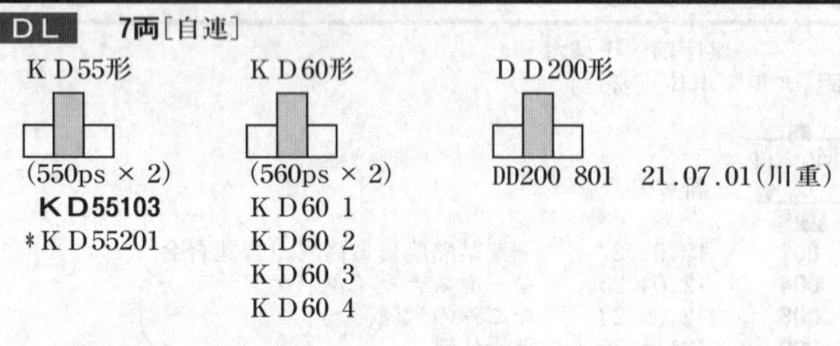

ＫＤ55形
（550ps × 2）
ＫＤ55103
*ＫＤ55201

ＫＤ60形
（560ps × 2）
ＫＤ60 1
ＫＤ60 2
ＫＤ60 3
ＫＤ60 4

ＤＤ200形
DD200 801　21.07.01（川重）

▽路線は、蘇我〔外房線・京葉線〕～市原分岐点～浜五井間 8.08㎞、市原分岐点～京葉市原間 1.06㎞
　浜五井～椎津間 8.09㎞、椎津～北袖分岐点～北袖間 2.02㎞、
　北袖分岐点～京葉久保田間 2.03㎞ の以上23.08㎞

▽*印　ＫＤ55201は600ps×2
　ＫＤ55201は無線操縦対応準備工事・冷房装置付き
▽ＫＤ55103は更新車で直噴エンジンに取替え（国鉄ＤＤ13形）

流鉄　流山検車区　**10両**

←馬橋　　流山→

5000系　**10両**［密連］③

クモハ5000	5
クモハ5100	5
計	10

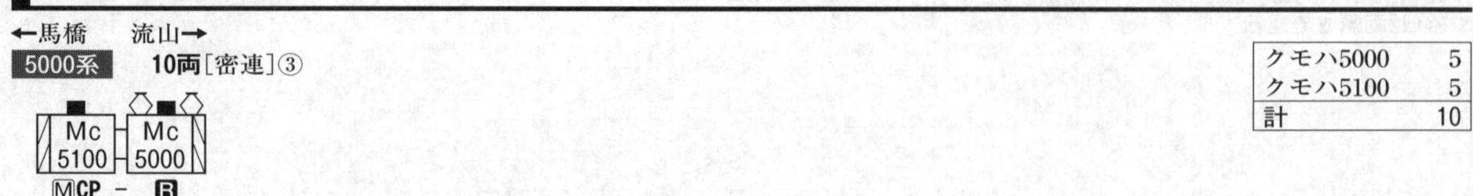

5101　5001　「さくら」（ピンクにＮを形取ったローズレッド帯）［2018.08］（元「流馬」）
5102　5002　「流星」（オレンジ色にＮを形取ったジェットブルー帯）（21.01.21）
5103　5003　「あかぎ」（赤色ベース）←12.03.14営業運転開始。12.02.06譲受（元西武278+277）
5104　5004　「若葉」（黄緑色ベース）←12.12.03営業運転開始。12.11.27譲受（元西武288+287）。22.12.01 Ｎを片取った濃緑色に
5105　5005　「なの花」（黄色にＮを形取った黄緑帯）←13.12.06営業運転開始。13.11.29譲受（元西武272＋271）

▽旧形式一覧
　5000形・5100形=元西武鉄道クモハ101形
▽全車ワンマンカー。車いす対応スペース（太字）設置

埼玉高速鉄道 浦和美園車両基地 60両

←浦和美園　赤羽岩淵（地下鉄南北線・東急目黒線）→

2000系 **60両**（アルミ車体）［自連］ ④

①	②♿	③	弱④	♿⑤	⑥
CT1 2100	M1-1 2200	Tc2 2500	M1-3 2600	M1-4 2700	CT2 2800
CP	VS		VS	V	CP
2101	2201	2501	2601	2701	2801
2102	2202	2502	2602	2702	2802
2103	2203	2503	2603	2703	2803
2104	2204	2504	2604	2704	2804
2105	2205	2505	2605	2705	2805
2106	2206	2506	2606	2706	2806
2107	2207	2507	2607	2707	2807
2108	2208	2508	2608	2708	2808
2109	2209	2509	2609	2709	2809
2110	2210	2510	2610	2710	2810

▽2001.03.28開業
▽地下鉄南北線、東急目黒線と相互乗入れ
▽ＡＴＯによるワンマン運転、
各駅のホームに可動柵を設置

▼優先席……全車両に設置
▼車いす対応スペース……♿印の車両に設置
▼弱冷房車……4号車

2000系	
2100	10
2200	10
2500	10
2600	10
2700	10
2800	10
計	60

埼玉新都市交通 丸山車庫 84両

←大宮・内宿　　大宮・内宿→

1050系 **12両**［密連］ ①

	Mc	M	M	M	M	Mc
	1151A	1250A	1350A	1450A	1550A	1651A
	SCP	CCP	SCP	CCP	CCP	SCP
52	1152	1252	1352	1452	1552	1652
53	1153	1253	1353	1453	1553	1653

2000系 **42両**（ステンレス車体）［密連］ ①

	♿ Mc	M	M	M	M	♿ Mc	
	2100	2200	2300	2400	2500	2600	
	SCP	V			V	SCP	
01	2101	2201	2301	2401	2501	2601	（ピンク）
02	2102	2202	2302	2402	2502	2602	（オレンジ）
03	2103	2203	2303	2403	2503	2603	（グリーン）
04	2104	2204	2304	2404	2504	2604	（黄色）
05	2105	2205	2305	2405	2505	2605	（青色）
06	2106	2206	2306	2406	2506	2606	（赤色）
07	2107	2207	2307	2407	2507	2607	（桜色）

▽（　）は車体の帯色を示す。
03 ～ 07編成の運転室背面窓は01・02編成と比べて若干拡大
♿は車いす対応スペース
▽07編成 は 2014.12.02 新製

2020系 **30両**（アルミ合金車体）［密連］ ①

	♿ Mc	M	M	M	M	♿ Mc
	2120	2220	2320	2420	2520	2620
	SCP	V			V	SCP
21	2121	2221	2321	2421	2521	2621
22	2122	2222	2322	2422	2522	2622
23	2123	2223	2323	2423	2523	2623
24	2124	2224	2324	2424	2524	2624
25	2125	2225	2325	2425	2525	2625

▽2020系は2016.11.04から営業運転を開始
21編成（15.10.29三菱重）=グリーンクリスタル（グリーン）、
22編成（16.01.18三菱重）=ブライトアンバー（オレンジ）
23編成（16.06.03三菱重）=ピュアルビー（ピンク）、
24編成（19.02.15三菱重）=ゴールデントパーズ（イエロー）
25編成（20.02.19三菱重）=トワイライトアメジスト（紫）

1151A	2
1250A	2
1350A	2
1450A	2
1550A	2
1651A	2
	12
2100	7
2200	7
2300	7
2400	7
2500	7
2600	7
	42
2120	5
2220	5
2320	5
2420	5
2520	5
2620	5
	30
計	84

▽新交通システム（三相交流600Ｖ・側方案内方式）
▽冷房装置設置
▽52 ～ 53編成の先頭車前面は曲面ガラスを使用
▽52編成は白地に黒の帯をアクセントとして加え、さらに青いライン（コスミックブルー）を加えた（2019.03.20）
▽53編成は白地に黒の帯をアクセントとして加え、さらに緑のライン（フレッシュグリーン）を加えた（2019.03.30）

▽大宮駅がループ式のため、車両の向きは一定しない

首都圏新都市鉄道 つくばエクスプレス総合基地(守谷付近) 249両

←つくば　　　　　　　　　　　　守谷・秋葉原→

TX-1000系 **84両**(アルミ車体)[自連] ④

女①	②♿弱③		④	♿⑤	⑥	
CT_1	M_1	T'	M_1'	M_2'	CT_2	
1100	1200	1300	1400	1500	1600	
CP	VS		VS	V	CP	
01 1101	**1201**	1301	1401	**1501**	1601	18.03.19=更新修繕
02 1102	**1202**	1302	1402	**1502**	1602	18.06.27=更新修繕
03 1103	**1203**	1303	1403	**1503**	1603	18.10.04=更新修繕
04 1104	**1204**	1304	1404	**1504**	1604	19.01.22=更新修繕
05 1105	**1205**	1305	1405	**1505**	1605	20.01.21=更新修繕
06 1106	**1206**	1306	1406	**1506**	1606	19.05.18=更新修繕
07 1107	**1207**	1307	1407	**1507**	1607	20.03.11=更新修繕
08 1108	**1208**	1308	1408	**1508**	1608	20.04.30=更新修繕
09 1109	**1209**	1309	1409	**1509**	1609	21.02.10=更新修繕
10 1110	**1210**	1310	1410	**1510**	1610	21.03.31=更新修繕
11 1111	**1211**	1311	1411	**1511**	1611	21.09.01=更新修繕
12 1112	**1212**	1312	1412	**1512**	1612	21.10.25=更新修繕
13 1113	**1213**	1313	1413	**1513**	1613	22.04.26=更新修繕
14 1114	**1214**	1314	1414	**1514**	1614	22.08.09=更新修繕

TX-2000系 **135両**(アルミ車体)[自連] ④

女①	②♿弱③		④	♿⑤	⑥		
CT_1	M_1	M_2	M_1'	M_2'	CT_2		
2100	2200	2300	2400	2500	2600		
CP	V	VS	V	VS	CP		
51 2151	**2251**	2351	2451	**2551**	2651	17.12.25=更新修繕	
52 2152	**2252**	2352	2452	**2552**	2652	19.03.12=更新修繕	
53 2153	**2253**	2353	2453	**2553**	2653	18.08.15=更新修繕	
54 2154	**2254**	2354	2454	**2554**	2654	18.11.22=更新修繕	
55 2155	**2255**	2355	2455	**2555**	2655	18.05.10=更新修繕	
56 2156	**2256**	2356	2456	**2556**	2656	19.11.26=更新修繕	
57 2157	**2257**	2357	2457	**2557**	2657	19.10.03=更新修繕	
58 2158	**2258**	2358	2458	**2558**	2658	20.09.04=更新修繕	
59 2159	**2259**	2359	2459	**2559**	2659	20.07.15=更新修繕	
60 2160	**2260**	2360	2460	**2560**	2660	20.12.16=更新修繕	
61 2161	**2261**	2361	2461	**2561**	2661	20.10.26=更新修繕	
62 2162	**2262**	2362	2462	**2562**	2662	22.01.14=更新修繕	
63 2163	**2263**	2363	2463	**2563**	2663	22.03.08=更新修繕	
64 2164	**2264**	2364	2464	**2564**	2664	21.05.26=更新修繕	
65 2165	**2265**	2365	2465	**2565**	2665	21.07.12=更新修繕	
66 2166	**2266**	2366	2466	**2566**	2666	22.06.17=更新修繕	
67 2167	**2267**	2367	2467	**2567**	2667	19.02.15=③④号車をロングシート	22.11.17=更新修繕(車内表示機LCD化を除く)
68 2168	**2268**	2368	2468	**2568**	2668	19.07.15=③④号車をロングシート	23.03.03=更新修繕(車内表示機LCD化を除く)
69 2169	**2269**	2369	2469	**2569**	2669	19.02.21=③④号車をロングシート	22.09.27=更新修繕(車内表示機LCD化を除く)
70 2170	**2270**	2370	2470	**2570**	2670	19.09.22=③④号車をロングシート	23.01.13=更新修繕(車内表示機LCD化を除く)
71			2471	**2571**	2671		
72 2172	**2272**	2372	2472	**2572**	2672	20.07.16=③④号車をロングシート	
73 2173	**2273**	2373	2473	**2573**	2673	20.09.10=③④号車をロングシート	

形式	両数
TX-1000系	
TX-1100	14
TX-1200	14
TX-1300	14
TX-1400	14
TX-1500	14
TX-1600	14
	84
TX-2000系	
TX-2100	22
TX-2200	22
TX-2300	22
TX-2400	23
TX-2500	23
TX-2600	23
	135
TX-3000系	
TX-3100	5
TX-3200	5
TX-3300	5
TX-3500	5
TX-3500	5
TX-3600	5
	30
計	249

▽2005.08.24開業
▽駅はホームドアを設置、ATO支援により全列車ワンマン運転
▽TX-1000系は秋葉原～守谷間の直流区間専用、
TX-2000系・TX-3000系は全区間を運転できる交直両用車
▽形式・車号ともTX-****となる
▽TX-2000系の③④号車はセミクロスシート。ただしロングシートに変更
▽路線の愛称は「つくばエクスプレス」
▽第67～73編成は窓下に赤帯が追加されている
▽各車両の室内灯をLED灯へ変更
▽更新修繕　1-車外表示機フルカラー化。2-前照灯LED化。3-座席中央部吊手棒増設。4-車内表示機LCDへ

▼優先席……全車両に設置
▼車いす対応スペース……太字の車両に設置
▼弱冷房車…編成図に**弱**を付した車両

▽**女** は女性専用車。平日の始発から 9:00までと
夕方、秋葉原を18:00以降に発車から終電まで

TX-3000系 **30両**(アルミ車体[アルミダブルスキン構体])[自連] ④

女①	②♿弱	③	④	♿⑤	⑥	
CT1 3100	M1 3200	M2 3300	M1′ 3400	M2′ 3500	CT2 3600	
CP	V	VS	V	VS	CP	

81	**3181**	**3281**	**3381**	**3481**	**3581**	**3681**	20.02.26日立
82	**3182**	**3282**	**3382**	**3482**	**3582**	**3682**	20.02.26日立
83	**3183**	**3283**	**3383**	**3483**	**3583**	**3683**	20.03.13日立
84	**3184**	**3284**	**3384**	**3484**	**3584**	**3684**	20.03.10日立
85	**3185**	**3285**	**3385**	**3485**	**3585**	**3685**	20.07.08日立

▽座席はロングシート、SiC素子使用VVVFインバータ制御装置、全閉型主電動機、最高速度130㎞/h
▽各車両に車いす、ベビーカー対応フリースペース設置
▽2020.03.14から営業運転開始

山万 車両基地(女子大) 9両

←ユーカリが丘・女子大　中学校・ユーカリが丘→

1000形 **9両**(アルミ車体)[密連] ①

Mc 1100	T 1300	Mc 1200
1101	1301	1201
1102	1302	1202
1103	1303	1203

▽新交通システム(直流750V・中央案内方式)
▽制御装置(抵抗制御)は1300形に搭載

1100	3
1200	3
1300	3
計	9

舞浜リゾートライン 42両

リゾートライナー Type X **12両**[密連]②

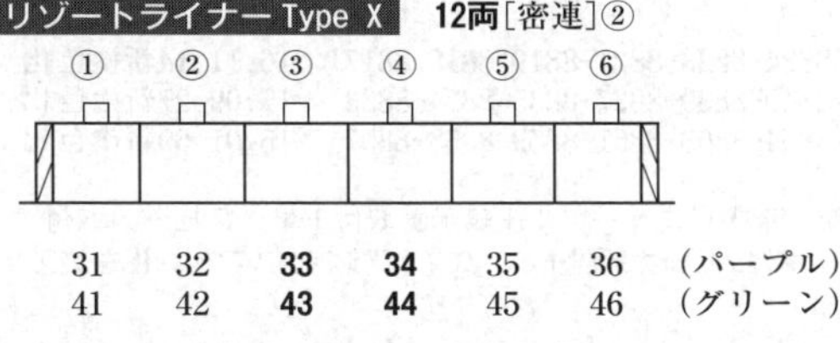

①	②	③	④	⑤	⑥	
31	32	**33**	**34**	35	36	(パープル)
41	42	**43**	**44**	45	46	(グリーン)

リゾートライナー Type C **30両**[密連]②

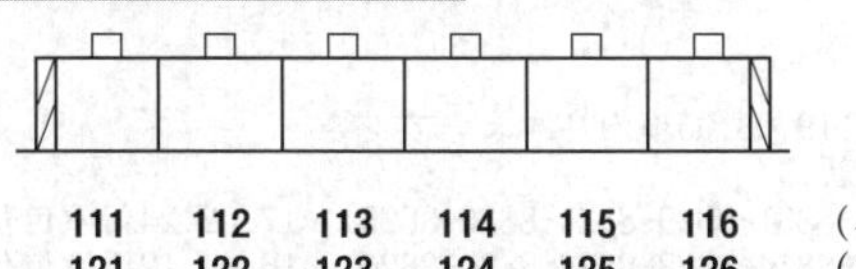

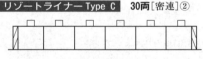

111	**112**	**113**	**114**	**115**	**116**	(イエロー)	2020.07
121	**122**	**123**	**124**	**125**	**126**	(ピンク)	2021.01
131	**132**	**133**	**134**	**135**	**136**	(ブルー)	2022.01.18
141	**142**	**143**	**144**	**145**	**146**	(パープル)	2022.11.18
151	**152**	**153**	**154**	**155**	**156**	(グリーン)	2024.01.01

▽2001.07.27開業
▽アルウェーグ式・直流1500V
▽①号車を先頭とする反時計回りの循環運転、
自動運転で最後部にコンダクターキャストが乗務する。
リゾートゲートウェイ・ステーション〔京葉線舞浜駅隣接〕→
東京ディズニーランド・ステーション→
ベイサイド・ステーション→
東京ディズニーシー・ステーション→【一周5.00㎞】
▽( )内は窓下の帯の色
▼車いす対応スペース…太字の車両に設置

▽リゾートライナー Type Cは2020.07.03から営業運転開始

新京成電鉄 くぬぎ山車両基地 156両

←松戸　　　　　　　　　　　　　　京成津田沼・千葉中央（京成千葉線）→

80000形		
	モハ80000	20
	サハ80000	10
		30
8900形		
	モハ8900	12
	クハ8900	6
		18
8800形		
	モハ8800	39
	クハ8800	26
	サハ8800	13
		78
N800形		
	N800（Mc）	10
	N800（M）	10
	N800（T）	10
		30
計		162

80000形 30両（ステンレス車体）［小型密着］ ③

Mc6	M5	弱T4	T3	M2	Mc1	
80000	80000	80000	80000	80000	80000	
CP	V	S	S	V	CP	
80016	**80015**	**80014**	**80013**	**80012**	**80011**	19.12.24日車
80026	**80025**	**80024**	**80023**	**80022**	**80021**	21.11.01日車
80036	**80035**	**80034**	**80033**	**80032**	**80031**	22.11.01日車
80046	**80045**	**80044**	**80043**	**80042**	**80041**	23.11.01日車
80056	**80055**	**80054**	**80053**	**80052**	**80051**	24.04.01日車

▽19.12.27から営業運転開始。京成千葉線には乗入れしない

8900形 18両（ステンレス車体）［小型密着］ ③

Tc	M2	弱M1	M2	M1	Tc	
8900	8900	8900	8900	8900	8900	
	V	S CP	V	S CP		
8918	8917	8916	8913	8912	**8911**	14.09.17=新塗色化＋VVVF更新＋６両化 18.10.23=集電装置更新＋車内表示器更新 21.03.04=SIV更新、22.08.24=CP更新
8928	8927	8926	8923	8922	**8921**	14.09.30=６両化、15.10.22=新塗装色化 19.02.15=VVVF更新 19.12.17=SIV・CP・集電装置更新
8938	8937	8936	8933	8932	**8931**	14.10.10=６両化、16.08.09=新塗装色化+VVVF更新 21.02.24=SIV・空気圧縮器・集電装置更新

8800形 78両［小型密着］ ③

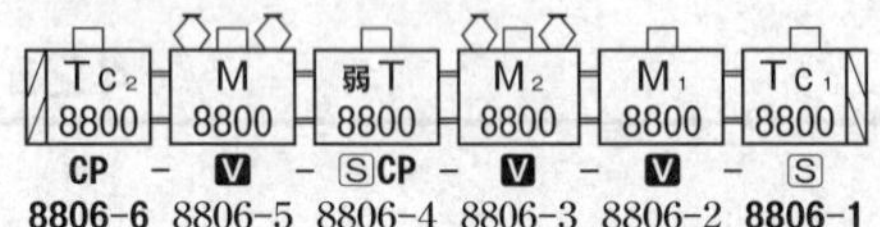

	Tc2	M	弱T	M2	M1	Tc1	
	8800	8800	8800	8800	8800	8800	
	CP	V	S CP	V	V	S	
	8806-6	8806-5	8806-4	8806-3	8806-2	**8806-1**	11.09.14改造（旧車号=8824-8823-8821-8819-8818-8817） 16.11.14新塗色化
	8809-6	8809-5	8809-4	8809-3	8809-2	**8809-1**	12.08.17改造（旧車号=8840-8839-8837-8835-8834-8833） 17.09.27新塗色化
K	**8811-6**	8811-5	8811-4	8811-3	8811-2	**8811-1**	12.11.29改造（旧車号=8864-8863-8861-8859-8858-8857） 15.01.09新塗色化

▽新塗色化に合わせて、8806F=側引戸更新　8807F=主制御器更新＋SIV･CP更新＋車内リニューアル＋表示器取付＋車外スピーカ取付
8809F･8813F=CP更新　8810F=主制御器更新＋SIV･CP更新＋車内リニューアル＋車外スピーカ新設＋パンタグラフシングルアーム化も施工

	Tc2	M	弱T	M2	M1	Tc1		
	8800	8800	8800	8800	8800	8800		
	CP	V	S CP	V	V	S		
K	**8802-6**	8802-5	8802-4	8802-3	8802-2	**8802-1**	15.04.24新塗色化＋CP更新 19.08.05車内リニューアル等	
K	**8803-6**	8803-5	8803-4	8803-3	8803-2	**8803-1**	16.02.29新塗色化＋機器更新	
K	**8807-6**	8807-5	8807-4	8807-3	8807-2	**8807-1**	11.11.02改造（旧車号=8832-8831-8829-8827-8826-8825）	17.02.24新塗色化
K	**8808-6**	8808-5	8808-4	8808-3	8808-2	**8808-1**	12.03.30改造（旧車号=8812-8814-8828-8822-8830-8820）	16.04.12新塗色化
K	**8810-6**	8810-5	8810-4	8810-3	8810-2	**8810-1**	12.10.03改造（旧車号=8856-8855-8853-8851-8850-8849）	18.02.26新塗色化
K	**8812-6**	8812-5	8812-4	8812-3	8812-2	**8812-1**	13.03.11改造（旧車号=8836-8838-8860-8854-8862-8852）	17.11.24新塗色化
K	**8813-6**	8813-5	8813-4	8813-3	8813-2	**8813-1**	13.07.13改造（旧車号=8880-8879-8877-8875-8874-8873）	16.06.21新塗色化
K	**8814-6**	8814-5	8814-4	8814-3	8814-2	**8814-1**	13.09.11改造（旧車号=8888-8887-8885-8883-8882-8881）	15.03.09車いす対応化 15.08.27新塗装化+CP更新
K	**8815-6**	8815-5	8815-4	8815-3	8815-2	**8815-1**	13.11.13改造（旧車号=8896-8895-8893-8891-8890-8889）	18.07.05新塗色化
K	**8816-6**	8816-5	8816-4	8816-3	8816-2	**8816-1**	14.02.22改造（旧車号=8876-8878-8892-8886-8894-8884）	14.08.29新塗色化

▽8803F=20.06.01 主制御器更新、車内リニューアル、集電装置更新、車外スピーカー新設
▽8812F=22.02.08 主制御器更新、車内リニューアル、集電装置更新、電動空気圧縮機更新、表示器更新、車外スピーカー新設
8813F=20.11.02 主制御器・ＳＩＶ更新、車内リニューアル、集電装置更新、京成乗入れ対応、車外スピーカー新設
▽8816F=18.09.25（VVVF更新＋車内リニューアル＋車内表示器更新）
▽8815F=22.12.05 車内リニューアル、集電装置更新、表示器更新、車外スピーカー新設
▽8807F=23.01.25 京成千葉線乗入れ対応、24.03.14 集電装置更新
8810F=23.02.09 京成千葉線乗入れ対応
8814F=23.10.02 主幹制御器更新、車内リニューアル、表示器更新、車外スピーカ新設、集電装置更新
8815F=22.12.05 京成千葉線乗入れ対応

N800形　**30両**(ステンレス車体)[小型密着]　③

Mc8 N800	M7 N800	弱T6 N800	T3 N800	M2 N800	Mc1 N800	
CP	V	S	S	V	CP	
K **N818**	N817	N816	N813	N812	**N811**	←17.07.31新塗色化
K **N828**	N827	N826	N823	N822	**N821**	←15.02.23新塗色化　23.04.03=軌条塗油装置新設、常用ブレーキ7段化
K **N838**	N837	N836	N833	N832	**N831**	←12.09.22日車　16.09.09=新塗色化　20.09.09=常用ブレーキ7段化　21.03.11=軌条塗油装置新設
K **N848**	N847	N846	N843	N842	**N841**	←15.12.22日車
K **N858**	N857	N856	N853	N852	**N851**	←18.08.22日車

▽N800形の基本仕様は京成電鉄3000形と同じ

▽2006.12.10からデータイムに京成千葉線への直通運転を開始(新京成車両の片乗入れ)
▽Kは京成千葉線(千葉中央)乗入れ対応編成

▼優先席……全車両に設置
▼車いす対応スペース……太字の車両に設置
▼弱冷房車……編成図に弱を付した車両

東葉高速鉄道　車両区(八千代緑が丘)　110両

東葉高速線(車両区)　110両
←東葉勝田台　　西船橋・中野(地下鉄東西線)→

2000系　**110両**(アルミ車体)[密連]　④

	① CT1 2100	②♿ M1′ 2200	③F M2 2300	弱④F T 2400	⑤F Mc1 2500	⑥F Tc 2600	⑦F T′ 2700	⑧F M1 2800	♿⑨ M2′ 2900	⑩ CT2 2000	
		V	S CP		V CP			V	S CP		
01	2101	2201	2301	2401	2501	2601	2701	2801	2901	2001	22.12.18=デジタル空間波無線対応、ATC改造、ATO化準備工事
02	2102	2202	2302	2402	2502	2602	2702	2802	2902	2002	23.01.24=デジタル空間波無線対応、ATC改造、ATO化準備工事
03	2103	2203	2303	2403	2503	2603	2703	2803	2903	2003	23.04.18=デジタル空間波無線対応、ATC改造、ATO化準備工事
04	2104	2204	2304	2404	2504	2604	2704	2804	2904	2004	23.07.17=デジタル空間波無線対応、ATC改造、ATO化準備工事
05	2105	2205	2305	2405	2505	2605	2705	2805	2905	2005	23.10.16=デジタル空間波無線対応、ATC改造、ATO化準備工事
06	2106	2206	2306	2406	2506	2606	2706	2806	2906	2006	24.01.22=デジタル空間波無線対応、ATC改造、ATO化準備工事
07	2107	2207	2307	2407	2507	2607	2707	2807	2907	2007	
08	2108	2208	2308	2408	2508	2608	2708	2808	2908	2008	
09	2109	2209	2309	2409	2509	2609	2709	2809	2909	2009	
10	2110	2210	2310	2410	2510	2610	2710	2810	2910	2010	
11	2111	2211	2311	2411	2511	2611	2711	2811	2911	2011	

▽地下鉄東西線と相互乗入れを実施

▼優先席……全車両に設置
▼車いす対応スペース……♿の車両に設置。フリースペース(F)を3～8号車に設置
▼弱冷房車……④号車〔弱〕

北総鉄道 車両基地(印西牧の原付近) 64両

←(京急線・都営地下鉄浅草線・京成線)京成高砂　　印旛日本医大→

7500形 **24両**(ステンレス車体)[小型密着]　③

①	②	弱③	④	⑤	⑥	⑦	⑧
M2c 7500	M1 7500	T 7500	M1′ 7500	M2 7500	T 7500	M1 7500	M2c 7500
CP	V	S	V		S	V	CP
7501-8	7501-7	7501-6	7501-5	7501-4	7501-3	7501-2	**7501-1**
7502-8	7502-7	7502-6	7502-5	7502-4	7502-3	7502-2	**7502-1**
7503-8	7503-7	7503-6	7503-5	7503-4	7503-3	7503-2	**7503-1**

7300形・7800形 **40両**(ステンレス車体)[小型密着]　③

①	②	弱③	④	⑤	⑥	⑦	⑧	
M2c 7300	M1 7300	T 7300	M1′ 7300	M2 7300	T 7300	M1 7300	M2c 7300	
CP	V	S	V	CP	S	V	CP	
7308	7307	7306	7305	7304	7303	7302	**7301**	15.12 パンタグラフシングルアーム化
7318	7317	7316	7315	7314	7313	7312	**7311**	16.01 パンタグラフシングルアーム化
7808	7807	7806	7805	7804	7803	7802	**7801**	京成からリース車両(3700形 3808～3801)
7828	7827	7826	7825	7824	7823	7822	**7821**	京成からリース車両(3700形 3778～3771=18.02.05)
7838	7837	7836	7835	7834	7833	7832	**7831**	京成からリース車両(3700形 3768～3761)=21.12.01

7500形		
7500	6	M2c
7500	6	M1
7500	3	M1′
7500	3	M2
7500	6	T
	24	
7300形・7800形		
7300-1	5	M2c
7300-4	5	M2
7300-5	5	M1′
7300-6	10	T
7300-7	10	M1
7300-8	5	M2c
	40	
計	64	

▼優先席……全車両に設置
▼車いす対応スペース……太字の車両に設置
▼弱冷房車…編成図に弱を付した車両

▽7311編成　車体改修(客室内の改修)[2016.03]
▽7301編成　車体改修(客室内の改修・側窓更新)[16.07.29]
▽客室灯・乗務員室灯ＬＥＤ化　7301・7311編成[17.02.18]
▽車内室内表示装置更新 7301編成=18.10.19　7302編成=18.11.09
▽7301・7308=20.05.29 車いす対応スペース設置
▽7821編成 20.09.09=パンタグラフシングルアーム化
▽7818編成(リース車両)は、2021.06.30、京成に返却(3748～3741)

千葉ニュータウン鉄道 車両基地(印西牧の原付近) 40両

←(京急線・都営地下鉄浅草線・京成線)京成高砂　　印旛日本医大→

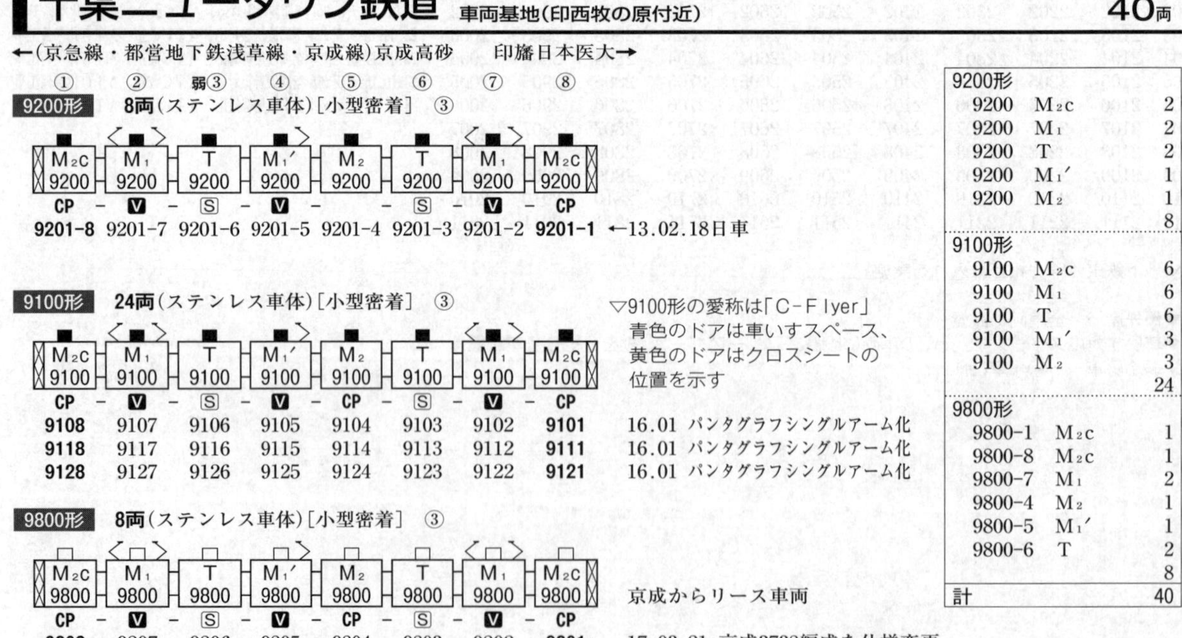

9200形 **8両**(ステンレス車体)[小型密着]　③

①	②	弱③	④	⑤	⑥	⑦	⑧	
M2c 9200	M1 9200	T 9200	M1′ 9200	M2 9200	T 9200	M1 9200	M2c 9200	
CP	V	S	V		S	V	CP	
9201-8	9201-7	9201-6	9201-5	9201-4	9201-3	9201-2	**9201-1**	←13.02.18日車

9100形 **24両**(ステンレス車体)[小型密着]　③

M2c 9100	M1 9100	T 9100	M1′ 9100	M2 9100	T 9100	M1 9100	M2c 9100	
CP	V	S	V	CP	S	V	CP	
9108	9107	9106	9105	9104	9103	9102	**9101**	16.01 パンタグラフシングルアーム化
9118	9117	9116	9115	9114	9113	9112	**9111**	16.01 パンタグラフシングルアーム化
9128	9127	9126	9125	9124	9123	9122	**9121**	16.01 パンタグラフシングルアーム化

▽9100形の愛称は「C-Flyer」
青色のドアは車いすスペース、
黄色のドアはクロスシートの
位置を示す

9800形 **8両**(ステンレス車体)[小型密着]　③

M2c 9800	M1 9800	T 9800	M1′ 9800	M2 9800	T 9800	M1 9800	M2c 9800	
CP	V	S	V	CP	S	V	CP	京成からリース車両
9808	9807	9806	9805	9804	9803	9802	**9801**	17.03.21=京成3738編成を仕様変更

9200形		
9200	M2c	2
9200	M1	2
9200	T	2
9200	M1′	1
9200	M2	1
		8
9100形		
9100	M2c	6
9100	M1	6
9100	T	6
9100	M1′	3
9100	M2	3
		24
9800形		
9800-1	M2c	1
9800-8	M2c	1
9800-7	M1	2
9800-4	M2	1
9800-5	M1′	1
9800-6	T	2
		8
計		40

▽千葉ニュータウン鉄道(小室～印旛日本医大間)は、施設および車両を保有するのみの第３種鉄道事業者で、
列車の運行管理、車両整備および駅の運営などは北総鉄道(第２種鉄道事業者)
▽客室灯・乗務員室灯ＬＥＤ化　9101F=17.12.23(18.11.16=新LCD)　9111F=17.12.27　9121F=18.01.06
▽9200形は2013.03.01から営業運転開始

▼優先席……全車両に設置
▼車いす対応スペース……太字の車両に設置
▼弱冷房車…編成図に弱を付した車両
▽京成線・都営地下鉄浅草線・京急線への乗入れは京急空港線羽田空港第1・第2ターミナルまで

宇都宮ライトレール　宇都宮ライトレール車両基地(平石停留所)　51両

HU300形17編成	51
計	51

宇都宮芳賀ライトレール線　17編成　51両

←宇都宮駅東口　芳賀・高根沢工業団地→

HU300形　17編成51両　④

A	C	B
01	02	03

	新製月日	
HU301	21.05.28	新潟トランシス
HU302	21.08.04	新潟トランシス
HU303	21.08.05	新潟トランシス
HU304	21.10.01	新潟トランシス
HU305	21.11.01	新潟トランシス
HU306	21.11.01	新潟トランシス
HU307	22.01.27	新潟トランシス
HU308	22.01.27	新潟トランシス
HU309	22.02.16	新潟トランシス
HU310	22.02.16	新潟トランシス
HU311	22.03.24	新潟トランシス
HU312	22.04.27	新潟トランシス
HU313	22.05.31	新潟トランシス
HU314	22.05.31	新潟トランシス
HU315	22.07.28	新潟トランシス
HU316	22.07.28	新潟トランシス
HU317	22.07.28	新潟トランシス

▽2023(R05).08.26開業

宇都宮駅東口～芳賀・高根沢工業団地間14.5km。愛称は「ライトライン」

事業方式：公設型上下分離方式(軌道整備事業者：宇都宮市、芳賀町)

京成電鉄　宗吾車両基地・高砂車庫・津田沼車庫・〔全〕宗吾工場　606両

本線・押上線・千葉線・千原線・金町線　606両

←(都営地下鉄浅草線・京急線)押上・京成上野　　成田空港・ちはら台・京成金町(北総線)→

ＡＥ形　**72両**(アルミ車体)[収納]　①

⑧	⑦	⑥	⑤WC	④	③	②	①	
M₁c AE	M₂s AE	T₁ AE	T₂ AE	M₁′ AE	M₂N AE	M₁ AE	M₂c AE	
V	S	CP		V	S	V	CP	
1-8	1-7	1-6	1-5	1-4	1-3	1-2	1-1	
2-8	2-7	2-6	2-5	2-4	2-3	2-2	2-1	
3-8	3-7	3-6	3-5	3-4	3-3	3-2	3-1	
4-8	4-7	4-6	4-5	4-4	4-3	4-2	4-1	
5-8	5-7	5-6	5-5	5-4	5-3	5-2	5-1	
6-8	6-7	6-6	6-5	6-4	6-3	6-2	6-1	
7-8	7-7	7-6	7-5	7-4	7-3	7-2	7-1	
8-8	8-7	8-6	8-5	8-4	8-3	8-2	8-1	
9-8	9-7	9-6	9-5	9-4	9-3	9-2	9-1	19.09.05日車

▽ＡＥ形の車内設備
　④号車=飲料水自販機、AED
　⑤号車=多機能トイレ、車いす対応座席
▽全車禁煙
▽ＡＥ形は2010.07.17から営業運転を開始、
成田スカイアクセス経由で日暮里～空港第2ビル間を
最速36分で結ぶ
「スカイライナー」「モーニングライナー」
「イブニングライナー」に使用

3700形　**92両**(ステンレス車体)[小型密着]　③

M₂c 3700	M₁ 3700	弱T 3700	M₁′ 3700	M₂ 3700	T 3700	M₁ 3700	M₂c 3700
CP	V	S	V	CP	S	V	CP
3708	3707	〔3706〕	3705	3704	3703	3702	3701
3718	3717	〔3716〕	3715	3714	3713	3712	3711
3728	3727	〔3726〕	3725	3724	3723	3722	3721
3758	3757	〔3756〕	3755	3754	3753	3752	**3751**
3788	3787	〔3786〕	3785	3784	3783	3782	**3781**
3798	3797	〔3796〕	3795	3794	3793	3792	**3791**
3818	3817	〔3816〕	3815	3814	3813	3812	**3811**
3848	3847	〔3846〕	3845	3844	3843	3842	**3841**
3858	3857	〔3856〕	3855	3854	3853	3852	**3851**
3868	3867	〔3866〕	3865	3864	3863	3862	**3861**

▽3768～3761、3778～3771、3808～3801は
北総鉄道に賃貸
3738～3731は千葉ニュータウン鉄道に賃貸

▽3788(旧3748)･3787(旧3747)=23.03.01改番

M₂c 3700	M₁ 3700	T 3700	T 3700	M₁ 3700	M₂c 3700
CP	V	S	S	V	CP
3828	3827	3826	3823	3822	**3821**
3838	3837	3836	3833	3832	**3831**

▼優先席……AE形以外の各車両に設置
▼弱冷房車…編成図に弱を付した車両
▼車いす対応スペース……太字の車両に設置

3100形　**56両**(ステンレス車体)[小型密着]　③

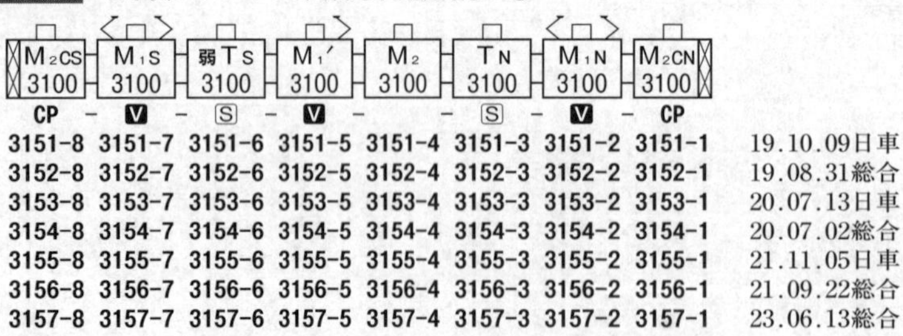

M₂cs 3100	M₁s 3100	弱Ts 3100	M₁′ 3100	M₂ 3100	TN 3100	M₁N 3100	M₂cN 3100	
CP	V	S	V		S	V	CP	
3151-8	**3151-7**	**3151-6**	**3151-5**	**3151-4**	**3151-3**	**3151-2**	**3151-1**	19.10.09日車
3152-8	**3152-7**	**3152-6**	**3152-5**	**3152-4**	**3152-3**	**3152-2**	**3152-1**	19.08.31総合
3153-8	**3153-7**	**3153-6**	**3153-5**	**3153-4**	**3153-3**	**3153-2**	**3153-1**	20.07.13日車
3154-8	**3154-7**	**3154-6**	**3154-5**	**3154-4**	**3154-3**	**3154-2**	**3154-1**	20.07.02総合
3155-8	**3155-7**	**3155-6**	**3155-5**	**3155-4**	**3155-3**	**3155-2**	**3155-1**	21.11.05日車
3156-8	**3156-7**	**3156-6**	**3156-5**	**3156-4**	**3156-3**	**3156-2**	**3156-1**	21.09.22総合
3157-8	**3157-7**	**3157-6**	**3157-5**	**3157-4**	**3157-3**	**3157-2**	**3157-1**	23.06.13総合

▽3100形は2019.10.26から営業運転開始。成田スカイアクセス線経由のアクセス特急に充当
▽SiC素子ＶＶＶＦインバータ制御装置搭載。各車両に車いす、ベビーカー対応フリースペースを設置

←(都営地下鉄浅草線·京急線)押上・京成上野　　成田空港・ちはら台・京成金町(北総線)→

3050形　**48両**(ステンレス車体)[小型密着]　③

M_2c 3050	M_1 3050	弱T 3050	M_1′ 3050	M_2 3050	T 3050	M_1 3050	M_2c 3050
CP	V	S	V		S	V	CP
3051-8	3051-7	3051-6	3051-5	3051-4	3051-3	3051-2	**3051-1**
3052-8	3052-7	3052-6	3052-5	3052-4	3052-3	3052-2	**3052-1**
3053-8	3053-7	3053-6	3053-5	3053-4	3053-3	3053-2	**3053-1**
3054-8	3054-7	3054-6	3054-5	3054-4	3054-3	3054-2	**3054-1**
3055-8	3055-7	3055-6	3055-5	3055-4	3055-3	3055-2	**3055-1**
3056-8	3056-7	3056-6	3056-5	3056-4	3056-3	3056-2	**3056-1**

3000形　**278両**(ステンレス車体)[小型密着]　③

M_2c 3000	M_1 3000	弱T 3000	M_1′ 3000	M_2 3000	T 3000	M_1 3000	M_2c 3000	
CP	V	S	V		S	V	CP	
3001-8	3001-7	3001-6	3001-5	3001-4	3001-3	3001-2	**3001-1**	
3026-8	3026-7	3026-6	3026-5	3026-4	3026-3	3026-2	**3026-1**	13.02.04日車
3027-8	3027-7	3027-6	3027-5	3027-4	3027-3	3027-2	**3027-1**	13.03.04総合
3028-8	3028-7	3028-6	3028-5	3028-4	3028-3	3028-2	**3028-1**	14.02.24日車
3029-8	3029-7	3029-6	3029-5	3029-4	3029-3	3029-2	**3029-1**	15.03.16総合
3030-8	3030-7	3030-6	3030-5	3030-4	3030-3	3030-2	**3030-1**	15.02.03日車
3033-8	3033-7	3033-6	3033-5	3033-4	3033-3	3033-2	**3033-1**	17.02.01総合
3035-8	3035-7	3035-6	3035-5	3035-4	3035-3	3035-2	**3035-1**	17.02.27日車
3036-8	3036-7	3036-6	3036-5	3036-4	3036-3	3036-2	**3036-1**	18.01.25日車
3037-8	3037-7	3037-6	3037-5	3037-4	3037-3	3037-2	**3037-1**	18.02.16日車
3038-8	3038-7	3038-6	3038-5	3038-4	3038-3	3038-2	**3038-1**	18.02.27日車
3041-8	3041-7	3041-6	3041-5	3041-4	3041-3	3041-2	**3041-1**	19.02.05日車
3042-8	3042-7	3042-6	3042-5	3042-4	3042-3	3042-2	**3042-1**	19.02.22日車

M_2c 3000	M_1 3000	T 3000	T 3000	M_1 3000	M_2c 3000	
CP	V	S	S	V	CP	
3002-8	3002-7	3002-6	3002-3	3002-2	**3002-1**	
3003-8	3003-7	3003-6	3003-3	3003-2	**3003-1**	
3004-8	3004-7	3004-6	3004-3	3004-2	**3004-1**	
3005-8	3005-7	3005-6	3005-3	3005-2	**3005-1**	
3006-8	3006-7	3006-6	3006-3	3006-2	**3006-1**	
3007-8	3007-7	3007-6	3007-3	3007-2	**3007-1**	
3008-8	3008-7	3008-6	3008-3	3008-2	**3008-1**	
3009-8	3009-7	3009-6	3009-3	3009-2	**3009-1**	
3010-8	3010-7	3010-6	3010-3	3010-2	**3010-1**	
3011-8	3011-7	3011-6	3011-3	3011-2	**3011-1**	
3012-8	3012-7	3012-6	3012-3	3012-2	**3012-1**	
3013-8	3013-7	3013-6	3013-3	3013-2	**3013-1**	
3014-8	3014-7	3014-6	3014-3	3014-2	**3014-1**	
3015-8	3015-7	3015-6	3015-3	3015-2	**3015-1**	
3016-8	3016-7	3016-6	3016-3	3016-2	**3016-1**	
3017-8	3017-7	3017-6	3017-3	3017-2	**3017-1**	
3018-8	3018-7	3018-6	3018-3	3018-2	**3018-1**	
3019-8	3019-7	3019-6	3019-3	3019-2	**3019-1**	
3020-8	3020-7	3020-6	3020-3	3020-2	**3020-1**	
3021-8	3021-7	3021-6	3021-3	3021-2	**3021-1**	
3022-8	3022-7	3022-6	3022-3	3022-2	**3022-1**	
3023-8	3023-7	3023-6	3023-3	3023-2	**3023-1**	
3024-8	3024-7	3024-6	3024-3	3024-2	**3024-1**	
3025-8	3025-7	3025-6	3025-3	3025-2	**3025-1**	
3031-8	3031-7	3031-6	3031-3	3031-2	**3031-1**	16.02.09日車
3032-8	3032-7	3032-6	3032-3	3032-2	**3032-1**	16.02.29総合
3034-8	3034-7	3034-6	3034-3	3034-2	**3034-1**	17.02.09日車
3039-8	3039-7	3039-6	3039-3	3039-2	**3039-1**	19.09.04日車
3040-8	3040-7	3040-6	3040-3	3040-2	**3040-1**	19.09.19日車

形式別両数表

形式	両数
ＡＥ形	
Mc	18
M	36
T	18
	72
3700形	
3700(Mc)	24
3700(M)	44
3700(T)	24
	92
3600形	
3600(Mc)	2
3600(M)	6
3600(T)	2
	10
3500形	
3500(Mc)	21
3500(M)	21
	42
3400形	
3400(Mc)	2
3400(M)	4
3400(T)	2
	8
3100形	
3100(Mc)	14
3100(M)	28
3100(T)	14
	56
3050形	
3000(Mc)	12
3000(M)	24
3000(T)	12
	48
3000形	
3000(Mc)	84
3000(M)	110
3000(T)	84
	278
合　計	606

▽京浜急行線乗入れは、
3000形·3050形·3100形·3400形·3700形の8両編成に限定

▼優先席……各車両に設置
▼弱冷房車…編成図に弱を付した車両
▼車いす対応スペース……太字の車両に設置

←(都営地下鉄浅草線)押上・京成上野　　　成田空港・ちはら台・京成金町(北総線)→

3400形　**8両**[小型密着]　③

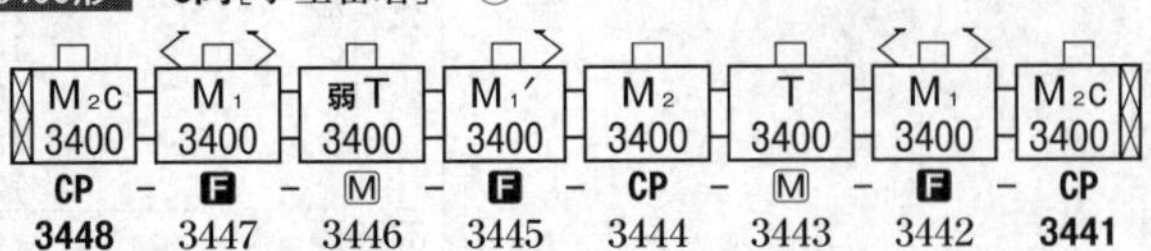

CP – F – M – F – CP – M – F – CP

3448　3447　3446　3445　3444　3443　3442　**3441**

▽3400形はAE車(初代)の主要機器を流用、車体(鋼製)は3700形に準じた形態

3500形　**42両**(ステンレス車体)[小型密着]　③

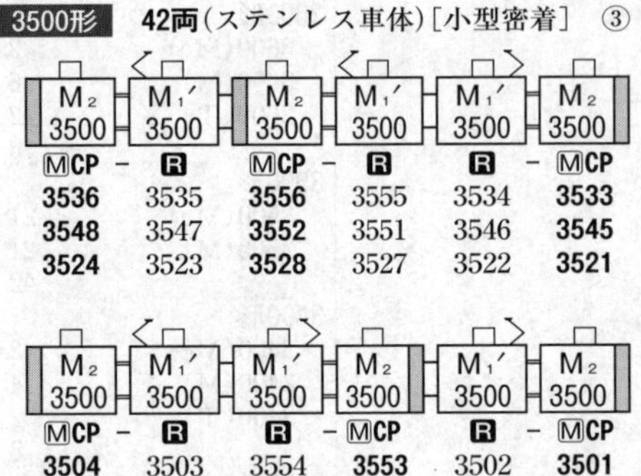

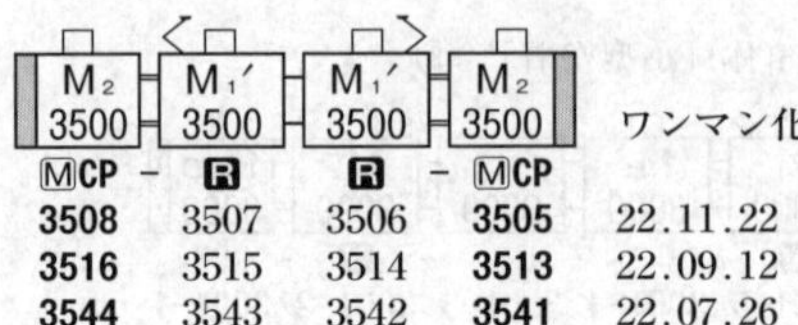

ワンマン化
22.11.22
22.09.12
22.07.26

3600形　**10両**(ステンレス車体)[小型密着]　③

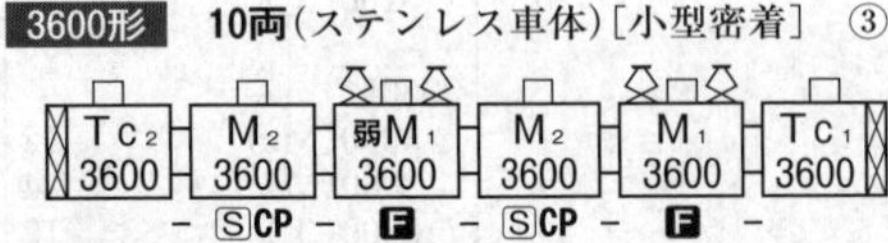

– SCP – F – SCP – F –

3688　3687　3686　3683　3682　3681

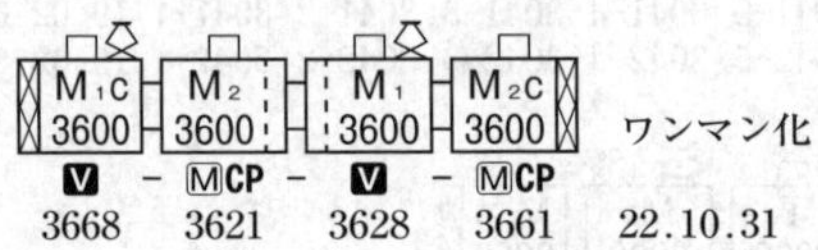

V – MCP – V – MCP

3668　3621　3628　3661

ワンマン化　22.10.31

▽2022.11.26　金町線、千原線、東成田線にてワンマン運転開始

▼優先席……各車両に設置
▼弱冷房車…編成図に弱を付した車両
▼車いす対応スペース……太字の車両に設置

▽3500形(更新車)のM₂車の連結面寄り台車はモーターなし
▽3500形では電鉄内の慣例として運転台を表す「c」は用いず、
　中間車を「′」付で区別している
▽北総鉄道、千葉ニュータウン鉄道に賃貸、芝山鉄道に貸出中の車両は、京成電鉄の両数に含まない

▽宗吾車両基地にて、200形モハ204、3000形モハ3004、初代ＡＥ形ＡＥ-61、ＡＥ100形ＡＥ161を保存

芝山鉄道　4両

←東成田　　　芝山千代田→

3500形　**4両**(ステンレス車体)[小型密着]　③

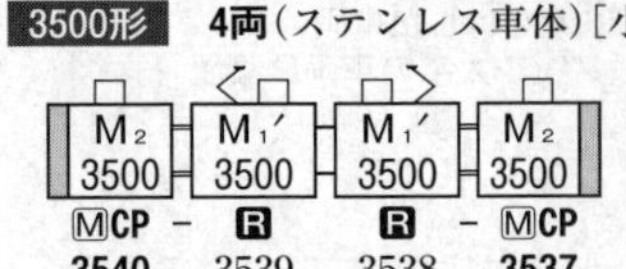

▽22.04.14　緑帯に変更
▼優先席……各車両に設置
▼車いす対応スペース……太字の車両に設置
▼弱冷房車…編成図に弱を付した車両

▽車両は京成電鉄からの借入れで、京成電鉄車と共通運用
▽運転区間は自社線区間を表記
▽2022.11.26　ワンマン運転開始

京浜急行電鉄　新町検車区・金沢検車区・久里浜検車区・〔全〕京急ファインテック久里浜事業所　796両

本線・空港線・大師線・逗子線・久里浜線(新町検車区〔新〕・金沢検車区〔金〕・久里浜検車区〔久〕)　796両

←三崎口・浦賀・逗子・葉山・羽田空港第1・第2ターミナル　　小島新田・品川・泉岳寺(都営地下鉄浅草線・京成線)→

2100形　**80両**(アルミ車体)[密連]　②

	①	②	弱③	④	⑤	⑥	弱⑦	⑧	
	Muc 2100	T 2100	Tp 2100	Mu 2100	Ms 2100	T 2100	Tp 2100	Msc 2100	
	+ V CP −		− S	− V	− V	−	− S	− V CP +	
金	**2101**	2102	2103	2104	2105	2106	2107	**2108**	←VVVFモーター更新　13.08.20=車体更新
金	**2109**	2110	2111	2112	2113	2114	2115	**2116**	←VVVFモーター更新　14.03.06=車体更新
金	**2117**	2118	2119	2120	2121	2122	2123	**2124**	←VVVFモーター更新　14.08.08=車体更新
久	**2125**	2126	2127	2128	2129	2130	2131	**2132**	←VVVFモーター更新　16.03.14=車体更新
久	**2133**	2134	2135	2136	2137	2138	2139	**2140**	←VVVFモーター更新＋車体更新=15.03.13(KEIKYU BLUE SKY TRAIN)
久	**2141**	2142	2143	2144	2145	2146	2147	**2148**	←VVVFモーター更新　17.03.14=車体更新
久	**2149**	2150	2151	2152	2153	2154	2155	**2156**	←VVVFモーター更新　14.08.15=車体更新
久	**2157**	2158	2159	2160	2161	2162	2163	**2164**	←VVVFモーター更新　15.09.02=車体更新
久	**2165**	2166	2167	2168	2169	2170	2171	**2172**	←VVVFモーター更新　14.11.06=車体更新
久	**2173**	2174	2175	2176	2177	2178	2179	**2180**	←VVVFモーター更新　15.12.01=車体更新

▽2100形は、転換式クロスシート装備。座席指定列車「モーニング・ウィング号」「ウィング号」にも充当

600形　**88両**(アルミ車体)[密連]　③

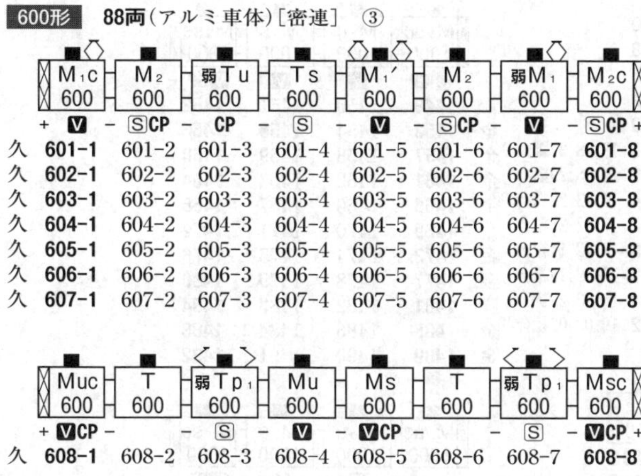

	M_1c 600	M_2 600	弱Tu 600	Ts 600	M_1' 600	M_2 600	弱M_1 600	M_2c 600
	+ V	− S CP	− CP	− S	− V	− S CP	− V	− S CP +
久	**601-1**	601-2	601-3	601-4	601-5	601-6	601-7	**601-8**
久	**602-1**	602-2	602-3	602-4	602-5	602-6	602-7	**602-8**
久	**603-1**	603-2	603-3	603-4	603-5	603-6	603-7	**603-8**
久	**604-1**	604-2	604-3	604-4	604-5	604-6	604-7	**604-8**
久	**605-1**	605-2	605-3	605-4	605-5	605-6	605-7	**605-8**
久	**606-1**	606-2	606-3	606-4	606-5	606-6	606-7	**606-8**
久	**607-1**	607-2	607-3	607-4	607-5	607-6	607-7	**607-8**

	Muc 600	T 600	弱Tp_1 600	Mu 600	Ms 600	T 600	弱Tp_1 600	Msc 600
	+ V CP −		− S	− V	− V CP		− S	− V CP +
久	**608-1**	608-2	608-3	608-4	608-5	608-6	608-7	**608-8**

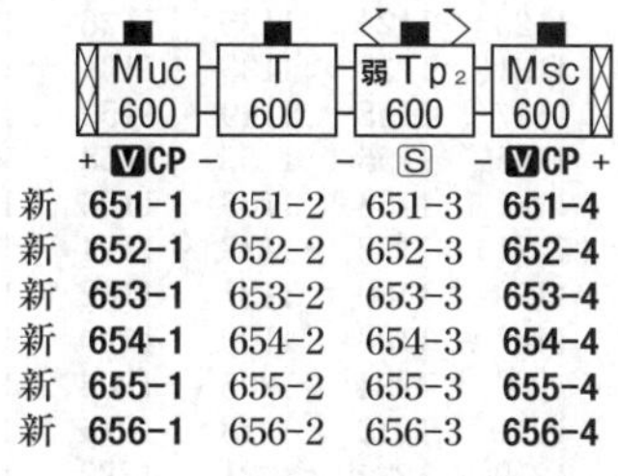

	Muc 600	T 600	弱Tp_2 600	Msc 600
	+ V CP −		− S	− V CP +
新	**651-1**	651-2	651-3	**651-4**
新	**652-1**	652-2	652-3	**652-4**
新	**653-1**	653-2	653-3	**653-4**
新	**654-1**	654-2	654-3	**654-4**
新	**655-1**	655-2	655-3	**655-4**
新	**656-1**	656-2	656-3	**656-4**

▽606編成はKEIKYU BLUE SKY TRAIN(05.03.14)
▽600形は全車両車体更新施工済み

▽600形はクロスシート車。改造にて一部をロングシート化

▽車種別使用区分
　快特・エアポート快特…2100形(自社線内限定)、600形・1500形・1000形〔8両編成〕(地下鉄乗入れ)
　特急…600形・1500形・1000形〔8両編成〕
　急行(自社線内)…600形・1000形〔4両＋4両編成、6両編成など〕
　急行(地下鉄乗入れ)…600形・1500形・1000形〔8両編成〕(大半は他社からの乗入れ車両)
　普通…600形・1000形・1500形〔4両・6両編成〕

▼優先席……全車両に設置
▼車いす対応スペース……太字の車両に設置
▼弱冷房車…編成図に弱を付した車両

▽組織改編にともない2018.03.16から車両管理区(管)は久里浜検車区(久)に組織名を変更

←三崎口・浦賀・逗子・葉山・羽田空港第1・第2ターミナル　　小島新田・品川・泉岳寺(都営地下鉄浅草線・京成線)→

1000形　**498両**(アルミ車体またはステンレス車体)[密連]　③

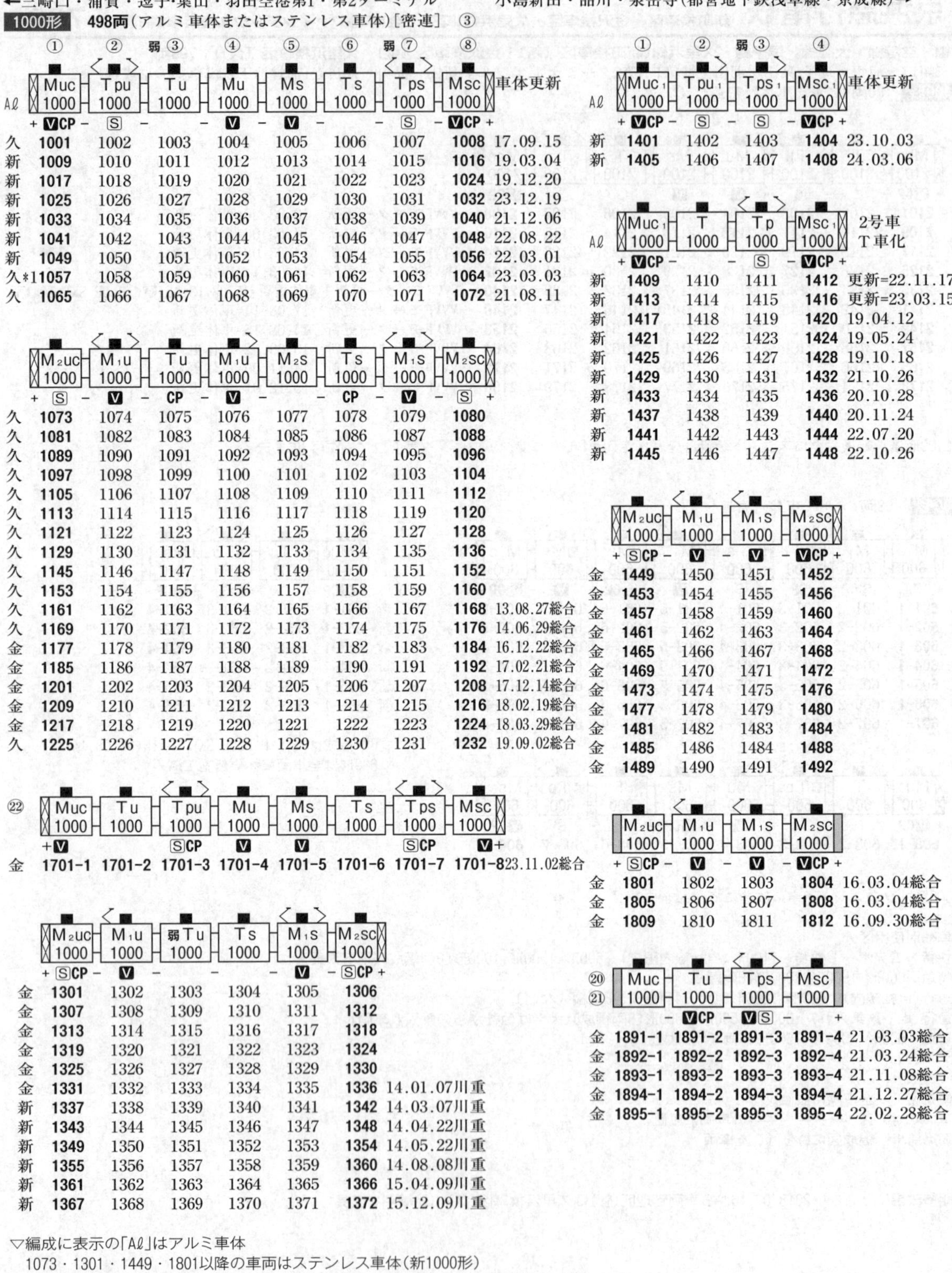

Aℓ

	①	②	弱③	④	⑤	⑥	弱⑦	⑧	
	Muc 1000	Tpu 1000	Tu 1000	Mu 1000	Ms 1000	Ts 1000	Tps 1000	Msc 1000	車体更新
	+ VCP −	S −	−	V −	V −	−	S −	VCP +	
久	**1001**	1002	1003	1004	1005	1006	1007	**1008**	17.09.15
新	**1009**	1010	1011	1012	1013	1014	1015	**1016**	19.03.04
新	**1017**	1018	1019	1020	1021	1022	1023	**1024**	19.12.20
新	**1025**	1026	1027	1028	1029	1030	1031	**1032**	23.12.19
新	**1033**	1034	1035	1036	1037	1038	1039	**1040**	21.12.06
新	**1041**	1042	1043	1044	1045	1046	1047	**1048**	22.08.22
新	**1049**	1050	1051	1052	1053	1054	1055	**1056**	22.03.01
久*1	**1057**	1058	1059	1060	1061	1062	1063	**1064**	23.03.03
久	**1065**	1066	1067	1068	1069	1070	1071	**1072**	21.08.11

	M2uc 1000	M1u 1000	Tu 1000	M1u 1000	M2s 1000	Ts 1000	M1s 1000	M2sc 1000	
	+ S −	V −	CP −	V −	−	CP −	V −	S +	
久	**1073**	1074	1075	1076	1077	1078	1079	**1080**	
久	**1081**	1082	1083	1084	1085	1086	1087	**1088**	
久	**1089**	1090	1091	1092	1093	1094	1095	**1096**	
久	**1097**	1098	1099	1100	1101	1102	1103	**1104**	
久	**1105**	1106	1107	1108	1109	1110	1111	**1112**	
久	**1113**	1114	1115	1116	1117	1118	1119	**1120**	
久	**1121**	1122	1123	1124	1125	1126	1127	**1128**	
久	**1129**	1130	1131	1132	1133	1134	1135	**1136**	
久	**1145**	1146	1147	1148	1149	1150	1151	**1152**	
久	**1153**	1154	1155	1156	1157	1158	1159	**1160**	
久	**1161**	1162	1163	1164	1165	1166	1167	**1168**	13.08.27総合
久	**1169**	1170	1171	1172	1173	1174	1175	**1176**	14.06.29総合
金	**1177**	1178	1179	1180	1181	1182	1183	**1184**	16.12.22総合
金	**1185**	1186	1187	1188	1189	1190	1191	**1192**	17.02.21総合
金	**1201**	1202	1203	1204	1205	1206	1207	**1208**	17.12.14総合
金	**1209**	1210	1211	1212	1213	1214	1215	**1216**	18.02.19総合
金	**1217**	1218	1219	1220	1221	1222	1223	**1224**	18.03.29総合
久	**1225**	1226	1227	1228	1229	1230	1231	**1232**	19.09.02総合

㉒

	Muc 1000	Tu 1000	Tpu 1000	Mu 1000	Ms 1000	Ts 1000	Tps 1000	Msc 1000	
	+V		SCP	V	V		SCP	V+	
金	**1701-1**	**1701-2**	**1701-3**	**1701-4**	**1701-5**	**1701-6**	**1701-7**	**1701-8**	23.11.02総合

	M2uc 1000	M1u 1000	弱Tu 1000	Ts 1000	M1s 1000	M2sc 1000	
	+ SCP −	V −	−	−	V −	SCP +	
金	**1301**	1302	1303	1304	1305	**1306**	
金	**1307**	1308	1309	1310	1311	**1312**	
金	**1313**	1314	1315	1316	1317	**1318**	
金	**1319**	1320	1321	1322	1323	**1324**	
金	**1325**	1326	1327	1328	1329	**1330**	
金	**1331**	1332	1333	1334	1335	**1336**	14.01.07川重
新	**1337**	1338	1339	1340	1341	**1342**	14.03.07川重
新	**1343**	1344	1345	1346	1347	**1348**	14.04.22川重
新	**1349**	1350	1351	1352	1353	**1354**	14.05.22川重
新	**1355**	1356	1357	1358	1359	**1360**	14.08.08川重
新	**1361**	1362	1363	1364	1365	**1366**	15.04.09川重
新	**1367**	1368	1369	1370	1371	**1372**	15.12.09川重

Aℓ

	①	②	弱③	④	
	Muc1 1000	Tpu1 1000	Tps1 1000	Msc1 1000	車体更新
	+ VCP −	S −	S −	VCP +	
新	**1401**	1402	1403	**1404**	23.10.03
新	**1405**	1406	1407	**1408**	24.03.06

Aℓ

	Muc1 1000	T 1000	Tp 1000	Msc1 1000	2号車 T車化
	+ VCP −	−	S −	VCP +	
新	**1409**	1410	1411	**1412**	更新=22.11.17
新	**1413**	1414	1415	**1416**	更新=23.03.15
新	**1417**	1418	1419	**1420**	19.04.12
新	**1421**	1422	1423	**1424**	19.05.24
新	**1425**	1426	1427	**1428**	19.10.18
新	**1429**	1430	1431	**1432**	21.10.26
新	**1433**	1434	1435	**1436**	20.10.28
新	**1437**	1438	1439	**1440**	20.11.24
新	**1441**	1442	1443	**1444**	22.07.20
新	**1445**	1446	1447	**1448**	22.10.26

	M2uc 1000	M1u 1000	M1s 1000	M2sc 1000
	+ SCP −	V −	V −	VCP +
金	**1449**	1450	1451	**1452**
金	**1453**	1454	1455	**1456**
金	**1457**	1458	1459	**1460**
金	**1461**	1462	1463	**1464**
金	**1465**	1466	1467	**1468**
金	**1469**	1470	1471	**1472**
金	**1473**	1474	1475	**1476**
金	**1477**	1478	1479	**1480**
金	**1481**	1482	1483	**1484**
金	**1485**	1486	1484	**1488**
金	**1489**	1490	1491	**1492**

	M2uc 1000	M1u 1000	M1s 1000	M2sc 1000	
	+ SCP −	V −	V −	VCP +	
金	**1801**	1802	1803	**1804**	16.03.04総合
金	**1805**	1806	1807	**1808**	16.03.04総合
金	**1809**	1810	1811	**1812**	16.09.30総合

⑳㉑

	Muc 1000	Tu 1000	Tps 1000	Msc 1000	
	−	VCP −	VS −	+	
金	**1891-1**	**1891-2**	**1891-3**	**1891-4**	21.03.03総合
金	**1892-1**	**1892-2**	**1892-3**	**1892-4**	21.03.24総合
金	**1893-1**	**1893-2**	**1893-3**	**1893-4**	21.11.08総合
金	**1894-1**	**1894-2**	**1894-3**	**1894-4**	21.12.27総合
金	**1895-1**	**1895-2**	**1895-3**	**1895-4**	22.02.28総合

▽編成に表示の「Aℓ」はアルミ車体
　1073・1301・1449・1801以降の車両はステンレス車体(新1000形)
▽2016年度増備車から窓回りクリーム色に、前照灯ＬＥＤ化(6・8両編成のみ)
▽号車表示は、都営地下鉄浅草線に準拠
▽17次車　1209～・1613～ 全面塗装
*1 KEIKYU YELLOW HAPPY TRAIN(2014.04.30)
▽2020・2021年度増備(⑳㉑)の1891～1895編成はクロスシート／ロングシート転換機能車。
　2号車に車いす対応大型トイレ、3号車に男子小用トイレを設置
▽2023年度増備の22次車。8両編成は次世代フルSiC素子採用のVVVFに変更

←三崎口・浦賀・逗子・葉山・羽田空港第1・第2ターミナル　　小島新田・品川・泉岳寺(都営地下鉄浅草線・京成線)→

1500形　**124両**(アルミ車体)[密連]　③

	M1c 1500	M2 1500	弱Tu 1900	Ts 1900	M1 1500	M2 1500	弱M1 1500	M2c 1500
	+ V	SCP	CP	S	V	SCP	V	SCP +
久	**1707**	1708	1921	1922	1709	1710	1711	**1712**
久	**1713**	1714	1923	1924	1715	1716	1717	**1718**
久	**1719**	1720	1907	1908	1721	1722	1723	**1724**
久	**1725**	1726	1909	1910	1727	1728	1729	**1730**
久	**1731**	1732	1913	1914	1733	1734	1735	**1736**

	M1c 1500	M2 1500	弱Tu 1900	Ts 1900	M1 1500	M2c 1500
	+ V	SCP	CP	S	V	SCP +
新	**1529**	1530	1931	1932	1531	**1532**
新	**1533**	1534	1933	1934	1535	**1536**
新	**1537**	1538	1935	1936	1539	**1540**
新	**1541**	1542	1937	1938	1543	**1544**
新	**1545**	1546	1939	1940	1547	**1548**
新	**1549**	1550	1941	1942	1551	**1552**
金	**1585**	1586	1929	1930	1587	**1588**
金	**1565**	1566	1927	1928	1567	**1568**
金	**1569**	1570	1901	1902	1571	**1572**
金	**1573**	1574	1903	1904	1575	**1576**
金	**1577**	1578	1905	1906	1579	**1580**
金	**1581**	1582	1911	1912	1583	**1584**
新	**1589**	1590	1915	1916	1591	**1592**
新	**1593**	1594	1917	1918	1595	**1596**

▼優先席……全車両に設置
▼車いす対応スペース……太字の車両に設置
▼弱冷房車……編成図に弱を付した車両

配置区別形式・両数表

形式	新町	金沢	久里浜	計
2100形				
デハ2100		12	28	40
サハ2100		12	28	40
		24	56	80
1500形				
デハ1500	32	24	30	86
サハ1900	16	12	10	38
	48	36	40	124
1000形				
デハ1000	112	136	90	338
サハ1000	62	60	38	160
	174	196	128	498
600形				
デハ600	12		46	58
サハ600	12		18	30
	24		64	88
合　計	246	256	288	790

1000形　続き

	M2uc 1000	M1u 1000	弱Tu 1000	Ts 1000	M1s 1000	M2sc 1000	
	+ SCP	V			V	SCP +	
金	**1601**	1602	1603	1604	1605	**1606**	16.11.07川重
金	**1607**	1608	1609	1610	1611	**1612**	16.11.29川重
金	**1613**	1614	1615	1616	1617	**1618**	18.01.05川重
新	**1619**	1620	1621	1622	1623	**1624**	18.02.05川重
新	**1625**	1626	1627	1628	1629	**1630**	18.10.10川重
新	**1631**	1632	1633	1634	1635	**1636**	18.06.08川重
新	**1637**	1638	1639	1640	1641	**1642**	18.06.18川重
新	**1643**	1644	1645	1646	1647	**1648**	18.08.08総合
新	**1649**	1650	1651	1652	1653	**1654**	18.12.25川重
金	**1655**	1656	1657	1658	1659	**1660**	19.02.26総合
金	**1661**	1662	1663	1664	1665	**1666**	19.03.19総合
金	**1667**	1668	1669	1670	1671	**1672**	19.06.07川重

㉒

	Muc 1000	Tpu 1000	弱Mu 1000	Ms 1000	Tps 1000	Msc 1000	
	+ V	CP	V	V	SCP	V +	
新	**1501-1**	**1501-2**	**1501-3**	**1501-4**	**1501-5**	**1501-6**	23.08.04川車

事業用車　**6両**[密連]

デト11・12形

	SCP	F
新	11	12

デト17・18形

	SCP	F
管	15	16
新	17	18

▽デト11・12形は資材運搬用、デト17・18形は救援車

▽久里浜事業所にて、デ51形(終焉時、京急140形)、元湘南電鉄デ1形を保存
▽京急グループ本社ビル1階「京急ミュージアム」(横浜市みなとみらい地区)に元湘南電鉄デ1形(京急デハ230形236)を保存、展示

東武鉄道 南栗橋車両管区(春日部・七光台支所・館林)・森林公園検修区 1795両

東武スカイツリーライン・伊勢崎線・日光線(南栗橋車両管区〔栗〕・春日部支所〔 〕) 935両

←浅草(地下鉄日比谷線)　　伊勢崎・東武宇都宮・鬼怒川公園・東武日光(野岩鉄道・会津鉄道)→

N100系(スペーシアX) 24両(アルミ車体)[密連] ①

⑥	WC⑤	④	③	②WC	①	
Tc1 N100-1	M1 N100-2	M2 N100-3	M3 N100-4	M4 N100-5	Tc2 N100-6	
+ CP	− V	− S	− V	− S	− CP +	
N101-1	N101-2	N101-3	N101-4	N101-5	N101-6	23.05.25日立
N102-1	N102-2	N102-3	N102-4	N102-5	N102-6	23.05.26日立
N103-1	N103-2	N103-3	N103-4	N103-5	N103-6	24.02.28日立
N104-1	N104-2	N104-3	N104-4	N104-5	N104-6	24.03.02日立

▽2023.07.15から営業運転開始
▽1号車はコックピットラウンジ、2号車はプレミアムシート、
6号車はコックピットスイート、コンパートメント、
5号車は車いす対応席、バリアフリートイレを設置

100系(スペーシア) 42両(アルミ車体)[収納] ①(3号車は客用扉なし)

	⑥WC	⑤	④WC	③	②	WC①	
	Mc1 100-1	M1 100-2	M2 100-3	M3 100-4	M4 100-5	Mc2 100-6	
	DD	− V	+ DD CP	− V	V	− DD	
	101-1	101-2	101-3	101-4	101-5	101-6	デラックスカラー
	102-1	102-2	102-3	102-4	102-5	102-6	デビューカラー
	103-1	103-2	103-3	103-4	103-5	103-6	金色
JR	106-1	106-2	106-3	106-4	106-5	106-6	金色
JR	107-1	107-2	107-3	107-4	107-5	107-6	雅色=12.05.31
JR	108-1	108-2	108-3	108-4	108-5	108-6	デビューカラー
	109-1	109-2	109-3	109-4	109-5	109-6	いちごスペーシア=23.12.23

200系 36両[収納] ①(4号車は客用扉なし)

⑥WC	⑤	④	WC③	②	WC①	
Mc1 200-1	M1 200-2	M2 200-3	M3 200-4■	M4 200-5	Mc2 200-6	
DD	− F	+ F	− DD CP	F	− DD CP	
203-1	203-2	203-3	**203-4**	203-5	203-6	
204-1	204-2	204-3	**204-4**	204-5	204-6	
205-1	205-2	205-3	**205-4**	205-5	205-6	りょうもう『カルピス』EXPRESS
206-1	206-2	206-3	**206-4**	206-5	206-6	

Mc1 200-1	M1 200-2	M2 200-3	M3 200-4■	M4 200-5	Mc2 200-6	
S	− F	− F	− S CP	F	− S CP	
207-1	207-2	207-3	**207-4**	207-5	207-6	
209-1	209-2	209-3	**209-4**	209-5	209-6	1800系カラー

▽特急用車両は全車禁煙(2007.03.18から)
▽100系の6号車は個室(コンパートメント)専用車、3号車に販売カウンター
JRはJR線に乗入れ可能。1・4・6号車にトイレ、洗面所
▽＊印の編成は「日光詣スペーシア」色(金塗装)
103編成は2015.04.18、106編成は2015.07.18運行開始
▽100系101編成は、2021.12.06から「DRC」色となって運行開始
108(2021.10)・109(2021.06)編成はデビュー当初のカラーに変更
▽200系のFは界磁添加励磁方式
▽200系は特急「りょうもう」に使用、
太字の車両は車いす対応の座席・トイレがある。1・3・6号車に自販機設置
▽500系は、「リバティけごん」「リバティきぬ」「リバティ会津」「リバティりょうもう」のほか、野田線系統の「アーバンパークライナー」、および浅草～春日部間「スカイツリーライナー」にて使用

▽東武スカイツリーライン系車両数には客車等も含んで計上

500系(リバティ[Revaty]) 51両(アルミ車体) ①

⑥/③	⑤/②WC	④/①	
Mc1 500-1	T2 500-2	Mc2 500-3	
+ V	− S CP	− V +	
501-1	**501-2**	501-3	16.12.05川重
502-1	**502-2**	502-3	16.12.05川重
503-1	**503-2**	503-3	16.12.05川重
504-1	**504-2**	504-3	17.01.30川重
505-1	**505-2**	505-3	17.01.30川重
506-1	**506-2**	506-3	17.02.20川重
507-1	**507-2**	507-3	17.02.20川重
508-1	**508-2**	508-3	17.02.20川重
509-1	**509-2**	509-3	20.10.07川重
510-1	**510-2**	510-3	20.10.08川重
511-1	**511-2**	511-3	20.10.09川重
512-1	**512-2**	512-3	21.07.14川重
513-1	**513-2**	513-3	21.07.14川重
514-1	**514-2**	514-3	21.07.14川重
515-1	**515-2**	515-3	22.01.19川車
516-1	**516-2**	516-3	22.01.19川車
517-1	**517-2**	517-3	22.01.19川車

▽2017.04.21から営業運転開始
▽連結器は密連
▼車いす対応スペース……太字の車両に設置

▽全般検査は南栗橋車両管区で行なう

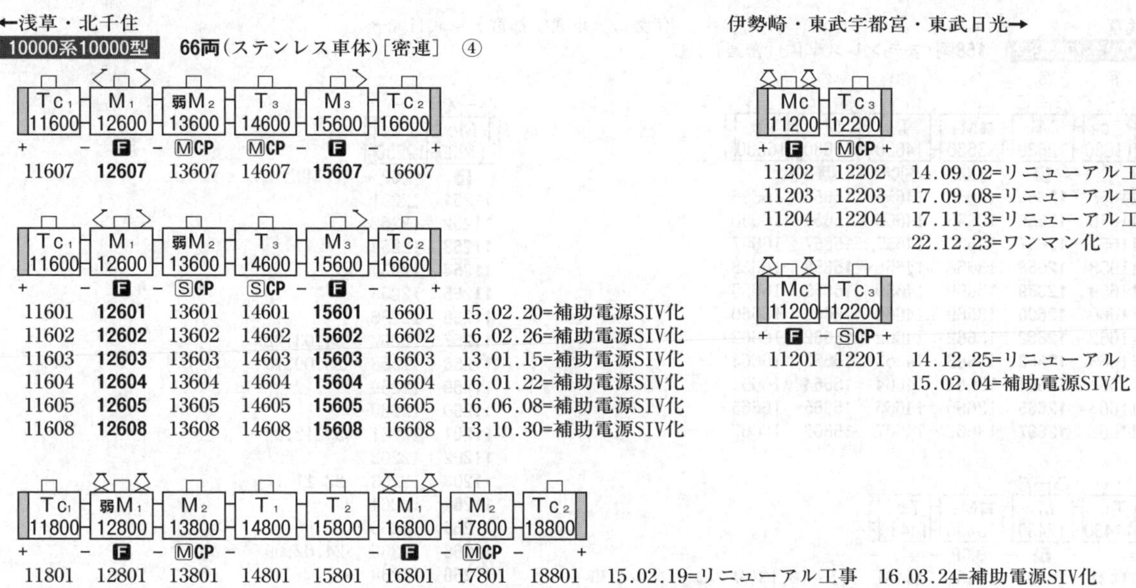

←浅草・北千住　　　　伊勢崎・東武宇都宮・東武日光→

10000系10000型　**66両**(ステンレス車体)[密連]　④

Tc1	M1	弱M2	T3	M3	Tc2
11600	12600	13600	14600	15600	16600
+	– F	– ⓂCP	ⓂCP	– F	+
11607	**12607**	13607	14607	**15607**	16607

Tc1	M1	弱M2	T3	M3	Tc2	
11600	12600	13600	14600	15600	16600	
+	– F	– ⓈCP	ⓈCP	– F	– +	
11601	**12601**	13601	14601	**15601**	16601	15.02.20=補助電源SIV化
11602	**12602**	13602	14602	**15602**	16602	16.02.26=補助電源SIV化
11603	**12603**	13603	14603	**15603**	16603	13.01.15=補助電源SIV化
11604	**12604**	13604	14604	**15604**	16604	16.01.22=補助電源SIV化
11605	**12605**	13605	14605	**15605**	16605	16.06.08=補助電源SIV化
11608	**12608**	13608	14608	**15608**	16608	13.10.30=補助電源SIV化

Tc1	弱M1	M2	T1	T2	M1	M2	Tc2	
11800	12800	13800	14800	15800	16800	17800	18800	
+	– F	– ⓂCP –			F	ⓂCP –	+	
11801	12801	13801	14801	15801	16801	17801	18801	15.02.19=リニューアル工事　16.03.24=補助電源SIV化
11802	12802	13802	14802	15802	16802	17802	18802	14.10.10=リニューアル工事

Mc	Tc3	
11200	12200	
+ F	– ⓂCP +	
11202	12202	14.09.02=リニューアル工事
11203	12203	17.09.08=リニューアル工事
11204	12204	17.11.13=リニューアル工事 22.12.23=ワンマン化

Mc	Tc3	
11200	12200	
+ F	– ⓈCP +	
11201	12201	14.12.25=リニューアル 15.02.04=補助電源SIV化

▼優先席……全車両に設置
▼車いす対応スペース……太字の車両に設置

ＳＬ大樹

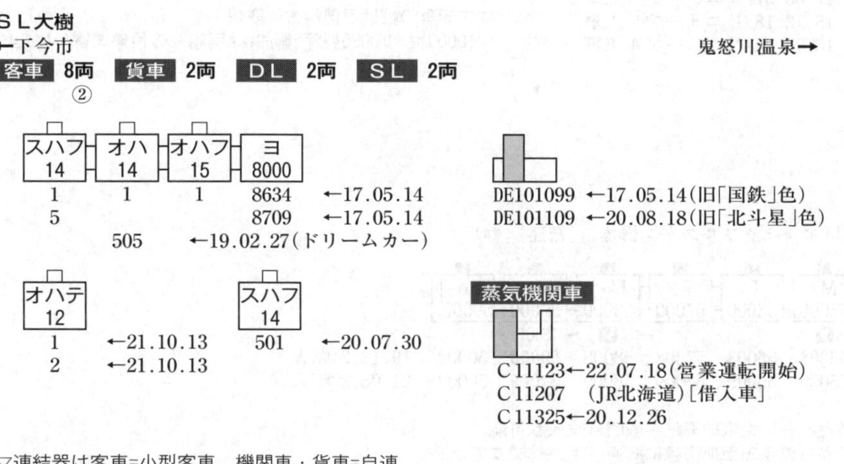

←下今市　　　　鬼怒川温泉→

客車 **8両**　**貨車** **2両**　**ＤＬ** **2両**　**ＳＬ** **2両**
②

スハフ14	オハ14	オハフ15	ヨ8000	
1	1	1	8634	←17.05.14
5			8709	←17.05.14
	505			←19.02.27(ドリームカー)

DE101099 ←17.05.14(旧「国鉄」色)
DE101109 ←20.08.18(旧「北斗星」色)

オハテ12		スハフ14	
1	←21.10.13	501	←20.07.30
2	←21.10.13		

蒸気機関車

C11123←22.07.18(営業運転開始)
C11207　(JR北海道)[借入車]
C11325←20.12.26

▽連結器は客車=小型客車、機関車・貨車=自連
▽C11325、C11123、客車、貨車は、すべて東武博物館所有(車両数には含む)

←浅草　　　　　　　　　　　　　　　　　　　　　　　　　　伊勢崎・東武宇都宮・東武日光→

10000系10030型　**158両**（ステンレス車体）［密連］ ④

⑥	⑤	④	③	②	①
Tc₁	M₁	弱M₂	T₃	M₃	Tc₂
11630	12630	13630	14630	15630	16630
+	－ F	－ ⓈCP	ⓈCP	－ F	－ +
11655	**12655**	13655	14655	**15655**	16655
11656	**12656**	13656	14656	**15656**	16656
11657	**12657**	13657	14657	**15657**	16657
11658	**12658**	13658	14658	**15658**	16658
11659	**12659**	13659	14659	**15659**	16659
11660	**12660**	13660	14660	**15660**	16660
11662	**12662**	13662	14662	**15662**	16662
11663	**12663**	13663	14663	**15663**	16663
11664	**12664**	13664	14664	**15664**	16664
11665	**12665**	13665	14665	**15665**	16665
11667	**12667**	13667	14667	**15667**	16667

Tc₁	M₁	弱M₂	Tc₂	
11430	12430	13430	14430	
+	－ F	－ ⓈCP	－ +	
11431	**12431**	13431	14431	15.10.13=リニューアル工事
11432	**12432**	13432	14432	16.02.17=リニューアル工事
11433	**12433**	13433	14433	15.08.20=リニューアル工事
11434	**12434**	13434	14434	16.03.28=リニューアル工事
11435	**12435**	13435	14435	16.11.17=リニューアル工事
11436	**12436**	13436	14436	16.09.02=リニューアル工事
11437	**12437**	13437	14437	17.06.07=リニューアル工事
11444	**12444**	13444	14444	15.12.18=リニューアル工事
11447	**12447**	13447	14447	16.06.24=リニューアル工事
11451	**12451**	13451	14451	
11453	**12453**	13453	14453	
11454	**12454**	13454	14454	
11458	**12458**	13458	14458	
11459	**12459**	13459	14459	

Mc	Tc₃	
11230	12230	
+ F	－ ⓈCP +	ＯＭ化
11251	12251	
11252	12252	
11253	12253	
11254	12254	
11255	12255	
11256	12256	
11257	12257	24.03.22
11258	12258	23.09.15
11259	12259	
11260	12260	
11261	12261	23.12.28
11262	12262	
11263	12263	23.11.17
11264	12264	
11265	12265	
11266	12266	24.02.09
11268	12268	

Mc	Tc₃
11230	12230
11267	12267

▽先頭車の幌は伊勢崎方に取付
▽10000型・10030型2両編成は4両編成の伊勢崎寄りに連結

50000系50000型　**20両**（アルミ車体［アルミダブルスキン構体］）［密連］ ④

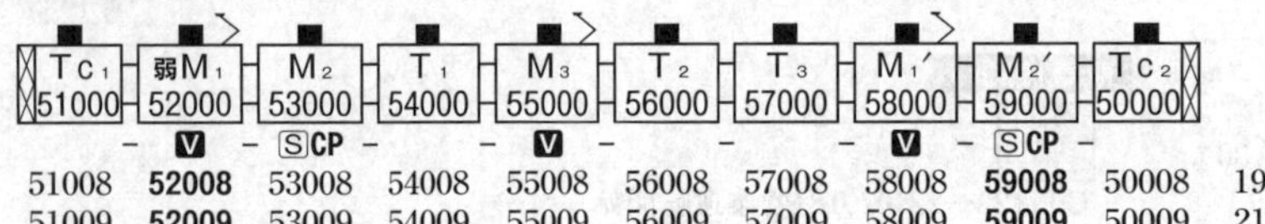

Tc₁	弱M₁	M₂	T₁	M₃	T₂	T₃	M₁′	M₂′	Tc₂	
51000	52000	53000	54000	55000	56000	57000	58000	59000	50000	
	－ V	－ ⓈCP －		－ V			－ V	－ ⓈCP －		
51008	**52008**	53008	54008	55008	56008	57008	58008	**59008**	50008	19.12.24転入
51009	**52009**	53009	54009	55009	56009	57009	58009	**59009**	50009	21.08.23転入

▽50000系50000型は50050型、30000系とともに東京地下鉄半蔵門線乗入れ可能
▽地下鉄半蔵門線への乗入れは、渋谷から東急田園都市線に直通、中央林間まで

▽東武博物館（東武スカイツリーライン東向島駅高架下）に、Ｂ１形５・６、デハ１形５、5700系5701、5700系5703（前部）、1720形1721（前部車体半分）、ＥＤ10形101、ＥＤ5010形5015、日光軌道線200形203、トキ１形などを保存、展示

←(地下鉄半蔵門線)浅草・押上　　　　　　伊勢崎・東武宇都宮・東武日光→

50000系50050型　**180両**(地下鉄半蔵門線乗入れ車)(アルミ車体[アルミダブルスキン構体])[密連]　④

	⑩	⑨♿	⑧	⑦	⑥	⑤	④	③	♿② 弱	①
	Tc1	弱M1	M2	T1	M3	T2	T3	M1′	M2′	Tc2
	51050	52050	53050	54050	55050	56050	57050	58050	59050	50050
		V	ⓈCP		V			V	ⓈCP	
栗	51051	**52051**	53051	54051	55051	56051	57051	58051	**59051**	50051
栗	51052	**52052**	53052	54052	55052	56052	57052	58052	**59052**	50052
栗	51053	**52053**	53053	54053	55053	56053	57053	58053	**59053**	50053
栗	51054	**52054**	53054	54054	55054	56054	57054	58054	**59054**	50054
栗	51055	**52055**	53055	54055	55055	56055	57055	58055	**59055**	50055
栗	51056	**52056**	53056	54056	55056	56056	57056	58056	**59056**	50056
栗	51057	**52057**	53057	54057	55057	56057	57057	58057	**59057**	50057
栗	51058	**52058**	53058	54058	55058	56058	57058	58058	**59058**	50058
栗	51059	**52059**	53059	54059	55059	56059	57059	58059	**59059**	50059
栗	51060	**52060**	53060	54060	55060	56060	57060	58060	**59060**	50060
栗	51061	**52061**	53061	54061	55061	56061	57061	58061	**59061**	50061
栗	51062	**52062**	53062	54062	55062	56062	57062	58062	**59062**	50062
栗	51063	**52063**	53063	54063	55063	56063	57063	58063	**59063**	50063
栗	51064	**52064**	53064	54064	55064	56064	57064	58064	**59064**	50064
栗	51065	**52065**	53065	54065	55065	56065	57065	58065	**59065**	50065
栗	51066	**52066**	53066	54066	55066	56066	57066	58066	**59066**	50066
栗	51067	**52067**	53067	54067	55067	56067	57067	58067	**59067**	50067
栗	51068	**52068**	53068	54068	55068	56068	57068	58068	**59068**	50068

▽51051 ～ 51059編成は側窓簡易開閉式に改造。51060 ～ 51068編成は側窓開閉式

70000系70000型　**126両**(地下鉄日比谷線乗入れ車)(アルミ車体)[密連]　④

⑦♿	⑥♿	弱⑤♿	④♿	③♿	②♿	♿①	
Mc1	M1	M2	M3	M2′	M1′	Mc2	
71700	72700	73700	74700	75700	76700	77700	
CP	V	Ⓢ	V	Ⓢ	V	CP	
71701	**72701**	**73701**	**74701**	**75701**	**76701**	**77701**	17.02.27近車
71702	**72702**	**73702**	**74702**	**75702**	**76702**	**77702**	17.03.06近車
71703	**72703**	**73703**	**74703**	**75703**	**76703**	**77703**	17.03.13近車
71704	**72704**	**73704**	**74704**	**75704**	**76704**	**77704**	17.11.27近車
71705	**72705**	**73705**	**74705**	**75705**	**76705**	**77705**	17.12.18近車
71706	**72706**	**73706**	**74706**	**75706**	**76706**	**77706**	18.01.09近車
71707	**72707**	**73707**	**74707**	**75707**	**76707**	**77707**	18.01.15近車
71708	**72708**	**73708**	**74708**	**75708**	**76708**	**77708**	18.02.05近車
71709	**72709**	**73709**	**74709**	**75709**	**76709**	**77709**	18.02.19近車
71710	**72710**	**73710**	**74710**	**75710**	**76710**	**77710**	18.03.05近車
71711	**72711**	**73711**	**74711**	**75711**	**76711**	**77711**	19.01.18近車
71712	**72712**	**73712**	**74712**	**75712**	**76712**	**77712**	19.02.07近車
71713	**72713**	**73713**	**74713**	**75713**	**76713**	**77713**	19.02.14近車
71714	**72714**	**73714**	**74714**	**75714**	**76714**	**77714**	19.03.07近車
71715	**72715**	**73715**	**74715**	**75715**	**76715**	**77715**	19.03.15近車
71716	**72716**	**73716**	**74716**	**75716**	**76716**	**77716**	19.03.28近車
71717	**72717**	**73717**	**74717**	**75717**	**76717**	**77717**	20.01.24近車
71718	**72718**	**73718**	**74718**	**75718**	**76718**	**77718**	20.02.06近車

▼優先席…全車両に設置
▼車いす対応スペース(フリースペースを含む)
　…太字の車両に設置
▼弱冷房車…編成図に弱を付した車両

70000系70090型　**42両**(地下鉄日比谷線乗入れ車)(アルミ車体)[密連]　④

⑦♿	⑥♿	弱⑤♿	④♿	③♿	②♿	♿①	
Mc1	M1	M2	M3	M2′	M1′	Mc2	
71790	72790	73790	74790	75790	76790	77790	
CP	V	Ⓢ	V	Ⓢ	V	CP	
71791	**72791**	**73791**	**74791**	**75791**	**76791**	**77791**	20.02.28近車
71792	**72792**	**73792**	**74792**	**75792**	**76792**	**77792**	20.02.27近車
71793	**72793**	**73793**	**74793**	**75793**	**76793**	**77793**	20.03.18近車
71794	**72794**	**73794**	**74794**	**75794**	**76794**	**77794**	20.04.02近車
71795	**72795**	**73795**	**74795**	**75795**	**76795**	**77795**	20.05.28近車
71796	**72796**	**73796**	**74796**	**75796**	**76796**	**77796**	20.06.04近車

▽70090型は、座席クロス／ロングシート転換機能を持つ。クロスシートで有料座席指定車として使用
2020.06.06からＴＨライナーに充当

▽70000系は、2017.07.07から営業運転開始

←浅草・南栗橋　　　　　　　　　　　　　　　　　　　　　　　　　　　　　　東武宇都宮・東武日光→

20000系20410型　**12両**(ワンマン)(ステンレス車体)[18m車][密連]③

	Tc_1	M_1	M_2	Tc_2	改造月日
	21410	22410	23410	24410	
	-	V	- ⓈCP	-	
栗	21411	**22411**	**23411**	24411	18.03.30
	[21871]	[22871]	[23871]	[28871]	
栗	21412	**22412**	**23412**	24412	18.07.24
	[21872]	[22872]	[23872]	[28872]	
栗	21413	**22413**	**23413**	24413	18.08.28
	[21873]	[22873]	[23873]	[28873]	

20000系20420型　**12両**(ワンマン)(ステンレス車体)[18m車][密連]③

	Tc_1	M_1	M_2	Tc_2	
	21420	22420	23420	24420	
	-	V	- ⓈCP	-	
栗	21421	**22421**	**23421**	24421	18.05.11
	[21811]	[26871]	[27871]	[28811]	
栗	21422	**22422**	**23422**	24422	18.06.22
	[21802]	[26872]	[27872]	[28802]	
栗	21423	**22423**	**23423**	24423	18.10.11
	[21801]	[26873]	[27873]	[28801]	

20000系20430型　**32両**(ワンマン)(ステンレス車体)[18m車][密連]③

	Tc_1	M_1	M_2	Tc_2	先頭車元5ドア
	21430	22430	23430	24430	
	-	V	- ⓈCP	-	
栗	21431	**22431**	**23431**	24431	18.10.14
	[21857]	[24857]	[23857]	[28857]	
栗	21432	**22432**	**23432**	24432	19.03.26
	[21858]	[24858]	[23858]	[28858]	
栗	21433	**22433**	**23433**	24433	19.08.23
	[21851]	[24851]	[23851]	[28851]	
栗	21434	**22434**	**23434**	24434	19.12.20
	[21852]	[24852]	[23852]	[28852]	
栗	21435	**22435**	**23435**	24435	20.08.25
	[21853]	[24853]	[23853]	[28853]	
栗	21436	**22436**	**23436**	24436	21.03.17
	[21856]	[24856]	[23856]	[28856]	
栗	21437	**22437**	**23437**	24437	21.05.28
	[21854]	[24854]	[23854]	[28854]	
栗	21438	**22438**	**23438**	24438	21.12.21
	[21855]	[24855]	[23855]	[28855]	

20000系20440型　**32両**(ワンマン)(ステンレス車体)[18m車][密連]③

	Tc_1	M_1	M_2	Tc_2	中間車M_2元5ドア
	21440	22440	23440	24440	
	-	V	- ⓈCP	-	
栗	21441	**22441**	**23441**	24441	19.01.29
	[21810]	[26857]	[27857]	[28810]	
栗	21442	**22442**	**23442**	24442	19.07.05
	[21806]	[26858]	[27858]	[28806]	
栗	21443	**22443**	**23443**	24443	19.09.27
	[21808]	[26851]	[27851]	[28808]	
栗	21444	**22444**	**23444**	24444	20.02.26
	[21805]	[26852]	[27852]	[28805]	
栗	21445	**22445**	**23445**	24445	20.11.04
	[21803]	[26853]	[27853]	[28803]	
栗	21446	**22446**	**23446**	24446	22.02.26
	[21804]	[26856]	[27856]	[28804]	
栗	21447	**22447**	**23447**	24447	21.09.07
	[21812]	[26854]	[27854]	[28812]	
栗	21448	22448	23448	24448	22.05.13
	[21807]	[26855]	[27855]	[28807]	

▽押しボタン式ドア開閉スイッチ装備
▽21412編成は「ベリーハッピートレイン」(ラッピング)=23.06.09

6050系　**6両**〔栗〕[密連]　②

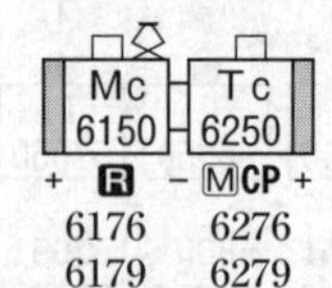

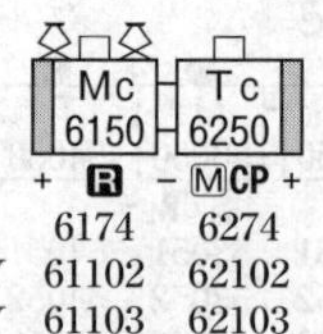

	Mc	Tc		Mc	Tc
	+ R -	ⓂCP +		+ R -	ⓂCP +
	6176	6276		6174	6274
	6179	6279	Y	61102	62102
			Y	61103	62103

634型　**4両**〔栗〕[密連]　①

Mc	Tc
634	634
+ R -	ⓂCP +
634-11	634-12
634-21	634-22

▽634型は、展望車「スカイツリートレイン」(2012.10.25改造)
634-11(旧6177)+634-12(旧6277)=青(Sky)
634-21(旧6178)+634-22(旧6278)=赤(Tree)
▽6050系のY印は野岩鉄道所属車
東武鉄道の車両数には含めない
▽6050系のクハ6250形はトイレ付き

▽ワンマン車、ワンマン運転区間=亀戸線、大師線、小泉線、佐野線、桐生線、伊勢崎線(館林～伊勢崎)、宇都宮線の全列車

←浅草

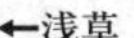

8000系 **16両**［小型密着］ ④

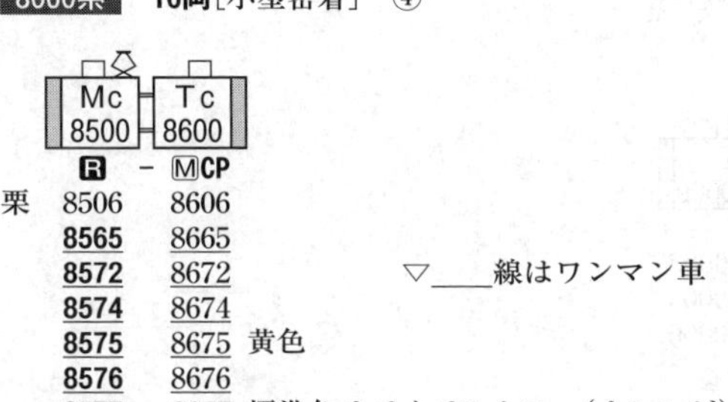

	Mc 8500	Tc 8600	
	R	— ⓂCP	
栗	8506	8606	
	8565	8665	
	8572	8672	
	8574	8674	
	8575	8675	黄色
	8576	8676	
	8577	8677	標準色リバイバルカラー（オレンジ）
	8579	8679	

▽＿＿線はワンマン車

伊勢崎・東武宇都宮・東武日光→

800系800型・850型 **30両**（ワンマン）［小型密着］ ④

Tc 800-1	M 800-2	Mc 800-3
—	R	— ⓂCP
801-1	**801-2**	801-3
802-1	**802-2**	802-3
803-1	**803-2**	803-3
804-1	**804-2**	804-3
805-1	**805-2**	805-3

Mc 850-1	M 850-2	Tc 850-3
R	— ⓂCP	—
851-1	**851-2**	851-3
852-1	**852-2**	852-3
853-1	**853-2**	853-3
854-1	**854-2**	854-3
855-1	**855-2**	855-3

東上線

←池袋　　越生・寄居→

8000系 **44両**（ワンマン）［小型密着］ ④

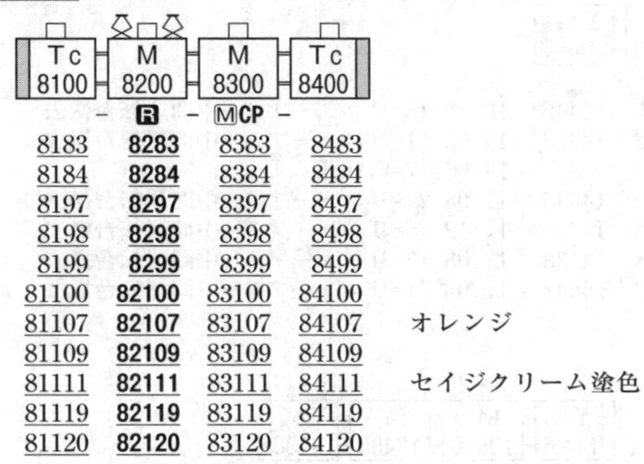

Tc 8100	M 8200	M 8300	Tc 8400	
—	R	— ⓂCP	—	
8183	**8283**	8383	8483	
8184	**8284**	8384	8484	
8197	**8297**	8397	8497	
8198	**8298**	8398	8498	
8199	**8299**	8399	8499	
81100	**82100**	83100	84100	
81107	**82107**	83107	84107	オレンジ
81109	**82109**	83109	84109	
81111	**82111**	83111	84111	セイジクリーム塗色
81119	**82119**	83119	84119	
81120	**82120**	83120	84120	

▽ワンマン車は森林公園～寄居間と越生線で使用（森林公園～小川町間は2023.03.18から）
▽81111編成は、東上線開業100周年を記念、セイジクリーム塗色

▼優先席……全車両に設置
▼車いす対応スペース……太字の車両に設置
▼弱冷房車…編成図に弱を付した車両

東上線(森林公園検修区・〔全〕川越工場) 644両

←池袋(地下鉄有楽町線・副都心線) 越生・寄居→

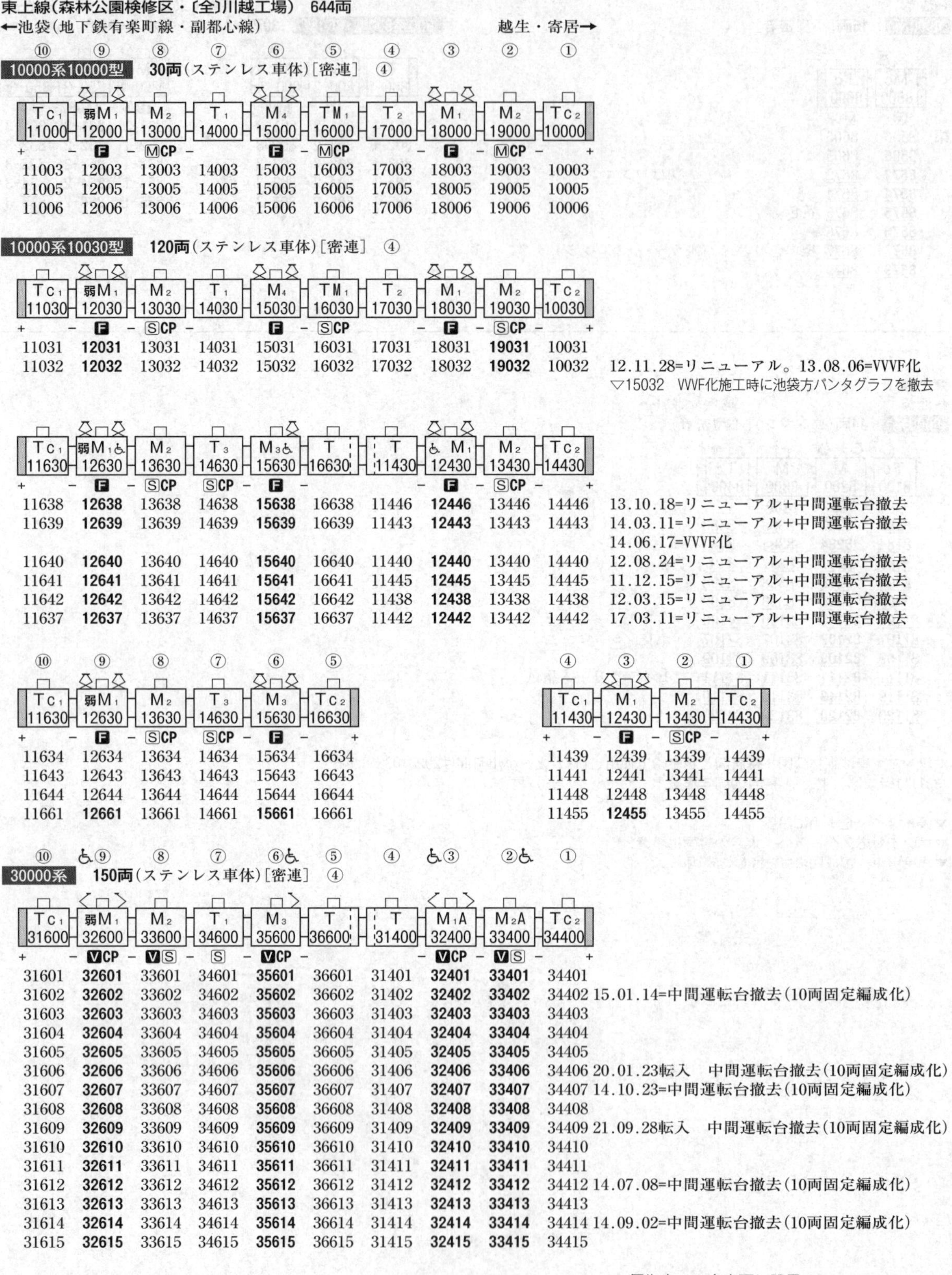

10000系10000型 30両(ステンレス車体)[密連] ④

⑩	⑨	⑧	⑦	⑥	⑤	④	③	②	①
Tc1	弱M1	M2	T1	M4	TM1	T2	M1	M2	Tc2
11000	12000	13000	14000	15000	16000	17000	18000	19000	10000
+	F	MCP		F	MCP		F	MCP	+
11003	12003	13003	14003	15003	16003	17003	18003	19003	10003
11005	12005	13005	14005	15005	16005	17005	18005	19005	10005
11006	12006	13006	14006	15006	16006	17006	18006	19006	10006

10000系10030型 120両(ステンレス車体)[密連] ④

Tc1	弱M1	M2	T1	M4	TM1	T2	M1	M2	Tc2	
11030	12030	13030	14030	15030	16030	17030	18030	19030	10030	
+	F	SCP		F	SCP		F	SCP	+	
11031	**12031**	13031	14031	15031	16031	17031	18031	**19031**	10031	
11032	**12032**	13032	14032	15032	16032	17032	18032	**19032**	10032	12.11.28=リニューアル。13.08.06=VVVF化 ▽15032 VVF化施工時に池袋方パンタグラフを撤去

Tc1	弱M1♿	M2	T3	M3♿	T	T	♿M1	M2	Tc2	
11630	12630	13630	14630	15630	16630	11430	12430	13430	14430	
+	F	SCP	SCP	F			F	SCP	+	
11638	**12638**	13638	14638	**15638**	16638	11446	**12446**	13446	14446	13.10.18=リニューアル+中間運転台撤去
11639	**12639**	13639	14639	**15639**	16639	11443	**12443**	13443	14443	14.03.11=リニューアル+中間運転台撤去 14.06.17=VVVF化
11640	**12640**	13640	14640	**15640**	16640	11440	**12440**	13440	14440	12.08.24=リニューアル+中間運転台撤去
11641	**12641**	13641	14641	**15641**	16641	11445	**12445**	13445	14445	11.12.15=リニューアル+中間運転台撤去
11642	**12642**	13642	14642	**15642**	16642	11438	**12438**	13438	14438	12.03.15=リニューアル+中間運転台撤去
11637	**12637**	13637	14637	**15637**	16637	11442	**12442**	13442	14442	17.03.11=リニューアル+中間運転台撤去

⑩	⑨	⑧	⑦	⑥	⑤
Tc1	弱M1	M2	T3	M3	Tc2
11630	12630	13630	14630	15630	16630
+	F	SCP	SCP	F	+
11634	12634	13634	14634	15634	16634
11643	12643	13643	14643	15643	16643
11644	12644	13644	14644	15644	16644
11661	**12661**	13661	14661	**15661**	16661

④	③	②	①
Tc1	M1	M2	Tc2
11430	12430	13430	14430
+	F	SCP	+
11439	12439	13439	14439
11441	12441	13441	14441
11448	12448	13448	14448
11455	**12455**	13455	14455

30000系 150両(ステンレス車体)[密連] ④

⑩	♿⑨	⑧	⑦	⑥♿	⑤	④	♿③	②♿	①	
Tc1	弱M1	M2	T1	M3	T	T	M1A	M2A	Tc2	
31600	32600	33600	34600	35600	36600	31400	32400	33400	34400	
+	VCP	VS	S	VCP			VCP	VS	+	
31601	**32601**	33601	34601	**35601**	36601	31401	**32401**	**33401**	34401	
31602	**32602**	33602	34602	**35602**	36602	31402	**32402**	**33402**	34402	15.01.14=中間運転台撤去(10両固定編成化)
31603	**32603**	33603	34603	**35603**	36603	31403	**32403**	**33403**	34403	
31604	**32604**	33604	34604	**35604**	36604	31404	**32404**	**33404**	34404	
31605	**32605**	33605	34605	**35605**	36605	31405	**32405**	**33405**	34405	
31606	**32606**	33606	34606	**35606**	36606	31406	**32406**	**33406**	34406	20.01.23転入 中間運転台撤去(10両固定編成化)
31607	**32607**	33607	34607	**35607**	36607	31407	**32407**	**33407**	34407	14.10.23=中間運転台撤去(10両固定編成化)
31608	**32608**	33608	34608	**35608**	36608	31408	**32408**	**33408**	34408	
31609	**32609**	33609	34609	**35609**	36609	31409	**32409**	**33409**	34409	21.09.28転入 中間運転台撤去(10両固定編成化)
31610	**32610**	33610	34610	**35610**	36610	31410	**32410**	**33410**	34410	
31611	**32611**	33611	34611	**35611**	36611	31411	**32411**	**33411**	34411	
31612	**32612**	33612	34612	**35612**	36612	31412	**32412**	**33412**	34412	14.07.08=中間運転台撤去(10両固定編成化)
31613	**32613**	33613	34613	**35613**	36613	31413	**32413**	**33413**	34413	
31614	**32614**	33614	34614	**35614**	36614	31414	**32414**	**33414**	34414	14.09.02=中間運転台撤去(10両固定編成化)
31615	**32615**	33615	34615	**35615**	36615	31415	**32415**	**33415**	34415	

▼優先席……全車両に設置
▼車いす対応スペース……太字の車両に設置
▼弱冷房車…編成図に弱を付した車両

←池袋(地下鉄有楽町線・副都心線)　　　　　　　　　　　　　　　　越生・寄居→

50000系50000型　**70両**(アルミ車体[アルミダブルスキン構体])[密連]　④

⑩	♿⑨	⑧	⑦	⑥	⑤	④	③	②♿	①
Tc1	弱M1	M2	T1	M3	T2	T3	M1′	M2′	Tc2
51000	52000	53000	54000	55000	56000	57000	58000	59000	50000
	V	ⓈCP		V			V	ⓈCP	
51001	**52001**	53001	54001	55001	56001	57001	58001	**59001**	50001
51002	**52002**	53002	54002	55002	56002	57002	58002	**59002**	50002
51003	**52003**	53003	54003	55003	56003	57003	58003	**59003**	50003
51004	**52004**	53004	54004	55004	56004	57004	58004	**59004**	50004
51005	**52005**	53005	54005	55005	56005	57005	58005	**59005**	50005
51006	**52006**	53006	54006	55006	56006	57006	58006	**59006**	50006
51007	**52007**	53007	54007	55007	56007	57007	58007	**59007**	50007

▽第1編成の前面は非貫通
▽51003～51007編成は側窓開閉式

50000系50070型　**70両**(地下鉄有楽町線・副都心線乗入車)(アルミ車体[アルミダブルスキン構体])[密連]　④

Tc1	弱M1	M2	T1	M3	T2	T3	M1′	M2′	Tc2
51070	52070	53070	54070	55070	56070	57070	58070	59070	50070
	V	ⓈCP		V			V	ⓈCP	
51071	**52071**	53071	54071	55071	56071	57071	58071	**59071**	50071
51072	**52072**	53072	54072	55072	56072	57072	58072	**59072**	50072
51073	**52073**	53073	54073	55073	56073	57073	58073	**59073**	50073
51074	**52074**	53074	54074	55074	56074	57074	58074	**59074**	50074
51075	**52075**	53075	54075	55075	56075	57075	58075	**59075**	50075
51076	**52076**	53076	54076	55076	56076	57076	58076	**59076**	50076 ☆
51077	**52077**	53077	54077	55077	56077	57077	58077	**59077**	50077 ☆

▽51075編成は側窓簡易開閉式
▽☆印の編成はドア間窓開閉可能

50000系50090型　**60両**(アルミ車体[アルミダブルスキン構体])[密連]　④

Tc1	弱M1	M2	T1	M3	T2	T3	M1′	M2′	Tc2
51090	52090	53090	54090	55090	56090	57090	58090	59090	50090
	V	ⓈCP		V			V	ⓈCP	
51091	**52091**	53091	54091	55091	56091	57091	58091	**59091**	50091
51092	**52092**	53092	54092	55092	56092	57092	58092	**59092**	50092
51093	**52093**	53093	54093	55093	56093	57093	58093	**59093**	50093
51094	**52094**	53094	54094	55094	56094	57094	58094	**59094**	50094
51095	**52095**	53095	54095	55095	56095	57095	58095	**59095**	50095
51096	**52096**	53096	54096	55096	56096	57096	58096	**59096**	50096

▽50090型は座席クロス/ロングシート変換機能を持つ。朝・夕はクロスシートで座席指定制の「ＴＪライナー」に使用する
また、19.03.16からは「川越特急」(自由席)にも充当

9000系9000型　**70両**・**9050型**　**20両**(地下鉄有楽町線・副都心線乗入車)(ステンレス車体)[密連]　④

Tc1	弱M1	M2	T1	M1	M3	T2	M1	M4	Tc2
9100	9200	9300	9400	9500	9600	9700	9800	9900	9000
	C	Ⓢ		C	CP		C	ⓈCP	
9102	**9202**	9302	9402	9502	9602	9702	9802	**9902**	9002
9103	**9203**	9303	9403	9503	9603	9703	9803	**9903**	9003
9104	**9204**	9304	9404	9504	9604	9704	9804	**9904**	9004
9105	**9205**	9305	9405	9505	9605	9705	9805	**9905**	9005
9106	**9206**	9306	9406	9506	9606	9706	9806	**9906**	9006
9107	**9207**	9307	9407	9507	9607	9707	9807	**9907**	9007
9108	**9208**	9308	9408	9508	9608	9708	9808	**9908**	9008

▽9108編成は軽量ステンレス車体
補助機器の配置は9050系と同じ

Tc3	弱M5	M6	T3	M7	M8	T4	M7	M9	Tc4
9150	9250	9350	9450	9550	9650	9750	9850	9950	9050
	V	ⓈCP		V	ⓈCP		V	ⓈCP	
9151	**9251**	9351	9451	9551	9651	9751	9851	**9951**	9051
9152	**9252**	9352	9452	9552	9652	9752	9852	**9952**	9052

▽地下鉄有楽町線への乗入れは新木場、
副都心線への乗入れは渋谷から東急東横線を経由、横浜高速鉄道元町・中華街まで
▽9152編成は「すぐそこ、KAWAGOE」(ラッピング)=24.02.11

▼優先席……全車両に設置
▼車いす対応スペース……太字の車両に設置
▼弱冷房車…編成図に弱を付した車両

東武アーバンパークライン(南栗橋車両管区七光台支所) 258両

←柏 船橋、大宮→

60000系 108両(アルミ車体[アルミダブルスキン構体])[密連] ④

⑥	⑤	④	③	②	①	
Tc1 61600	M1 62600	弱M2 63600	T1 64600	M3 65600	Tc2 66600	
–	V	– SCP	SCP –	V	–	
61601	**62601**	**63601**	**64601**	**65601**	66601	13.03.21日立
61602	**62602**	**63602**	**64602**	**65602**	66602	13.03.22日立
61603	**62603**	**63603**	**64603**	**65603**	66603	14.01.14日立
61604	**62604**	**63604**	**64604**	**65604**	66604	14.01.15日立
61605	**62605**	**63605**	**64605**	**65605**	66605	14.02.17日立
61606	**62606**	**63606**	**64606**	**65606**	66606	14.02.18日立
61607	**62607**	**63607**	**64607**	**65607**	66607	14.03.19日立
61608	**62608**	**63608**	**64608**	**65608**	66608	14.03.20日立
61609	**62609**	**63609**	**64609**	**65609**	66609	14.12.08日立
61610	**62610**	**63610**	**64610**	**65610**	66610	14.12.09日立
61611	**62611**	**63611**	**64611**	**65611**	66611	15.01.13日立
61612	**62612**	**63612**	**64612**	**65612**	66612	15.01.14日立
61613	**62613**	**63613**	**64613**	**65613**	66613	15.02.16日立
61614	**62614**	**63614**	**64614**	**65614**	66614	15.02.17日立
61615	**62615**	**63615**	**64615**	**65615**	66615	15.03.16日立
61616	**62616**	**63616**	**64616**	**65616**	66616	15.03.17日立
61617	**62617**	**63617**	**64617**	**65617**	66617	15.11.04日立
61618	**62618**	**63618**	**64618**	**65618**	66618	15.11.05日立

▽60000系は2013.06.15から営業運転開始

▼優先席……全車両に設置
▼車いす対応スペース……太字の車両に設置
▼弱冷房車…編成図に弱を付した車両
▽船橋～大宮間直通列車は、途中、柏にて進行方向が変わる

10000系10030型 54両(ステンレス車体)[密連] ④

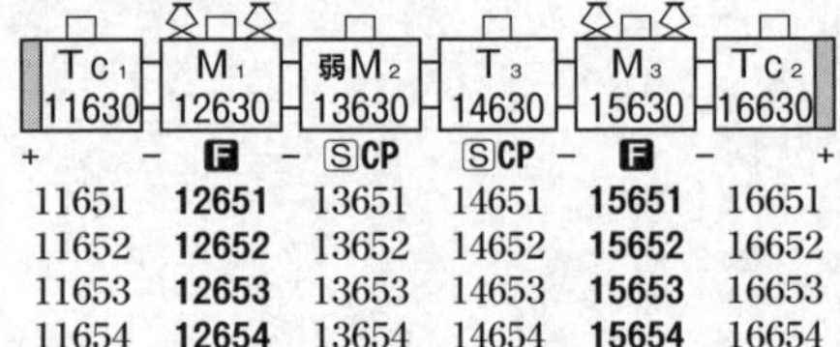

Tc1 11630	M1 12630	弱M2 13630	T3 14630	M3 15630	Tc2 16630
+ –	F	– SCP	SCP –	F	– +
11651	**12651**	13651	14651	**15651**	16651
11652	**12652**	13652	14652	**15652**	16652
11653	**12653**	13653	14653	**15653**	16653
11654	**12654**	13654	14654	**15654**	16654

▽10030型は2013.04.20から野田線にて営業運転開始

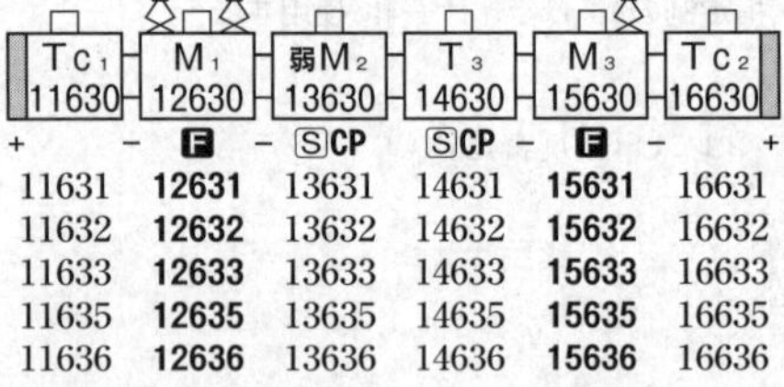

Tc1 11630	M1 12630	弱M2 13630	T3 14630	M3 15630	Tc2 16630	
+ –	F	– SCP	SCP –	F	– +	
11631	**12631**	13631	14631	**15631**	16631	13.05.30=リニューアル
11632	**12632**	13632	14632	**15632**	16632	12.11.28=リニューアル
11633	**12633**	13633	14633	**15633**	16633	15.03.31=リニューアル
11635	**12635**	13635	14635	**15635**	16635	
11636	**12636**	13636	14636	**15636**	16636	

8000系 96両[小型密着] ④

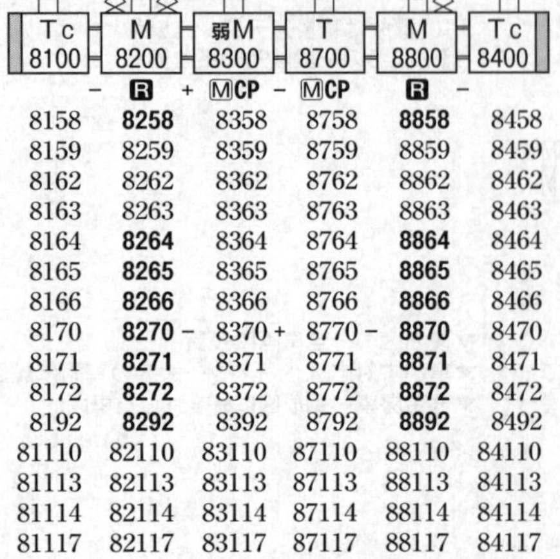

Tc 8100	M 8200	弱M 8300	T 8700	M 8800	Tc 8400
–	R	+ MCP	– MCP	R	–
8158	**8258**	8358	8758	**8858**	8458
8159	8259	8359	8759	8859	8459
8162	8262	8362	8762	8862	8462
8163	8263	8363	8763	8863	8463
8164	**8264**	8364	8764	**8864**	8464
8165	**8265**	8365	8765	**8865**	8465
8166	**8266**	8366	8766	**8866**	8466
8170	**8270** –	8370 +	8770 –	**8870**	8470
8171	**8271**	8371	8771	**8871**	8471
8172	**8272**	8372	8772	**8872**	8472
8192	**8292**	8392	8792	**8892**	8492
81110	82110	83110	87110	88110	84110
81113	82113	83113	87113	88113	84113
81114	82114	83114	87114	88114	84114
81117	82117	83117	87117	88117	84117

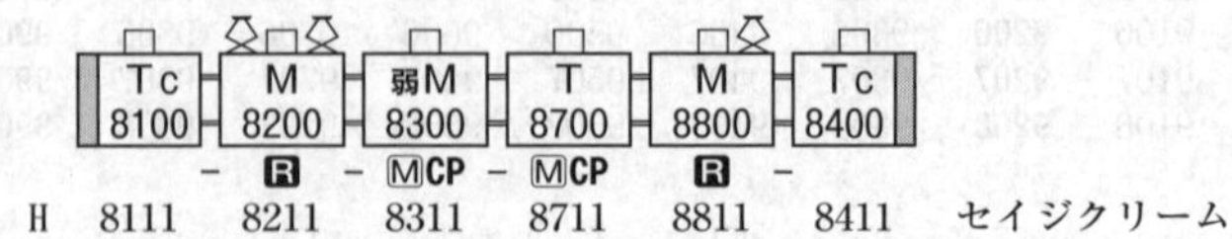

	Tc 8100	M 8200	弱M 8300	T 8700	M 8800	Tc 8400	
	–	R	– MCP	– MCP	R	–	
H	8111	8211	8311	8711	8811	8411	セイジクリーム

▽8111編成は東武博物館所有
▽Hは前面未改造車

形式別配置両数表　電車

形式	栗	春	七	森	計
N100系					
クハN100-1		4			4
モハN100-2		4			4
モハN100-3		4			4
モハN100-4		4			4
モハN100-5		4			4
クハN100-6		4			4
	0	24	0	0	24
100系					
モハ100-1		7			7
モハ100-2		7			7
モハ100-3		7			7
モハ100-4		7			7
モハ100-5		7			7
モハ100-6		7			7
		42			42
200系					
モハ200-1		6			6
モハ200-2		6			6
モハ200-3		6			6
モハ200-4		6			6
モハ200-5		6			6
モハ200-6		6			6
	0	36	0	0	36
500系					
モハ500-1		17			17
サハ500-2		17			17
モハ500-3		17			17
	0	51	0	0	51
634型					
モハ634	2				2
クハ634	2				2
	4	0	0	0	4
6050系					
モハ6150	3				3
クハ6250	3				3
	6				6
8000系					
クハ8100			16	11	27
モハ8200			16	11	27
モハ8300			16	11	27
クハ8400			16	11	27
モハ8500	1	7			8
クハ8600	1	7			8
サハ8700			16		16
モハ8800			16		16
	2	14	96	44	156
800・850型					
クハ800-1		5			5
モハ800-2		5			5
モハ800-3		5			5
モハ850-1		5			5
モハ850-2		5			5
クハ850-3		5			5
	0	30	0	0	30
9000系					
クハ9100				7	7
モハ9200				7	7
モハ9300				7	7
サハ9400				7	7
モハ9500				7	7
モハ9600				7	7
サハ9700				7	7
モハ9800				7	7
モハ9900				7	7
クハ9000				7	7
	0	0	0	70	70
9050系					
クハ9150				2	2
モハ9250				2	2
モハ9350				2	2
サハ9450				2	2
モハ9550				2	2
モハ9650				2	2
サハ9750				2	2
モハ9850				2	2
モハ9950				2	2
クハ9050				2	2
	0	0	0	20	20
10000系					
クハ11000				3	3
モハ12000				3	3
モハ13000				3	3
サハ14000				3	3
モハ15000				3	3
モハ16000				3	3
サハ17000				3	3
モハ18000				3	3
モハ19000				3	3
クハ10000				3	3
モハ11200		4			4
クハ11200		4			4
クハ11600		7			7
モハ12600		7			7
モハ13600		7			7
サハ14600		7			7
モハ15600		7			7
クハ16600		7			7
クハ11800		2			2
モハ12800		2			2
モハ13800		2			2
サハ14800		2			2
サハ15800		2			2
モハ16800		2			2
モハ17800		2			2
クハ18800		2			2
	0	66	0	30	96
10030型					
クハ11030				2	2
モハ12030				2	2
モハ13030				2	2
サハ14030				2	2
モハ15030				2	2
モハ16030				2	2
サハ17030				2	2
モハ18030				2	2
モハ19030				2	2
クハ10030				2	2
モハ11230		18			18
クハ11230		18			18
クハ11430		14		4	18
サハ11430				6	6
モハ12430		14		10	24
モハ13430		14		10	24
モハ14430		14		10	24
クハ11630		11	9	10	30
モハ12630		11	9	10	30
モハ13630		11	9	10	30
サハ14630		11	9	10	30
モハ15630		11	9	10	30
クハ16630		11	9	4	24
サハ16630				6	6
	0	158	54	120	332
20410型					
クハ21410	3				3
モハ22410	3				3
モハ23410	3				3
クハ24410	3				3
	12	0	0	0	12
20420型					
クハ21420	3				3
モハ22420	3				3
モハ23420	3				3
クハ24420	3				3
	12	0	0	0	12
20430型					
クハ21430	8				8
モハ22430	8				8
モハ23430	8				8
クハ24430	8				8
	32	0	0	0	32
20440型					
クハ21440	8				8
モハ22440	8				8
モハ23440	8				8
クハ24440	8				8
	32	0	0	0	32
30000系					
クハ31600				15	15
モハ32600				15	15
モハ33600				15	15
サハ34600				15	15
モハ35600				15	15
サハ36600				15	15
サハ31400				15	15
モハ32400				15	15
モハ33400				15	15
クハ34400				15	15
	0	0	0	150	150
50000系					
クハ51000	2			7	9
モハ52000	2			7	9
モハ53000	2			7	9
サハ54000	2			7	9
モハ55000	2			7	9
モハ56000	2			7	9
サハ57000	2			7	9
モハ58000	2			7	9
モハ59000	2			7	9
クハ50000	2			7	9
	20	0	0	70	90
50050型					
クハ51050	18				18
モハ52050	18				18
モハ53050	18				18
サハ54050	18				18
モハ55050	18				18
モハ56050	18				18
サハ57050	18				18
モハ58050	18				18
モハ59050	18				18
クハ50050	18				18
	180	0	0	0	180
50070型					
クハ51070				7	7
モハ52070				7	7
モハ53070				7	7
サハ54070				7	7
モハ55070				7	7
モハ56070				7	7
サハ57070				7	7
モハ58070				7	7
モハ59070				7	7
クハ50070				7	7
	0	0	0	70	70
50090型					
クハ51090				6	6
モハ52090				6	6
モハ53090				6	6
サハ54090				6	6
モハ55090				6	6
モハ56090				6	6
サハ57090				6	6
モハ58090				6	6
モハ59090				6	6
クハ50090				6	6
	0	0	0	60	60
60000系					
クハ61600			18		18
モハ62600			18		18
モハ63600			18		18
サハ64600			18		18
モハ65600			18		18
クハ66600			18		18
	0	0	108	0	108
70000系					
モハ71700		18			18
モハ72700		18			18
モハ73700		18			18
モハ74700		18			18
モハ75700		18			18
モハ76700		18			18
モハ77700		18			18
	0	126	0	0	126
70090型					
モハ71790		6			6
モハ72790		6			6
モハ73790		6			6
モハ74790		6			6
モハ75790		6			6
モハ76790		6			6
モハ77790		6			6
	0	42	0	0	42
合計	300	589	258	634	1781

西武鉄道 池袋線車両所・新宿線車両所・〔全〕武蔵丘車両検修場（高麗駅付近） 1221両

池袋線・西武秩父線・狭山線・豊島線・西武有楽町線（小手指車両基地〔小〕・武蔵丘車両基地〔武〕） 700両（668+12）

←飯能・西武球場前・豊島園　　　西武秩父、池袋（地下鉄有楽町線・副都心線）→

001系 56両（Laview）（アルミ車体［アルミダブルスキン構体］）［密連］ ①

	①	②	③	④WC	⑤	⑥	⑦	⑧	
	Tc_1	M_1	M_2	T_1	T_3	M_5	M_6	Tc_2	
	001-01	001-02	001-03	001-04	001-05	001-06	001-07	001-08	
	–	V	– SCP	–	–	V	SCP	–	
小	001-A1	001-A2	001-A3	001-A4	001-A5	001-A6	001-A7	001-A8	19.01.15日立
小	001-B1	001-B2	001-B3	001-B4	001-B5	001-B6	001-B7	001-B8	19.02.19日立
小	001-C1	001-C2	001-C3	001-C4	001-C5	001-C6	001-C7	001-C8	19.06.03日立
小	001-D1	001-D2	001-D3	001-D4	001-D5	001-D6	001-D7	001-D8	19.10.14日立
小	001-E1	001-E2	001-E3	001-E4	001-E5	001-E6	001-E7	001-E8	19.12.02日立
小	001-F1	001-F2	001-F3	001-F4	001-F5	001-F6	001-F7	001-F8	20.02.13日立
小	001-G1	001-G2	001-G3	001-G4	001-G5	001-G6	001-G7	001-G8	20.02.28日立

▽2019.03.16から運行開始

4000系 44両（ワンマン）［密連］ ②※

	Tc_1	M_1	M_2	Tc_2	
	4001	4101	4101	4001	
	+	– R –	MCP	+	
武	4001	4101	4102	4002	
武	4003	4103	4104	4004	
武	4005	4105	4106	4006	
武	4007	4107	4108	4008	
武	4011	4111	4112	4012	
武	4013	4113	4114	4014	
武	4017	4117	4118	4018	
武	4019	4119	4120	4020	
武	4021	4121	4122	4022	
武	4023	4123	4124	4024	
武	4009	4109	4110	4010	←16.03.22観光電車化

▽4000系のTc_1はトイレ付き
飯能～西武秩父間の区間運転に使用
▽＿の補助電源はS
▽観光電車「52席の至福」は2016.04.17から運行開始
（運行区間は池袋～西武秩父間ほか）
客用扉は３号車（4110）なし。ほかは①

2000系 70両［密連］ ④

	Tc_1	弱M_1	M_2	M_3	M_4	M_5	M_6	Tc_2	
	2001	2101	2101	2101	2101	2101	2101	2001	
	+	– F	– SCP	F	–	– F	– SCP	– +	
武	**2071**	2171	2172	2271	2272	2371	2372	**2072**	
武	2087	2187	2188	2287	2288	2387	2388	2088	パンSアーム化

	Tc_1	弱M_1	M_2	M_3	M_4	M_5	M_6	Tc_2	
	2001	2101	2101	2101	2101	2101	2101	2001	
	+	– F	– SCP +	F	–	– F	– SCP	– +	
武	**2069**	2169	2170	2269	2270	2369	2370	**2070**	
武	2073	2173	2174	2273	2274	2373	2374	2074	17.01.20=パンSアーム化
武	**2075**	2175	2176	2275	2276	2375	2376	**2076**	
武	**2079**	2179	2180	2279	2280	2379	2380	**2080**	
武	2089	2189	2190	2289	2290	2389	2390	2090	16.09.23=パンSアーム化
武	**2091**	2191	2192	2291	2292	2391	2392	**2092**	

▽■の車両の補助電源はM
▽パンSアーム化は、
パンタグラフシングルアーム化

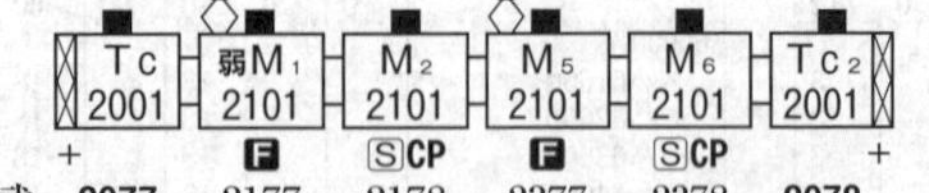

	Tc	弱M_1	M_2	M_5	M_6	Tc_2	
武	**2077**	2177	2178	2377	2378	**2078**	23.10.02= ６両化

▼優先席……10000系を除く全車両に設置
▼車いすスペース……太字の車両に設置
▼弱冷房車…編成図に弱を付した車両

101系 12両（改）［密連］ ③

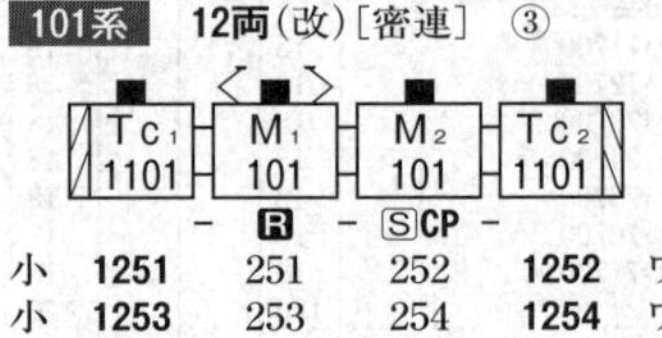

	Tc_1	M_1	M_2	Tc_2	
小	**1251**	251	252	**1252**	ワ
小	**1253**	253	254	**1254**	ワ

▽263編成は黄色
▽245編成は黄色とベージュのツートンカラー（19.06.18～）
247編成は赤電色（17.12～）

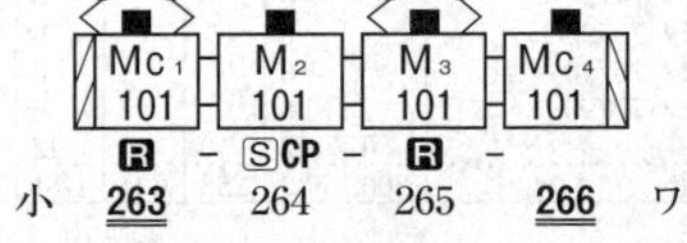

	Mc_1	M_2	M_3	Mc_4	
小	**263**	264	265	**266**	ワ

▽ワはワンマン車
▽ワンマン車はスカート付き
▽263～266は牽引車、通常は一般営業に使用

40000系　**200両**(アルミ車体[アルミダブルスキン構体])[密連]　④

①	弱②♿	③	④♿WC	⑤	⑥	⑦	⑧	♿⑨	⑩♿
Tc_1	M_1	M_2	T_1	M_3	T_2	T_3	M_5	M_6	Tc_2
40100	40200	40300	40400	40500	40600	40700	40800	40900	40000
	V	SCP		V			V	SCP	

小	40101	40201	40301	40401	40501	40601	40701	40801	40901	40001	17.01.10川重
小	40102	40202	40302	40402	40502	40602	40702	40802	40902	40002	17.01.11川重
小	40103	40203	40303	40403	40503	40603	40703	40803	40903	40003	17.10.24川重
小	40104	40204	40304	40404	40504	40604	40704	40804	40904	40004	17.11.21川重
小	40105	40205	40305	40405	40505	40605	40705	40805	40905	40005	18.02.06川重
小	40106	40206	40306	40406	40506	40606	40706	40806	40906	40006	18.02.27川重

▽2017.03.25から、座席指定列車「S-TRAIN」を中心に営業運転開始。現在は新宿線「拝島ライナー」にも充当
▽座席はクロスシート、ロングシート転換可能。10号車にパートナーゾーン、4号車トイレは車いす対応

①	弱②♿	③	④♿	⑤	⑥	⑦	⑧	♿⑨	⑩♿
Tc_1	M_1	M_2	T_1	M_3	T_2	T_3	M_5	M_6	Tc_2
40100	40200	40300	40400	40500	40600	40700	40800	40900	40000
	V	SCP		V			V	SCP	

武	40151	**40251**	40351	**40451**	40551	40651	40751	40851	**40951**	**40051**	19.12.23川重
武	40152	**40252**	40352	**40452**	40552	40652	40752	40852	**40952**	**40052**	20.02.03川重
武	40153	**40253**	40353	**40453**	40553	40653	40753	40853	**40953**	**40053**	20.09.01川重
武	40154	**40254**	40354	**40454**	40554	40654	40754	40854	**40954**	**40054**	20.11.16川重
武	40155	**40255**	40355	**40455**	40555	40655	40755	40855	**40955**	**40055**	21.06.25川重
武	40156	**40256**	40356	**40456**	40556	40656	40756	40856	**40956**	**40056**	21.10.01川車
武	40157	**40257**	40357	**40457**	40557	40657	40757	40857	**40957**	**40057**	21.10.29川車
武	40158	**40258**	40358	**40458**	40558	40658	40758	40858	**40958**	**40058**	22.07.01川車
武	40159	**40259**	40359	**40459**	40559	40659	40759	40859	**40959**	**40059**	23.01.20川車
武	40160	**40260**	40360	**40460**	40560	40660	40760	40860	**40960**	**40060**	23.03.24川車
小	40161	**40261**	40361	**40461**	40561	40661	40761	40861	**40961**	**40061**	23.07.14川車
小	40162	**40262**	40362	**40462**	40562	40662	40762	40862	**40962**	**40062**	23.08.04川車
小	40163	**40263**	40363	**40463**	40563	40663	40763	40863	**40963**	**40063**	23.11.17川車
小	40164	**40264**	40364	**40464**	40564	40664	40764	40864	**40964**	**40064**	23.12.08川車

▽40000系50代は座席がロングシート(固定)

30000系　**84両**(アルミ車体[アルミダブルスキン構体])(拡幅車体)[密連]「スマイルトレイン」　④

Tc_1	弱M_1	M_2	T_1	T_3	M_5	M_6	Tc_2
38100	38200	38300	38400	38500	38600	38700	38800
+	V	SCP			V	SCP	+

武	**38103**	**38203**	38303	38403	38503	38603	**38703**	**38803**	
武	**38105**	**38205**	38305	38405	38505	38605	**38705**	**38805**	
武	**38107**	**38207**	38307	38407	38507	38607	**38707**	**38807**	
武	**30108**	**30208**	30308	30408	30508	30608	**30708**	**30808**	
武	**38109**	**38209**	38309	38409	38509	38609	**38709**	**38809**	
武	**38111**	**38211**	38311	38411	38511	38611	**38711**	**38811**	
武	**38112**	**38212**	38312	38412	38512	38612	**38712**	**38812**	12.11.02日立
武	**38113**	**38213**	38313	38413	38513	38613	**38713**	**38813**	12.11.19日立
武	**38114**	**38214**	38314	38414	38514	38614	**38714**	**38814**	12.11.19日立

Mc	Tc
32100	32200
+ V	SCP +

武	**32101**	32201	
武	**32102**	32202	
武	**32103**	32203	
武	**32104**	32204	12.11.02日立
武	**32105**	32205	12.11.19日立
武	**32106**	32206	12.12.10日立

▽情報配信装置更新　38113F=22.11.26　38114F=23.12.28

←飯能・西武球場前・豊島園　　　　　　　　　　　　　　　　　　西武秩父、池袋(地下鉄有楽町線・副都心線)→

20000系　42両(アルミ車体[アルミダブルスキン構体])[密連]　④

①	弱②	③	④	⑤	⑥	⑦	⑧	⑨	⑩	
Tc1	弱M1	M2	T1	M3	T2	T3	M5	M6	Tc2	
20100	20200	20300	20400	20500	20600	20700	20800	20900	20000	
－	V	－ ⓈCP －		－ V	CP －		－ V	－ ⓈCP －		
小 **20104**	**20204**	20304	20404	20504	20604	20704	20804	**20904**	**20004**	21.11.10=VVVF変更・CP変更

①	弱②	③	④	⑦	⑧	⑨	⑩	
Tc1	弱M1	M2	T1	T3	M5	M6	Tc2	
20100	20200	20300	20400	20700	20800	20900	20000	
－	V	－ ⓈCP －			V	－ ⓈCP －		
小 **20151**	**20251**	20351	20451	20751	20851	**20951**	**20051**	21.09.29=VVVF変更・CP変更
小 **20152**	**20252**	20352	20452	20752	20852	**20952**	**20052**	
小 **20153**	**20253**	20353	20453	20753	20853	**20953**	**20053**	22.01.28=VVVF変更・CP変更
小 **20158**	**20258**	20358	20458	20758	20858	**20958**	**20058**	23.08.04=VVVF変更

6000系　180両(ステンレス車体)(地下鉄乗入れ対応車)[密連]　④

①	弱②	③	④	⑤	⑥	⑦	⑧	⑨	⑩	
Tc1	M1	M2	T1	M3	M4	T2	M5	M6	Tc2	
6100	6200	6300	6400	6500	6600	6700	6800	6900	6000	
－	V	－ ⓈCP －		V	－ ⓈCP －		－ V	－ ⓈCP －		
小 6107	**6207**	6307	6407	6507	6607	6707	6807	**6907**	6007	17.12.25=VVVF更新工事
小 6109	**6209**	6309	6409	6509	6609	6709	6809	**6909**	6009	19.05.30=VVVF更新工事
小 6110	**6210**	6310	6410	6510	6610	6710	6810	**6910**	6010	17.01.13=VVVF更新工事
小 6111	**6211**	6311	6411	6511	6611	6711	6811	**6911**	6011	17.05.15=VVVF更新工事、23.01.21=情報配信装置更新
小 6112	**6212**	6312	6412	6512	6612	6712	6812	**6912**	6012	18.07.20=VVVF更新工事
小 6113	**6213**	6313	6413	6513	6613	6713	6813	**6913**	6013	17.09.14=VVVF更新工事
小 6114	**6214**	6314	6414	6514	6614	6714	6814	**6914**	6014	17.07.26=VVVF更新工事
小 6115	**6215**	6315	6415	6515	6615	6715	6815	**6915**	6015	17.03.19=VVVF更新工事
小 6116	**6216**	6316	6416	6516	6616	6716	6816	**6916**	6016	18.01.31=VVVF更新工事
小 6117	**6217**	6317	6417	6517	6617	6717	6817	**6917**	6017	17.10.25=VVVF更新工事
小 6151	**6251**	6351	6451	6551	6651	6751	6851	**6951**	6051	18.10.03=VVVF更新工事＋屋根・床修繕工事
小 6152	**6252**	6352	6452	6552	6652	6752	6852	**6952**	6052	18.12.18=VVVF更新工事＋屋根・床修繕工事
小 6153	**6253**	6353	6453	6553	6653	6753	6853	**6953**	6053	19.03.19=VVVF更新工事＋屋根・床修繕工事
小 6154	**6254**	6354	6454	6554	6654	6754	6854	**6954**	6054	19.11.14=VVVF更新工事
小 6155	**6255**	6355	6455	6555	6655	6755	6855	**6955**	6055	20.02.19=VVVF更新工事＋屋根・床修繕工事
小 6156	**6256**	6356	6456	6556	6656	6756	6856	**6956**	6056	15.03.27=VVVF更新工事
小 6157	**6257**	6357	6457	6557	6657	6757	6857	**6957**	6057	15.03.27=VVVF更新工事
小 6158	**6258**	6358	6458	6558	6658	6758	6858	**6958**	6058	17.03.21=VVVF更新工事

▽6000系の車号50番代はアルミ車体、56以降は戸袋窓なし
▽6000系は地下鉄副都心線乗入れ対応車、先頭車前面の白色塗装、前面・側面表示器のフルカラーLED化、ATO・TIS装備、ワンハンドルマスコンの採用などを行なった
▽池袋線の列車は、普通=8両編成、急行系=8・10両編成

▽地下鉄有楽町線への乗入れは、新木場まで
副都心線への乗入れは、渋谷から東急東横線を経由、横浜高速鉄道元町・中華街まで

▼優先席……全車両に設置
▼車いす対応スペース……太字の車両に設置
▼弱冷房車…編成図に弱を付した車両

形式	小手指	武蔵丘	南入曽	玉川上水	計
001系					
クハ001-01	7				7
モハ001-02	7				7
モハ001-03	7				7
サハ001-04	7				7
サハ001-05	7				7
モハ001-06	7				7
モハ001-07	7				7
クハ001-08	7				7
	56	0	0	0	56
10000系					
クハ10100			5		5
モハ10200			5		5
モハ10300			5		5
サハ10400			5		5
モハ10500			5		5
モハ10600			5		5
クハ10700			5		5
	0	0	35		35
40000系					
クハ40100	10	10			20
モハ40200	10	10			20
モハ40300	10	10			20
サハ40400	10	10			20
モハ40500	10	10			20
モハ40600	10	10			20
サハ40700	10	10			20
モハ40800	10	10			20
モハ40900	10	10			20
クハ40000	10	10			20
	100	100	0	0	200
4000系					
モハ4101		22			22
クハ4001		22			22
	0	44	0	0	44

形式	小手指	武蔵丘	南入曽	玉川上水	計
101系					
モハ101	6			8	14
クハ1101	4			8	12
クモハ101	2				2
	12	0	0	16	28
2000系					
モハ2101		52	41	38	131
クハ2001		18	15	19	52
クモハ2401			12	11	23
クハ2401			10		10
	0	70	78	68	216
6000系					
クハ6100	18			7	25
モハ6200	18			7	25
モハ6300	18			7	25
サハ6400	18			7	25
モハ6500	18			7	25
モハ6600	18			7	25
サハ6700	18			7	25
モハ6800	18			7	25
モハ6900	18			7	25
クハ6000	18			7	25
	180	0	0	70	250
9000系					
クハ9100				5	5
モハ9200				5	5
モハ9900				5	5
クハ9000				5	5
	0	0	0	20	20

形式	小手指	武蔵丘	南入曽	玉川上水	計
20000系					
クハ20100	5		4	7	16
モハ20200	5		4	7	16
モハ20300	5		4	7	16
サハ20400	5		4	7	16
モハ20500	1			7	8
モハ20600	1			7	8
サハ20700	5		4	7	16
モハ20800	5		4	7	16
モハ20900	5		4	7	16
クハ20000	5		4	7	16
	42	0	32	70	144
30000系					
クハ30100				6	6
モハ30200				6	6
モハ30300				6	6
サハ30400				6	6
モハ30500				6	6
モハ30600				6	6
サハ30700				6	6
モハ30800				6	6
モハ30900				6	6
クハ30000				6	6
クハ38100		9	9		18
モハ38200		9	9		18
モハ38300		9	9		18
サハ38400		9	9		18
サハ38500		9	9		18
モハ38600		9	9		18
モハ38700		9	9		18
クハ38000		9	9		18
クモハ32100		6			6
クハ32200		6			6
	0	84	72	60	216
山口線	12				12
	402	298	217	304	1221
		700		521	

←西武新宿・国分寺　　　　西武園・多摩湖・拝島・本川越→

10000系　35両(ニューレッドアロー)[密連]　①

	①WC	②	③	④	⑤	⑥	WC⑦
	Tc1	M1	M2	T	M3	M4	Tc2
	10100	10200	10300	10400	10500	10600	10700
		R	SCP		R	SCP	
入	**10108**	10208	10308	10408	10508	10608	10708
入	**10109**	10209	10309	10409	10509	10609	10709
入	**10110**	10210	10310	10410	10510	10610	10710
入	**10111**	10211	10311	10411	10511	10611	10711

	Tc1	M1	M2	T	M3	M4	Tc2
	10100	10200	10300	10400	10500	10600	10700
		V	SCP		V	SCP	
入	**10112**	10212	10312	10412	10512	10612	10712

20000系　102両(アルミ車体[アルミダブルスキン構体])[密連]　④

	①	②	③	④	⑤	⑥	⑦	⑧	⑨	⑩	
	Tc1	弱M1	M2	T1	M3	T2	T3	M5	M6	Tc2	
	20100	20200	20300	20400	20500	20600	20700	20800	20900	20000	
		V	SCP		V	CP		V	SCP		
玉	**20101**	**20201**	20301	20401	20501	20601	20701	20801	**20901**	**20001**	21.08.05=VVVF変更·CP変更
玉	**20102**	**20202**	20302	20402	20502	20602	20702	20802	**20902**	**20002**	
玉	**20103**	**20203**	20303	20403	20503	20603	20703	20803	**20903**	**20003**	22.06.23=CP変更
玉	**20105**	**20205**	20305	20405	20505	20605	20705	20805	**20905**	**20005**	20305=22.07.01CP変更、20905=22.10.28CP変更
玉	**20106**	**20206**	20306	20406	20506	20606	20706	20806	**20906**	**20006**	23.10.17=VVVF更新、19.09.03=CP変更、20906=22.05.16CP変更
玉	**20107**	**20207**	20307	20407	20507	20607	20707	20807	**20907**	**20007**	23.12.22=VVVF更新、19.10.16=CP変更、20907=22.09.30CP変更
玉	**20108**	**20208**	20308	20408	20508	20608	20708	20808	**20908**	**20008**	24.02.07=VVVF更新

	Tc1	弱M1	M2	T1	T3	M5	M6	Tc2	
	20100	20200	20300	20400	20700	20800	20900	20000	
		V	SCP			V	SCP		
入	**20154**	**20254**	20354	20454	20754	20854	**20954**	**20054**	21.12.15=VVVF変更·CP変更
入	**20155**	**20255**	20355	20455	20755	20855	**20955**	**20055**	22.03.15=VVVF変更·CP変更
入	**20156**	**20256**	20356	20456	20756	20856	**20956**	**20056**	22.08.05=CP変更
入	**20157**	**20257**	20357	20457	20757	20857	**20957**	**20057**	23.08.25=VVVF更新

▽新宿線の列車は、
普通=6·8両編成、急行系=8·10両編成が基準

30000系　132両(アルミ車体[アルミダブルスキン構体])(拡幅車体)[密連]「スマイルトレイン」　④

	Tc1	弱M1	M2	T1	T3	M5	M6	Tc2	
	38100	38200	38300	38400	38500	38600	38700	38800	
	+	V	SCP			V	SCP	+	
入	**38101**	**38201**	38301	38401	38501	38601	**38701**	**38801**	
入	**38102**	**38202**	38302	38402	38502	38602	**38702**	**38802**	
入	**38103**	**38203**	38303	38403	38503	38603	**38703**	**38803**	
入	**38106**	**38206**	38306	38406	38506	38606	**38706**	**38806**	
入	**38110**	**38210**	38310	38410	38510	38610	**38710**	**38810**	
入	**38115**	**38215**	38315	38415	38515	38615	**38715**	**38815**	13.12.24日立
入	**38116**	**38216**	38316	38416	38516	38616	**38716**	**38816**	14.12.01日立
入	**38117**	**38217**	38317	38417	38517	38617	**38717**	**38817**	16.01.19日立
入	**38118**	**38218**	38318	38418	38518	38618	**38718**	**38818**	16.06.20日立

▼優先席……全車両に設置
▼車いす対応スペース……太字の車両に設置
▼弱冷房車…編成図に弱を付した車両

	①	弱②	③	④	⑤	⑥	⑦	⑧	⑨	⑩	
	Tc1	M1	M2	T1	M3	T2	T3	M5	M6	Tc2	
	30100	30200	30300	30400	30500	30600	30700	30800	30900	30000	
		V	SCP		V	CP		V	SCP		
玉	**30101**	**30201**	30301	30401	30501	30601	30701	30801	**30901**	**30001**	13.12.24日立
玉	**30102**	**30202**	30302	30402	30502	30602	30702	30802	**30902**	**30002**	13.12.24日立
玉	**30103**	**30203**	30303	30403	30503	30603	30703	30803	**30903**	**30003**	14.10.27日立
玉	**30104**	**30204**	30304	30404	30504	30604	30704	30803	**30904**	**30004**	14.11.17日立
玉	**30105**	**30205**	30305	30405	30505	30605	30705	38805	**30905**	**30005**	15.10.14日立
玉	**30106**	**30206**	30306	30406	30506	30606	30706	38806	**30906**	**30006**	15.10.26日立

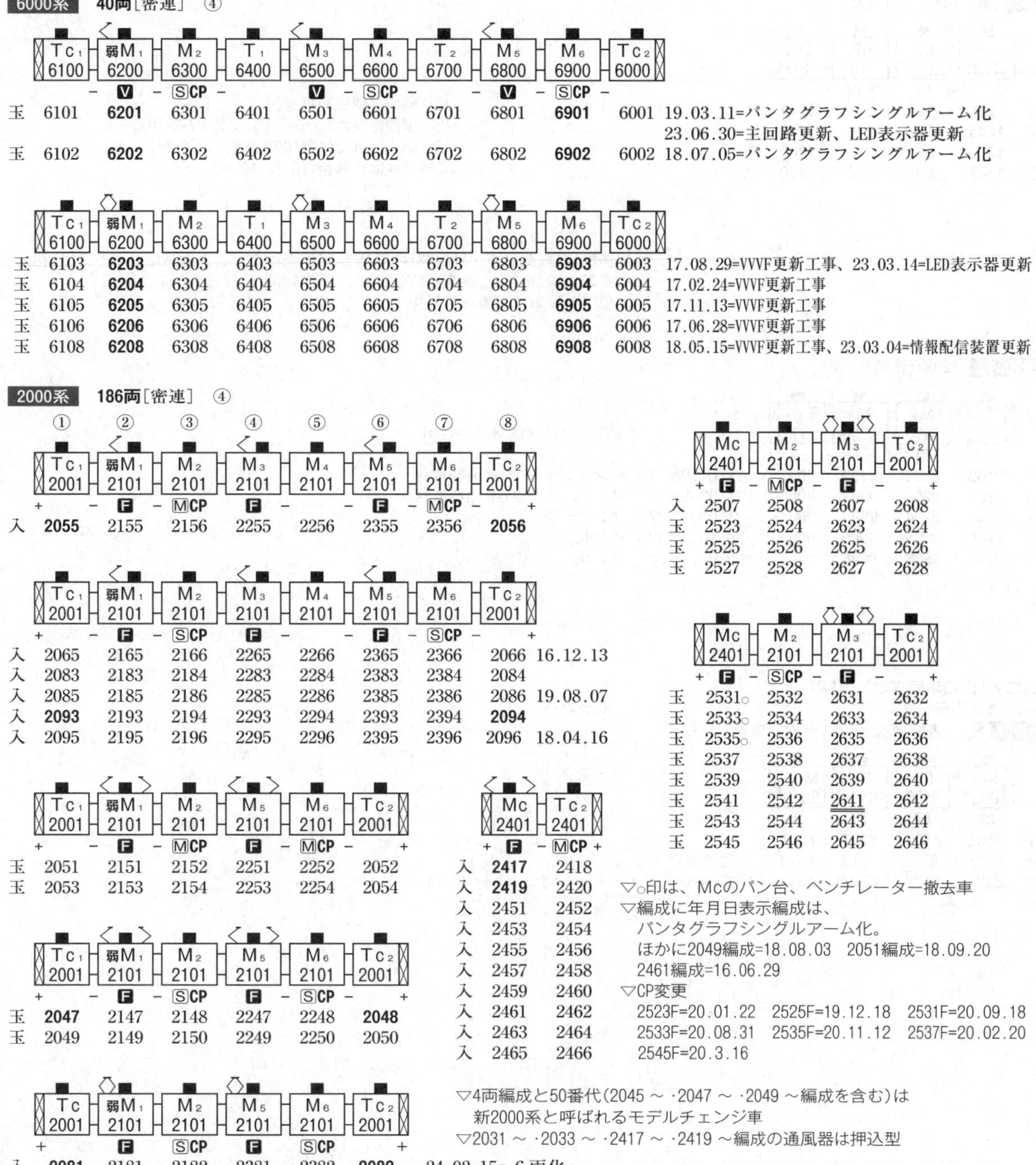

6000系　**40両**［密連］　④

	Tc1 6100	弱M1 6200	M2 6300	T1 6400	M3 6500	M4 6600	T2 6700	M5 6800	M6 6900	Tc2 6000	
	–	V	– SCP	–	V	– SCP	–	V	– SCP	–	
玉	6101	**6201**	6301	6401	6501	6601	6701	6801	**6901**	6001	19.03.11=パンタグラフシングルアーム化 23.06.30=主回路更新、LED表示器更新
玉	6102	**6202**	6302	6402	6502	6602	6702	6802	**6902**	6002	18.07.05=パンタグラフシングルアーム化

	Tc1 6100	弱M1 6200	M2 6300	T1 6400	M3 6500	M4 6600	T2 6700	M5 6800	M6 6900	Tc2 6000	
玉	6103	**6203**	6303	6403	6503	6603	6703	6803	**6903**	6003	17.08.29=VVVF更新工事、23.03.14=LED表示器更新
玉	6104	**6204**	6304	6404	6504	6604	6704	6804	**6904**	6004	17.02.24=VVVF更新工事
玉	6105	**6205**	6305	6405	6505	6605	6705	6805	**6905**	6005	17.11.13=VVVF更新工事
玉	6106	**6206**	6306	6406	6506	6606	6706	6806	**6906**	6006	17.06.28=VVVF更新工事
玉	6108	**6208**	6308	6408	6508	6608	6708	6808	**6908**	6008	18.05.15=VVVF更新工事、23.03.04=情報配信装置更新

2000系　**186両**［密連］　④

	① Tc1 2001	② 弱M1 2101	③ M2 2101	④ M3 2101	⑤ M4 2101	⑥ M5 2101	⑦ M6 2101	⑧ Tc2 2001
	+	– F	– MCP	F	–	– F	– MCP –	+
入	**2055**	2155	2156	2255	2256	2355	2356	**2056**

	Tc1 2001	弱M1 2101	M2 2101	M3 2101	M4 2101	M5 2101	M6 2101	Tc2 2001	
	+	– F	– SCP	F	–	– F	– SCP –	+	
入	2065	2165	2166	2265	2266	2365	2366	2066	16.12.13
入	2083	2183	2184	2283	2284	2383	2384	2084	
入	2085	2185	2186	2285	2286	2385	2386	2086	19.08.07
入	**2093**	2193	2194	2293	2294	2393	2394	**2094**	
入	2095	2195	2196	2295	2296	2395	2396	2096	18.04.16

	Mc 2401	M2 2101	M3 2101	Tc2 2001
	+ F	– MCP	– F	– +
入	2507	2508	2607	2608
玉	2523	2524	2623	2624
玉	2525	2526	2625	2626
玉	2527	2528	2627	2628

	Mc 2401	M2 2101	M3 2101	Tc2 2001
	+ F	– SCP	– F	– +
玉	2531○	2532	2631	2632
玉	2533○	2534	2633	2634
玉	2535○	2536	2635	2636
玉	2537	2538	2637	2638
玉	2539	2540	2639	2640
玉	2541	2542	2641	2642
玉	2543	2544	2643	2644
玉	2545	2546	2645	2646

	Tc1 2001	弱M1 2101	M2 2101	M5 2101	M6 2101	Tc2 2001
	+	– F	– MCP	F	– MCP –	+
玉	2051	2151	2152	2251	2252	2052
玉	2053	2153	2154	2253	2254	2054

	Tc1 2001	弱M1 2101	M2 2101	M5 2101	M6 2101	Tc2 2001
	+	– F	– SCP	F	– SCP –	+
玉	**2047**	2147	2148	2247	2248	**2048**
玉	2049	2149	2150	2249	2250	2050

	Tc 2001	弱M1 2101	M2 2101	M5 2101	M6 2101	Tc2 2001	
	+	F	SCP	F	SCP	+	
入	**2081**	2181	2182	2381	2382	**2082**	24.02.15= 6両化

	Mc 2401	Tc2 2401
	+ F	– MCP +
入	**2417**	2418
入	**2419**	2420
入	2451	2452
入	2453	2454
入	2455	2456
入	2457	2458
入	2459	2460
入	2461	2462
入	2463	2464
入	2465	2466

▽○印は、Mcのパン台、ベンチレーター撤去車
▽編成に年月日表示編成は、
パンタグラフシングルアーム化。
ほかに2049編成=18.08.03　2051編成=18.09.20
2461編成=16.06.29
▽CP変更
2523F=20.01.22　2525F=19.12.18　2531F=20.09.18
2533F=20.08.31　2535F=20.11.12　2537F=20.02.20
2545F=20.3.16

▽4両編成と50番代(2045～・2047～・2049～編成を含む)は
新2000系と呼ばれるモデルチェンジ車
▽2031～・2033～・2417～・2419～編成の通風器は押込型

▽旧横瀬車両基地に、5000系クハ5503(旧レッドアロー)、101系クハ1224、351系クモハ355、
E31形31、E851形854、E61形61、E71形71、4号蒸気機関車、スム201形201、ワフ101形105を保存

←国分寺・武蔵境　　　　　　　　　　　　　　　　　　是政・西武園・多摩湖→

101系　**16両**(改)［密連］③

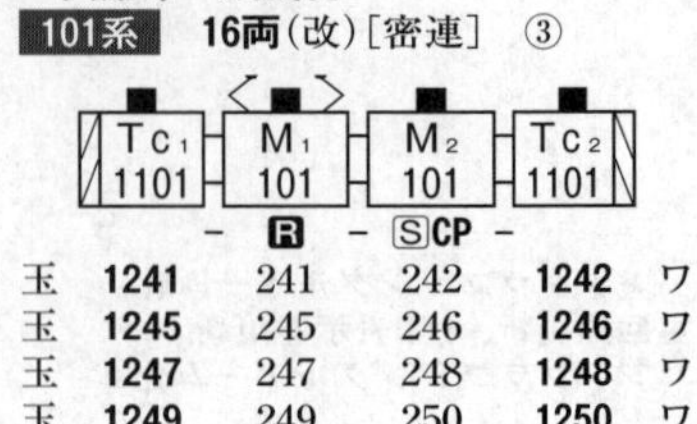

玉	**1241**	241	242	**1242**	ワ
玉	**1245**	245	246	**1246**	ワ
玉	**1247**	247	248	**1248**	ワ
玉	**1249**	249	250	**1250**	ワ

▽241編成は伊豆箱根塗装
249編成は黄色とベージュのツートンカラー
251編成は近江鉄道100形塗装(18.06.13～)
253編成は赤電色(18.12.10～)

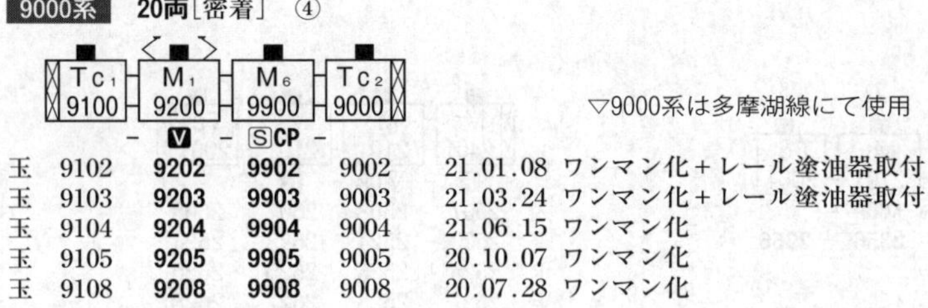

▽ワはワンマン車
▽多摩川線(武蔵境～是政間)にて充当の101系は白糸台車両基地をベースに運用
▽多摩川線(全線)と多摩湖線(国分寺～多摩湖間)は終日ワンマン運転
▽ワンマン車はスカート付き

9000系　**20両**［密着］④

Tc1 9100 | M1 9200 | M6 9900 | Tc2 9000
－ V － S CP －

▽9000系は多摩湖線にて使用

玉	9102	**9202**	**9902**	9002	21.01.08	ワンマン化＋レール塗油器取付
玉	9103	**9203**	**9903**	9003	21.03.24	ワンマン化＋レール塗油器取付
玉	9104	**9204**	**9904**	9004	21.06.15	ワンマン化
玉	9105	**9205**	**9905**	9005	20.10.07	ワンマン化
玉	9108	**9208**	**9908**	9008	20.07.28	ワンマン化

山口線(山口車両基地)　12両

←西武球場前　　　　　　　　　　　　多摩湖→

8500系　**12両**(新交通システム)［密連］①

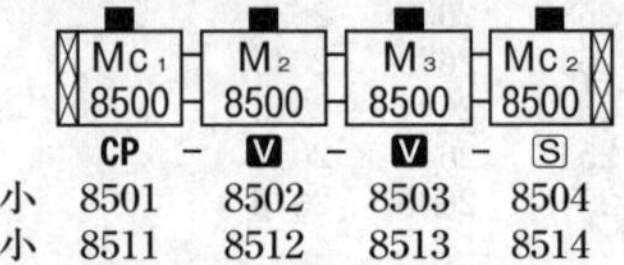

小	8501	8502	8503	8504
小	8511	8512	8513	8514
小	8521	8522	8523	8524

▽側方案内方式・ＤＣ750Ｖ
▽愛称=レオライナー

多摩都市モノレール　多摩都市モノレール運営基地(高松駅から分岐)　64両

←多摩センター　上北台→

1000系　64両(アルミ車体)[密連]　②

	Mc1	M2	M3	Mc2
	1100	1200	1300	1400
	♿ V S CP	V	♿ V	V S CP
01F	1101	1201	1301	1401
02F	1102	1202	1302	1402
03F	1103	1203	1303	1403
04F	1104	1204	1304	1404
05F	1105	1205	1305	1405
06F	1106	1206	1306	1406
07F	1107	1207	1307	1407(1)
08F	1108	1208	1308	1408
09F	1109	1209	1309	1409
10F	1110	1210	1310	1410
11F	1111	1211	1311	1411
12F	1112	1212	1312	1412
13F	1113	1213	1313	1413
14F	1114	1214	1314	1414
15F	1115	1215	1315	1415(2)
16F	1116	1216	1316	1416

▽アルウェーグ式・直流1500V
▽Mc1・Mc2の先頭寄り台車はモーターなし
▽ラッピング車両(1)=ライオン、(2)=キリン
▽02F·03F·16Fはイベント対応編成
▽前面行先表示器、車内案内表示器をフルカラー化
▽座席は全車ロングシート

▼優先席……全車両に設置
▼車いす対応スペース……♿の車両に設置

1000系	
1100	16
1200	16
1300	16
1400	16
計	64

御岳登山鉄道　2両

←滝本　鋼索　御岳山→

コ-1形

コ-1　日出(黄色)
コ-2　青空(青色)

▽2008.03.22から新型車体で運転(足回りは従来どおり)
▽ＪＲ青梅線御嶽駅からケーブル下(滝本)行き西東京バスに乗車、所要約10分

高尾登山電鉄　2両

←清滝　鋼索　高尾山→

コ-1形

101　あおば
102　もみじ

▽2008.12.23から新型車両で運転
▽京王電鉄高尾線高尾山口駅下車、徒歩3分

大山観光電鉄　2両

←大山ケーブル　鋼索　阿夫利神社→

01　グリーンの車体にゴールドの席
02　グリーンの車体にシルバーの席

▽小田急電鉄小田原線伊勢原駅から大山ケーブル駅行き神奈川中央交通バスに乗車、約30分。終点から徒歩約15分
▽2015.10.01、新型車両デビュー。
架線レスシステムを採用、車体にリチウムイオン電池を搭載。
駅に鋼体架線を設置。駅停車中に充電し、走行時の車内電力をまかなう

京王電鉄　京王線(若葉台・高幡不動検車区)・井の頭線(富士見ヶ丘検車区)　875両

京王線(若葉台・高幡不動検車区)　730両(726＋4)

←新宿・新線新宿(都営地下鉄新宿線)　　　　　橋本・高尾山口・京王八王子→

5000系　80両(ステンレス車体)[密連]　④

	⑩♿	♿⑨	♿⑧	♿⑦	♿⑥	♿⑤	♿④	♿③弱	♿②	♿①		
	Tc1 5700	M1 5000	M2 5050	T1 5500	M1 5000	M2 5050	T2 5550	M1 5000	M2 5050	Tc2 5750		
	+	− V −	SCP −	−	− V −	−	−	− V −	SCP −	+		
75	**5731**	**5031**	**5081**	**5531**	**5131**	**5181**	**5581**	**5231**	**5281**	**5781**	地	17.06.30総合
76	**5732**	**5032**	**5082**	**5532**	**5132**	**5182**	**5582**	**5232**	**5282**	**5782**	地	17.09.15総合
77	**5733**	**5033**	**5083**	**5533**	**5133**	**5183**	**5583**	**5233**	**5283**	**5783**	地	17.10.13総合
78	**5734**	**5034**	**5084**	**5534**	**5134**	**5184**	**5584**	**5234**	**5284**	**5784**	地	17.11.10総合
79	**5735**	**5035**	**5085**	**5535**	**5135**	**5185**	**5585**	**5235**	**5285**	**5785**	地	17.12.08総合
80	**5736**	**5036**	**5086**	**5536**	**5136**	**5186**	**5586**	**5236**	**5286**	**5786**	地	19.12.13総合
81	**5737**	**5037**	**5087**	**5537**	**5137**	**5187**	**5587**	**5237**	**5287**	**5787**	地	22.10.21総合
82	**5738**	**5038**	**5088**	**5538**	**5138**	**5188**	**5588**	**5238**	**5288**	**5788**	地	24.03.01総合

▽5000系は、2017.09.29から営業運転開始。2018.02.22から座席指定列車「京王ライナー」運行開始
▽81(5037)・82(5038)編成はリクライニング機能あり。クロスシート時の背もたれを倒すことができる

9000系　264両(ステンレス車体)[密連]　④

	⑩	♿⑨	⑧	♿⑦	⑥	♿⑤	④	③弱	♿②	①		
	Tc1 9700	M1 9000	M2 9050	T1 9500	M1 9000	T2 9550	T2 9550	M1 9000	M2 9050	Tc2 9750		
	+	− V −	SCP −	−	− V −	−	−	− V −	SCP −	+		
55	9731	**9031**	9081	**9531**	9131	**9581**	9681	9231	**9281**	9781	地	サンリオキャラクターラッピング(18.11.01)
56	9732	**9032**	9082	**9532**	9132	**9582**	9682	9232	**9282**	9782	地	
57	9733	**9033**	9083	**9533**	9133	**9583**	9683	9233	**9283**	9783	地	
58	9734	**9034**	9084	**9534**	9134	**9584**	9684	9234	**9284**	9784	地	
59	9735	**9035**	9085	**9535**	9135	**9585**	9685	9235	**9285**	9785	地	
60	9736	**9036**	9086	**9536**	9136	**9586**	9686	9236	**9286**	9786	地	
61	9737	**9037**	9087	**9537**	9137	**9587**	9687	9237	**9287**	9787	地	
62	9738	**9038**	9088	**9538**	9138	**9588**	9688	9238	**9288**	9788	地	
63	9739	**9039**	9089	**9539**	9139	**9589**	9689	9239	**9289**	9789	地	
64	9740	**9040**	9090	**9540**	9140	**9590**	9690	9240	**9290**	9790	地	
65	9741	**9041**	9091	**9541**	9141	**9591**	9691	9241	**9291**	9791	地	
66	9742	**9042**	9092	**9542**	9142	**9592**	9692	9242	**9292**	9792	地	
67	9743	**9043**	9093	**9543**	9143	**9593**	9693	9243	**9293**	9793	地	
68	9744	**9044**	9094	**9544**	9144	**9594**	9694	9244	**9294**	9794	地	
69	9745	**9045**	9095	**9545**	9145	**9595**	9695	9245	**9295**	9795	地	
70	9746	**9046**	9096	**9546**	9146	**9596**	9696	9246	**9296**	9796	地	
71	9747	**9047**	9097	**9547**	9147	**9597**	9697	9247	**9297**	9797	地	
72	9748	**9048**	9098	**9548**	9148	**9598**	9698	9248	**9298**	9798	地	
73	9749	**9049**	9099	**9549**	9149	**9599**	9699	9249	**9299**	9799	地	
74	9730	**9030**	9080	**9530**	9130	**9580**	9680	9230	**9280**	9780	地	

	⑧	♿⑦	⑥	⑤	④	③弱	♿②	①
	Tc1 9700	M1 9000	M2 9050	T1 9500	T2 9550	M1 9000	M2 9050	Tc2 9750
	+	− V −	SCP −	−	−	− V −	SCP −	+
47	■9701	**9001**	9051	9501	9551	9101	**9151**	9751
48	■9702	**9002**	9052	9502	9552	9102	**9152**	9752
49	■9703	**9003**	9053	9503	9553	9103	**9153**	9753
50	■9704	**9004**	9054	9504	9554	9104	**9154**	9754
51	■9705	**9005**	9055	9505	9555	9105	**9155**	9755
52	■9706	**9006**	9056	9506	9556	9106	**9156**	9756
53	■9707	**9007**	9057	9507	9557	9107	**9157**	9757
54	■9708	**9008**	9058	9508	9558	9108	**9158**	9758

▼優先席……全車両に設置
▼車いすスペース(フリースペースを含む)……太字の車両に設置
▼弱冷房車…編成図に弱を付した車両

▽地は地下鉄乗入れ車
▽ ■印は自動連解装置付き
▽都営地下鉄新宿線への乗入れは本八幡まで

▽京王れーるランド(動物園線多摩動物公園駅)に、6000系デハ6438、5000系クハ5723、
2010系デハ2015、2400形デハ2410、3000系クハ3719を保存、展示

←新宿・新線新宿　　　　　　　　　　　　　　　　　　　　　　　　橋本・高尾山口・京王八王子→

8000系　**244両**(ステンレス車体)[密連]　④

	⑩	♿⑨	⑧	⑦	⑥	⑤	④	♿③弱	②	①	
	Tc1 8700	M1 8000	M2 8050	M1 8000	M2 8050	T1 8500	T2 8550	M1 8000	M2 8050	Tc2 8750	
	+	− V	− ⓈCP	− V	− CP	−	− CP	− V	− ⓈCP	− +	
2	■8702	8002	8052	8102	8152	8502	8552	8202	8252	8752■	16.12.27=4・5号車間貫通化(中間車化)
4	■8704	8004	8054	8104	8154	8504	8554	8204	8254	8854■	17.09.07=4・5号車間貫通化(中間車化)
5	■8705	8005	8055	8105	8155	8505	8555	8205	8255	8755■	15.03.27=4・5号車間貫通化(中間車化)
											23.07.07=車体修理、VVVF更新、車いすスペース設置
6	■8706	8006	8056	8106	8156	8506	8556	8206	8256	8856■	18.03.30=4・5号車間貫通化(中間車化)
9	■8709	8009	8059	8109	8159	8759	8809	8209	8259	8859■	18.09.07=4・5号車間貫通化(中間車化)
10	■8710	8010	8060	8110	8160	8760	8810	8210	8260	8860■	19.03.25=4・5号車間貫通化(中間車化)
12	■8712	8012	8062	8112	8162	8512	8562	8212	8262	8862■	19.09.08=4・5号車間貫通化(中間車化)
13	■8713	8013	8063	8113	8163	8513	8563	8213	8263	8763■	14.07.28=4・5号車間貫通化(中間車化)
14	■8714	8014	8064	8114	8164	8514	8564	8214	8264	8764■	12.03.29=5号車形式変更+外幌新設[4号車寄り]
											14.11.21=4・5号車間貫通化(中間車化)

	Tc1 8700	M1 8000	M2 8050	M1 8000	M2 8050	T1 8500	T2 8550	M1 8000	M2 8050	Tc2 8750	
	+	− V	− ⓈCP	− V	−	−	− CP	− V	− ⓈCP	− +	
1	■8701	8001	8051	8101	8151	8501	8551	8201	8251	8751■	16.09.12=4・5号車間貫通化(中間車化)
3	■8703	8003	8053	8103	8153	8503	8553	8203	8253	8753■	14.03.27=4・5号車間貫通化(中間車化)
											23.03.22=VVVF更新、車いすスペース各車に設置
7	■8707	8007	8057	8107	8157	8507	8557	8207	8257	8757■	16.03.28=4・5号車間貫通化(中間車化)
8	■8708	8008	8058	8108	8158	8508	8558	8208	8258	8758■	21.02.19=VVVF更新、主電動機更新
11	■8711	8011	8061	8111	8161	8511	8561	8211	8261	8761■	15.11.26=4・5号車間貫通化(中間車化)
											15.08.03=4・5号車間貫通化(中間車化)

	⑧	♿⑦	⑥	⑤	④	③弱	♿②	①	
	Tc1 8700	M1 8000	M2 8050	T1 8500	T2 8550	M1 8000	M2 8050	Tc2 8750	
	+	− V	− ⓈCP	−	− CP	− V	− ⓈCP	− +	
24	8730	8030	8080	8530	8580	8130	8180	8780	13.03.27=VVVF更新

	⑧♿	♿⑦	♿⑥	♿⑤	♿④	♿③弱	♿②	♿①	
	Tc1 8700	M1 8000	M2 8050	T1 8500	T2 8550	M1 8000	M2 8050	Tc2 8750	
	+	− V	− ⓈCP	−	− CP	− V	− ⓈCP	− +	
15	8721	8021	8071	8521	8571	8121	8171	8771	16.03.28=VVVF更新(永久磁石同期電動機)
16	8722	8022	8072	8522	8572	8122	8172	8772	17.03.30=VVVF更新(永久磁石同期電動機)
17	8723	8023	8073	8523	8573	8123	8173	8773	17.12.01=VVVF更新(永久磁石同期電動機)
18	8724	8024	8074	8524	8574	8124	8174	8774	19.12.06=VVVF更新(永久磁石同期電動機)
19	8725	8025	8075	8525	8575	8125	8175	8775	20.03.25=VVVF更新(永久磁石同期電動機)
20	8726	8026	8076	8526	8576	8126	8176	8776	20.08.05=VVVF更新(永久磁石同期電動機)
21	8727	8027	8077	8527	8577	8127	8177	8777	20.11.19=VVVF更新(永久磁石同期電動機)
22	8728	8028	8078	8528	8578	8128	8178	8778	24.03.29=VVVF更新(永久磁石同期電動機、車体修理等)
23	8729	8029	8079	8529	8579	8129	8179	8779	15.04.21=VVVF更新(永久磁石同期電動機)
									23.08.16=車体修理等
25	8731	8031	8081	8531	8581	8131	8181	8781	23.11.07=VVVF更新(永久磁石同期電動機、車体修理等)
26	8732	8032	8082	8532	8582	8132	8182	8782	21.08.03=VVVF更新(永久磁石同期電動機)
27	8733	8033	8083	8533	8583	8133	8183	8783	21.11.25=VVVF更新(永久磁石同期電動機)

▽ ■印は自動連解装置付き
▽8000系の先頭車はスカート付き
▽8000系10両編成は、中間車化工事に合わせてVVVF更新実施
▽8732×8、8733×8の台車はボルスタレス式
▽車両入替・車号変更　旧8130→8129・旧8180→8179=15.04.21、旧8129→8130・旧8179→8180=15.04.30(+VVVF更新)
▽13(8013)編成は、グリーンの高尾山をイメージしたラッピング車(15.07.28)

▽全般検査は若葉台工場(若葉台・富士見ケ丘検車区に併設)で行なう
▽列車種別と編成両数(データイム基準)
特急・急行・区間急行・快速=10両編成、普通=8・10両編成(動物園線は4両編成、競馬場線は2両編成)
▽準特急は2022.03.12改正にて消滅(特急停車駅に笹塚、千歳烏山と高尾線各駅が加わったため)
▽都営地下鉄新宿線乗入れ列車は9000系の30番代と5000系
▽9000系は7000系と併結できる
▽相模原線は2010.03.26から、京王線(京王新線・高尾線・競馬場線・動物園線を含む)は2011.10.02からATCを使用開始

←新宿・新線新宿　　　　　　　　　　　　　　　　　　　　橋本・高尾山口・京王八王子→

7000系　**154両**(ステンレス車体)[密連]　④

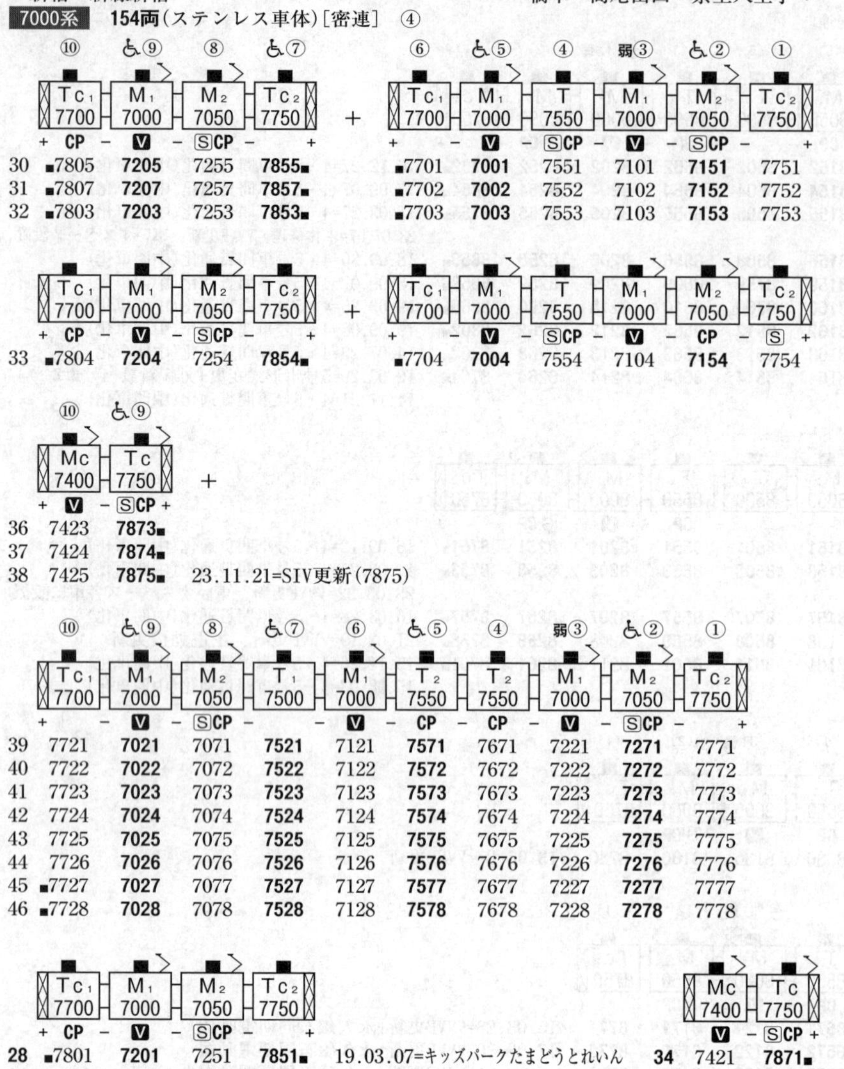

	⑩	♿⑨	⑧	♿⑦		⑥	♿⑤	④	弱③	♿②	①
	Tc1 7700	M1 7000	M2 7050	Tc2 7750	+	Tc1 7700	M1 7000	T 7550	M1 7000	M2 7050	Tc2 7750
	CP	V	SCP				V	SCP	V	SCP	
30	■7805	7205	7255	7855■		■7701	7001	7551	7101	7151	7751
31	■7807	7207	7257	7857■		■7702	7002	7552	7102	7152	7752
32	■7803	7203	7253	7853■		■7703	7003	7553	7103	7153	7753

	Tc1 7700	M1 7000	M2 7050	Tc2 7750	+	Tc1 7700	M1 7000	T 7550	M1 7000	M2 7050	Tc2 7750
	CP	V	SCP				V	SCP	V	CP	S
33	■7804	7204	7254	7854■		■7704	7004	7554	7104	7154	7754

	⑩ Mc 7400	♿⑨ Tc 7750	
	V	SCP	+
36	7423	7873■	
37	7424	7874■	
38	7425	7875■	23.11.21=SIV更新(7875)

	⑩	♿⑨	⑧	♿⑦	⑥	♿⑤	④	弱③	♿②	①
	Tc1 7700	M1 7000	M2 7050	T1 7500	M1 7000	T2 7550	T2 7550	M1 7000	M2 7050	Tc2 7750
		V	SCP		V	CP	CP	V	SCP	
39	7721	7021	7071	7521	7121	7571	7671	7221	7271	7771
40	7722	7022	7072	7522	7122	7572	7672	7222	7272	7772
41	7723	7023	7073	7523	7123	7573	7673	7223	7273	7773
42	7724	7024	7074	7524	7124	7574	7674	7224	7274	7774
43	7725	7025	7075	7525	7125	7575	7675	7225	7275	7775
44	7726	7026	7076	7526	7126	7576	7676	7226	7276	7776
45	■7727	7027	7077	7527	7127	7577	7677	7227	7277	7777
46	■7728	7028	7078	7528	7128	7578	7678	7228	7278	7778

	Tc1 7700	M1 7000	M2 7050	Tc2 7750	
	CP	V	SCP		
28	■7801	7201	7251	7851■	19.03.07=キッズパークたまどうとれいん
29	■7802	7202	7252	7852■	

	Mc 7400	Tc 7750
	V	SCP
34	7421	7871■
35	7422	7872■

▽7551・7751の補助電源装置はⓂ
▽7871 ～ 7875はスカートなし
▽■印は自動連解装置付き
▽編成番号太字はワンマン対応車、2両編成は競馬場線、4両編成は動物園線で使用
▽32編成　7203=2012.10.18(VVVF化),7003・7103=2012.07.30(VVVF化)，33編成　7204=2012.09.06(VVVF化)
▽32編成　7553・7153=2012.11.15(補助電源SIV化)、28編成は2015.03.20=車内リニューアル工事施工

京王線	726両
5000系	
デハ5000	24
デハ5050	24
クハ5800	8
クハ5850	8
サハ5500	8
サハ5550	8
	80
9000系	
デハ9000	76
デハ9050	56
クハ9700	28
クハ9750	28
サハ9500	28
サハ9550	48
	264
8000系	
デハ8000	68
デハ8050	68
クハ8700	27
クハ8750	27
サハ8500	27
サハ8550	27
	244
7000系	
デハ7000	38
デハ7050	26
デハ7400	5
クハ7700	18
クハ7750	23
サハ7500	8
サハ7550	20
	138
井の頭線	**145両**
1000系	
デハ1000	29
デハ1050	29
デハ1100	29
クハ1700	29
クハ1750	29
	145
合計	871

事業用車　**4両**[密連]

デヤ 901	クヤ 900	サヤ 912	デヤ 902
VSCP			VSCP
901	911	912	902

▽クヤ900形は総合高速検測車。愛称は「ＤＡＸ」
▽デヤ901・902は15.09.30総合　製造
▽サヤ912は16.06.21総合　製造

井の頭線(富士見ヶ丘検車区)　145両

←渋谷　　　　　　　　　　　　　　　　　　　　　　　　　吉祥寺→

1000系　**145両**(ステンレス車体)[小型密着]　④

⑤♿ ♿④ ♿③弱 ♿② ♿①

Tc1	M	M1	M2	Tc2
1750	1100	1050	1000	1700
CP	VS	S	V	CP

	Tc1	M	M1	M2	Tc2	色	備考
1	**1751**	**1101**	**1051**	**1001**	**1701**	1	16.03.28=車体修理。VVVF更新＋３号車M車化
2	**1752**	**1102**	**1052**	**1002**	**1702**	2	16.08.01=車体修理。VVVF更新＋３号車M車化
3	**1753**	**1103**	**1053**	**1003**	**1703**	3	17.03.30=車体修理。VVVF更新＋３号車M車化
4	**1754**	**1104**	**1054**	**1004**	**1704**	4	16.11.29=車体修理。VVVF更新＋３号車M車化
5	**1755**	**1105**	**1055**	**1005**	**1705**	5	18.03.30=車体修理。VVVF更新＋３号車M車化
6	**1756**	**1106**	**1056**	**1006**	**1706**	8	17.11.28=車体修理。VVVF更新＋３号車M車化
7	**1757**	**1107**	**1057**	**1007**	**1707**	7	17.08.01=車体修理。VVVF更新＋３号車M車化
8	**1758**	**1108**	**1058**	**1008**	**1708**	1	18.11.27=車体修理。VVVF更新＋３号車M車化
9	**1759**	**1109**	**1059**	**1009**	**1709**	2	18.08.05=車体修理。VVVF更新＋３号車M車化
10	**1760**	**1110**	**1060**	**1010**	**1710**	3	19.03.29=車体修理。VVVF更新＋３号車M車化

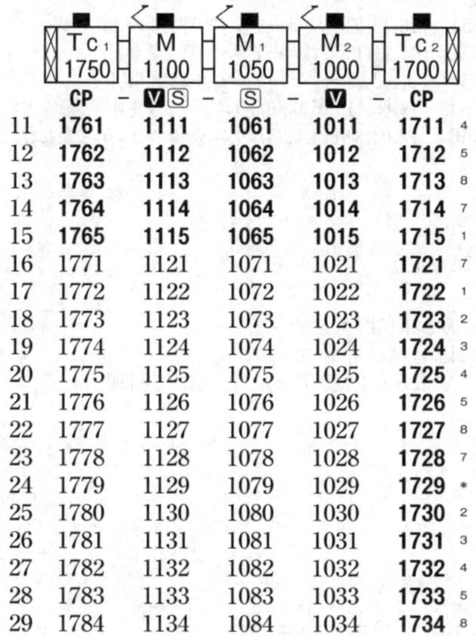

⑤ ④ ③弱 ② ♿①

Tc1	M	M1	M2	Tc2
1750	1100	1050	1000	1700
CP	VS	S	V	CP

	Tc1	M	M1	M2	Tc2	色	備考
11	**1761**	**1111**	**1061**	**1011**	**1711**	4	20.11.18=車体修理。VVVF、主電動機、SIV更新
12	**1762**	**1112**	**1062**	**1012**	**1712**	5	19.11.15=車体修理。VVVF更新
13	**1763**	**1113**	**1063**	**1013**	**1713**	8	19.09.20=車体修理。VVVF更新
14	**1764**	**1114**	**1064**	**1014**	**1714**	7	20.07.21=車体修理。VVVF、主電動機、SIV更新
15	**1765**	**1115**	**1065**	**1015**	**1715**	1	20.03.24=車体修理。VVVF更新
16	1771	1121	1071	1021	**1721**	7	
17	1772	1122	1072	1022	**1722**	1	
18	1773	1123	1073	1023	**1723**	2	
19	1774	1124	1074	1024	**1724**	3	
20	1775	1125	1075	1025	**1725**	4	
21	1776	1126	1076	1026	**1726**	5	
22	1777	1127	1077	1027	**1727**	8	
23	1778	1128	1078	1028	**1728**	7	
24	1779	1129	1079	1029	**1729**	*	
25	1780	1130	1080	1030	**1730**	2	
26	1781	1131	1081	1031	**1731**	3	
27	1782	1132	1082	1032	**1732**	4	
28	1783	1133	1083	1033	**1733**	5	
29	1784	1134	1084	1034	**1734**	8	

▽下付きの数字･記号は車体色を示す
- 1=ブルーグリーン
- 2=アイボリーホワイト
- 3=サーモンピンク
- 4=ライトグリーン
- 5=バイオレット
- 6=ベージュ(消滅)
- 7=ライトブルー
- 8=オレンジベージュ
- *=レインボーカラー(2012.10.03 ～)

▼優先席……全車両に設置
▼車いすスペース……太字の車両および編成図に♿マークを付けた車両に設置
▼弱冷房車…編成図に弱を付した車両
▽車内照明ＬＥＤ化は、井の頭線は2015年にて完了。
　京王線は2018年度対象車完了

小田急電鉄　喜多見検車区・海老名検車区・〔全〕大野総合車両所（相模大野駅隣接）　1039両

←新宿（地下鉄千代田線）、片瀬江ノ島　　　　唐木田・藤沢・小田原・箱根湯本→

30000形（ＥＸＥ）　**20両**（海老名検車区所属）［収納］　①

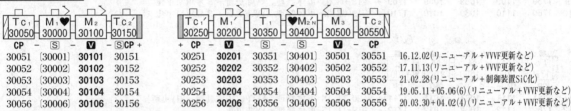

⑩	⑨	⑧WC	⑦	⑥	⑤WC	④	WC③	②	①
Tc₁	M₁♥	M₂	Tc₂′	Tc₁′	M₁′	T₁	♥T₂	M₂′	Tc₂
30050	30000	30100	30150	30250	30200	30350	30450	30500	30550
CP	S	V	S CP +	+ CP	V	S	S	V	CP
30055	〔30005〕	**30105**	30155	30255	**30205**	30355	〔30455〕	30505	30555
30057	〔30007〕	**30107**	30157	30257	**30207**	30357	〔30457〕	30507	30557

▽⑥⑦号車先頭部には自動連解装置［密連］と自動ホロを装備
▽⑨号車の新宿寄り台車はモーターなし

30000形（ＥＸＥα）　**50両**（海老名検車区所属）［収納］　①

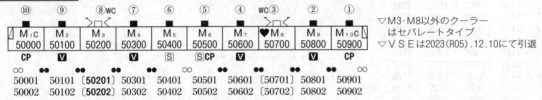

⑩	⑨	⑧	⑦	⑥	⑤	④	③	②	①	
Tc₁	M₁♥	M₂	Tc₂′	Tc₁′	M₁′	T₁	♥M₂′N	M₃	Tc₂	
30050	30000	30100	30150	30250	30200	30350	30400	30500	30550	
CP	S	V	S CP +	+ CP	V	S	S	V	CP	
30051	〔30001〕	**30101**	30151	30251	**30201**	30351	〔30401〕	30501	30551	16.12.02（リニューアル＋VVVF更新など）
30052	〔30002〕	**30102**	30152	30252	**30202**	30352	〔30402〕	30502	30552	17.11.13（リニューアル＋VVVF更新など）
30053	〔30003〕	**30103**	30153	30253	**30203**	30353	〔30403〕	30503	30553	21.02.28（リニューアル＋制御装置SiC化）
30054	〔30004〕	**30104**	30154	30254	**30204**	30354	〔30404〕	30504	30554	19.05.11＋05.06(6)（リニューアル＋VVVF更新など）
30056	〔30006〕	**30106**	30156	30256	**30206**	30356	〔30406〕	30506	30556	20.03.30＋04.02(4)（リニューアル＋VVVF更新など）

▽⑥⑦号車先頭部には自動連解装置［密連］と自動ホロを装備
▽⑨号車は４個モーター

50000形（ＶＳＥ）　**20両**（アルミ車体）（喜多見検車区所属）［収納］①（1・10号車は客用扉なし）

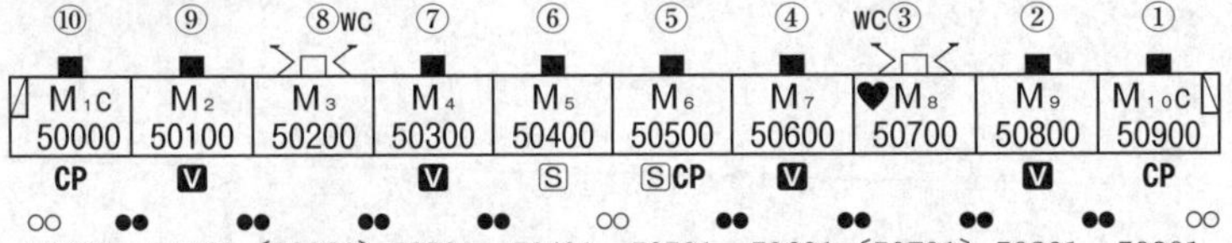

⑩	⑨	⑧	⑦	⑥	⑤	④	③	②	①
50001	50101	〔**50201**〕	50301	50401	50501	50601	〔50701〕	50801	50901
50002	50102	〔**50202**〕	50302	50402	50502	50602	〔50702〕	50802	50902

▽M3･M8以外のクーラーはセパレートタイプ
▽ＶＳＥは2023（R05）.12.10にて引退

60000形（ＭＳＥ）　**42両**（アルミ車体）（海老名検車区所属）［密連］　①

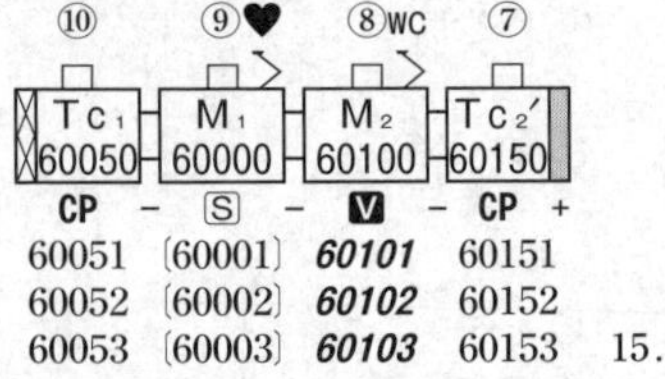

⑩	⑨	⑧	⑦	
60051	〔60001〕	***60101***	60151	
60052	〔60002〕	***60102***	60152	
60053	〔60003〕	***60103***	60153	15.12.11日車

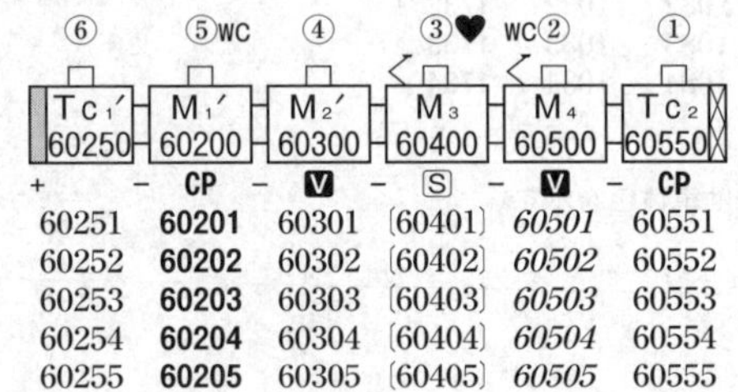

⑥	⑤	④	③	②	①	
60251	**60201**	60301	〔60401〕	*60501*	60551	
60252	**60202**	60302	〔60402〕	*60502*	60552	
60253	**60203**	60303	〔60403〕	*60503*	60553	
60254	**60204**	60304	〔60404〕	*60504*	60554	
60255	**60205**	60305	〔60405〕	*60505*	60555	15.11.19日車

▽⑥⑦号車先頭部には自動連解装置［密連］と自動ホロを装備

70000形（ＧＳＥ）　**14両**（アルミ車体）（喜多見検車区）［収納］　①

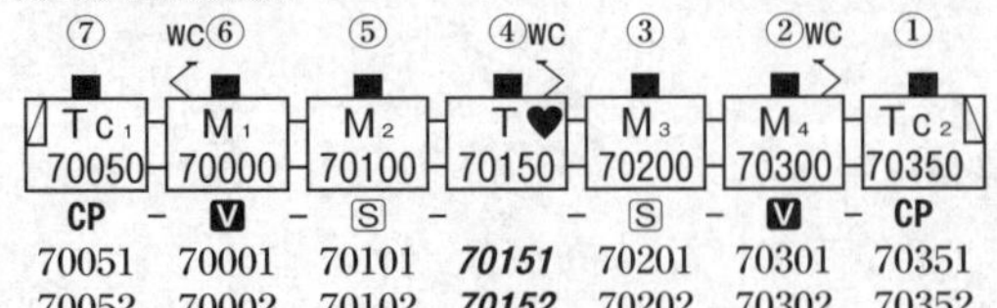

⑦	⑥	⑤	④	③	②	①	
70051	70001	70101	***70151***	70201	70301	70351	18.01.10日車
70052	70002	70102	***70152***	70202	70302	70352	18.06.22日車

▽70000形は2018.03.17から営業運転開始

▽特急車は全車禁煙、車内設備は〔　〕=カウンター、太字=車いすスペース、♥=AED（自動体外式除細動器）
▽60000形は地下鉄千代田線･有楽町線乗入れ対応のほか「ふじさん」（新宿～ＪＲ東海御殿場間）にも充当

▽新宿駅4・5番線ホームは、2012.09.30からホームドア使用開始
▽2015.09.12　D-ＡＴＳ-Ｐ運用開始

▽2021（R03）.04.19　海老名駅隣接地に鉄道ミュージアム「ロマンスカーミュージアム」開業
展示されているのは、ＳＥ車3000形、ＮＳＥ車3100形、ＬＳＥ7000形、ＨｉＳＥ車10000形、ＲＳＥ20000形
ロマンスカーのほか、モハ１形10

←新宿、片瀬江ノ島　　　　唐木田・藤沢・小田原・箱根湯本→

1000形(1000形・1200形・1700形・1090形)　**98両**(ステンレス車体)(海老名検車区所属[28両]、喜多見検車区所属[70両])[密連]④

⑩	⑨	⑧	⑦	⑥	⑤	④	③	②	①	
Tc_1 1090	M_1 1040	M_2 1140	T_1 1190	T_2 1290	M_3 1240	M_4 1340	T_3 1390	弱M_5 1440	Tc_2 1490	
CP	V	S		CP	V	S		V	CP	
1091	1041	1141	**1191**	**1291**	1241	1341	1391	1441	**1491**	
1092	1042	1142	**1192**	**1292**	1242	1342	1392	1442	**1492**	22.02.16=車体更新＋制御装置Sic化
1093	1043	1143	**1193**	**1293**	1243	1343	1393	1443	**1493**	
1094	1044	1144	**1194**	**1294**	1244	1344	1394	1444	**1494**	

Tc_1 1090	M_1 1040	M_2 1140	T_1 1190	T_2 1290	M_3 1240	M_4 1340	T_3 1390	弱M_5 1440	Tc_2 1490	10両固定化
CP	V	S		CP	V	S		V	CP	
1095	1045	1145	**1195**	**1295**	1245	1345	1395	1445	**1495**	16.04.25
[1056	1006	1106	1156	1256	1206	1306	1356	1406	1456]	
1096	1046	1146	**1196**	**1296**	1246	1346	1396	1446	**1496**	17.01.17
[1052	1002	1102	1152	1252	1202	1302	1352	1402	1452]	
1097	1047	1147	**1197**	**1297**	1247	1347	1397	1447	**1497**	21.04.12=車体更新＋制御装置Sic化
[1055	1005	1105	1181	1381	1205	1305	1355	1405	1455]	

	Tc_1 1050	M_1 1000	M_2 1100	Tc_2 1150
	＋ CP	VS	VS	CP ＋
*	**1057**	1007	1107	**1157**
*	**1063**	1013	1113	**1163**
*	**1064**	1014	1114	**1164**
*	**1065**	1015	1115	**1165**
*	**1066**	1016	1116	**1166**
*	**1067**	1017	1117	**1167**
*	**1069**	1019	1119	**1169**

▽ワイド はワイドドア編成、開口幅は1600㎜
▽＊印は、車体更新・ＶＶＶＦ機器更新施工車
　1057～=15.03.18、1063～=15.08.17、1064～=17.04.13
　1065～=20.08.05、1066～=14.11.07、1067～=18.07.11
　1069～=2019年度
▽車体更新＋10両固定編成化に合わせて、Sic適用VVVFインバータ採用、
　ＤＣ電動空気圧縮機、主電動機、駆動装置低騒音化、
　２画面ＴＶＯＳ新設など実施
▽1091～=18.02.20
　1093～=19.03.04
　1094～=19.12.13　同様に車体更新
▽10両編成は喜多見検車区、４両編成は海老名検車区所属

▽異形式と組成する場合がある
　８両編成は固定編成のほか、４両＋４両編成にて組成する場合がある
▽6･8･10両編成は小田原方から1～6･8･10号車、4両編成は7～10号車と表示
▽3号車は「小田急の子育て応援車」(通勤車両)

▼優先席……特急用を除く全車両に設置
▼車いす対応スペース……太字の車両に設置
▼弱冷房車…編成図に弱を付した車両

4000形　**160両**(ステンレス車体)(喜多見検車区所属)[密連]　④

⑩♿	⑨	⑧	⑦	⑥	⑤	④	③	弱②	♿①	
Tc1	M1	M2	M3	M4	T1	T2	M5	M6	Tc2	
4050	4000	4100	4200	4300	4350	4450	4400	4500	4550	
CP	V	S	V		CP		V	S	CP	
4051	4001	4101	4201	4301	4351	4451	4401	4501	4551	
4052	4002	4102	4202	4302	4352	4452	4402	4502	4552	
4053	4003	4103	4203	4303	4353	4453	4403	4503	4553	
4054	4004	4104	4204	4304	4354	4454	4404	4504	4554	
4055	4005	4105	4205	4305	4355	4455	4405	4505	4555	
4056	4006	4106	4206	4306	4356	4456	4406	4506	4556	
4057	4007	4107	4207	4307	4357	4457	4407	4507	4557	
4058	4008	4108	4208	4308	4358	4458	4408	4508	4558	
4059	4009	4109	4209	4309	4359	4459	4409	4509	4559	
4060	4010	4110	4210	4310	4360	4460	4410	4510	4560	
4061	4011	4111	4211	4311	4361	4461	4411	4511	4561	
4062	4012	4112	4212	4312	4362	4462	4412	4512	4562	
4063	4013	4113	4213	4313	4363	4463	4413	4513	4563	
4064	4014	4114	4214	4314	4364	4464	4414	4514	4564	
4065	4015	4115	4215	4315	4365	4465	4415	4515	4565	12.12.13総合
4066	4016	4116	4216	4316	4366	4466	4416	4516	4566	16.12.21総合

▽4000形は地下鉄千代田線乗入れ仕様車
▽2016.03.26改正から、ＪＲ常磐緩行線取手まで乗入れ開始
▽2019.03.16改正から、東京メトロ北綾瀬まで乗入れ開始
▽2019.03.16改正から、10両編成も各停への充当開始

5000形　**120両**(ステンレス車体)(拡幅車体)(喜多見検車区所属)[密連]　④

⑩♿	⑨♿	⑧♿	⑦♿	⑥♿	⑤♿	④♿	③♿	弱②♿	♿①	
Tc1	M1	M2	T1	T2	M3	M4	T3	M5	Tc2	
5050	5000	5100	5150	5250	5200	5300	5350	5400	5450	
CP	V	S		CP	V	S		V	CP	
5051	5001	5101	5151	5251	5201	5301	5351	5401	5451	19.11.18川重
5052	5002	5102	5152	5252	5202	5302	5352	5402	5452	20.07.15川重
5053	5003	5103	5153	5253	5203	5303	5353	5403	5453	20.08.04総合
5054	5004	5104	5154	5254	5204	5304	5354	5404	5454	20.09.01総合
5055	5005	5105	5155	5255	5205	5305	5355	5405	5455	21.01.21川重
5056	5006	5106	5156	5256	5206	5306	5356	5406	5456	21.04.01川重
5057	5007	5107	5157	5257	5207	5307	5357	5407	5457	21.06.03日車
5058	5008	5108	5158	5258	5208	5308	5358	5408	5458	21.07.07日車
5059	5009	5109	5159	5259	5209	5309	5359	5409	5459	21.10.14日車
5060	5010	5110	5160	5260	5210	5310	5360	5410	5460	22.04.01川車
5061	5011	5111	5161	5261	5211	5311	5361	5411	5461	22.10.20川車
5062	5012	5112	5162	5262	5212	5312	5362	5412	5462	22.12.21川車

▽SiC素子を用いたＶＶＶＦインバータ制御装置搭載、主電動機、コンプレッサ、空調装置および駆動装置は低騒音型搭載
▽2020.03.26から営業運転開始。地下鉄乗入れはなし

←新宿、片瀬江ノ島　　　　　　　　　　　　　唐木田・藤沢・小田原・箱根湯本→

8000形(8000形・8200形)　96両(海老名検車区所属)[密連]　④

⑩♿	⑨	⑧	♿⑦	⑥♿	⑤	④	③	弱②	♿①
Tc1 8050	M1 8000	M2 8100	Tc2 8050	Tc1 8250	M1 8200	M2 8300	T 8400	M3 8500	Tc2 8550
+ S CP −	S −	V −	CP +	+ CP −	S −	V −	S −	V −	CP +
8051	8001	8101	**8151**	**8252**	8202	8302	8452	8502	**8552**
8053	8003	8103	**8153**	**8253**	8203	8303	8453	8503	**8553**
8057	8007	8107	**8157**	**8257**	8207	8307	8457	8507	**8557**
8058	8008	8108	**8158**	**8258**	8208	8308	8458	8508	**8558**
8059	8009	8109	**8159**	**8260**	8210	8310	8460	8510	**8560**
8063	8013	8113	**8163**	**8261**	8211	8311	8461	8511	**8561**
8064	8014	8114	**8164**	**8262**	8212	8312	8462	8512	**8562**
8065	8015	8115	**8165**	**8263**	8213	8313	8463	8513	**8563**
8066	8016	8116	**8166**	**8265**	8215	8315	8465	8515	**8565**
				8266	8216	8316	8466	8516	**8566**

2000形　72両(ステンレス車体)(海老名検車区所属)[密連]　④

⑧♿	⑦	⑥	⑤	④	③	弱②	♿①
Tc1 2050	M1 2000	M2 2100	T1 2150	T2 2250	M4 2300	M5 2400	Tc2 2450
−	S CP −	V −	−	CP −	S CP −	V −	
2051	2001	2101	2151	2251	2301	2401	**2451**
2052	2002	2102	2152	2252	2302	2402	**2452**
2053	2003	2103	2153	2253	2303	2403	**2453**
2054	2004	2104	2154	2254	2304	2404	**2454**
2055	2005	2105	2155	2255	2305	2405	**2455**
2056	2006	2106	2156	2256	2306	2406	**2456**
2057	2007	2107	2157	2257	2307	2407	**2457**
2058	2008	2108	2158	2258	2308	2408	**2458**
2059	2009	2109	2159	2259	2309	2409	**2459**

▽2000形はワイドドア(1600㎜)

▽小田原方から6·8両編成は1 ～ 6·8号車、4両編成は7 ～ 10号車と表示

▼優先席……全車両に設置
▼車いす対応スペース……太字の車両に設置
▼弱冷房車…編成図に弱を付した車両

クヤ31形　1両　(喜多見検車区所属)[密連]

Tc2 31
31

▽クヤ31形は軌道・電気総合検測車
3000形に準じたステンレス車体で、
愛称は「テクノインスペクター」。
検測時は8000形8065F・8066Fの小田原寄りに連結

3000形(3090形・3080形・3600形・3200形)　346両(ステンレス車体)

(喜多見検車区所属[184両]、海老名検車区所属[162両])[密連]　④

⑩♿	⑨	⑧	⑦	⑥	⑤	④	③	弱 ②	♿①	
Tc_1 3090	M_1 3040	M_2 3140	T_1 3190	T_2 3290	M_3 3240	M_4 3340	T_3 3390	M_5 3440	Tc_2 3490	
	V	SCP		CP	V	S	CPS	V		
3091	3041	3141	3191	3291	3241	3341	3391	3441	**3491**	【3280～】
3092	3042	3142	3192	3292	3242	3342	3392	3442	**3492**	【3281～】
3093	3043	3143	3193	3293	3243	3343	3393	3443	**3493**	【3282～】
3094	3044	3144	3194	3294	3244	3344	3394	3444	**3494**	【3278～】
3095	3045	3145	3195	3295	3245	3345	3395	3445	**3495**	【3279～】
3081	3031	3131	3181	3281	3231	3331	3381	3431	**3481**	改造=17.11.30川重
[3665	3615	3715	3765	3865	3815	3915	新車	新車	3965]	新車=17.11.30川重
3082	3032	3132	3182	3282	3232	3332	3382	3432	**3482**	改造=18.12.25川重
[3664	3614	3714	3764	3864	3814	3914	新車	新車	3964]	新車=18.12.25川重
3083	3033	3133	3183	3283	3233	3333	3383	3433	**3483**	改造=19.02.19川重
[3663	3613	3713	3763	3863	3813	3913	新車	新車	3963]	新車=19.02.19川重
3084	3034	3134	3184	3284	3234	3334	3384	3434	**3484**	改造=19.12.17川重
[3662	3612	3712	3762	3862	3812	3912	新車	新車	3962]	新車=19.12.17川重
3085	3035	3135	3185	3285	3235	3335	3385	3435	**3485**	改造=20.02.12川重
[3661	3611	3711	3761	3861	3811	3911	新車	新車	3961]	新車=20.02.12川重
3086	3036	3136	3186	3286	3236	3336	3386	3436	**3486**	改造=19.09.18川重
[3660	3610	3710	3760	3860	3810	3910	新車	新車	3960]	新車=19.09.18川重
3087	3037	3137	3187	3287	3237	3337	3387	3437	**3487**	改造=19.10.28川重
[3659	3609	3709	3759	3859	3809	3909	新車	新車	3959]	新車=19.10.28川重

▽【 】内は旧車号
4～7号車は
10両化時の増備車
▽[ ]内 は旧車号等

⑧♿	⑦	⑥	⑤	④	③	弱 ②	♿①
Tc_1 3650	M_1 3600	M_2 3700	T_1 3750	T_2 3850	M_3 3800	M_4 3900	Tc_2 3950
	V	SCP		CP	V	SCP	
3651	3601	3701	3751	3851	3801	3901	**3951**
3652	3602	3702	3752	3852	3802	3902	**3952**
3653	3603	3703	3753	3853	3803	3903	**3953**
3654	3604	3704	3754	3854	3804	3904	**3954**
3655	3605	3705	3755	3855	3805	3905	**3955**
3656	3606	3706	3756	3856	3806	3906	**3956**
3657	3607	3707	3757	3857	3807	3907	**3957**
3658	3608	3708	3758	3858	3808	3908	**3958**

⑥♿	⑤	④	③	弱 ②	♿①
Tc_1 3250	M_1 3200	M_2 3300	M_3 3400	M_4 3500	Tc_2 3550
+	V	SCP	V	SCP	+
3251	3201	3301	3401	3501	**3551**
3252	3202	3302	3402	3502	**3552**
3253	3203	3303	3403	3503	**3553**
3254	3204	3304	3404	3504	**3554**
3255	3205	3305	3405	3505	**3555**
3256	3206	3306	3406	3506	**3556**
3257	3207	3307	3407	3507	**3557**
3258	3208	3308	3408	3508	**3558**
3259	3209	3309	3409	3509	**3559**
3260	3210	3310	3410	3510	**3560**
3261	3211	3311	3411	3511	**3561**
3262	3212	3312	3412	3512	**3562**

▽6両編成の1～4編成はワイドドア、
1～12編成のM_2・M_4は
小田原方台車がモーターなし

▽8両、10両編成は喜多見、6両編成は海老名検車区配属

形式別配置両数

形式	喜多見	海老名	計
70000形			
クハ70050	2		2
デハ70000	2		2
デハ70100	2		2
サハ70150	2		2
デハ70200	2		2
デハ70300	2		2
クハ70350	2		2
	14	0	14
60000形			
クハ60050		3	3
デハ60000		3	3
デハ60100		3	3
クハ60150		3	3
クハ60250		5	5
デハ60200		5	5
デハ60300		5	5
デハ60400		5	5
デハ60500		5	5
クハ60550		5	5
	0	42	42
5000形			
デハ50000	2		2
デハ50100	2		2
デハ50200	2		2
デハ50300	2		2
デハ50400	2		2
デハ50500	2		2
デハ50600	2		2
デハ50700	2		2
デハ50800	2		2
デハ50900	2		2
	20	0	20
30000形			
クハ30050		7	7
デハ30000		7	7
デハ30100		7	7
クハ30150		7	7
クハ30250		7	7
デハ30200		7	7
サハ30350		7	7
デハ30400		5	5
サハ30450		2	2
デハ30500		7	7
クハ30550		7	7
	0	70	70
8000形			
クハ8050		9	9
デハ8000		9	9
デハ8100		9	9
クハ8050		9	9
クハ8250		10	10
デハ8200		10	10
デハ8300		10	10
デハ8400		10	10
デハ8500		10	10
クハ8550		10	10
	0	96	96

形式	喜多見	海老名	計
1000形			
クハ1050		7	7
デハ1000		7	7
デハ1100		7	7
クハ1150		7	7
クハ1090	7		7
デハ1040	7		7
デハ1140	7		7
サハ1190	7		7
サハ1290	7		7
デハ1240	7		7
デハ1340	7		7
サハ1390	7		7
デハ1440	7		7
クハ1490	7		7
	70	28	98
2000形			
クハ2050		9	9
デハ2000		9	9
デハ2100		9	9
サハ2150		9	9
サハ2250		9	9
デハ2300		9	9
デハ2400		9	9
クハ2450		9	9
	0	72	72

形式	喜多見	海老名	計
3000形			
クハ3250		27	27
デハ3200		27	27
デハ3300		27	27
デハ3400		27	27
デハ3500		27	27
クハ3550		27	27
クハ3650	8		8
デハ3600	8		8
デハ3700	8		8
サハ3750	8		8
サハ3850	8		8
デハ3800	8		8
デハ3900	8		8
クハ3950	8		8
クハ3090	12		12
デハ3040	12		12
デハ3140	12		12
サハ3190	12		12
サハ3290	12		12
デハ3240	12		12
デハ3340	12		12
サハ3390	12		12
デハ3440	12		12
クハ3490	12		12
	184	162	346
4000形			
クハ4050	16		16
デハ4000	16		16
デハ4100	16		16
デハ4200	16		16
デハ4300	16		16
サハ4350	16		16
サハ4450	16		16
デハ4400	16		16
デハ4500	16		16
クハ4550	16		16
	160	0	160
5000形			
クハ5050	12		12
デハ5000	12		12
デハ5100	12		12
サハ5150	12		12
サハ5250	12		12
デハ5200	12		12
デハ5300	12		12
サハ5350	12		12
デハ5400	12		12
クハ5450	12		12
	120	0	120
合計	568	470	1,038

3000形 続き

Tc1 3250	M1 3200	M2 3300	T 3350	弱M3 3400	Tc2 3450	
+	V	SCP	SCP	V	+	
3263	3213	3313	3363	3413	**3463**	←23.11.27=車体更新、制御装置SiC化
3264	3214	3314	3364	3414	**3464**	←24.04.02=車体更新、制御装置SiC化
3265	3215	3315	3365	3415	**3465**	←22.11=車体更新、制御装置SiC化
3266	3216	3316	3366	3416	**3466**	←23.01=車体更新、制御装置SiC化
3267	3217	3317	3367	3417	**3467**	←23.07.27=車体更新、制御装置SiC化
3268	3218	3318	3368	3418	**3468**	←23.03=車体更新、制御装置SiC化
3269	3219	3319	3369	3419	**3469**	
3270	3220	3320	3370	3420	**3470**	
3271	3221	3321	3371	3421	**3471**	
3272	3222	3322	3372	3422	**3472**	
3273	3223	3323	3373	3423	**3473**	
3274	3224	3324	3374	3424	**3474**	
3275	3225	3325	3375	3425	**3475**	
3276	3226	3326	3376	3426	**3476**	
3277	3227	3327	3377	3427	**3477**	

東急電鉄　元住吉検車区・長津田検車区・雪が谷検車区・〔全〕長津田車両工場（恩田駅隣接）　1307両

池上線・東急多摩川線（雪が谷検車区）　93両

←五反田・多摩川　　　　蒲田→

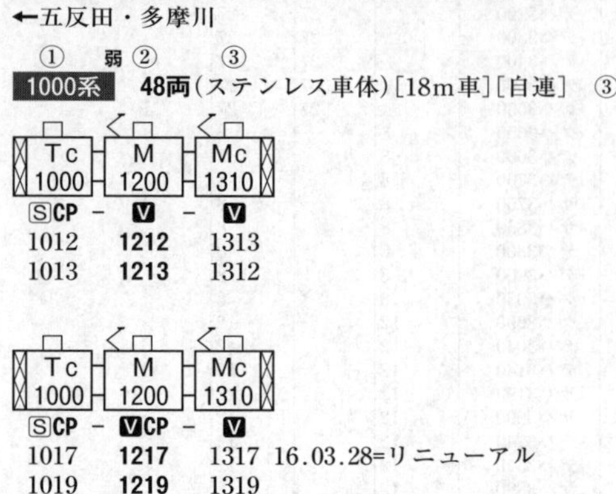

①　弱②　③
1000系　**48両**（ステンレス車体）［18m車］［自連］　③

Tc 1000	M 1200	Mc 1310	
ⓈCP	Ⓥ	Ⓥ	
1012	**1212**	1313	
1013	**1213**	1312	

Tc 1000	M 1200	Mc 1310	
ⓈCP	ⓋCP	Ⓥ	
1017	**1217**	1317	16.03.28=リニューアル
1019	**1219**	1319	
1020	**1220**	1320	
1021	**1221**	1321	
1022	**1222**	1322	

Mc 1500	M 1600	Tc 1700	
CP	ⓋⓈ	CP	
1501	**1601**	1701	14.07.10［1001-1201-1101］
1502	**1602**	1702	15.12.07［1002-1202-1102］
1503	**1603**	1703	14.05.10［1003-1203-1103］
1504	**1604**	1704	14.05.26［1004-1204-1104］
1505	**1605**	1705	15.03.25［1005-1205-1105］
1507	**1607**	1707	15.03.16［1007-1207-1107］
1508	**1608**	1708	15.06.23［1008-1208-1108］

Tc 1500	M 1600	Mc 1700	
CP	ⓋⓈ		
1523	**1623**	1723	20.02.22［1023-1223-1323］
1524	**1624**	1724	16.11.12［1024-1224-1324］

▽1000系1012・1013編成の先頭部非常口は中央に設置
▽1017編成は、リニューアル工事に合わせて、紺・黄色の旧標準色「きになる電車」に変更
▽池上線（五反田～蒲田間）・東急多摩川線（多摩川～蒲田間）はワンマン運転

①　弱②　③
7000系　**45両**（ステンレス車体）［18m車］［自連］　③

Mc 7100	M 7200	Tc 7300	
CP	ⓋⓈ	CP	
7101	**7201**	7301	
7102	**7202**	7302	
7103	**7203**	7303	
7104	**7204**	7304	
7105	**7205**	7305	
7106	**7206**	7306	
7107	**7207**	7307	
7108	**7208**	7308	17.12.07総合
7109	**7209**	7309	17.11.17総合
7110	**7210**	7310	18.07.23総合
7111	**7211**	7311	18.10.01総合
7112	**7212**	7312	18.08.10総合
7113	**7213**	7313	18.10.22総合
7114	**7214**	7314	18.08.30総合
7115	**7215**	7315	18.11.01総合

▽7000系と1000系デハ1600形のVVVFインバータ制御装置は補助電源装置（SIV）と一体型

世田谷線（雪が谷検車区上町班）　20両

←下高井戸　　三軒茶屋→

デハ300形　**20両**（ステンレス車体）　②

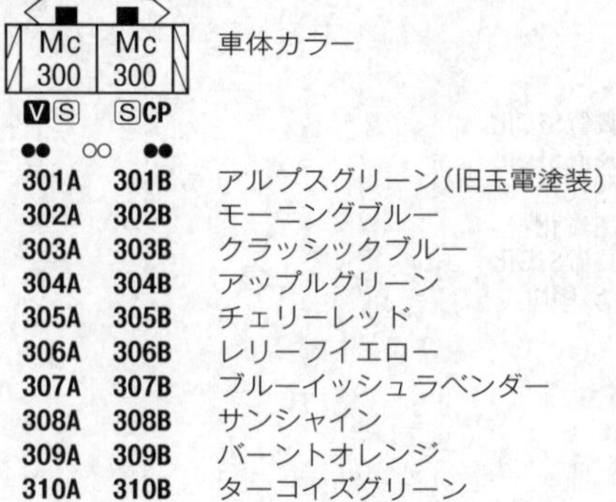

Mc 300	Mc 300	車体カラー
ⓋⓈ	ⓈCP	
●●	○○ ●●	
301A	**301B**	アルプスグリーン（旧玉電塗装）
302A	**302B**	モーニングブルー
303A	**303B**	クラッシックブルー
304A	**304B**	アップルグリーン
305A	**305B**	チェリーレッド
306A	**306B**	レリーフイエロー
307A	**307B**	ブルーイッシュラベンダー
308A	**308B**	サンシャイン
309A	**309B**	バーントオレンジ
310A	**310B**	ターコイズグリーン

▽2019.09.02 社名を東急に変更
2019.10.01 鉄軌道事業分社化、東急電鉄に社名変更

▼優先席……全車両に設置
▼車いす対応スペース……太字の車両に設置
▼弱冷房車…編成図に弱を付した車両

大井町線(長津田検車区) 150両(146+4)

←大井町　　溝の口・長津田→

6000系 42両(ステンレス車体)[自連] ④

Tc2 6100	M 6200	M 6300	T 6400	M2 6500	M1 6600	Tc1 6700	▽6000系は急行用
6103	**6203**	**6303**	6403	6503	**6603**	6703	③=17.09.21総合。④~⑦改番=17.09.20[6303-6403-6503-6601]
6104	**6204**	**6304**	6404	6504	**6604**	6704	③=18.01.10総合。④~⑦改番=18.01.08[6304-6404-6504-6604]
6105	**6205**	**6305**	6405	6505	**6605**	6705	③=17.11.22総合。④~⑦改番=17.11.20[6305-6405-6505-6605]
6106	**6206**	**6306**	6406	6506	**6606**	6706	③=17.12.13総合。④~⑦改番=17.12.11[6306-6406-6506-6606]

▽3号車はQシート
▽4～7号車の改番月日は 2019 参照

Tc2 6100	M 6200	M 6300	T 6400	M2 6500	M1 6600	Tc1 6700	
6101	**6201**	**6301**	6401	6501	**6601**	6701	3号車新製月日=19.05.16総合
6102	**6202**	**6302**	6402	6502	**6602**	6702	3号車新製月日=19.07.05総合

6020系 14両(ステンレス車体)[sustina][自連] ④

▽6020系は急行用
▽6020系は2018.03.28から営業運転開始
▽③号車はＱ ＳＥＡＴ。2018.12.14から運行開始

Tc2 6120	M2 6220	M1 6320	T 6420	M2 6520	M1 6620	Tc1 6720	
6121	**6221**	***6321***	**6421**	**6521**	**6621**	**6721**	18.01.22総合 ③号車=18.10.25総合
6122	**6222**	***6322***	**6422**	**6522**	**6622**	**6722**	18.03.01総合 ③号車=18.11.26総合

9000系 75両(ステンレス車体)[自連] ④

Tc2 9000	M 9200	M 9400	M0 9600	Tc1 9100	
9001	9201	9401	**9601**	9101	
9002	9202	9402	**9602**	9102	
9003	9203	9403	**9603**	9103	
9004	9204	9404	**9604**	9104	
9005	9205	9405	**9605**	9105	
9006	9206	9406	**9606**	9106	
9007	**9207**	9407	**9607**	9107	20.09.29=リニューアル工事・VVVF更新、9207に車いす対応スペース設置
9008	9208	9408	**9608**	9108	
9009	9209	9409	**9609**	9109	
9010	9210	9410	**9610**	9110	
9011	9211	9411	**9611**	9111	
9012	9212	9412	**9612**	9112	
9013	9213	9413	**9613**	9113	
9014	9214	9414	**9614**	9114	
9015	9215	9415	**9615**	9115	

9020系 15両(ステンレス車体)[自連] ④

▽2000系からの改造。[ ]内は旧車号

Tc2 9020	M0 9220	M2 9320	M1 9420	Tc1 9120	
9021	9221	9321	**9421**	9121	19.03.22改造
[2001	2401	2353	2303	2101]	
9022	9222	9322	**9422**	9122	19.02.10改造
[2002	2202	2253	2203	2102]	
9023	9223	9323	**9423**	9123	19.02.14改造
[2003	2302	2453	2403	2103]	

▽大井町線は2009.07.11に溝の口まで延伸

事業用車 4両

デヤ 7500	サヤ 7590	デヤ 7550	マニ 50
7500	7590	7550	MN50(マニ502186)

▽デヤ7500は動力車、デヤ7550は電気検測車、サヤ7590は軌道検測車
▽マニ50は、「THE ROYAL EXPRESS ～ HOKKAIDO CRUISE TRAIN ～」の電源車として使用

東横線（元住吉検車区） 350両

←（地下鉄副都心線）渋谷　　　　新横浜（相鉄線）・横浜・（横浜高速鉄道）元町・中華街→

5000系 350両（ステンレス車体）［自連］ ④

①	②	③	④	⑤	⑥	弱⑦	⑧	
Tc2 5100	M2 5200	M1 5300	T2 5400	T1 5500	M2 5600	M1 5700	Tc1 5800	
	S	V	CP	CP	S	V		
5151	**5251**	5351	5451	5551	5651	**5751**	5851	
5152	**5252**	5352	5452	5552	5652	**5752**	5852	
5153	**5253**	5353	5453	5553	5653	**5753**	5853	
5154	**5254**	5354	5454	5554	5654	**5754**	5854	
5157	**5257**	5357	5457	5557	5657	**5757**	5857	
5158	**5258**	5358	5458	5558	5658	**5758**	5858	
5159	**5259**	5359	5459	5559	5659	**5759**	5859	
5160	**5260**	5360	5460	5560	5660	**5760**	5860	
5161	**5261**	5361	5461	5561	5661	**5761**	5861	
5162	**5262**	5362	5462	5562	5662	**5762**	5862	
5163	**5263**	5363	5463	5563	5663	**5763**	5863	
5164	**5264**	5364	5464	5564	5664	**5764**	5864	
5165	**5265**	5365	5465	5565	5665	**5765**	5865	
5170	**5270**	5370	5470	5570	5670	**5770**	5870	
5171	**5271**	5371	5471	5571	5671	**5771**	5871	
5172	**5272**	5372	5472	5572	5672	**5772**	5872	
5174	**5274**	5374	5474	5574	5674	**5774**	5874	
5175	**5275**	5375	5475	5575	5675	**5775**	5875	
5176	**5276**	5376	5476	5576	5676	**5776**	5876	13.05.14新製
5177	**5277**	5377	5477	5577	5677	**5777**	5877	16.09.13新製
5178	**5278**	5378	5478	5578	5678	**5778**	5878	19.11.05新製
5118	**5218**	5318	5418	5518	5618	**5718**	5818	
5119	**5219**	5319	5419	5519	5619	**5719**	5819	
5121	**5221**	5321	5421	5521	5621	**5721**	5821	
5122	**5222**	5322	5422	5522	5622	**5722**	5822	緑ラッピング　17.09.14～営業運転

①	②	③	④	⑤	⑥	⑦	⑧	弱⑨	⑩	
Tc2 5100	M2 5200	M1 5300	T2 5400	T1 5500	M1 5300	T1 5500	M2 5600	M1 5700	Tc1 5800	
	S	V	CP	CP	V	CP	S	V		
4101	**4201**	4301	4401	4501	4601	4701	4801	**4901**	4001	
4102	**4202**	4302	4402	4502	4602	4702	4802	**4902**	4002	16.04.21 10両復帰
4103	**4203**	4303	4403	4503	4603	4703	4803	**4903**	4003	15.02.08 10両復帰
4104	**4204**	4304	4404	4504	4604	4704	4804	**4904**	4004	
4105	**4205**	4305	4405	4505	4605	4705	4805	**4905**	4005	19年度 10両復帰
4106	**4206**	4306	4406	4506	4606	4706	4806	**4906**	4006	16.11.11 10両復帰
4107	**4207**	4307	4407	4507	4607	4707	4807	**4907**	4007	12.11.01新製
4108	**4208**	4308	4408	4508	4608	4708	4808	**4908**	4008	12.12.01新製
4109	**4209**	4309	4409	4509	4609	4709	4809	**4909**	4009	13.01.03新製
4110	**4210**	4310	4410	4510	4610	4710	4810	**4910**	4010	13.04.20新製 Shibuya Hikarie号
4111	**4211**	4311	4411	4511	4611	4711	4811	**4911**	4011	20.03.13新製（6・7号車）
［5173	**5273**	5373	5473	5573			5673	**5773**	5873］	20.07.10　10両化車号変更

①	②	③	④	⑤	⑥	⑦	⑧	弱⑨	⑩	
Tc2 5100	M2 5200	M1 5300	T1L 5500	ML 5300	T2 5400	T3 5500	M2 5600	M1 5700	Tc1 5800	
	S	V	CP	V	CP	CP	S	V		
4112	**4212**	4312	4412	4512	4612	4712	4812	**4912**	4012	④⑤=22.07.01総合
［5166	5266	5366			5466	5566	5666	5766	5866］	22.08.04車号変更
4113	**4213**	4313	4413	4513	4613	4713	4813	**4913**	4013	④⑤=23.02.26総合
［5167	5267	5367			5467	5567	5667	5767	5867］	23.04.11車号変更
4114	**4214**	4314	4414	4514	4614	4714	4814	**4914**	4014	④⑤=23.02.26総合
［5168	5268	5368			5468	5568	5668	5768	5868］	23.05.02車号変更
4115	**4215**	4315	4415	4515	4615	4715	4815	**4915**	4015	④⑤=23.02.23総合
［5169	5269	5369			5469	5569	5669	5769	5869］	23.02.23車号変更

▽④⑤号車はＱ ＳＥＡＴ。
2023.08.10～サービス開始
指定席運行時はクロスシート
（通常はロングシートにて運行）

▽2013.03.16から地下鉄副都心線への乗入れ開始。東武東上線森林公園、西武池袋線飯能まで直通運転
▽2023.03.18 新横浜線（日吉～新横浜間）開業に伴い、相鉄線との相互直通運転開始。東急車は、海老名、湘南台まで乗入れ
▼優先席……全車両に設置　▼車いす対応スペース……太字の車両に設置　▼弱冷房車…編成図に弱を付した車両
▽電車とバスの博物館（田園都市線宮崎台駅）に、デハ510形510、デハ200形204などを展示

鉄道線営業用車　両数表

線　区	東横	目黒	田都	大井町	池上多摩川	
配置区	元住吉		長津田		雪が谷	計
7000系						
デハ7100					15	15
デハ7200					15	15
クハ7300					15	15
	0	0	0	0	45	45
6000系						
クハ6100				6		6
デハ6200				6		6
デハ6300				6		6
サハ6400				6		6
デハ6500				6		6
デハ6600				6		6
クハ6700				6		6
	0	0	0	42	0	42
6020系						
クハ6120				2		2
デハ6220				2		2
デハ6320				2		2
サハ6420				2		2
デハ6520				2		2
デハ6620				2		2
クハ6720				2		2
	0	0	0	14	0	14
3000系						
クハ3100		13				13
デハ3200		13				13
デハ3300		13				13
サハ3400		13				13
デハ3500		13				13
サハ3600		13				13
デハ3700		13				13
クハ3800		13				13
	0	104	0	0	0	104
3020系						
クハ3120		3				3
デハ3220		3				3
デハ3320		3				3
サハ3420		3				3
サハ3520		3				3
デハ3620		3				3
デハ3720		3				3
クハ3820		3				3
	0	24	0	0	0	24

特殊車						
デヤ7550				1		1
デヤ7500				1		1
サヤ7590				1		1
マニMN50				1		1
	0	0	0	4	0	4

線　区	東横	目黒	田都	大井町	池上多摩川	
配置区	元住吉		長津田		雪が谷	計
1000系						
クハ1000					7	7
デハ1200					7	7
デハ1310					7	7
デハ1500					7	7
デハ1600					7	7
クハ1700					7	7
クハ1500					2	2
デハ1600					2	2
デハ1700					2	2
	0	0	0	0	48	48
2020系						
クハ2120			30			30
デハ2220			30			30
デハ2320			30			30
サハ2420			30			30
サハ2520			30			30
デハ2620			30			30
サハ2720			30			30
デハ2820			30			30
デハ2920			30			30
クハ2020			30			30
	0	0	300	0	0	300
9000系						
クハ9000				15		15
デハ9200				15		15
デハ9400				15		15
デハ9600				15		15
クハ9100				15		15
	0	0	0	75	0	75
9020系						
クハ9020				3		3
デハ9220				3		3
デハ9320				3		3
デハ9420				3		3
クハ9120				3		3
	0	0	0	15	0	15
8000系						
デハ8500			2	0		2
デハ8590			0	0		0
デハ8600			2	0		2
デハ8690			0	0		0
デハ8700			1	0		1
デハ8800			1	0		1
サハ8900			0	0		0
	0	0	6	0	0	6

線　区	東横	目黒	田都	大井町	池上多摩川	
配置区	元住吉		長津田		雪が谷	計
5000系						
デハ5200	40	10	18			68
5201～	4		18			
5251～	21					
4201～	15					
5281～		10				
デハ5300	55		17			72
5302～	4		17			
5351～	21					
4301～	15					
4501～	4					
4601～	11					
デハ5400		10	1			11
5401～			1			
5481～		10				
デハ5500			1			1
5501～			1			
デハ5600	40	10	17			67
5602～	4		17			
5651～	21					
5681～		10				
4801～	15					
デハ5700	40	10	17			67
5702～	4		17			
5751～	21					
5781～		10				
4901～	15					
デハ5800			1			1
5801～			1			
デハ5900			18			18
5901～			18			
クハ5000			18			18
5001～			18			
クハ5100	40	10	18			68
5101～	4		18			
5151～	21					
4101～	15					
5181～		10				
クハ5800	40	10				50
5818～	4					
5851～	21					
5881～		10				
4001～	15					
サハ5300		10	1			11
5301～			1			
5381～		10				
サハ5400	40		17			57
5402～	4		17			
5451～	21					
4401～	11					
4601～	4					
サハ5500	55	10	17			82
5502～	4		17			
5551～	21					
5581～		10				
4501～	11					
4701～	15					
4412～	4					
サハ5600			1			1
5601～			1			
サハ5700			1			1
5701～			1			
サハ5800			17			17
5802～			17			
	350	80	180	0	0	610
合計	350	208	486	150	93	1287

1287＋20(世田谷線)=**1,307両**

田園都市線(長津田検車区)　487両

←(地下鉄半蔵門線)渋谷　　　　　　　　中央林間→

5000系　180両(ステンレス車体)[自連]　④

	①	弱②	♿③	④	⑤	⑥	⑦	⑧	♿⑨	⑩	
	Tc_2	M	T_3	M_2	M_1	T_2	T_1	M_2	M_1	Tc_1	
	5100	5200	5300	5400	5500	5600	5700	5800	5900	5000	
		V	CP	S	V	CP	CP	S	V		
To	5101	5201	**5301**	5401	5501	5601	5701	5801	**5901**	5001	

	Tc_2	M_2	M_1'	T_3	T_2	M_2	M_1	T_1	M	Tc_1	
	5100	5200	5300	5400	5500	5600	5700	5800	5900	5000	▽To編成は東武鉄道に乗入れ可能
		S	V	CP	CP	S	V	CP	V		
To	5102	5202	**5302**	5402	5502	5602	5702	5802	**5902**	5002	
To	5103	5203	**5303**	5403	5503	5603	5703	5803	**5903**	5003	
To	5104	5204	**5304**	5404	5504	5604	5704	5804	**5904**	5004	④⑤⑧新製月日=16.07.26
To	5105	5205	**5305**	5405	5505	5605	5705	5805	**5905**	5005	④⑤⑧新製月日=17.05.14
To	5106	5206	**5306**	5406	5506	5606	5706	5806	**5906**	5006	④⑤⑧新製月日=17.01.31
To	5107	5207	**5307**	5407	5507	5607	5707	5807	**5907**	5007	④⑤⑧新製月日=16.11.18
To	5108	5208	**5308**	5408	5508	5608	5708	5808	**5908**	5008	④⑤⑧新製月日=17.04.14
To	5109	5209	**5309**	5409	5509	5609	5709	5809	**5909**	5009	④⑤⑧新製月日=16.10.20
To	5110	5210	**5310**	5410	5510	5610	5710	5810	**5910**	5010	④⑤⑧新製月日=17.03.16
To	5111	5211	**5311**	5411	5511	5611	5711	5811	**5911**	5011	④⑤⑧新製月日=16.08.23
To	5112	5212	**5312**	5412	5512	5612	5712	5812	**5912**	5012	④⑤⑧新製月日=16.05.30
To	5113	5213	**5313**	5413	5513	5613	5713	5813	**5913**	5013	④⑤⑧新製月日=16.06.28
To	5114	5214	**5314**	5414	5514	5614	5714	5814	**5914**	5014	④⑤⑧新製月日=16.12.27
To	5115	5215	**5315**	5415	5515	5615	5715	5815	**5915**	5015	④⑤⑧新製月日=16.03.31
To	5116	5216	**5316**	5416	5516	5616	5716	5816	**5916**	5016	④⑤⑧新製月日=16.03.04
To	5117	5217	**5317**	5417	5517	5617	5717	5817	**5917**	5017	④⑤⑧新製月日=16.02.08
To	5120	5220	**5320**	5420	5520	5620	5720	5820	**5920**	5020	④⑤⑧新製月日=16.01.12

2020系　300両(ステンレス車体[sustina])[自連]　④

①♿	弱②♿	♿③	♿④	♿⑤	♿⑥	♿⑦	♿⑧	♿⑨	♿⑩	
Tc_2	M_2	M_1	T_3	T_2	M_3	T_1	M_2	M_1	Tc_1	
2120	2220	2320	2420	2520	2620	2720	2820	2920	2020	▽2020系は、2018.03.28から営業運転開始
	VS	VCP			V		VS	VCP		
2121	**2221**	**2321**	**2421**	**2521**	**2621**	**2721**	**2821**	**2921**	**2021**	17.12.08総合
2122	**2222**	**2322**	**2422**	**2522**	**2622**	**2722**	**2822**	**2922**	**2022**	18.02.08総合
2123	**2223**	**2323**	**2423**	**2523**	**2623**	**2723**	**2823**	**2923**	**2023**	18.02.22総合
2124	**2224**	**2324**	**2424**	**2524**	**2624**	**2724**	**2824**	**2924**	**2024**	18.06.07総合
2125	**2225**	**2325**	**2425**	**2525**	**2625**	**2725**	**2825**	**2925**	**2025**	18.06.28総合
2126	**2226**	**2326**	**2426**	**2526**	**2626**	**2726**	**2826**	**2926**	**2026**	18.10.26総合(③号車は元6321=18.11.07改番)
2127	**2227**	**2327**	**2427**	**2527**	**2627**	**2727**	**2827**	**2927**	**2027**	18.11.30総合(③号車は元6322=18.12.10改番)
2128	**2228**	**2328**	**2428**	**2528**	**2628**	**2728**	**2828**	**2928**	**2028**	19.03.07総合
2129	**2229**	**2329**	**2429**	**2529**	**2629**	**2729**	**2829**	**2929**	**2029**	19.03.28総合
2130	**2230**	**2330**	**2430**	**2530**	**2630**	**2730**	**2830**	**2930**	**2030**	19.10.04総合
2131	**2231**	**2331**	**2431**	**2531**	**2631**	**2731**	**2831**	**2931**	**2031**	19.11.01総合
2132	**2232**	**2332**	**2432**	**2532**	**2632**	**2732**	**2832**	**2932**	**2032**	20.01.17総合
2133	**2233**	**2333**	**2433**	**2533**	**2633**	**2733**	**2833**	**2933**	**2033**	20.02.18総合
2134	**2234**	**2334**	**2434**	**2534**	**2634**	**2734**	**2834**	**2934**	**2034**	20.03.06総合
2135	**2235**	**2335**	**2435**	**2535**	**2635**	**2735**	**2835**	**2935**	**2035**	20.03.27総合
2136	**2236**	**2336**	**2436**	**2536**	**2636**	**2736**	**2836**	**2936**	**2036**	20.05.21総合
2137	**2237**	**2337**	**2437**	**2537**	**2637**	**2737**	**2837**	**2937**	**2037**	20.06.11総合
2138	**2238**	**2338**	**2438**	**2538**	**2638**	**2738**	**2838**	**2938**	**2038**	20.10.23総合
2139	**2239**	**2339**	**2439**	**2539**	**2639**	**2739**	**2839**	**2939**	**2039**	20.09.10総合
2140	**2240**	**2340**	**2440**	**2540**	**2640**	**2740**	**2840**	**2940**	**2040**	20.10.19総合
2141	**2241**	**2341**	**2441**	**2541**	**2641**	**2741**	**2841**	**2941**	**2041**	21.04.05総合
2142	**2242**	**2342**	**2442**	**2542**	**2642**	**2742**	**2842**	**2942**	**2042**	21.04.05総合
2143	**2243**	**2343**	**2443**	**2543**	**2643**	**2743**	**2843**	**2943**	**2043**	21.04.05総合
2144	**2244**	**2344**	**2444**	**2544**	**2644**	**2744**	**2844**	**2944**	**2044**	21.04.22総合
2145	**2245**	**2345**	**2445**	**2545**	**2645**	**2745**	**2845**	**2945**	**2045**	21.05.25総合
2146	**2246**	**2346**	**2446**	**2546**	**2646**	**2746**	**2846**	**2946**	**2046**	21.06.28総合
2147	**2247**	**2347**	**2447**	**2547**	**2647**	**2747**	**2847**	**2947**	**2047**	21.07.26総合
2148	**2248**	**2348**	**2448**	**2548**	**2648**	**2748**	**2848**	**2948**	**2048**	21.09.02総合
2149	**2249**	**2349**	**2449**	**2549**	**2649**	**2749**	**2849**	**2949**	**2049**	22.01.20総合
2150	**2250**	**2350**	**2450**	**2550**	**2650**	**2750**	**2850**	**2950**	**2050**	22.06.06総合

▼優先席…全車両に設置
▼車いす対応スペース…太字の車両に設置
▼弱冷房車…編成図に弱を付した車両
▽渋谷から地下鉄半蔵門線に乗入れ、東武伊勢崎線久喜、日光線南栗橋まで直通運転

←(地下鉄半蔵門線)渋谷　　　　　　　　　　　　　　　　　中央林間→

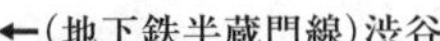

8000系　**6両**(ステンレス車体)[自連　④

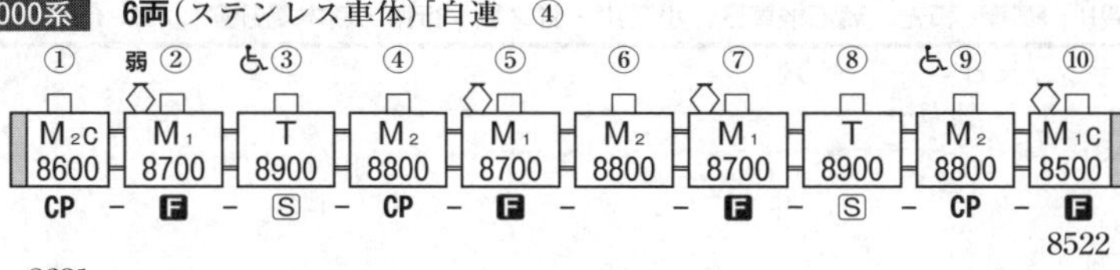

									8522
8631									
8637	8797							**0803**	8537

▽8000系は2023.01.25営業運転から離脱

目黒線(元住吉検車区)　208両

←(地下鉄南北線)目黒　　　　　　　　　　　　　　　　日吉・新横浜(相鉄線)→

3000系　**104両**(ステンレス車体)[自連]　④

①	②♿	③	弱④	⑤	⑥	♿⑦	⑧		
Tc2 3100	M2 3200	M1 3300	T 3400	M 3500	T 3600	M1 3700	Tc1 3800	8両化 車号変更	④⑤ 新製月日
–	S	– V	– CP	– V	– S CP	– V	–		
3101	**3201**	3301	3401	3501	3601	**3701**	3801	22.08.11	21.09.24総合
3102	**3202**	3302	3402	3502	3602	**3702**	3802	23.02.15	22.04.25総合
3103	**3203**	3303	3403	3503	3603	**3703**	3803	22.12.09	22.03.25総合
3104	**3204**	3304	3404	3504	3604	**3704**	3804	23.02.24	22.04.25総合
3105	**3205**	3305	3405	3505	3605	**3705**	3805	23.01.05	22.03.25総合
3106	**3206**	3306	3406	3506	3606	**3706**	3806	22.12.01	22.03.25総合
3107	**3207**	3307	3407	3507	3607	**3707**	3807	22.12.16	22.03.25総合
3108	**3208**	3308	3408	3508	3608	**3708**	3808	23.02.03	22.04.25総合
3109	**3209**	3309	3409	3509	3609	**3709**	3809	22.11.07	22.03.25総合
3110	**3210**	3310	3410	3510	3610	**3710**	3810	22.09.22	21.10.25総合
3111	**3211**	3311	3411	3511	3611	**3711**	3811	22.12.21	21.09.24総合
3112	**3212**	3312	3412	3512	3612	**3712**	3812	23.03.08	21.10.25総合
3113	**3213**	3313	3413	3513	3613	**3713**	3813	23.01.25	21.09.24総合

3020系　**24両**(ステンレス車体)[自連]　④

Tc2 3120	M2 3220	M1 3320	T 3420	T 3520	M2 3620	M1 3720	Tc1 3820	新製月日	8両化
–	V S	– V CP	–	–	V S	– V CP	–		
3121	**3221**	3321	3421	3521	3621	**3721**	3821	19.04.22総合	22.07.13
3122	**3222**	3322	3422	3522	3622	**3722**	3822	19.06.07総合	22.08.23
3123	**3223**	3323	3423	3523	3623	**3723**	3823	19.08.05総合	22.01.05

▽営業運転開始は、2019.11.22。当初は6両編成

5000系　**80両**(ステンレス車体)[自連]　④

①	②♿	③	弱④	⑤	⑥	♿⑦	⑧		
Tc2 5100	M 5200	T 5300	M 5400	T 5500	M2 5600	M1 5700	Tc1 5800	8両化 車号変更	④⑤ 新製月日
–	V	– S CP	– V	–	– S CP	– V	–		
5181	**5281**	5381	5481	5581	5681	**5781**	5881	22.10.03	22.09.01総合
5182	**5282**	5382	5482	5582	5682	**5782**	5882	22.10.10	22.09.01総合
5183	**5283**	5383	5483	5583	5683	**5783**	5883	22.10.17	22.07.25総合
5184	**5284**	5384	5484	5584	5684	**5784**	5884	22.06.27	21.11.25総合
5185	**5285**	5385	5485	5585	5685	**5785**	5885	22.08.12	22.07.25総合
5186	**5286**	5386	5486	5586	5686	**5786**	5886	22.06.17	21.11.25総合
5187	**5287**	5387	5487	5587	5687	**5787**	5887	22.02.23	21.11.25総合
5188	**5288**	5388	5488	5588	5688	**5788**	5888	22.09.15	22.09.01総合
5189	**5289**	5389	5489	5589	5689	**5789**	5889	22.05.30	21.11.25総合
5190	**5290**	5390	5490	5590	5690	**5790**	5890	22.05.20	21.11.25総合

▽8両化に伴う車号変更は4～8号車が対象
▽全区間でワンマン運転(2000.08.06～)
▽2023.03.18　東急新横浜線日吉～新横浜間 5.8㎞開業。
　合わせて開業した相鉄新横浜線と線路が繋がり、相互直通運転開始
　東急車は、海老名、湘南台まで乗入れ

▼優先席……全車両に設置
▼車いす対応スペース……太字の車両に設置
▼フリースペース……____の車両に設置
▼弱冷房車…編成図に弱を付した車両
▽目黒から地下鉄南北線に乗入れ、都営地下鉄三田線西高島平、埼玉高速鉄道浦和美園まで直通運転

東京地下鉄　上野・中野・千住・深川・綾瀬・和光・鷺沼検車区、小石川・竹ノ塚・行徳・新木場分室　2724両

銀座線(上野検車区)　240両[帯色はオレンジ(レモンイエロー)]

←渋谷　浅草→

1000系　240両(アルミ車体)[トムリンソン]　③

	①♿	②	③	④	⑤	♿⑥	
	CM1 1100	M1 1200	M1′ 1300	M2 1400	M1 1500	CM2 1000	
	S	V	VCP	S	V	CP	
51	1101	1201	1301	1401	1501	1001	
52	1102	1202	1302	1402	1502	1002	13.05.30日車
53	1103	1203	1303	1403	1503	1003	13.06.27日車
54	1104	1204	1304	1404	1504	1004	13.07.25日車
55	1105	1205	1305	1405	1505	1005	13.08.22日車
56	1106	1206	1306	1406	1506	1006	13.09.19日車
57	1107	1207	1307	1407	1507	1007	13.11.07日車
58	1108	1208	1308	1408	1508	1008	13.11.28日車
59	1109	1209	1309	1409	1509	1009	13.12.19日車
60	1110	1210	1310	1410	1510	1010	14.01.16日車
61	1111	1211	1311	1411	1511	1011	14.02.27日車
62	1112	1212	1312	1412	1512	1012	14.03.20日車
63	1113	1213	1313	1413	1513	1013	14.04.24日車
64	1114	1214	1314	1414	1514	1014	14.05.22日車
65	1115	1215	1315	1415	1515	1015	14.06.19日車
66	1116	1216	1316	1416	1516	1016	14.07.24日車
67	1117	1217	1317	1417	1517	1017	14.08.21日車
68	1118	1218	1318	1418	1518	1018	14.09.18日車
69	1119	1219	1319	1419	1519	1019	14.10.23日車
70	1120	1220	1320	1420	1520	1020	14.11.20日車
71	1121	1221	1321	1421	1521	1021	15.04.23日車
72	1122	1222	1322	1422	1522	1022	15.06.18日車
73	1123	1223	1323	1423	1523	1023	15.07.23日車
74	1124	1224	1324	1424	1524	1024	15.08.20日車
75	1125	1225	1325	1425	1525	1025	15.09.17日車
76	1126	1226	1326	1426	1526	1026	15.10.22日車
77	1127	1227	1327	1427	1527	1027	15.11.26日車

	①♿	②♿	③♿	④♿	⑤♿	♿⑥	
	CM1 1100	M1 1200	M1′ 1300	M2 1400	M1 1500	CM2 1000	
	S	V	VCP	S	V	CP	
78	1128	1228	1328	1428	1528	1028	16.01.06日車
79	1129	1229	1329	1429	1529	1029	16.01.31日車
80	1130	1230	1330	1430	1530	1030	16.03.02日車
81	1131	1231	1331	1431	1531	1031	16.03.24日車
82	1132	1232	1332	1432	1532	1032	16.04.28日車
83	1133	1233	1333	1433	1533	1033	16.05.26日車
84	1134	1234	1334	1434	1534	1034	16.06.23日車
85	1135	1235	1335	1435	1535	1035	16.07.04日車
86	1136	1236	1336	1436	1536	1036	16.08.18日車
87	1137	1237	1337	1437	1537	1037	16.09.22日車
88	1138	1238	1338	1438	1538	1038	16.10.20日車
89	1139	1239	1339	1439	1539	1039	17.01.12日車
90	1140	1240	1340	1440	1540	1040	17.03.09日車

▽89・90編成は特別仕様車(銀座線開通当時の旧1000形をモチーフ)

▽2012.04.11から営業運転を開始
▽主電動機は永久磁石同期電動機

▼優先席……全車両に設置
▼車いす対応スペース(フリースペースを含む)……♿の車両に設置

丸ノ内線(中野検車区・小石川分室)　318両[帯色はレッド(チェリーレッド)]

←荻窪・方南町　　　　　　　　　　　　　　　　　　　　　　池袋→

02系　6両(アルミ車体)[トムリンソン]　③

	①♿	②♿	③♿	④♿	⑤♿	♿⑥
	CT1 02100	M 02200	T 02300	M′ 02400	M 02500	CT2 02600
	ⓂCP	V	S	V	V	ⓂCP
01	**02101**	**02201**	**02301**	**02401**	**02501**	**02601**

▽丸ノ内線(分岐線を含む)はホームドアを完備してワンマン運転

▽2019.07.05から、6両編成の運転区間は方南町まで延伸。分岐線の改正までの6両編成の運転区間は中野富士見町まで

▼優先席……全車両に設置

▼車いす対応スペース……♿の車両に設置

2000系　312両(アルミ車体)[トムリンソン]　③

	①♿	②♿	③♿	④♿	⑤♿	♿⑥	
	CM 2100	M1 2200	M2 2300	M3 2400	M4 2500	CT 2000	
	S	V		V	S	CP	
01	**2101**	**2201**	**2301**	**2401**	**2501**	**2001**	19.02.01日車
02	**2102**	**2202**	**2302**	**2402**	**2502**	**2002**	19.02.01日車
03	**2103**	**2203**	**2303**	**2403**	**2503**	**2003**	19.03.03日車
04	**2104**	**2204**	**2304**	**2404**	**2504**	**2004**	19.03.19日車
05	**2105**	**2205**	**2305**	**2405**	**2505**	**2005**	19.04.09日車
06	**2106**	**2206**	**2306**	**2406**	**2506**	**2006**	19.04.30日車
07	**2107**	**2207**	**2307**	**2407**	**2507**	**2007**	19.05.21日車
08	**2108**	**2208**	**2308**	**2408**	**2508**	**2008**	19.06.18日車
09	**2109**	**2209**	**2309**	**2409**	**2509**	**2009**	19.07.09日車
10	**2110**	**2210**	**2310**	**2410**	**2510**	**2010**	19.07.31日車
11	**2111**	**2211**	**2311**	**2411**	**2511**	**2011**	19.08.27日車
12	**2112**	**2212**	**2312**	**2412**	**2512**	**2012**	19.09.17日車
13	**2113**	**2213**	**2313**	**2413**	**2513**	**2013**	19.10.10日車
14	**2114**	**2214**	**2314**	**2414**	**2514**	**2014**	19.11.19日車
15	**2115**	**2215**	**2315**	**2415**	**2515**	**2015**	19.12.10日車
16	**2116**	**2216**	**2316**	**2416**	**2516**	**2016**	20.01.07日車
17	**2117**	**2217**	**2317**	**2417**	**2517**	**2017**	20.01.28日車
18	**2118**	**2218**	**2318**	**2418**	**2518**	**2018**	20.02.15日車
19	**2119**	**2219**	**2319**	**2419**	**2519**	**2019**	20.03.10日車
20	**2120**	**2220**	**2320**	**2420**	**2520**	**2020**	20.03.31日車
21	**2121**	**2221**	**2321**	**2421**	**2521**	**2021**	20.04.21日車
22	**2122**	**2222**	**2322**	**2422**	**2522**	**2022**	20.06.09日車
23	**2123**	**2223**	**2323**	**2423**	**2523**	**2023**	20.06.30日車
24	**2124**	**2224**	**2324**	**2424**	**2524**	**2024**	20.07.23日車
25	**2125**	**2225**	**2325**	**2425**	**2525**	**2025**	20.08.18日車
26	**2126**	**2226**	**2326**	**2426**	**2526**	**2026**	20.09.30日車
27	**2127**	**2227**	**2327**	**2427**	**2527**	**2027**	20.10.27日車
28	**2128**	**2228**	**2328**	**2428**	**2528**	**2028**	20.11.24日車
29	**2129**	**2229**	**2329**	**2429**	**2529**	**2029**	20.12.22日車
30	**2130**	**2230**	**2330**	**2430**	**2530**	**2030**	21.02.02日車
31	**2131**	**2231**	**2331**	**2431**	**2531**	**2031**	21.02.23日車
32	**2132**	**2232**	**2332**	**2432**	**2532**	**2032**	21.03.16日車
33	**2133**	**2233**	**2333**	**2433**	**2533**	**2033**	22.07.04近車
34	**2134**	**2234**	**2334**	**2434**	**2534**	**2034**	22.09.30近車
35	**2135**	**2235**	**2335**	**2435**	**2535**	**2035**	22.11.09近車
36	**2136**	**2236**	**2336**	**2436**	**2536**	**2036**	22.11.08近車
37	**2137**	**2237**	**2337**	**2437**	**2537**	**2037**	22.11.29近車
38	**2138**	**2238**	**2338**	**2438**	**2538**	**2038**	22.12.27近車
39	**2139**	**2239**	**2339**	**2439**	**2539**	**2039**	24.02.27日車
40	**2140**	**2240**	**2340**	**2440**	**2540**	**2040**	24.01.27日車
41	**2141**	**2241**	**2341**	**2441**	**2541**	**2041**	24.01.05日車
42	**2142**	**2242**	**2342**	**2442**	**2542**	**2042**	23.11.28日車
43	**2143**	**2243**	**2343**	**2443**	**2543**	**2043**	23.04.25日車
44	**2144**	**2244**	**2344**	**2444**	**2544**	**2044**	23.05.16日車
45	**2145**	**2245**	**2345**	**2445**	**2545**	**2045**	23.06.06日車
46	**2146**	**2246**	**2346**	**2446**	**2546**	**2046**	23.06.27日車
47	**2147**	**2247**	**2347**	**2447**	**2547**	**2047**	23.07.18日車
48	**2148**	**2248**	**2348**	**2448**	**2548**	**2048**	23.08.08日車
49	**2149**	**2249**	**2349**	**2449**	**2549**	**2049**	23.08.29日車
50	**2150**	**2250**	**2350**	**2450**	**2550**	**2050**	23.09.19日車
51	**2151**	**2251**	**2351**	**2451**	**2551**	**2051**	23.10.10日車
52	**2152**	**2252**	**2352**	**2452**	**2552**	**2052**	23.10.31日車

▽2000系は2019.02.23から運行開始

▽非常走行用電源を③号車に装備

▽永久磁石同期電動機(PMSM)を搭載

日比谷線(千住検車区・竹ノ塚分室)　308両[帯色はシルバーホワイト]

←中目黒　　　　　　　　北千住(東武スカイツリーライン)→

13000系　**308両**(アルミ車体)[20m車][密連]　④

	⑦♿	⑥♿ 弱	⑤♿	④♿	③♿	②♿	♿①	
	CM₁ 13100	M₁ 13200	M₂ 13300	M₃ 13400	M₂′ 13500	M₁′ 13600	CM₂ 13000	
	CP	V	S	V	S	V	CP	
51	13101	13201	13301	13401	13501	13601	13001	16.12.06近車
52	13102	13202	13302	13402	13502	13602	13002	17.01.04近車
53	13103	13203	13303	13403	13503	13603	13003	17.04.27近車
54	13104	13204	13304	13404	13504	13604	13004	17.05.14近車
55	13105	13205	13305	13405	13505	13605	13005	17.05.31近車
56	13106	13206	13306	13406	13506	13606	13006	17.06.17近車
57	13107	13207	13307	13407	13507	13607	13007	17.07.04近車
58	13108	13208	13308	13408	13508	13608	13008	17.07.21近車
59	13109	13209	13309	13409	13509	13609	13009	17.08.07近車
60	13110	13210	13310	13410	13510	13610	13010	17.08.24近車
61	13111	13211	13311	13411	13511	13611	13011	17.09.10近車
62	13112	13212	13312	13412	13512	13612	13012	17.09.27近車
63	13113	13213	13313	13413	13513	13613	13013	17.10.14近車
64	13114	13214	13314	13414	13514	13614	13014	17.10.31近車
65	13115	13215	13315	13415	13515	13615	13015	17.11.17近車
66	13116	13216	13316	13416	13516	13616	13016	17.12.04近車
67	13117	13217	13317	13417	13517	13617	13017	18.04.12近車
68	13118	13218	13318	13418	13518	13618	13018	18.04.29近車
69	13119	13219	13319	13419	13519	13619	13019	18.05.16近車
70	13120	13220	13320	13420	13520	13620	13020	18.06.07近車
71	13121	13221	13321	13421	13521	13621	13021	18.07.19近車
72	13122	13222	13322	13422	13522	13622	13022	18.08.31近車
73	13123	13223	13323	13423	13523	13623	13023	18.09.27近車
74	13124	13224	13324	13424	13524	13624	13024	18.10.18近車
75	13125	13225	13325	13425	13525	13625	13025	18.11.04近車
76	13126	13226	13326	13426	13526	13626	13026	18.11.21近車
77	13127	13227	13327	13427	13527	13627	13027	18.12.08近車
78	13128	13228	13328	13428	13528	13628	13028	18.12.26近車
79	13129	13229	13329	13429	13529	13629	13029	19.01.23近車
80	13130	13230	13330	13430	13530	13630	13030	19.04.25近車
81	13131	13231	13331	13431	13531	13631	13031	19.05.12近車
82	13132	13232	13332	13432	13532	13632	13032	19.06.06近車
83	13133	13233	13333	13433	13533	13633	13033	19.06.21近車
84	13134	13234	13334	13434	13534	13634	13034	19.07.10近車
85	13135	13235	13335	13435	13535	13635	13035	19.07.27近車
86	13136	13236	13336	13436	13536	13636	13036	19.08.15近車
87	13137	13237	13337	13437	13537	13637	13037	19.09.01近車
88	13138	13238	13338	13438	13538	13638	13038	19.10.04近車
89	13139	13239	13339	13439	13539	13639	13039	19.10.24近車
90	13140	13240	13340	13440	13540	13640	13040	19.11.14近車
91	13141	13241	13341	13441	13541	13641	13041	19.12.01近車
92	13142	13242	13342	13442	13542	13642	13042	19.12.18近車
93	13143	13243	13343	13443	13543	13643	13043	20.04.22近車
94	13144	13244	13344	13444	13544	13644	13044	20.05.13近車

▽北千住から、東武スカイツリーラインに乗入れ、日光線南栗橋まで直通運転
▽2017.03.25から本格的営業運転開始(試使用は2016.12.23 ~ 25)
▽永久磁石同期電動機(PMSM)を搭載

半蔵門線(鷺沼検車区)　250両[帯色はパープル]

←(東武スカイツリーライン)押上　　　　渋谷(東急東横線)→

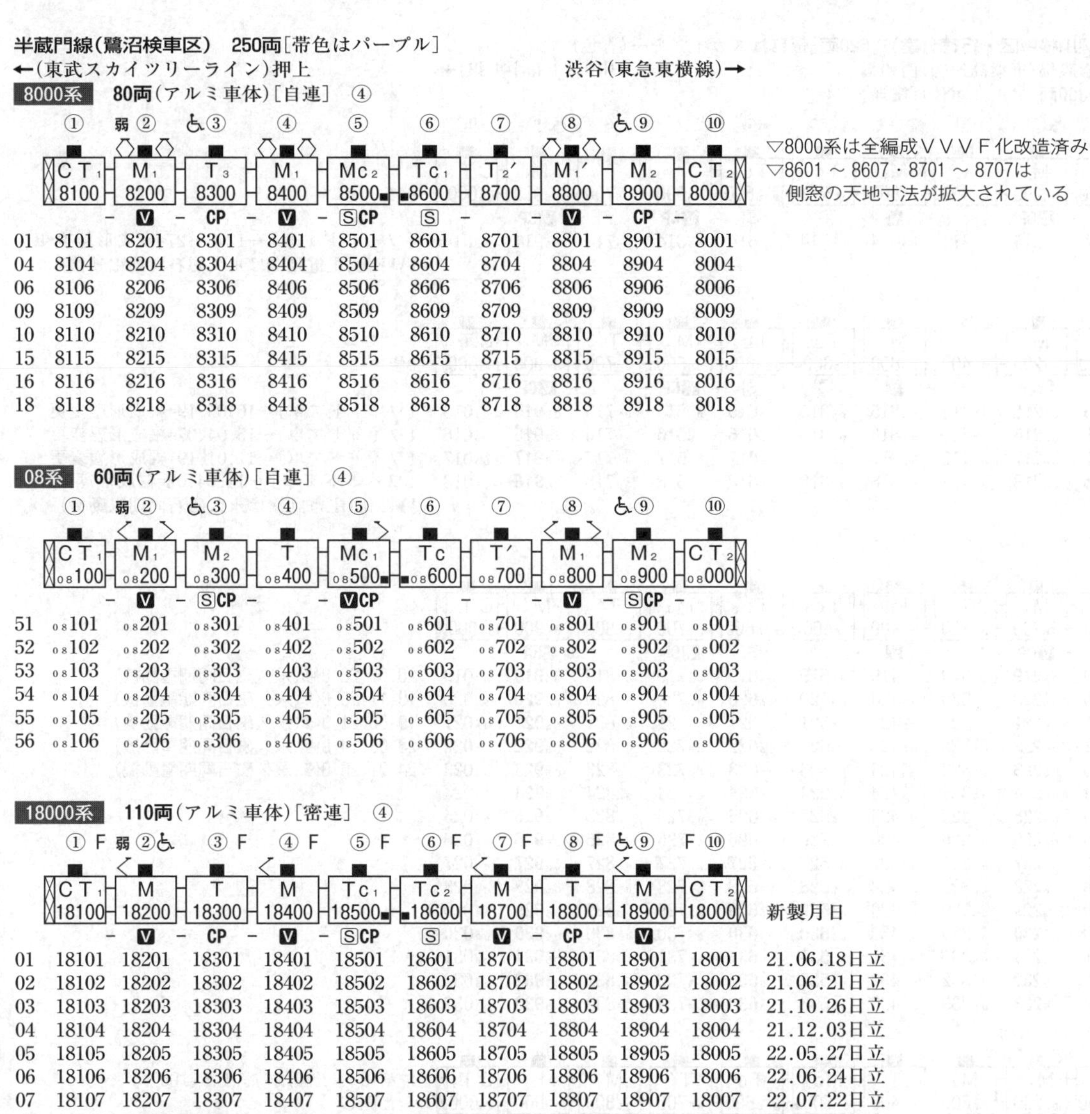

8000系　80両(アルミ車体)[自連]　④

	①	弱②	♿③	④	⑤	⑥	⑦	⑧	♿⑨	⑩
	CT1	M1	T3	M1	Mc2	Tc1	T2′	M1′	M2	CT2
	8100	8200	8300	8400	8500	8600	8700	8800	8900	8000
	–	V	– CP	–	V	– ⓈCP	Ⓢ	–	– V	– CP –
01	8101	8201	8301	8401	8501	8601	8701	8801	8901	8001
04	8104	8204	8304	8404	8504	8604	8704	8804	8904	8004
06	8106	8206	8306	8406	8506	8606	8706	8806	8906	8006
09	8109	8209	8309	8409	8509	8609	8709	8809	8909	8009
10	8110	8210	8310	8410	8510	8610	8710	8810	8910	8010
15	8115	8215	8315	8415	8515	8615	8715	8815	8915	8015
16	8116	8216	8316	8416	8516	8616	8716	8816	8916	8016
18	8118	8218	8318	8418	8518	8618	8718	8818	8918	8018

▽8000系は全編成ＶＶＶＦ化改造済み
▽8601 ～ 8607・8701 ～ 8707は
側窓の天地寸法が拡大されている

08系　60両(アルミ車体)[自連]　④

	①	弱②	♿③	④	⑤	⑥	⑦	⑧	♿⑨	⑩
	CT1	M1	M2	T	Mc1	Tc	T′	M1	M2	CT2
	08100	08200	08300	08400	08500	08600	08700	08800	08900	08000
	–	V	– ⓈCP –		–	VCP	–	– V	– ⓈCP –	
51	08101	08201	08301	08401	08501	08601	08701	08801	08901	08001
52	08102	08202	08302	08402	08502	08602	08702	08802	08902	08002
53	08103	08203	08303	08403	08503	08603	08703	08803	08903	08003
54	08104	08204	08304	08404	08504	08604	08704	08804	08904	08004
55	08105	08205	08305	08405	08505	08605	08705	08805	08905	08005
56	08106	08206	08306	08406	08506	08606	08706	08806	08906	08006

18000系　110両(アルミ車体)[密連]　④

	① F	弱②♿	③ F	④ F	⑤ F	⑥ F	⑦ F	⑧ F	♿⑨	F ⑩	
	CT1	M	T	M	Tc1	Tc2	M	T	M	CT2	
	18100	18200	18300	18400	18500	18600	18700	18800	18900	18000	新製月日
	–	V	– CP	– V	– ⓈCP	Ⓢ	V	– CP	– V	–	
01	18101	18201	18301	18401	18501	18601	18701	18801	18901	18001	21.06.18日立
02	18102	18202	18302	18402	18502	18602	18702	18802	18902	18002	21.06.21日立
03	18103	18203	18303	18403	18503	18603	18703	18803	18903	18003	21.10.26日立
04	18104	18204	18304	18404	18504	18604	18704	18804	18904	18004	21.12.03日立
05	18105	18205	18305	18405	18505	18605	18705	18805	18905	18005	22.05.27日立
06	18106	18206	18306	18406	18506	18606	18706	18806	18906	18006	22.06.24日立
07	18107	18207	18307	18407	18507	18607	18707	18807	18907	18007	22.07.22日立
08	18108	18208	18308	18408	18508	18608	18708	18808	18908	18008	22.08.12日立
09	18109	18209	18309	18409	18509	18609	18709	18809	18909	18009	22.09.09日立
10	18110	18210	18310	18410	18510	18610	18710	18810	18910	18010	22.09.30日立
11	18111	18211	18311	18411	18511	18611	18711	18811	18911	18011	22.11.11日立

▼優先席……全車両に設置
▼車いす対応スペース……♿の車両に設置
▼フリースペース……Fの車両に設置
▼弱冷房車……②号車

▽東武伊勢崎線久喜、日光線南栗橋と、
東急田園都市線中央林間まで乗入れ

▽地下鉄博物館(東西線葛西駅)に、旧東京高速鉄道100形129カットボディ、
旧東京地下鉄道1000形1001、旧営団地下鉄300形301を保存、展示

東西線(深川検車区・行徳分室)　520両[帯色はスカイブルー(青色)]

←(ＪＲ総武線・東葉高速線)西船橋　　　　　　　　　　　　　中野(ＪＲ中央線)→

05系　300両(アルミ車体)[密連]　④

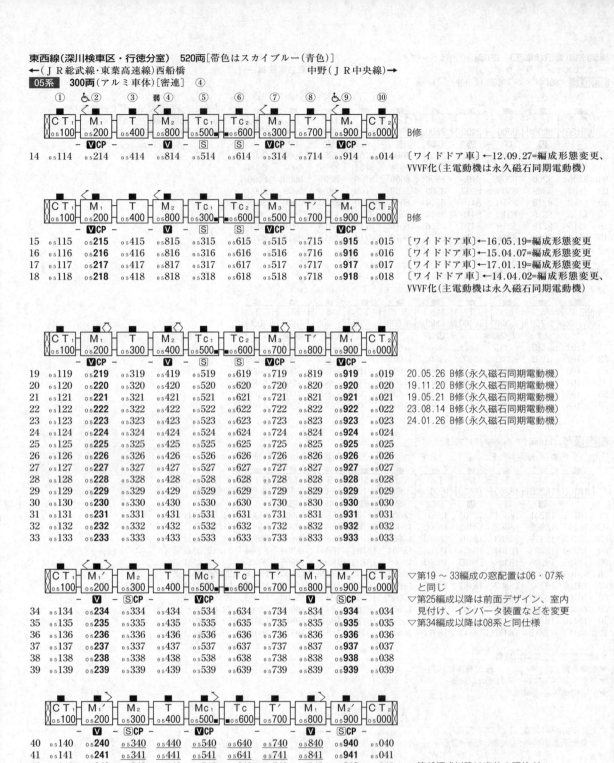

	①	♿②	③	弱④	⑤	⑥	⑦	⑧	♿⑨	⑩	
	CT1	M1	T	M2	Tc1	Tc2	M3	T′	M4	CT2	
	05100	05200	05400	05800	05500	05600	05300	05700	05900	05000	B修
		VCP		V	S	S	VCP		VCP		
14	05114	05214	05414	05814	05514	05614	05314	05714	05914	05014	〔ワイドドア車〕←12.09.27=編成形態変更、VVVF化(主電動機は永久磁石同期電動機)

	CT1	M1	T	M2	Tc1	Tc2	M3	T′	M4	CT2	
	05100	05200	05400	05800	05300	05600	05500	05700	05900	05000	B修
		VCP		V	S	S	VCP		VCP		
15	05115	05**215**	05415	05815	05315	05615	05515	05715	05**915**	05015	〔ワイドドア車〕←16.05.19=編成形態変更
16	05116	05**216**	05416	05816	05316	05616	05516	05716	05**916**	05016	〔ワイドドア車〕←15.04.07=編成形態変更
17	05117	05**217**	05417	05817	05317	05617	05517	05717	05**917**	05017	〔ワイドドア車〕←17.01.19=編成形態変更
18	05118	05**218**	05418	05818	05318	05618	05518	05718	05**918**	05018	〔ワイドドア車〕←14.04.02=編成形態変更、VVVF化(主電動機は永久磁石同期電動機)

	CT1	M1	T	M2	Tc1	Tc2	M3	T′	M1	CT2	
	05100	05200	05300	05400	05500	05600	05700	05800	05900	05000	
		VCP		V	S	S	VCP		VCP		
19	05119	05**219**	05319	05419	05519	05619	05719	05819	05**919**	05019	20.05.26 B修(永久磁石同期電動機)
20	05120	05**220**	05320	05420	05520	05620	05720	05820	05**920**	05020	19.11.20 B修(永久磁石同期電動機)
21	05121	05**221**	05321	05421	05521	05621	05721	05821	05**921**	05021	19.05.21 B修(永久磁石同期電動機)
22	05122	05**222**	05322	05422	05522	05622	05722	05822	05**922**	05022	23.08.14 B修(永久磁石同期電動機)
23	05123	05**223**	05323	05423	05523	05623	05723	05823	05**923**	05023	24.01.26 B修(永久磁石同期電動機)
24	05124	05**224**	05324	05424	05524	05624	05724	05824	05**924**	05024	
25	05125	05**225**	05325	05425	05525	05625	05725	05825	05**925**	05025	
26	05126	05**226**	05326	05426	05526	05626	05726	05826	05**926**	05026	
27	05127	05**227**	05327	05427	05527	05627	05727	05827	05**927**	05027	
28	05128	05**228**	05328	05428	05528	05628	05728	05828	05**928**	05028	
29	05129	05**229**	05329	05429	05529	05629	05729	05829	05**929**	05029	
30	05130	05**230**	05330	05430	05530	05630	05730	05830	05**930**	05030	
31	05131	05**231**	05331	05431	05531	05631	05731	05831	05**931**	05031	
32	05132	05**232**	05332	05432	05532	05632	05732	05832	05**932**	05032	
33	05133	05**233**	05333	05433	05533	05633	05733	05833	05**933**	05033	

	CT1	M1′	M2	T	Mc1	Tc	T′	M1	M2′	CT2
	05100	05200	05300	05400	05500	05600	05700	05800	05900	05000
		V	SCP		VCP			V	SCP	
34	05134	05**234**	05334	05434	05534	05634	05734	05834	05**934**	05034
35	05135	05**235**	05335	05435	05535	05635	05735	05835	05**935**	05035
36	05136	05**236**	05336	05436	05536	05636	05736	05836	05**936**	05036
37	05137	05**237**	05337	05437	05537	05637	05737	05837	05**937**	05037
38	05138	05**238**	05338	05438	05538	05638	05738	05838	05**938**	05038
39	05139	05**239**	05339	05439	05539	05639	05739	05839	05**939**	05039

▽第19～33編成の窓配置は06・07系と同じ
▽第25編成以降は前面デザイン、室内見付け、インバータ装置などを変更
▽第34編成以降は08系と同仕様

	CT1	M1′	M2	T	Mc1	Tc	T′	M1	M2′	CT2
	05100	05200	05300	05400	05500	05600	05700	05800	05900	05000
		V	SCP		VCP			V	SCP	
40	05140	05**240**	<u>05340</u>	<u>05440</u>	<u>05540</u>	<u>05640</u>	<u>05740</u>	<u>05840</u>	05**940**	05040
41	05141	05**241**	<u>05341</u>	<u>05441</u>	<u>05541</u>	<u>05641</u>	<u>05741</u>	<u>05841</u>	05**941**	05041
42	05142	05**242**	<u>05342</u>	<u>05442</u>	<u>05542</u>	<u>05642</u>	<u>05742</u>	<u>05842</u>	05**942**	05042
43	05143	05**243**	<u>05343</u>	<u>05443</u>	<u>05543</u>	<u>05643</u>	<u>05743</u>	<u>05843</u>	05**943**	05043

▽第40編成以降は車体の隅柱が面取りされている

▼優先席……全車両に設置
▼車いす対応スペース……太字の車両に設置
▼フリースペース……＿＿の車両(中野方)に設置
▼弱冷房車……④号車

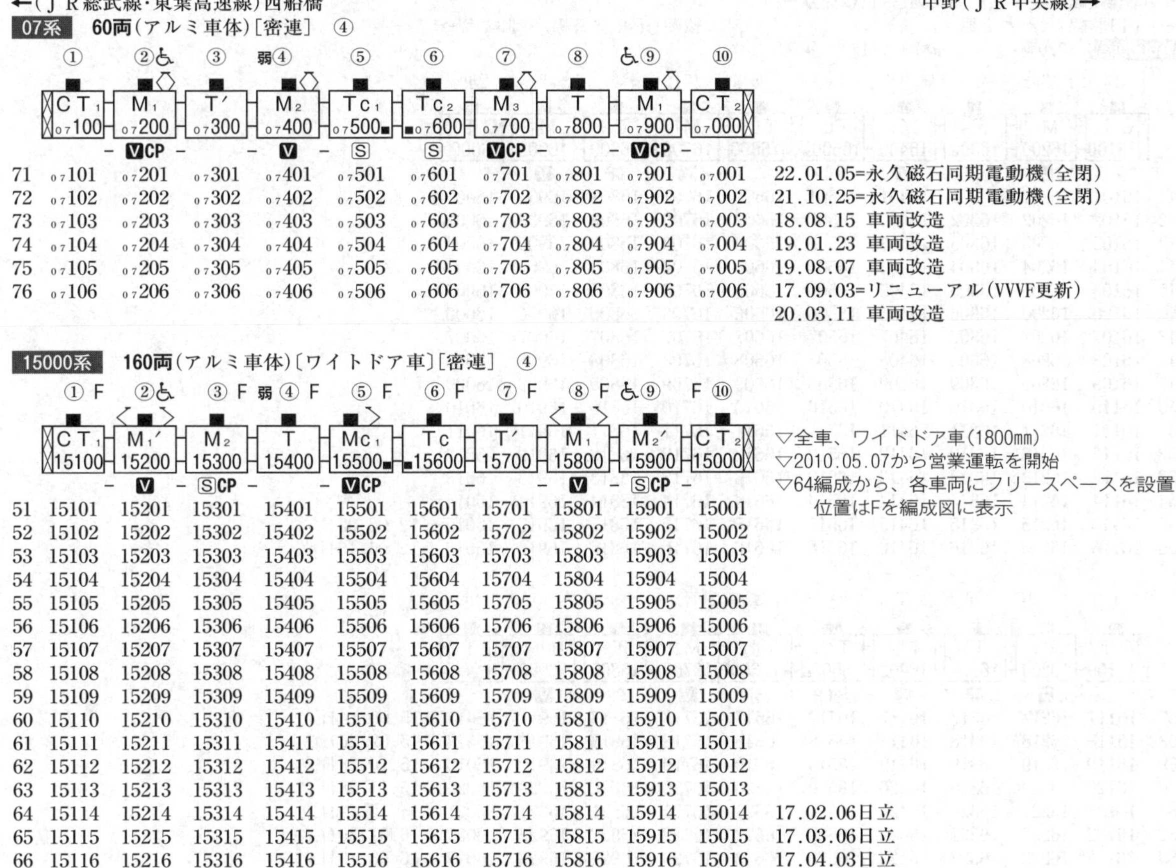

←（ＪＲ総武線・東葉高速線）西船橋　　　　　　　　　　　　　　　　　　　　　　　　　　　　　　中野（ＪＲ中央線）→

07系　**60両**（アルミ車体）［密連］　④

	①	②♿	③	弱④	⑤	⑥	⑦	⑧	♿⑨	⑩	
	CT1	M1	T′	M2	Tc1	Tc2	M3	T	M1	CT2	
	07100	07200	07300	07400	07500	07600	07700	07800	07900	07000	
	－	VCP	－	V	S	S	VCP	－	VCP	－	
71	07101	07201	07301	07401	07501	07601	07701	07801	07901	07001	22.01.05=永久磁石同期電動機（全閉）
72	07102	07202	07302	07402	07502	07602	07702	07802	07902	07002	21.10.25=永久磁石同期電動機（全閉）
73	07103	07203	07303	07403	07503	07603	07703	07803	07903	07003	18.08.15 車両改造
74	07104	07204	07304	07404	07504	07604	07704	07804	07904	07004	19.01.23 車両改造
75	07105	07205	07305	07405	07505	07605	07705	07805	07905	07005	19.08.07 車両改造
76	07106	07206	07306	07406	07506	07606	07706	07806	07906	07006	17.09.03=リニューアル（VVVF更新） 20.03.11 車両改造

15000系　**160両**（アルミ車体）〔ワイドドア車〕［密連］　④

	① F	②♿	③ F	弱④ F	⑤ F	⑥ F	⑦ F	⑧ F	♿⑨	F ⑩	
	CT1	M1′	M2	T	Mc1	Tc	T′	M1	M2′	CT2	
	15100	15200	15300	15400	15500	15600	15700	15800	15900	15000	
	－	V	－	SCP	－	VCP	－	－	V	SCP	
51	15101	15201	15301	15401	15501	15601	15701	15801	15901	15001	
52	15102	15202	15302	15402	15502	15602	15702	15802	15902	15002	
53	15103	15203	15303	15403	15503	15603	15703	15803	15903	15003	
54	15104	15204	15304	15404	15504	15604	15704	15804	15904	15004	
55	15105	15205	15305	15405	15505	15605	15705	15805	15905	15005	
56	15106	15206	15306	15406	15506	15606	15706	15806	15906	15006	
57	15107	15207	15307	15407	15507	15607	15707	15807	15907	15007	
58	15108	15208	15308	15408	15508	15608	15708	15808	15908	15008	
59	15109	15209	15309	15409	15509	15609	15709	15809	15909	15009	
60	15110	15210	15310	15410	15510	15610	15710	15810	15910	15010	
61	15111	15211	15311	15411	15511	15611	15711	15811	15911	15011	
62	15112	15212	15312	15412	15512	15612	15712	15812	15912	15012	
63	15113	15213	15313	15413	15513	15613	15713	15813	15913	15013	
64	15114	15214	15314	15414	15514	15614	15714	15814	15914	15014	17.02.06日立
65	15115	15215	15315	15415	15515	15615	15715	15815	15915	15015	17.03.06日立
66	15116	15216	15316	15416	15516	15616	15716	15816	15916	15016	17.04.03日立

▽全車、ワイドドア車（1800㎜）
▽2010.05.07から営業運転を開始
▽64編成から、各車両にフリースペースを設置
位置はFを編成図に表示

▽西船橋から東葉高速鉄道東葉勝田台、ＪＲ総武緩行線津田沼、中野からＪＲ中央緩行線三鷹まで乗入れ

千代田線(綾瀬検車区)　398両[帯色はグリーン]

←(小田急線)代々木上原　　　　綾瀬(ＪＲ常磐線)・北綾瀬→

16000系　**370両**(アルミ車体)[密連]　④

	①	②♿	③	弱④	⑤	⑥	⑦	⑧	♿⑨	⑩	
	CT1	M1	T1	M1	Tc1	Tc2	M1	T2	M1	CT2	
	16100	16200	16300	16400	16500	16600	16700	16800	16900	16000	
	–	V	CP	V	ⓈCP	Ⓢ	V	CP	V	–	
41	16101	16201	16301	16401	16501	16601	16701	16801	16901	16001	
42	16102	16202	16302	16402	16502	16602	16702	16802	16902	16002	
43	16103	16203	16303	16403	16503	16603	16703	16803	16903	16003	
44	16104	16204	16304	16404	16504	16604	16704	16804	16904	16004	
45	16105	16205	16305	16405	16505	16605	16705	16805	16905	16005	
46	16106	16206	16306	16406	16506	16606	16706	16806	16906	16006	
47	16107	16207	16307	16407	16507	16607	16707	16807	16907	16007	
48	16108	16208	16308	16408	16508	16608	16708	16808	16908	16008	
49	16109	16209	16309	16409	16509	16609	16709	16809	16909	16009	
50	16110	16210	16310	16410	16510	16610	16710	16810	16910	16010	
51	16111	16211	16311	16411	16511	16611	16711	16811	16911	16011	
52	16112	16212	16312	16412	16512	16612	16712	16812	16912	16012	
53	16113	16213	16313	16413	16513	16613	16713	16813	16913	16013	
54	16114	16214	16314	16414	16514	16614	16714	16814	16914	16014	
55	16115	16215	16315	16415	16515	16615	16715	16815	16915	16015	12.06.02日立
56	16116	16216	16316	16416	16516	16616	16716	16816	16916	16016	12.06.16日立

	① F	②♿	③ F	弱④ F	⑤ F	⑥ F	⑦ F	⑧ F	♿⑨	⑩	
	CT1	M1	T1	M1	Tc1	Tc2	M1	T2	M1	CT2	
	16100	16200	16300	16400	16500	16600	16700	16800	16900	16000	
	–	V	CP	V	ⓈCP	Ⓢ	V	CP	V	–	
57	16117	16217	16317	16417	16517	16617	16717	16817	16917	16017	15.09.14日立
58	16118	16218	16318	16418	16518	16618	16718	16818	16918	16018	15.09.26日立
59	16119	16219	16319	16419	16519	16619	16719	16819	16919	16019	15.10.28日立
80	16120	16220	16320	16420	16520	16620	16720	16820	16920	16020	15.11.28日立
81	16121	16221	16321	16421	16521	16621	16721	16821	16921	16021	15.12.19日立
82	16122	16222	16322	16422	16522	16622	16722	16822	16922	16022	16.01.30日立
83	16123	16223	16323	16423	16523	16623	16723	16823	16923	16023	16.03.19日立
84	16124	16224	16324	16424	16524	16624	16724	16824	16924	16024	16.04.09日立
85	16125	16225	16325	16425	16525	16625	16725	16825	16925	16025	16.05.14日立
86	16126	16226	16326	16426	16526	16626	16726	16826	16926	16026	16.06.04日立
87	16127	16227	16327	16427	16527	16627	16727	16827	16927	16027	16.07.16日立
88	16128	16228	16328	16428	16528	16628	16728	16828	16928	16028	16.08.27日立
89	16129	16229	16329	16429	16529	16629	16729	16829	16929	16029	16.06.25川重
90	16130	16230	16330	16430	16530	16630	16730	16830	16930	16030	16.08.06川重
91	16131	16231	16331	16431	16531	16631	16731	16831	16931	16031	16.09.24川重
92	16132	16232	16332	16432	16532	16632	16732	16832	16932	16032	17.02.11川重
93	16133	16233	16333	16433	16533	16633	16733	16833	16933	16033	17.03.04川重
94	16134	16234	16334	16434	16534	16634	16734	16834	16934	16034	17.06.03川重
95	16135	16235	16335	16435	16535	16635	16735	16835	16935	16035	17.06.24川重
96	16136	16236	16336	16436	16536	16636	16736	16836	16936	16036	17.09.09川重
97	16137	16237	16337	16437	16537	16637	16737	16837	16937	16037	17.09.30川重

▽2010.11.04から営業運転を開始
▽主電動機は永久磁石同期電動機

▽代々木上原から小田急線は伊勢原、
　綾瀬からＪＲ常磐線我孫子(朝・夕は取手)まで乗入れ
▽2019.03.16から北綾瀬まで10両編成営業運転開始

▼優先席……全車両に設置
▼車いす対応スペース……♿の車両に設置
▼フリースペース……Fの車両に設置
▼弱冷房車……④号車

←(小田急線)代々木上原　　綾瀬(JR常磐線)・北綾瀬→

6000系　**13両(10+3)**(アルミ車体)[密連]　④

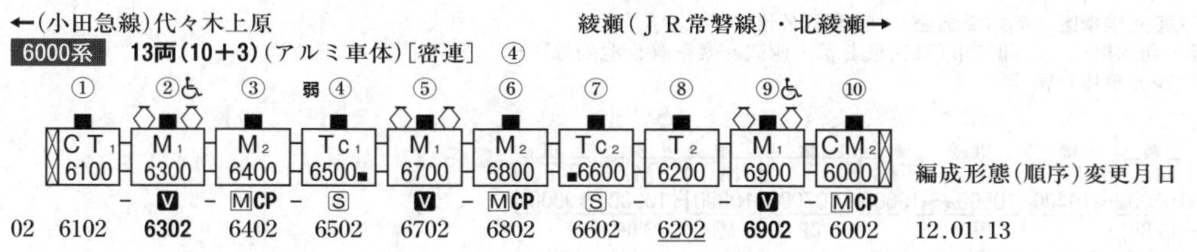

①	②	③	④	⑤	⑥	⑦	⑧	⑨	⑩	
CT1 6100	M1 6300	M2 6400	Tc1 6500	M1 6700	M2 6800	Tc2 6600	T2 6200	M1 6900	CM2 6000	編成形態(順序)変更月日
02 6102	**6302**	6402	6502	6702	6802	6602	6202	**6902**	6002	12.01.13

▽2018.10.05 定期運行終了。11.11 ラストラン

区間運転用

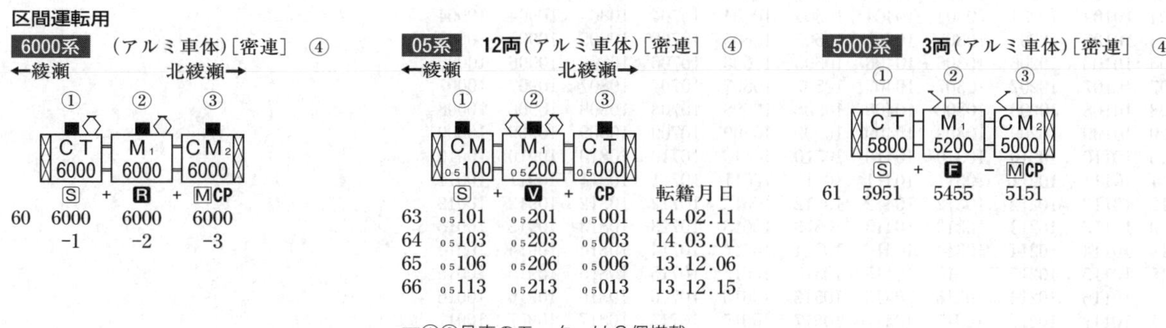

6000系　(アルミ車体)[密連]　④
←綾瀬　北綾瀬→

	① CT	② M1	③ CM2
60	6000-1	6000-2	6000-3

05系　**12両**(アルミ車体)[密連]　④
←綾瀬　北綾瀬→

	① CM	② M1	③ CT	転籍月日
63	05101	05201	05001	14.02.11
64	05103	05203	05003	14.03.01
65	05106	05206	05006	13.12.06
66	05113	05213	05013	13.12.15

▽①②号車のモーターは3個搭載

5000系　**3両**(アルミ車体)[密連]　④

	① CT 5800	② M1 5200	③ CM2 5000
61	5951	5455	5151

▽6000-1·6000-2·6000-3の台車は5000系と同じ

銀座線	東西線	千代田線	日比谷線	有楽町線・副都心線	半蔵門線
1000系	05系	16000系	13000系	17000系	8000系
1100 40	05-100 30	16100 37	13100 44	17100 21	8000 8
1200 40	05-200 30	16200 37	13200 44	17200 21	8100 8
1300 40	05-300 30	16300 37	13300 44	17300 21	8200 8
1400 40	05-400 30	16400 37	13400 44	17400 21	8300 8
1500 40	05-500 30	16500 37	13500 44	17500 6	8400 8
1000 40	05-600 30	16600 37	13600 44	17600 6	8500 8
240	05-700 30	16700 37	13000 44	17700 21	8600 8
合　計 240	05-800 30	16800 37	308	17800 21	8700 8
丸ノ内線	05-900 30	16900 37	合　計 308	17900 21	8800 8
02系	05-000 30	16000 37	南北線	17000 21	8900 8
02-100 1	300	370	9000系	180	80
02-200 1	07系	6000系	9100 23	10000系	08系
02-300 1	07-100 6	6000 1	9200 23	10100 36	08-100 6
02-400 1	07-200 6	6100 1	9300 M 13	10200 36	08-200 6
02-500 1	07-300 6	6200 1	9300 T 8	10300 36	08-300 6
02-600 1	07-400 6	6300 1	9400 3	10400 36	08-400 6
6	07-500 6	6400 1	9500 1	10500 36	08-500 6
2000系	07-600 6	6500 1	9600 23	10600 36	08-600 6
2100 52	07-700 6	6600 1	9700 23	10700 36	08-700 6
2200 52	07-800 6	6700 1	9800 23	10800 36	08-800 6
2300 52	07-900 6	6800 1	140	10900 36	08-900 6
2400 52	07-000 6	6900 1	合　計 140	10000 36	08-000 6
2500 52	60	6000-1~3 3		360	60
2000 52	15000系	13		7000系	18000系
312	15100 16	5000系		7000 1	18100 11
合　計 318	15200 16	5000 1		7100 1	18200 11
	15300 16	5200 1		7200 1	18300 11
	15400 16	5800 1		7100 1	18400 11
	15500 16	3		7400 1	18500 11
	15600 16	05系		7500 1	18600 11
	15700 16	05-100 4		7600 1	18700 11
	15800 16	05-200 4		7700 1	18800 11
	15900 16	05-000 4		7800 1	18900 11
	15000 16	12		7900 1	18000 11
	160	合　計 398		10	110
	合　計 520			合　計 550	合　計 250
					総　計 2,724

有楽町線・副都心線(和光検車区・新木場分室)　550両[帯色はブラウン]

←(東急東横線)渋谷・新木場　　　和光市(東武東上線・西武有楽町線、池袋線)→

10000系　360両(アルミ車体)[密連]　④

	⑩	弱 ⑨♿	⑧	⑦	⑥	⑤	④	③	♿②	①
	CT₁	M₁′	Mc₂	Tc₁	Mc₁	Tc₂	T	M₁	M₂	CT₂
	10100	10200	10300	10400	10500	10600	10700	10800	10900	10000
		– V	– S CP +		– V		– CP	– V	– S CP –	
01	10101	10201	10301	10401	10501	10601	10701	10801	10901	10001
02	10102	10202	10302	10402	10502	10602	10702	10802	10902	10002
03	10103	10203	10303	10403	10503	10603	10703	10803	10903	10003
04	10104	10204	10304	10404	10504	10604	10704	10804	10904	10004
05	10105	10205	10305	10405	10505	10605	10705	10805	10905	10005
06	10106	10206	10306 –	10406	10506 –	10606	10706	10806	10906	10006
07	10107	10207	10307	10407	10507	10607	10707	10807	10907	10007
08	10108	10208	10308	10408	10508	10608	10708	10808	10908	10008
09	10109	10209	10309	10409	10509	10609	10709	10809	10909	10009
10	10110	10210	10310	10410	10510	10610	10710	10810	10910	10010
11	10111	10211	10311	10411	10511	10611	10711	10811	10911	10011
12	10112	10212	10312	10412	10512	10612	10712	10812	10912	10012
13	10113	10213	10313	10413	10513	10613	10713	10813	10913	10013
14	10114	10214	10314	10414	10514	10614	10714	10814	10914	10014
15	10115	10215	10315	10415	10515	10615	10715	10815	10915	10015
16	10116	10216	10316	10416	10516	10616	10716	10816	10916	10016
17	10117	10217	10317	10417	10517	10617	10717	10817	10917	10017
18	10118	10218	10318	10418	10518	10618	10718	10818	10918	10018
19	10119	10219	10319	10419	10519	10619	10719	10819	10919	10019
20	10120	10220	10320	10420	10520	10620	10720	10820	10920	10020
21	10121	10221	10321	10421	10521	10621	10721	10821	10921	10021
22	10122	10222	10322	10422	10522	10622	10722	10822	10922	10022
23	10123	10223	10323	10423	10523	10623	10723	10823	10923	10023
24	10124	10224	10324	10424	10524	10624	10724	10824	10924	10024
25	10125	10225	10325	10425	10525	10625	10725	10825	10925	10025
26	10126	10226	10326	10426	10526	10626	10726	10826	10926	10026
27	10127	10227	10327	10427	10527	10627	10727	10827	10927	10027
28	10128	10228	10328	10428	10528	10628	10728	10828	10928	10028
29	10129	10229	10329	10429	10529	10629	10729	10829	10929	10029
30	10130	10230	10330	10430	10530	10630	10730	10830	10930	10030
31	10131	10231	10331	10431	10531	10631	10731	10831	10931	10031
32	10132	10232	10332	10432	10532	10632	10732	10832	10932	10032
33	10133	10233	10333	10433	10533	10633	10733	10833	10933	10033
34	10134	10234	10334	10434	10534	10634	10734	10834	10934	10034
35	10135	10235	10335	10435	10535	10635	10735	10835	10935	10035
36	10136	10236	10336	10436	10536	10636	10736	10836	10936	10036

7000系　10両(その1)(アルミ車体)[密連]　④

	⑩	弱⑨♿	⑧	⑦	⑥	⑤	④	③	♿②	①
	CT₁	T₂	M₁	M₂	Tc₁	Tc₂	M₁	M₂	M₁	CT₂
	7100	7200	7300	7400	7500	7600	7700	7800	7900	7000
		+	– V	– M CP	– S	S	– V	– M CP	– M V	– CP
01	7101	7201	7301	7401	7501	7601	7701	7801	7901	7001

▽連結器の種類は編成図と異なる個所のみを示す(以下の編成も同じ)。ただし、一部異なる編成もある
▽点線内の車両は側窓の天地寸法が小さい
▽編成番号の太字は車体更新車

▽東武鉄道・西武鉄道への乗入れは、東武東上線川越市、西武池袋線飯能までが基本
2013.03.16からは、東急東横線への乗入れを開始。横浜高速鉄道元町・中華街まで直通運転
▽2023.03.18　東急新横浜線(日吉～新横浜間)開業に伴い、新横浜まで乗入れ

▼優先席……全車両に設置
▼車いす対応スペース……♿ の車両に設置
▼弱冷房車…編成図に弱を付した車両

←(東急東横線)渋谷・新木場　　和光市(東武東上線・西武池袋線)→

17000系　**180両**(アルミ車体)[密連]　④

	⑩ F 弱 ⑨♿	⑧ F	⑦ F	⑥ F	⑤ F	④ F	③ F ♿②	F ①			
	CT1	M	T	M	Tc1	Tc2	M	T	M	CT2	
	17100	17200	17300	17400	17500	17600	17700	17800	17900	17000	新製月日
	−	V	−	CP	−	V	−	SCP	S	V	CP	V
01	17101	17201	17301	17401	17501	17601	17701	17801	17901	17001	20.09.30日立
02	17102	17202	17302	17402	17502	17602	17702	17802	17902	17002	21.01.05日立
03	17103	17203	17303	17403	17503	17603	17703	17803	17903	17003	20.12.17日立
04	17104	17204	17304	17404	17504	17604	17704	17804	17904	17004	21.03.13日立
05	17105	17205	17305	17405	17505	17605	17705	17805	17905	17005	21.04.03日立
06	17106	17206	17306	17406	17506	17606	17706	17806	17906	17006	21.07.17日立

	⑧ F 弱 ⑦♿	⑥ F	⑤ F	④ F	③ F	♿②	F ①		
	CT1	M	T	Mc1	Mc2	T	M	CT2	
	17100	17200	17300	17400	17700	17800	17900	17000	新製月日
	−	V	SCP	V	V	SCP	V	−	
81	17181	17281	17381	17481	17781	17881	17981	17081	21.09.01近車
82	17182	17282	17382	17482	17782	17882	17982	17082	21.07.20近車
83	17183	17283	17383	17483	17783	17883	17983	17083	21.10.01近車
84	17184	17284	17384	17484	17784	17884	17984	17084	21.08.28近車
85	17185	17285	17385	17485	17785	17885	17985	17085	21.09.18近車
86	17186	17286	17386	17486	17786	17886	17986	17086	21.10.09近車
87	17187	17287	17387	17487	17787	17887	17987	17087	21.11.13近車
88	17188	17288	17388	17488	17788	17888	17988	17088	21.11.24近車
89	17189	17289	17389	17489	17789	17889	17989	17089	21.12.11近車
90	17190	17290	17390	17490	17790	17890	17990	17090	22.01.22近車
91	17191	17291	17391	17491	17791	17891	17991	17091	22.02.19近車
92	17192	17292	17392	17492	17792	17892	17992	17092	22.03.12近車
93	17193	17293	17393	17493	17793	17893	17993	17093	22.04.02近車
94	17194	17294	17394	17494	17794	17894	17994	17094	22.04.23近車
95	17195	17295	17395	17495	17795	17895	17995	17095	22.05.14近車

▽17000系は、2021(R03).02.21から営業運転開始

▼優先席……全車両に設置
▼車いす対応スペース……♿ の車両に設置
▼フリースペース……Fの車両に設置(3号車は新木場・渋谷方、4号車は和光市方)
▼弱冷房車…編成図に弱を付した車両

南北線(王子検車区)　140両[帯色はエメラルド]

←(埼玉高速鉄道)赤羽岩淵　　　　目黒(東急目黒線)→

9000系　140両(アルミ車体)[自連]　④

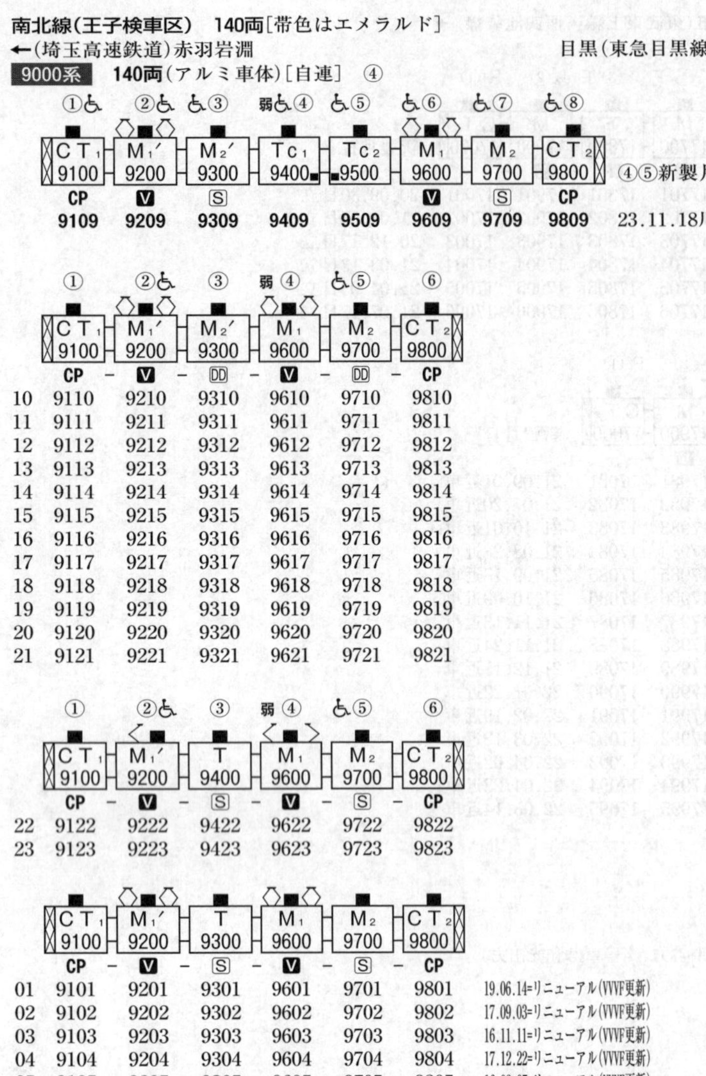

①♿	②♿	♿③	弱♿④	♿⑤	♿⑥	♿⑦	♿⑧	
CT1 9100	M1′ 9200	M2′ 9300	Tc1 9400	Tc2 9500	M1 9600	M2 9700	CT2 9800	④⑤新製月日
CP	V	S			V	S	CP	
9109	9209	9309	9409	9509	9609	9709	9809	23.11.18川車

	①	②♿	③	弱④	♿⑤	⑥
	CT1 9100	M1′ 9200	M2′ 9300	M1 9600	M2 9700	CT2 9800
	CP	V	DD	V	DD	CP
10	9110	9210	9310	9610	9710	9810
11	9111	9211	9311	9611	9711	9811
12	9112	9212	9312	9612	9712	9812
13	9113	9213	9313	9613	9713	9813
14	9114	9214	9314	9614	9714	9814
15	9115	9215	9315	9615	9715	9815
16	9116	9216	9316	9616	9716	9816
17	9117	9217	9317	9617	9717	9817
18	9118	9218	9318	9618	9718	9818
19	9119	9219	9319	9619	9719	9819
20	9120	9220	9320	9620	9720	9820
21	9121	9221	9321	9621	9721	9821

	①	②♿	③	弱④	♿⑤	⑥
	CT1 9100	M1′ 9200	T 9400	M1 9600	M2 9700	CT2 9800
	CP	V	S	V	S	CP
22	9122	9222	9422	9622	9722	9822
23	9123	9223	9423	9623	9723	9823

	CT1 9100	M1′ 9200	T 9300	M1 9600	M2 9700	CT2 9800	
	CP	V	S	V	S	CP	
01	9101	9201	9301	9601	9701	9801	19.06.14=リニューアル(VVVF更新)
02	9102	9202	9302	9602	9702	9802	17.09.03=リニューアル(VVVF更新)
03	9103	9203	9303	9603	9703	9803	16.11.11=リニューアル(VVVF更新)
04	9104	9204	9304	9604	9704	9804	17.12.22=リニューアル(VVVF更新)
05	9105	9205	9305	9605	9705	9805	16.08.07=リニューアル(VVVF更新)
06	9106	9206	9306	9606	9706	9806	18.04.20=リニューアル(VVVF更新)
07	9107	9207	9307	9607	9707	9807	17.03.10=リニューアル(VVVF更新)
08	9108	9208	9308	9608	9708	9808	18.11.20=リニューアル(VVVF更新)

▽南北線はホームドアを採用、ワンマン運転
▽第16～21編成の③④号車は2個モーター
▽リニューアル車はクロスシート廃止
　フリースペースを1･3･4･6号車の目黒方に設置

▽2023.03.18　東急新横浜線(日吉～新横浜間)開業
▽埼玉高速鉄道浦和美園、東急目黒線日吉を経由、新横浜線新横浜まで乗入れ

▼優先席……全車両に設置
▼車いす対応スペース……♿の車両に設置
▼弱冷房車……④号車

▽８両編成は、2023.12.16から運行開始
　各車両にフリースペースを設置(♿)

東京都交通局 馬込車両検修場・志村車両検修場・大島車両検修場・木場車両検修場・荒川車両検修所・舎人車両検修所 1353両

浅草線(馬込車両検修場) 216両[帯色はローズ]

←西馬込・泉岳寺(京急線)　　　押上(京成線)→

5500形 **216両**(ステンレス車体) [18m車] [小型密着] ③

♿①	②♿	♿③ 弱	④♿	♿⑤	⑥♿	♿⑦	♿⑧
Mc_1 5500	M_2 5500	M_3 5500	T_4 5500	T_5 5500	M_6 5500	M_7 5500	Mc_8 5500
V	V	V	SCP	SCP	V	V	V
5501-1	5501-2	5501-3	5501-4	5501-5	5501-6	5501-7	5501-8
5502-1	5502-2	5502-3	5502-4	5502-5	5502-6	5502-7	5502-8
5503-1	5503-2	5503-3	5503-4	5503-5	5503-6	5503-7	5503-8
5504-1	5504-2	5504-3	5504-4	5504-5	5504-6	5504-7	5504-8
5505-1	5505-2	5505-3	5505-4	5505-5	5505-6	5505-7	5505-8
5506-1	5506-2	5506-3	5506-4	5506-5	5506-6	5506-7	5506-8
5507-1	5507-2	5507-3	5507-4	5507-5	5507-6	5507-7	5507-8
5508-1	5508-2	5508-3	5508-4	5508-5	5508-6	5508-7	5508-8
5509-1	5509-2	5509-3	5509-4	5509-5	5509-6	5509-7	5509-8
5510-1	5510-2	5510-3	5510-4	5510-5	5510-6	5510-7	5510-8
5511-1	5511-2	5511-3	5511-4	5511-5	5511-6	5511-7	5511-8
5512-1	5512-2	5512-3	5512-4	5512-5	5512-6	5512-7	5512-8
5513-1	5513-2	5513-3	5513-4	5513-5	5513-6	5513-7	5513-8
5514-1	5514-2	5514-3	5514-4	5514-5	5514-6	5514-7	5514-8
5515-1	5515-2	5515-3	5515-4	5515-5	5515-6	5515-7	5515-8
5516-1	5516-2	5516-3	5516-4	5516-5	5516-6	5516-7	5516-8
5517-1	5517-2	5517-3	5517-4	5517-5	5517-6	5517-7	5517-8
5518-1	5518-2	5518-3	5518-4	5518-5	5518-6	5518-7	5518-8
5519-1	5519-2	5519-3	5519-4	5519-5	5519-6	5519-7	5519-8
5520-1	5520-2	5520-3	5520-4	5520-5	5520-6	5520-7	5520-8
5521-1	5521-2	5521-3	5521-4	5521-5	5521-6	5521-7	5521-8
5522-1	5522-2	5522-3	5522-4	5522-5	5522-6	5522-7	5522-8
5523-1	5523-2	5523-3	5523-4	5523-5	5523-6	5523-7	5523-8
5524-1	5524-2	5524-3	5524-4	5524-5	5524-6	5524-7	5524-8
5525-1	5525-2	5525-3	5525-4	5525-5	5525-6	5525-7	5525-8
5526-1	5526-2	5526-3	5526-4	5526-5	5526-6	5526-7	5526-8
5527-1	5527-2	5527-3	5527-4	5527-5	5527-6	5527-7	5527-8

▽5500形は、2018.06.20から営業運転開始

▽京急線は羽田空港第１・第２ターミナル、金沢文庫などへ、
京成線は北総線を経由、成田空港などへ直通運転

電気機関車 **4両**[電気連結器付密連]

E 5000形

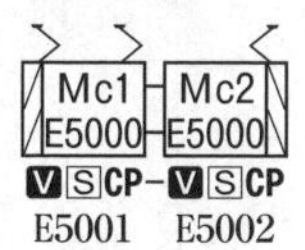

Mc1	Mc2
VSCP	VSCP
E5001	E5002
E5003	E5004

▽E5000形は大江戸線車両を馬込車両検修場に入出場させる時の牽引用。
パンタグラフはMc1の2基を浅草線、Mc2の1基を大江戸線で使用する

▼弱冷房車…編成図に弱を付した車両
▼優先席……全車両に設置
▼車いす対応スペース(フリースペース) ……太字車両に設置

三田線（志村車両検修場）　248両［帯色はブルー］

←西高島平　　　　白金高輪（地下鉄南北線・東急目黒線）→

6300形　**144両**（ステンレス車体）［小型密着］　④

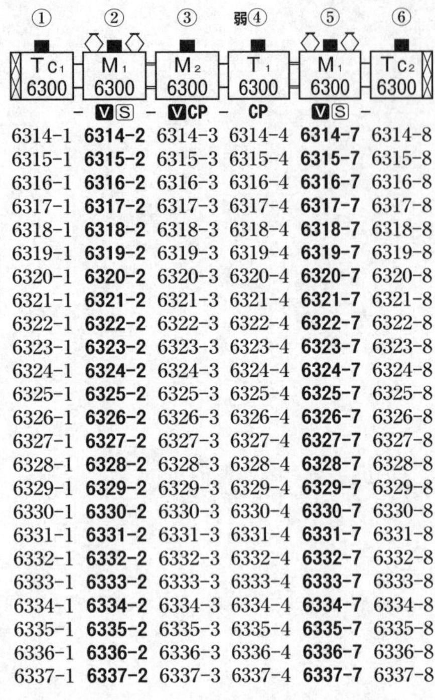

① Tc1	② M1	③ M2	④ T1	⑤ M1	⑥ Tc2
6314-1	**6314-2**	6314-3	6314-4	**6314-7**	6314-8
6315-1	**6315-2**	6315-3	6315-4	**6315-7**	6315-8
6316-1	**6316-2**	6316-3	6316-4	**6316-7**	6316-8
6317-1	**6317-2**	6317-3	6317-4	**6317-7**	6317-8
6318-1	**6318-2**	6318-3	6318-4	**6318-7**	6318-8
6319-1	**6319-2**	6319-3	6319-4	**6319-7**	6319-8
6320-1	**6320-2**	6320-3	6320-4	**6320-7**	6320-8
6321-1	**6321-2**	6321-3	6321-4	**6321-7**	6321-8
6322-1	**6322-2**	6322-3	6322-4	**6322-7**	6322-8
6323-1	**6323-2**	6323-3	6323-4	**6323-7**	6323-8
6324-1	**6324-2**	6324-3	6324-4	**6324-7**	6324-8
6325-1	**6325-2**	6325-3	6325-4	**6325-7**	6325-8
6326-1	**6326-2**	6326-3	6326-4	**6326-7**	6326-8
6327-1	**6327-2**	6327-3	6327-4	**6327-7**	6327-8
6328-1	**6328-2**	6328-3	6328-4	**6328-7**	6328-8
6329-1	**6329-2**	6329-3	6329-4	**6329-7**	6329-8
6330-1	**6330-2**	6330-3	6330-4	**6330-7**	6330-8
6331-1	**6331-2**	6331-3	6331-4	**6331-7**	6331-8
6332-1	**6332-2**	6332-3	6332-4	**6332-7**	6332-8
6333-1	**6333-2**	6333-3	6333-4	**6333-7**	6333-8
6334-1	**6334-2**	6334-3	6334-4	**6334-7**	6334-8
6335-1	**6335-2**	6335-3	6335-4	**6335-7**	6335-8
6336-1	**6336-2**	6336-3	6336-4	**6336-7**	6336-8
6337-1	**6337-2**	6337-3	6337-4	**6337-7**	6337-8

6500形　**104両**（ステンレス車体）［小型密着］　④

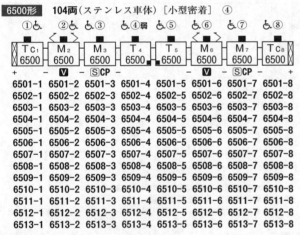

①♿ Tc1 6500 +	②♿ M2 6500 V	♿③ M3 6500 S CP	♿④弱 T4 6500	♿⑤ T5 6500	♿⑥ M6 6500 V	♿⑦ M7 6500 S CP	♿⑧ Tc8 6500 +
6501-1	**6501-2**	**6501-3**	**6501-4**	**6501-5**	**6501-6**	**6501-7**	**6501-8**
6502-1	**6502-2**	**6502-3**	**6502-4**	**6502-5**	**6502-6**	**6502-7**	**6502-8**
6503-1	**6503-2**	**6503-3**	**6503-4**	**6503-5**	**6503-6**	**6503-7**	**6503-8**
6504-1	**6504-2**	**6504-3**	**6504-4**	**6504-5**	**6504-6**	**6504-7**	**6504-8**
6505-1	**6505-2**	**6505-3**	**6505-4**	**6505-5**	**6505-6**	**6505-7**	**6505-8**
6506-1	**6506-2**	**6506-3**	**6506-4**	**6506-5**	**6506-6**	**6506-7**	**6506-8**
6507-1	**6507-2**	**6507-3**	**6507-4**	**6507-5**	**6507-6**	**6507-7**	**6507-8**
6508-1	**6508-2**	**6508-3**	**6508-4**	**6508-5**	**6508-6**	**6508-7**	**6508-8**
6509-1	**6509-2**	**6509-3**	**6509-4**	**6509-5**	**6509-6**	**6509-7**	**6509-8**
6510-1	**6510-2**	**6510-3**	**6510-4**	**6510-5**	**6510-6**	**6510-7**	**6510-8**
6511-1	**6511-2**	**6511-3**	**6511-4**	**6511-5**	**6511-6**	**6511-7**	**6511-8**
6512-1	**6512-2**	**6512-3**	**6512-4**	**6512-5**	**6512-6**	**6512-7**	**6512-8**
6513-1	**6513-2**	**6513-3**	**6513-4**	**6513-5**	**6513-6**	**6513-7**	**6513-8**

▽6500形は2022.05.14から営業運転開始

▽地下鉄南北線を経由して東急目黒線日吉まで乗入れ、
2023.03.18　東急・相鉄新横浜線開業にて相鉄線との相互直通運転開始
都営車両の乗入れは新横浜まで延伸
全列車ワンマン運転

▼弱冷房車…編成図に弱を付した車両

▼優先席……全車両に設置

▼車いす対応スペース（フリースペース）……太字車両に設置

新宿線(大島車両検修場)　280両［帯色はルーフ(黄緑)］

←本八幡　　　　　　　　　　　　新宿(京王線)→

10-300形　**280両**(ステンレス車体)［密連］④

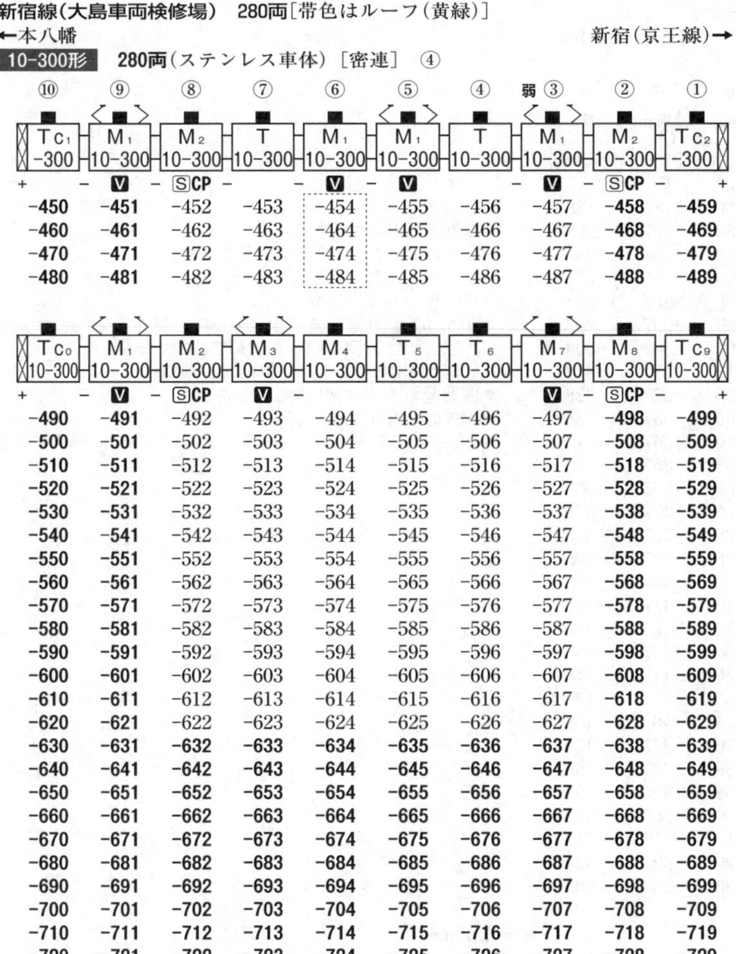

⑩	⑨	⑧	⑦	⑥	⑤	④	弱③	②	①
Tc1 -300	M1 10-300	M2 10-300	T 10-300	M1 10-300	M1 10-300	T 10-300	M1 10-300	M2 10-300	Tc2 -300
+	− V	− ⓈCP	−	− V	V	−	− V	− ⓈCP	− +
-450	**-451**	-452	-453	-454	-455	-456	-457	**-458**	**-459**
-460	**-461**	-462	-463	-464	-465	-466	-467	**-468**	**-469**
-470	**-471**	-472	-473	-474	-475	-476	-477	**-478**	**-479**
-480	**-481**	-482	-483	-484	-485	-486	-487	**-488**	**-489**

Tc0 10-300	M1 10-300	M2 10-300	M3 10-300	M4 10-300	T5 10-300	T6 10-300	M7 10-300	M8 10-300	Tc9 10-300
+	− V	− ⓈCP	V	−		−	V	− ⓈCP	− +
-490	**-491**	-492	-493	-494	-495	-496	-497	**-498**	**-499**
-500	**-501**	-502	-503	-504	-505	-506	-507	**-508**	**-509**
-510	**-511**	-512	-513	-514	-515	-516	-517	**-518**	**-519**
-520	**-521**	-522	-523	-524	-525	-526	-527	**-528**	**-529**
-530	**-531**	-532	-533	-534	-535	-536	-537	**-538**	**-539**
-540	**-541**	-542	-543	-544	-545	-546	-547	**-548**	**-549**
-550	**-551**	-552	-553	-554	-555	-556	-557	**-558**	**-559**
-560	**-561**	-562	-563	-564	-565	-566	-567	**-568**	**-569**
-570	**-571**	-572	-573	-574	-575	-576	-577	**-578**	**-579**
-580	**-581**	-582	-583	-584	-585	-586	-587	**-588**	**-589**
-590	**-591**	-592	-593	-594	-595	-596	-597	**-598**	**-599**
-600	**-601**	-602	-603	-604	-605	-606	-607	**-608**	**-609**
-610	**-611**	-612	-613	-614	-615	-616	-617	**-618**	**-619**
-620	**-621**	-622	-623	-624	-625	-626	-627	**-628**	**-629**
-630	**-631**	**-632**	**-633**	**-634**	**-635**	**-636**	**-637**	**-638**	**-639**
-640	**-641**	**-642**	**-643**	**-644**	**-645**	**-646**	**-647**	**-648**	**-649**
-650	**-651**	**-652**	**-653**	**-654**	**-655**	**-656**	**-657**	**-658**	**-659**
-660	**-661**	**-662**	**-663**	**-664**	**-665**	**-666**	**-667**	**-668**	**-669**
-670	**-671**	**-672**	**-673**	**-674**	**-675**	**-676**	**-677**	**-678**	**-679**
-680	**-681**	**-682**	**-683**	**-684**	**-685**	**-686**	**-687**	**-688**	**-689**
-690	**-691**	**-692**	**-693**	**-694**	**-695**	**-696**	**-697**	**-698**	**-699**
-700	**-701**	**-702**	**-703**	**-704**	**-705**	**-706**	**-707**	**-708**	**-709**
-710	**-711**	**-712**	**-713**	**-714**	**-715**	**-716**	**-717**	**-718**	**-719**
-720	**-721**	**-722**	**-723**	**-724**	**-725**	**-726**	**-727**	**-728**	**-729**

▽10-300形の基本仕様はＪＲ東日本のE231系に準じている
　先頭車の形式は、10-300形(10-を略して表示)
▽10両編成は2010.06.01から運転開始
▽10両化に際し、
　┆　┆内の車両は車号を-455･-465･-475･-485から変更するとともに、パンタグラフを撤去
▽10-490編成から、ＪＲ東日本Ｅ233系に準じた車内見付けとなり、前面形状等を変更
▽８両編成は、2022.08.10をもって営業運転終了

▼弱冷房車…編成図に弱を付した車両
▼優先席……全車両に設置
▼車いす対応スペース(フリースペース)……太字車両に設置

▽京王線への乗入れは、京王相模原線橋本など

浅草線	
Mc	54
M	108
T	54
	216
	216
三田線	
M	72
Tc	48
T	24
	144
6500形	
M	52
Tc	26
T	26
	104
	248
新宿線	
M	168
Tc	56
T	56
	280
大江戸線	
Mc	60
M	180
	240
Mc	58
M	174
	232
	472
計	**1216**

機関車	
E5000形	**4**
計	**4**

荒川線	
9000形	**2**
8900形	**8**
8800形	**10**
8500形	**5**
7700形	**8**
計	**33**

日暮里･舎人ライナー	
Mc	16
M	24
	40
Mc	22
M	33
	55
Mc	2
M	3
	5
計	**100**

大江戸線(木場車両検修場)　472両[帯色はルビー]

←都庁前・蔵前・六本木　　　　新宿・光が丘→

12-000形　**240両**(アルミ車体)［密連］ ③

	①	②	③	女 ④ ♿	♿ ⑤ 弱	⑥	⑦	⑧
	M_2c 12-000	M_1 12-000	M_2 12-000	M_1 12-000	M_1 12-000	M_2 12-000	M_1 12-000	M_2c 12-000
	+	− V	ⓈCP −	V	V −	ⓈCP	V −	+
18	-181	-182	-183	**-184**	**-185**	-186	-187	-188
25	-251	-252	-253	**-254**	**-255**	-256	-257	-258
26	-261	-262	-263	**-264**	**-265**	-266	-267	-268
27	-271	-272	-273	**-274**	**-275**	-276	-277	-278
28	-281	-282	-283	**-284**	**-285**	-286	-287	-288
29	-291	-292	-293	**-294**	**-295**	-296	-297	-298
30	-301	-302	-303	**-304**	**-305**	-306	-307	-308
31	-311	-312	-313	**-314**	**-315**	-316	-317	-318
32	-321	-322	-323	**-324**	**-325**	-326	-327	-328
33	-331	-332	-333	**-334**	**-335**	-336	-337	-338
34	-341	-342	-343	**-344**	**-345**	-346	-347	-348
35	-351	-352	-353	**-354**	**-355**	-356	-357	-358
36	-361	-362	-363	**-364**	**-365**	-366	-367	-368
37	-371	-372	-373	**-374**	**-375**	-376	-377	-378
38	-381	-382	-383	**-384**	**-385**	-386	-387	-388
39	-391	-392	-393	**-394**	**-395**	-396	-397	-398
40	-401	-402	-403	**-404**	**-405**	-406	-407	-408
41	-411	-412	-413	**-414**	**-415**	-416	-417	-418
42	-421	-422	-423	**-424**	**-425**	-426	-427	-428
43	-431	-432	-433	**-434**	**-435**	-436	-437	-438
44	-441	-442	-443	**-444**	**-445**	-446	-447	-448
45	-451	-452	-453	**-454**	**-455**	-456	-457	-458
46	-461	-462	-463	**-464**	**-465**	-466	-467	-468
47	-471	-472	-473	**-474**	**-475**	-476	-477	-478
48	-481	-482	-483	**-484**	**-485**	-486	-487	-488
49	-491	-492	-493	**-494**	**-495**	-496	-497	-498
50	-501	-502	-503	**-504**	**-505**	-506	-507	-508
51	-511	-512	-513	**-514**	**-515**	-516	-517	-518
52	-521	-522	-523	**-524**	**-525**	-526	-527	-528
53	-531	-532	-533	**-534**	**-535**	-536	-537	-538

▽鉄輪式リニアモーター方式
▽第7編成以降は無塗装
▽第7編成以降のVVVF制御装置は
GTOからIGBTに変更
▽全列車ワンマン運転
▽2023.01.18から、４号車は平日朝、光が丘発六本木、
大門方面は07:00 ～ 08:30、都庁前発飯田橋、
両国方面は07:15 ～ 08:10、女性専用車に
▼弱冷房車…編成図に弱を付した車両
▼優先席…全車両に設置
▼車いす対応スペース(フリースペース含む)…太字車両に設置

←都庁前・蔵前・六本木　　　　新宿・光が丘→

12-600形　**232両**(アルミ車体)［密連］ ③

	M_2c 12-600	M_1 12-600	M_2 12-600	M_1 12-600	弱M_1 12-600	M_2 12-600	M_1 12-600	M_2c 12-600	
	+	− V	ⓈCP −	V	V −	ⓈCP	V −	+	
61	-611	-612	-613	**-614**	**-615**	-616	-617	-618	
62	-621	-622	-623	**-624**	**-625**	-626	-627	-628	
63	-631	-632	-633	**-634**	**-635**	-636	-637	-638	
64	-641	-642	-643	**-644**	**-645**	-646	-647	-648	
65	-651	-652	-653	**-654**	**-655**	-656	-657	-658	
66	-661	-662	-663	**-664**	**-665**	-666	-667	-668	
67	-671	-672	-673	**-674**	**-675**	-676	-677	-678	
68	-681	-682	-683	**-684**	**-685**	-686	-687	-688	
69	-691	-692	-693	**-694**	**-695**	-696	-697	-698	
70	-701	-702	-703	**-704**	**-705**	-706	-707	-708	
71	-711	-712	-713	**-714**	**-715**	-716	-717	-718	
72	-721	-722	-723	**-724**	**-725**	-726	-727	-728	
73	-731	-732	-733	**-734**	**-735**	-736	-737	-738	
74	-741	-742	-743	**-744**	**-745**	-746	-747	-748	
75	-751	-752	-753	**-754**	**-755**	-756	-757	-758	
76	-761	-762	-763	**-764**	**-765**	-766	-767	-768	
77	-771	-772	-773	**-774**	**-775**	-776	-777	-778	
78	-781	-782	-783	**-784**	**-785**	-786	-787	-788	
79	-791	-792	-793	**-794**	**-795**	-796	-797	-798	
80	-801	-802	-803	**-804**	**-805**	-806	-807	-808	
81	-811	-812	-813	**-814**	**-815**	-816	-817	-818	
82	-821	-822	-823	**-824**	**-825**	-826	-827	-828	
83	-831	-832	-833	**-834**	**-835**	-836	-837	-838	
84	-841	-842	-843	**-844**	**-845**	-846	-847	-848	23.05.28川車
85	-851	-852	-853	**-854**	**-855**	-856	-857	-858	23.09.09川車
86	-861	-862	-863	**-864**	**-865**	-866	-867	-868	23.10.07川車
87	-871	-872	-873	**-874**	**-875**	-876	-877	-878	23.11.14川車
88	-881	-882	-883	**-884**	**-885**	-886	-887	-888	23.12.17川車
89	-891	-892	-893	**-894**	**-895**	-896	-897	-898	24.02.18川車

日暮里・舎人ライナー（舎人車両検修所） 100両

←日暮里　　　　　　　　　　　　　　　　　　　　　　　　　見沼代親水公園→

300形 **40両**（ステンレス車体）［密連］ ②

	①	②	弱③	④	⑤
	Mc1	M2	M3	M4	Mc5
	300-1	300-2	300-3	300-4	300-5
	CP	V	V	V	CP
03	303-1	303-2	**303-3**	303-4	303-5
04	304-1	304-2	**304-3**	304-4	304-5
05	305-1	305-2	**305-3**	305-4	305-5
06	306-1	306-2	**306-3**	306-4	306-5
13	313-1	313-2	**313-3**	313-4	313-5
14	314-1	314-2	**314-3**	314-4	314-5
15	315-1	315-2	**315-3**	315-4	315-5
16	316-1	316-2	**316-3**	316-4	316-5

330形 **55両**（アルミ合金）［密連］ ②

	①	②	弱③	④	⑤	
	Mc1	M2	M3	M4	Mc5	
	330-1	330-2	330-3	330-4	330-5	
	CP	V	V	V	CP	
31	**331-1**	**331-2**	**331-3**	**331-4**	**331-5**	
32	**332-1**	**332-2**	**332-3**	**332-4**	**332-5**	
33	**333-1**	**333-2**	**333-3**	**333-4**	**333-5**	
34	**334-1**	**334-2**	**334-3**	**334-4**	**334-5**	
35	**335-1**	**335-2**	**335-3**	**335-4**	**335-5**	
36	**336-1**	**336-2**	**336-3**	**336-4**	**336-5**	
37	**337-1**	**337-2**	**337-3**	**337-4**	**337-5**	
38	**338-1**	**338-2**	**338-3**	**338-4**	**338-5**	23.03.26三菱重
39	**339-1**	**339-2**	**339-3**	**339-4**	**339-5**	23.06.27三菱重
40	**340-1**	**340-2**	**340-3**	**340-4**	**340-5**	23.09.26三菱重
41	**341-1**	**341-2**	**341-3**	**341-4**	**341-5**	23.12.26三菱重

▽330形は2015.10.10から営業運転を開始

320形 **5両**（アルミ車体）［密連］ ②

21	321-1	321-2	**321-3**	321-4	321-5

▽320形は2017.05.10から営業運転開始

▽日暮里・舎人ライナーはゴムタイヤによる
　側方案内式、三相交流600Ｖの新交通システム
▽冷房装置は床下に装備
▽補助電源として定電圧変圧器、充電整流器を、
　1・5号車床下に装備

荒川線（荒川車両検修所） 33両

8500形 **5両**②

Mc
8500
V S CP
8501
8502
8503
8504
8505

8800形 **10両** ②

Mc	帯色
8800	
V S CP	
8801	ローズピンク
8802	ローズピンク
8803	ローズピンク
8804	ローズピンク
8805	ローズピンク
8806	バイオレット
8807	バイオレット
8808	オレンジ
8809	オレンジ
8810	イエロー

8900形 **8両** ②

Mc
8900
V S CP
8901
8902
8903
8904
8905
8906
8907
8908

7700形 **8両** ②

Mc	
7700	
V S CP	
7701	［7007］=みどり
7702	［7026］=みどり
7703	［7031］=あお
7704	［7015］=あお
7705	［7018］=あお
7706	［7024］=えんじ
7707	［7005］=えんじ
7708	［7010］=えんじ

▽8900形は2015.09.18から営業運転開始
▽7700形は7000形の大規模改修車。
　［ ］内は旧車号。
　2016.05.30から営業運転開始

9000形 **2両** ②

Mc
9000
V S CP
9001
9002

▽9000形はレトロ調車体。
　塗色（腰板）は9001=エンジ、9002=青
▽8503 ～ 8505は一人掛けクロスシート
▽8500形・8800形・9000形のDD Sは屋根上に取付け

▼車いす対応スペース…太字の車両に設置

▽全般検査は各線区の車両検修場（所）で行なう

東京モノレール　昭和島車両区　120両

←モノレール浜松町　　　　羽田空港第2ターミナル→

形式	両数
10000形	48
2000形	24
1000形	48
計	120

1000形　**48両**（アルミ車体）［密連］　②

♿ Mc₁ 1000	M₂ 1000	M₁′ 1000	M₂′ 1000	M₁ 1000	♿ Mc₂ 1000	
SCP	R	SCP	R	SCP	R	
1007	1008	1009	1010	1011	**1012**	19.11.12=先頭車 車いすスペース設置
1037	1038	1039	1040	1041	**1042**	18.01.26=先頭車 車いすスペース設置
1043	1044	1045	1046	1047	**1048**	16.06.08=車両リニューアル、16.07.19=リニューアル塗装、18.01.17=先頭車 車いすスペース設置
1049	1050	1051	1052	1053	**1054**	14.01=500形塗装、17.02.22=先頭車 車いすスペース設置
1061	1062	1063	1064	1065	**1066**	19.04.04=車両リニューアル、16.07.19=リニューアル塗装、先頭車 車いすスペース設置
1079	1080	1081	1082	1083	**1084**	20.03.27=先頭車 車いすスペース設置
1085	1086	1087	1088	1089	**1090**	13.04=1000形旧塗装、17.03.14=先頭車 車いすスペース設置
1091	1092	1093	1094	1095	**1096**	15.11.05=車両リニューアル、20.01.17=先頭車 車いすスペース設置

2000形　**24両**（アルミ車体）［密連］　②

♿ Tc₁ 2000	M₁ 2000	M₂ 2000	M₃ 2000	M₄ 2000	♿ Tc₂ 2000	
SCP	V	V	V	V	SCP	
2011	2012	2013	2014	2015	**2016**	17.08.05=車両リニューアル、車体塗装変更
2021	2022	2023	2024	2025	**2026**	18.03.28=車両リニューアル、車体塗装変更
2031	2032	2033	2034	2035	**2036**	15.07.17=2000形リニューアル塗装
2041	2042	2043	2044	2045	**2046**	16.10.28=車両リニューアル、車体塗装変更

▽アルウェーグ式、直流750V

10000形　**48両**（アルミ車体）［密連］　②

♿ Tc₁ 10000	M₁ 10000	M₂ 10000	M₃ 10000	M₄ 10000	♿ Tc₂ 10000	
SCP	V	V	V	V	SCP	
10011	10012	10013	10014	10015	**10016**	14.03.31日立
10021	10022	10023	10024	10025	**10026**	15.01.26日立
10031	10032	10033	10034	10035	**10036**	15.03.31日立
10041	10042	10043	10044	10045	**10046**	16.02.24日立
10051	10052	10053	10054	10055	**10056**	16.10.27日立
10061	10062	10063	10064	10065	**10066**	18.03.29日立
10071	10072	10073	10074	10075	**10076**	19.03.28日立
10081	10082	10083	10084	10085	**10086**	21.03.25日立

▽アルウェーグ式、直流750V

▽____はドア間が一部ロングシート
▽2000形は先頭車がロングシート、中間車はセミクロスシート
▽ラッピング編成
1079編成=全面車体塗装化のラッピング

▼優先席……全車両に設置
▼車いす対応スペース…… ♿ の車両に設置

ゆりかもめ 車両基地(有明〜東京ビッグサイトから分岐) 156両

←豊洲　　新橋→

7300系 **108両**(アルミ車体)［密連］②

	①	②	③	④	⑤	⑥	
	Mc1 7301	M2 7302	M3 7303	M4 7304	M5 7305	Mc6 7306	
	CP	V	V		V	CP	
31	7311	**7312**	**7313**	**7314**	**7315**	7316	13.10.31三菱重
32	7321	**7321**	**7323**	**7324**	**7325**	7326	13.11.28三菱重
33	7331	**7332**	**7333**	**7334**	**7335**	7336	13.12.21三菱重
34	7341	**7342**	**7343**	**7344**	**7345**	7346	14.02.22三菱重
35	7351	**7352**	**7353**	**7354**	**7355**	7366	14.03.16三菱重
36	7361	**7362**	**7363**	**7364**	**7365**	7366	14.06.16三菱重
37	7371	**7372**	**7373**	**7374**	**7375**	7376	14.09.09三菱重
38	7381	**7382**	**7383**	**7384**	**7385**	7386	14.09.15三菱重
39	7391	**7392**	**7393**	**7394**	**7395**	7396	14.11.23三菱重
40	7401	**7402**	**7403**	**7404**	**7405**	7406	15.01.25三菱重
41	7411	**7412**	**7413**	**7414**	**7415**	7416	15.02.18三菱重
42	7421	**7422**	**7423**	**7424**	**7425**	7426	15.04.27三菱重
43	7431	**7432**	**7433**	**7434**	**7435**	7436	15.07.21三菱重
44	7441	**7442**	**7443**	**7444**	**7445**	7446	15.10.15三菱重
45	7451	**7452**	**7453**	**7454**	**7455**	7456	15.11.19三菱重
46	7461	**7462**	**7463**	**7464**	**7465**	7466	16.01.21三菱重
47	7471	**7472**	**7473**	**7474**	**7475**	7476	16.05.03三菱重
48	7481	**7482**	**7483**	**7484**	**7485**	7486	16.06.17三菱重

▽補助電源装置(トランス)…Mc1・M3・M4に搭載
▽座席はオールロングシート。側扉は両開き戸
▽2014.01.18から営業運転開始

7500系 **48両**(アルミ車体)［密連］②

	①	②	③	④	⑤	⑥	
	Mc1 7501	M2 7502	M3 7503	M4 7504	M5 7505	Mc6 7506	
	CP	V	V		V	CP	
51	7511	**7512**	**7513**	**7514**	**7515**	7516	18.10.17三菱重
52	7521	**7522**	**7523**	**7524**	**7525**	7526	19.05.24三菱重
53	7531	**7532**	**7533**	**7534**	**7535**	7536	19.10.29三菱重
54	7541	**7542**	**7543**	**7544**	**7545**	7546	20.01.06三菱重
55	7551	**7552**	**7553**	**7554**	**7555**	7556	20.03.04三菱重
56	7561	**7562**	**7563**	**7564**	**7565**	7566	20.04.30三菱重
57	7571	**7572**	**7573**	**7574**	**7575**	7576	20.05.24三菱重
58	7581	**7582**	**7583**	**7584**	**7585**	7586	20.09.20三菱重

▽補助電源装置(トランス)…Mc1・M3・M4に搭載
▽座席はオールロングシート。側扉は両開き戸
▽2018.11.11から営業運転開始

▽1995.11.01　新橋〜有明間開業
▽2001.03.22　新橋駅(現駅)開業。仮駅を廃止
▽2006.03.27　有明〜豊洲間開業

▽路線・車両の愛称は「ゆりかもめ」
▽電気方式=三相交流600V
▽案内方式=側方案内式
▽冷房装置=各車の床下に搭載

▼優先席……全車両に設置
▼車いす対応スペース……太字の車両に設置

東京臨海高速鉄道 八潮車両基地(東京テレポート〜天王洲アイルから分岐) 80両

←川越(ＪＲ埼京線)・大崎　　新木場→

70-000形 **80両**(ステンレス車体)［密連］④

	①♿	②	③	④	⑤	⑥	⑦	⑧	弱⑨	♿⑩	
	Tc′ 70-	M2 70-	M1 70-	T 70-	M2 70-	M1 70-	T 70-	M2 70-	M1 70-	Tc 70-	機器更新
	ⓈCP	−	Ⓥ		CP	−	Ⓥ	ⓈCP	−	Ⓥ	
Z 1	70-019	70-018	70-017	70-016	70-015	70-014	70-013	70-012	70-011	70-010	11.03
Z 2	70-029	70-028	70-027	70-026	70-025	70-024	70-023	70-022	70-021	70-020	11.06
Z 3	70-039	70-038	70-037	70-036	70-035	70-034	70-033	70-032	70-031	70-030	13.10
Z 6	70-069	70-068	70-067	70-066	70-065	70-064	70-063	70-062	70-061	70-060	15.06
Z 7	70-079	70-078	70-077	70-076	70-075	70-074	70-073	70-072	70-071	70-070	16.10
Z 8	70-089	70-088	70-087	70-086	70-085	70-084	70-083	70-082	70-081	70-080	17.12
Z 9	70-099	70-098	70-097	70-096	70-095	70-094	70-093	70-092	70-091	70-090	18.05
Z10	70-109	70-108	70-107	70-106	70-105	70-104	70-103	70-102	70-101	70-100	18.08

▼優先席……全車両に設置
▼車いす対応スペース……♿の車両に設置
▼弱冷房車…編成図に弱を付した車両
▽弱冷房車は、2019.11から４号車→９号車に変更

▽1996.03.30　新木場〜東京テレポート間開業
2001.03.31　東京テレポート〜天王洲アイル間開業
2002.12.01　天王洲アイル〜大崎間開業。ＪＲ埼京線との相互直通運転開始

横浜高速鉄道 54両

←渋谷(東急東横線)・横浜　　元町・中華街→

Y500系 **48両**(ステンレス車体)［自連］④

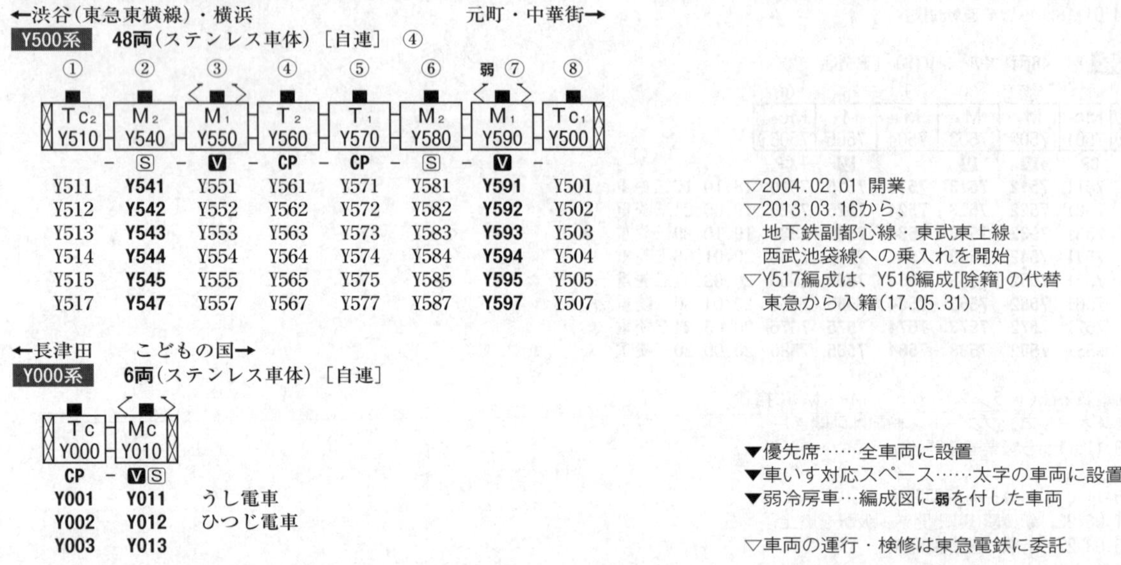

①	②	③	④	⑤	⑥	弱⑦	⑧
Tc2 Y510	M2 Y540	M1 Y550	T2 Y560	T1 Y570	M2 Y580	M1 Y590	Tc1 Y500
−	Ⓢ	− Ⓥ	− CP	− CP	− Ⓢ	− Ⓥ	−
Y511	**Y541**	Y551	Y561	Y571	Y581	**Y591**	Y501
Y512	**Y542**	Y552	Y562	Y572	Y582	**Y592**	Y502
Y513	**Y543**	Y553	Y563	Y573	Y583	**Y593**	Y503
Y514	**Y544**	Y554	Y564	Y574	Y584	**Y594**	Y504
Y515	**Y545**	Y555	Y565	Y575	Y585	**Y595**	Y505
Y517	**Y547**	Y557	Y567	Y577	Y587	**Y597**	Y507

▽2004.02.01 開業
▽2013.03.16から、地下鉄副都心線・東武東上線・西武池袋線への乗入れを開始
▽Y517編成は、Y516編成[除籍]の代替東急から入籍(17.05.31)

←長津田　こどもの国→

Y000系 **6両**(ステンレス車体)［自連］

Tc Y000	Mc Y010	
CP −	ⓋⓈ	
Y001	**Y011**	うし電車
Y002	**Y012**	ひつじ電車
Y003	**Y013**	

▼優先席……全車両に設置
▼車いす対応スペース……太字の車両に設置
▼弱冷房車…編成図に弱を付した車両

▽車両の運行・検修は東急電鉄に委託

▽1997.08.01 社会福祉法人 こどもの国協会から施設を譲受、第３種鉄道事業者に。第２種鉄道事業者は東急電鉄
▽2000.03.29　通勤線化完成

横浜シーサイドライン 幸浦車両基地(並木中央駅に隣接) 90両

←金沢八景　　　　　　新杉田→

2000形 **90両**(ステンレス車体)［密連］ ①

	①	弱 ②	③	④	⑤	
	Mc1 2000	M2 2000	M3 2000	M4 2000	Mc5 2000	
	CP V	S	V	S	V CP	
31	**2311**	2312	**2313**	2314	**2315**	
32	**2321**	2322	**2323**	2324	**2325**	
33	**2331**	2332	**2333**	2334	**2335**	
34	**2341**	2342	**2343**	2344	**2345**	
35	**2351**	2352	**2353**	2354	**2355**	
36	**2361**	2362	**2363**	2364	**2365**	
37	**2371**	2372	**2373**	2374	**2375**	12.09.12総合
38	**2381**	2382	**2383**	2384	**2385**	12.11.19総合
39	**2391**	2392	**2393**	2394	**2395**	12.12.18総合
40	**2401**	2402	**2403**	2404	**2405**	13.01.29総合
41	**2411**	2412	**2413**	2414	**2415**	21.03.12総合
42	**2421**	2422	**2423**	2424	**2425**	13.07.08総合
43	**2431**	2432	**2433**	2434	**2435**	13.11.06総合
44	**2441**	2442	**2443**	2444	**2445**	13.12.25総合
45	**2451**	2452	**2453**	2454	**2455**	14.02.25総合
46	**2461**	2462	**2463**	2464	**2465**	14.04.28総合
47	**2471**	2472	**2473**	2474	**2475**	19.09.18総合
48	**2481**	2482	**2483**	2484	**2485**	19.10.23総合

▽1989.07.05開業
▽新交通システム(直流750V・側方案内方式)

▽2000形は、2011.02.26から営業運転開始。セミクロスシート
▽冷房装置は床下と両端天井部の分割タイプ

▼優先席……全車両に設置
▼車いす対応スペース……太字の車両に設置

▽2013.10.01　横浜新都市交通から社名変更

神奈川臨海鉄道 塩浜機関区・横浜支社 7両

塩浜機関区(川崎貨物) DL **5両**［自連］

DD55形 (500ps×2)
DD5517　22.03.24 機関換装
DD5518　23.03.28 エンジン取替
DD5519

DD60形 (560ps×2)
DD602
DD603 ←14.05 日車

横浜本牧 DL **2両**［自連］

DD55形 (500ps×2)
DD5516

DD60形 (560ps×1)
DD601

▽路線は、川崎貨物～千鳥町間 4.2km、川崎貨物～浮島町間 3.9km、根岸〔根岸線〕～本牧埠頭間 5.6km
▽川崎貨物(東海道本線)～水江町間 2.06kmは2017.10に廃止
▽車両転配　23.06=DD60 1⇔DD5519

横浜市交通局 上永谷車両基地・川和車両基地 302両

ブルーライン(上永谷車両基地) 222両

←湘南台　　　　　　　　　　　　あざみ野→

3000形 174両(ステンレス車体) [密連] ③

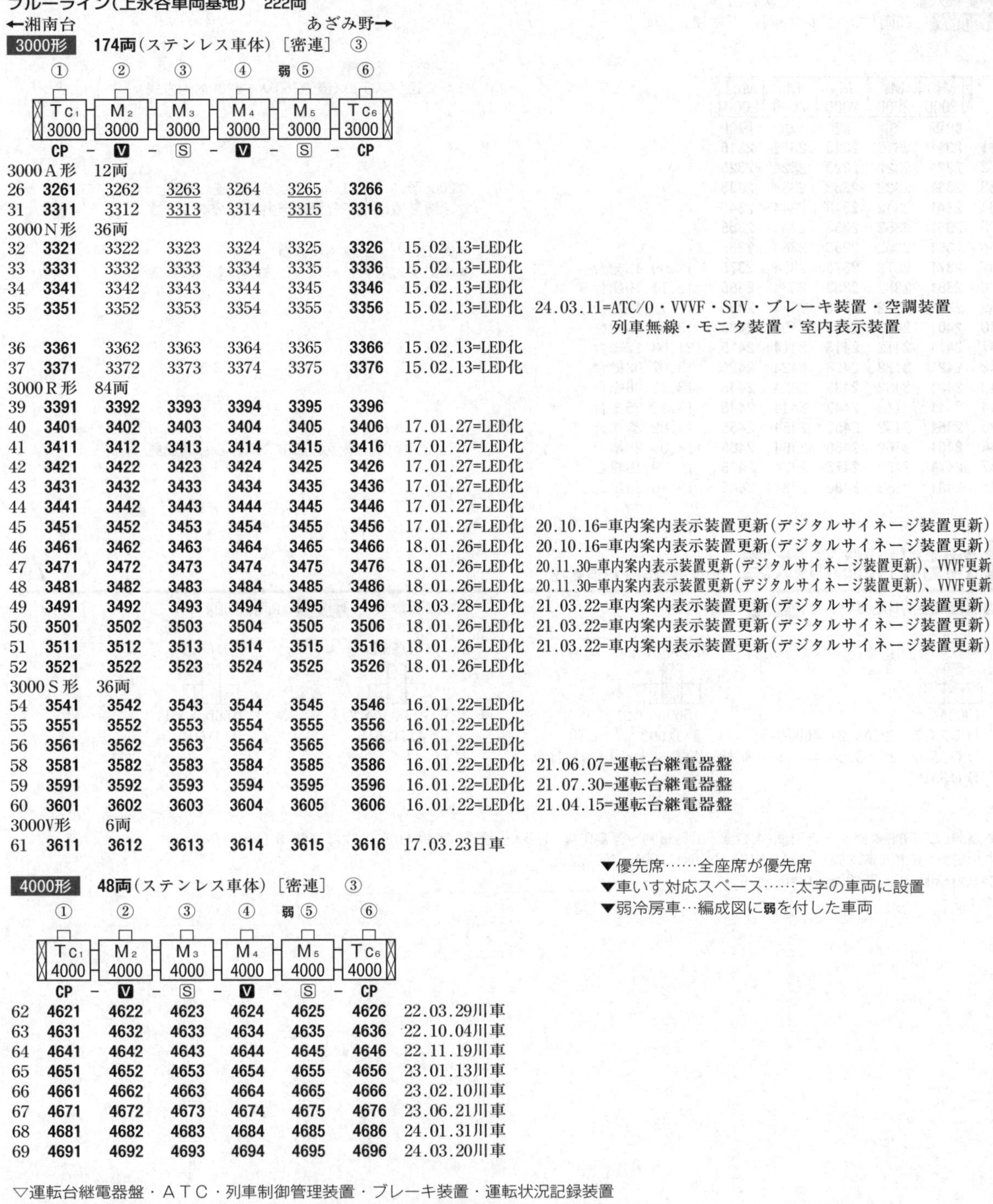

3000A形 12両

	①	②	③	④	⑤	⑥	
26	**3261**	3262	3263	3264	3265	**3266**	
31	**3311**	3312	3313	3314	3315	**3316**	

3000N形 36両

	①	②	③	④	⑤	⑥	
32	**3321**	3322	3323	3324	3325	**3326**	15.02.13=LED化
33	**3331**	3332	3333	3334	3335	**3336**	15.02.13=LED化
34	**3341**	3342	3343	3344	3345	**3346**	15.02.13=LED化
35	**3351**	3352	3353	3354	3355	**3356**	15.02.13=LED化 24.03.11=ATC/O・VVVF・SIV・ブレーキ装置・空調装置 列車無線・モニタ装置・室内表示装置
36	**3361**	3362	3363	3364	3365	**3366**	15.02.13=LED化
37	**3371**	3372	3373	3374	3375	**3376**	15.02.13=LED化

3000R形 84両

	①	②	③	④	⑤	⑥	
39	**3391**	**3392**	**3393**	**3394**	**3395**	**3396**	
40	**3401**	**3402**	**3403**	**3404**	**3405**	**3406**	17.01.27=LED化
41	**3411**	**3412**	**3413**	**3414**	**3415**	**3416**	17.01.27=LED化
42	**3421**	**3422**	**3423**	**3424**	**3425**	**3426**	17.01.27=LED化
43	**3431**	**3432**	**3433**	**3434**	**3435**	**3436**	17.01.27=LED化
44	**3441**	**3442**	**3443**	**3444**	**3445**	**3446**	17.01.27=LED化
45	**3451**	**3452**	**3453**	**3454**	**3455**	**3456**	17.01.27=LED化 20.10.16=車内案内表示装置更新(デジタルサイネージ装置更新)
46	**3461**	**3462**	**3463**	**3464**	**3465**	**3466**	18.01.26=LED化 20.10.16=車内案内表示装置更新(デジタルサイネージ装置更新)
47	**3471**	**3472**	**3473**	**3474**	**3475**	**3476**	18.01.26=LED化 20.11.30=車内案内表示装置更新(デジタルサイネージ装置更新)、VVVF更新
48	**3481**	**3482**	**3483**	**3484**	**3485**	**3486**	18.01.26=LED化 20.11.30=車内案内表示装置更新(デジタルサイネージ装置更新)、VVVF更新
49	**3491**	**3492**	**3493**	**3494**	**3495**	**3496**	18.03.28=LED化 21.03.22=車内案内表示装置更新(デジタルサイネージ装置更新)
50	**3501**	**3502**	**3503**	**3504**	**3505**	**3506**	18.01.26=LED化 21.03.22=車内案内表示装置更新(デジタルサイネージ装置更新)
51	**3511**	**3512**	**3513**	**3514**	**3515**	**3516**	18.01.26=LED化 21.03.22=車内案内表示装置更新(デジタルサイネージ装置更新)
52	**3521**	**3522**	**3523**	**3524**	**3525**	**3526**	18.01.26=LED化

3000S形 36両

	①	②	③	④	⑤	⑥	
54	**3541**	**3542**	**3543**	**3544**	**3545**	**3546**	16.01.22=LED化
55	**3551**	**3552**	**3553**	**3554**	**3555**	**3556**	16.01.22=LED化
56	**3561**	**3562**	**3563**	**3564**	**3565**	**3566**	16.01.22=LED化
58	**3581**	**3582**	**3583**	**3584**	**3585**	**3586**	16.01.22=LED化 21.06.07=運転台継電器盤
59	**3591**	**3592**	**3593**	**3594**	**3595**	**3596**	16.01.22=LED化 21.07.30=運転台継電器盤
60	**3601**	**3602**	**3603**	**3604**	**3605**	**3606**	16.01.22=LED化 21.04.15=運転台継電器盤

3000V形 6両

	①	②	③	④	⑤	⑥	
61	**3611**	**3612**	**3613**	**3614**	**3615**	**3616**	17.03.23日車

4000形 48両(ステンレス車体) [密連] ③

① ② ③ ④ 弱⑤ ⑥

Tc1 4000 | M2 4000 | M3 4000 | M4 4000 | M5 4000 | Tc6 4000

CP - V - S - V - S - CP

	①	②	③	④	⑤	⑥	
62	**4621**	**4622**	**4623**	**4624**	**4625**	**4626**	22.03.29川車
63	**4631**	**4632**	**4633**	**4634**	**4635**	**4636**	22.10.04川車
64	**4641**	**4642**	**4643**	**4644**	**4645**	**4646**	22.11.19川車
65	**4651**	**4652**	**4653**	**4654**	**4655**	**4656**	23.01.13川車
66	**4661**	**4662**	**4663**	**4664**	**4665**	**4666**	23.02.10川車
67	**4671**	**4672**	**4673**	**4674**	**4675**	**4676**	23.06.21川車
68	**4681**	**4682**	**4683**	**4684**	**4685**	**4686**	24.01.31川車
69	**4691**	**4692**	**4693**	**4694**	**4695**	**4696**	24.03.20川車

▼優先席……全座席が優先席
▼車いす対応スペース……太字の車両に設置
▼弱冷房車…編成図に弱を付した車両

▽運転台継電器盤・ATC・列車制御管理装置・ブレーキ装置・運転状況記録装置
3411F=21.12.08　3421F=22.02.15　3431F=21.09.16　3441F=21.10.27　3451F=22.03.28

▽運転台継電器盤、画像伝送装置ミリ波受信装置、運転状況記録装置、自動列車制御装置、列車制御管理装置、ブレーキ装置更新
46=22.06.22、47=22.08.01、48=22.09.15、49=22.10.28、50=22.12.12、51=23.01.31

▽画像伝送装置ミリ波受信装置更新
35=22.05.16、36=22.06.15、40=22.07.27、52=23.03.13

グリーンライン(川和車両基地)　80両

←中山　　　　　　　　　　　　日吉→

10000形　**74両**(アルミ車体)［密連］③

①	②	弱③	④	
Mc1	M2	M5	Mc6	
10000	10000	10000	10000	
ⓈCP	V	V	ⓈCP	
10011	10012	10015	10016	20.06.30=VVVF・SIV・ブレーキ装置・ATC/O・自動放送装置更新
10021	10022	10025	10026	20.08.26=VVVF・SIV・ブレーキ装置・ATC/O・自動放送装置更新
10041	10042	10045	10046	20.12.16=VVVF・SIV・ブレーキ装置・ATC/O・車内外案内表示装置・列車制御管理装置更新
10051	10052	10055	10056	21.05.27=VVVF・SIV・ブレーキ装置・ATC/O・自動放送装置・車内外案内表示器・列車制御管理装置更新
10061	10062	10065	10066	21.07.19=VVVF・SIV・ブレーキ装置・ATC/O・自動放送装置・車内外案内表示器・列車制御管理装置更新
10071	10072	10075	10076	21.11.09=VVVF・SIV・ブレーキ装置・ATC/O・自動放送装置・車内外案内表示器・列車制御管理装置更新
10091	10092	10095	10096	21.09.13=VVVF・SIV・ブレーキ装置・ATC/O・自動放送装置・車内外案内表示器・列車制御管理装置更新
10141	10142	10145	10146	21.03.31=VVVF・SIV・ブレーキ装置・ATC/O・自動放送装置更新
10151	10152	10155	10156	22.03.31=VVVF・SIV・ブレーキ装置・ATC/O・自動放送装置・車内外案内表示器・列車制御管理装置更新
10161	10162	10165	10166	14.03.29川重=LED
10171	10172	10175	10176	14.03.29川重=LED

①	②	③	④	弱⑤	⑥	
Mc1	M2	M3	M4	M5	Mc6	
10000	10000	10000	10000	10000	10000	
ⓈCP	V		V	V	ⓈCP	
10031	10032	10033	10034	10035	10036	③④=22.12.02川車
10081	10082	10083	10084	10085	10086	③④=23.07.28川車
10101	10102	10103	10104	10105	10106	③④=23.11.22川車
10111	10112	10113	10114	10115	10116	③④=23.03.31川車
10121	10122	10123	10124	10125	10126	③④=22.09.24川車
10131	10132	10133	10134	10135	10136	③④=24.03.22川車

▽ブルーライン、グリーンラインともワンマン運転

▽3000形は3000A形(第1次車)、
3000N形(2次車)=前面のデザインを変更、
3000R形(3次車)=バケットシートを採用、シート中間に握り棒を設置、運転台はワンハンドルマスコン
3000S形(4次車)=2000形の台車、ブレーキ、ATC、SIVなどを再利用

▽2014年度から、室内灯LED化工事を開始
10000形10011～10151編成は18.01.31にて完了
同編成は20.02.03前照灯もLED化

▽10161編成はラッピング「10周年記念装飾列車」
2018.02.25から運行開始

▽＿＿の補助電源はDD

▽列車制御装置、デジタルサイネージ更新
10111編成=22.12.02

▽主幹制御装置オーバーホール、ITVモニタ・ミリ波受信装置更新
10161編成=22.10.01

▽グリーンラインは2008.03.30開業。6両編成は2022.09.24から運転開始

▽横浜市電保存館(JR根岸駅から市営バス21系統に乗車、市電保存館前下車、横浜駅東口から市営バス102系統に乗車、滝頭下車など)に、
500形523、1000形1007、1100形1104、1300形1311、
1500形1510、1600形1601などを保存、展示

相模鉄道 かしわ台車両センター

446両

本線・いずみ野線(かしわ台車両センター) 446(442+4)両

←横浜・新横浜(東急東横線、目黒線) 湘南台・海老名→

20000系 **70両**(アルミ車体[アルミダブルスキン構体])[自連] ④

	① F F②	F③	F④	F⑤	F⑥	F⑦	F⑧	弱F⑨	F⑩	
	Tc2	M1	T1	M2	M3	T2	M4	T3	M5	Tc1	
	20100	20200	20300	20400	20500	20600	20700	20800	20900	20000	
	CP	V	S	V	V		V	S	V	CP	
YN	20101	20201	20301	20401	20501	20601	20701	20801	20901	20001	18.02.11日立
YN	20102	20202	20302	20402	20502	20602	20702	20802	20902	20002	20.08.11日立
YN	20103	20203	20303	20403	20503	20603	20703	20803	20903	20003	20.09.30日立
YN	20104	20204	20304	20404	20504	20604	20704	20804	20904	20004	20.10.12日立
YN	20105	20205	20305	20405	20505	20605	20705	20805	20905	20005	20.11.17日立
YN	20106	20206	20306	20406	20506	20606	20706	20806	20906	20006	20.12.16日立
YN	20107	20207	20307	20407	20507	20607	20707	20807	20907	20007	21.01.13日立

▽20000系は2018.02.11から営業運転開始
▽YN 表示は車体塗色 YOKOHAMA NAVYBLUE
▽Fは車いす、ベビーカー対応スペース(20101は横浜方)

21000系 **72両**(アルミ車体[アルミダブルスキン構体])[自連] ④

	① F	② F F③	F④	F⑤	F⑥	弱F⑦	F⑧		
	Tc2	M1	T1	M3	M4	T3	M5	Tc1	
	21100	21200	21300	21400	21500	21600	21700	21800	
	CP	V	S	V	V	S	V	CP	
YN	21101	21201	21301	21401	21501	21601	21701	21801	22.03.09日立
YN	21102	21202	21302	21402	21502	21602	21702	21802	21.09.01日立
YN	21103	21203	21303	21403	21503	21603	21703	21803	21.10.01日立
YN	21104	21204	21304	21404	21504	21604	21704	21804	21.12.01日立
YN	21105	21205	21305	21405	21505	21605	21705	21805	22.11.01日立
YN	21106	21206	21306	21406	21506	21606	21706	21806	22.12.01日立
YN	21107	21207	21307	21407	21507	21607	21707	21807	23.01.02日立
YN	21108	21208	21308	21408	21508	21608	21708	21808	23.04.04日立
YN	21109	21209	21309	21409	21509	21609	21709	21809	23.05.09日立

11000系 **50両**(ステンレス車体)(拡幅車体)[自連] ④

	①♿	②	③	④	⑤	⑥	⑦	⑧	弱⑨	♿⑩	
	Tc2	M1	M2	M3	M4	T1	T2	M5	M6	Tc1	
	11000	11100	11200	11300	11400	11500	11600	11700	11800	11900	
	CP	V	S	V		CP		V	S	CP	
N	11001	11101	11201	11301	11401	11501	11601	11701	11801	11901	
N	11002	11102	11202	11302	11402	11502	11602	11702	11802	11902	
N	11003	11103	11203	11303	11403	11503	11603	11703	11803	Ⓛ11903	
N	11004	11104	11204	11304	11404	11504	11604	11704	11804	11904	
N	11005Ⓛ	11105	11205	11305	11405	11505	11605	11705	11805	Ⓛ11905	13.03.01総合

▽ラッピング車両 11004F=21.03.22 ~ 22.03.18「そうにゃんトレイン」(第８弾)
11003F=22.03.21 ~ 22.03.25「そうにゃんトレイン」(第９弾)
11001F=23.03.26 ~ 24.03.20「そうにゃんトレイン」(第10弾)
11004F=24.03.20 ~ 「そうにゃんトレイン」(第11騨)
▽塗油器設置 クハ11001=21.02.15、11002=20.06.12、11003=19.12.20、11004=20.07.09、11005=19.11.25

▽N は新塗色編成
▽____はセミクロスシート車(車種はM_s)
▽各系列とも横浜寄りから①~⑩号車の表示あり
▽ST相直対応工事完了車は、
20101×10=22.09.22、20102×10=22.08.24、20103×10=22.07.28、20104×8=22.06.01
20105×10=22.02.04、20106×10=21.12.24、20107×10=21.11.29、
21101×8=22.03.09 21102×8=22.04.04、21103×8=22.04.27、21104×8=22.07.04
21105 ~ 21107編成は新製時に取付
▽2023.03.18、新横浜線羽沢横浜国大~新横浜間 4.2km開業。
同時に開業となった東急新横浜線日吉~新横浜間と線路が繋がり、東急との相互直通運転開始。
相鉄車両の乗り入れ区間は、東京都交通局三田線は西高島平、東京メトロ南北線は埼玉高速鉄道浦和美園、
東急は東京メトロ副都心線を経由、東武東上線森林公園(土曜・休日は小川町)まで。
乗入れ車両は、20000系は東急東横線、21000系は東急目黒線方面に
▽相鉄・東急新横浜線開業１周年記念号(20106F・21107F)

形式	両数
21000系	
クハ21100	9
モハ21200	9
サハ21300	9
モハ21700	9
モハ21500	9
サハ21600	9
モハ21700	9
クハ21800	9
	72
20000系	
クハ20100	7
モハ20200	7
サハ20300	7
モハ20400	7
モハ20500	7
サハ20600	7
モハ20700	7
サハ20800	7
モハ20900	7
クハ20000	7
	70
11000系	
クハ11000	5
モハ11100	5
モハ11200	5
モハ11300	5
モハ11400	5
サハ11500	5
サハ11600	5
モハ11700	5
モハ11800	5
クハ11900	5
	50
12000系	
クハ12100	6
モハ12200	6
モハ12300	6
モハ12400	6
モハ12500	6
サハ12600	6
サハ12700	6
モハ12800	6
モハ12900	6
クハ12000	6
	60
10000系	
モハ10100	16
モハ10200	16
モハ10300	3
クハ10500	8
クハ10700	8
サハ10600	19
	70
9000系	
モハ9100R	18
モハ9200R	18
クハ9500R	6
クハ9700R	6
サハ9600R	12
	60
8000系	
モハ8100	18
モハ8200	18
クハ8500	6
クハ8700	6
サハ8600	12
	60
合計	442

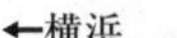

←横浜　　　　　　　　　　　　　　　　　湘南台・海老名→

10000系　70両（ステンレス車体）（車体幅2,930mm）［自連］ ④

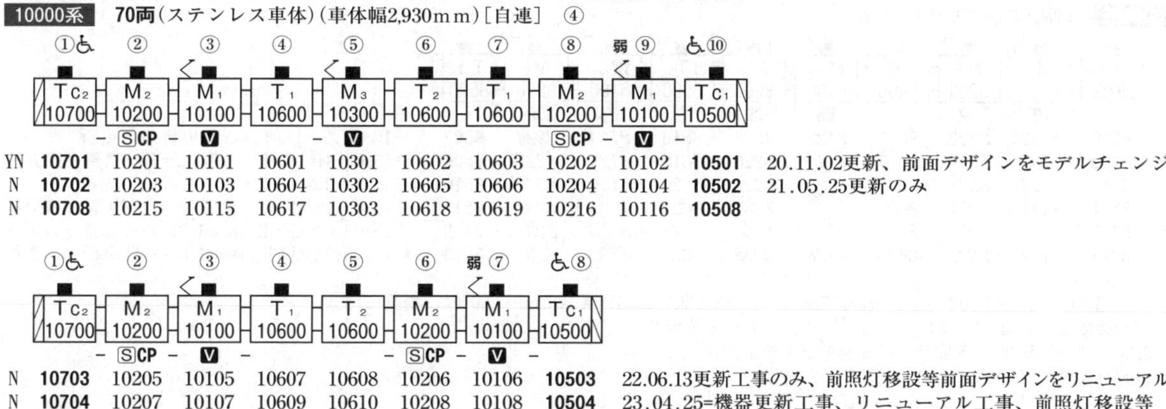

編成	①♿	②	③	④	⑤	⑥	⑦	⑧	弱⑨	♿⑩	
	Tc2 10700	M2 10200	M1 10100	T1 10600	M3 10300	T2 10600	T1 10600	M2 10200	M1 10100	Tc1 10500	
	–	SCP	–	V	–	V	–	SCP	– V	–	
YN	**10701**	10201	10101	10601	10301	10602	10603	10202	10102	**10501**	20.11.02更新、前面デザインをモデルチェンジ
N	**10702**	10203	10103	10604	10302	10605	10606	10204	10104	**10502**	21.05.25更新のみ
N	**10708**	10215	10115	10617	10303	10618	10619	10216	10116	**10508**	

編成	①♿	②	③	④	⑤	⑥	弱⑦	♿⑧	
	Tc2 10700	M2 10200	M1 10100	T1 10600	T2 10600	M2 10200	M1 10100	Tc1 10500	
	–	SCP	– V	–	–	SCP	– V	–	
N	**10703**	10205	10105	10607	10608	10206	10106	**10503**	22.06.13更新工事のみ、前照灯移設等前面デザインをリニューアル
N	**10704**	10207	10107	10609	10610	10208	10108	**10504**	23.04.25=機器更新工事、リニューアル工事、前照灯移設等
N	**10705**	10209	10109	10611	10612	10210	10110	**10505**	
N	**10706**	10211	10111	10613	10614	10212	10112	**10506**	
N	**10707**	10213	10113	10615	10616	10214	10114	**10507**	

▽更新（車内リニューアル）工事に際して、ＶＶＶＦ装置、ＳＩＶ装置、ＣＰ更新、車体塗装も変更
▽更新工事に合わせて、10703・10704編成は前面、側面表示器更新

←横浜・（ＪＲ東日本線）池袋・新宿　　　　　　　湘南台・海老名→

12000系　60両（ステンレス車体）（拡幅車体）［小型密着］ ④

編成	① F	F ②	F ③	F ④	F ⑤	F ⑥	F ⑦	F ⑧	F ⑨弱	F ⑩	
	Tc2 12100	M6 12200	M5 12300	M4 12400	M3 12500	T2 12600	T1 12700	M2 12800	M1 12900	Tc1 12000	
	–	CP	– V	– SCP	V	–	–	– SCP	– V	–	
YN	**12101**	**12201**	**12301**	**12401**	**12501**	**12601**	**12701**	**12801**	**12901**	**12001**	19.02.26総合
YN	**12102**	**12202**	**12302**	**12402**	**12502**	**12602**	**12702**	**12802**	**12902**	**12002**	19.05.20総合
YN	**12103**	**12203**	**12303**	**12403**	**12503**	**12603**	**12703**	**12803**	**12903**	**12003**	19.06.24総合
YN	**12104**	**12204**	**12304**	**12404**	**12504**	**12604**	**12704**	**12804**	**12904**	**12004**	19.07.16総合
YN	**12105**	**12205**	**12305**	**12405**	**12505**	**12605**	**12705**	**12805**	**12905**	**12005**	19.09.25総合
YN	**12106**	**12206**	**12306**	**12406**	**12506**	**12606**	**12706**	**12806**	**12906**	**12006**	20.02.25総合

▽2019.04.20から運行開始。2019.11.30から相鉄・ＪＲ相互直通運転開始。新宿まで乗入れ
▽***F***は車いす、ベビーカー対応スペース

←横浜　　　　　　　　　　　　　　　　　湘南台・海老名→

9000系　60両（アルミ車体）［自連］ ④

編成	①	②	③	④	⑤	⑥	⑦	⑧	弱⑨	⑩	
	Tc2 9700R	M1 9100R	M2 9200R	T2 9600R	Ms1 9100R	M2 9200R	T1 9600R	Ms1 9100R	M2 9200R	Tc1 9500R	
	–	V	– MCP +	–	V	+ MCP	–	+ V	– MCP	–	
YN	**9702**	9104	9204	9603	*9105*	9205	9604	9106	*9206*	**9502**	17.06.05=車内リニューアル＋LED化
YN	**9703**	9107	9207	9605	9108	9208	9606	9109	9209	**9503**	16.03.04=車内リニューアル＋LED化
YN	**9704**	9110	9210	9607	9111	9211	9608	9112	9212	**9504**	17.11.30=車内リニューアル＋LED化
YN	**9705**	9113	9213	9609	9114	9214	9610	9115	9215	**9505**	16.11.08=車内リニューアル＋LED化
YN	**9706**	*9116*	*9216*	9611	*9117*	*9217*	9612	*9118*	*9218*	**9506**	18.12.12=車内リニューアル＋LED化
YN	**9707**	*9119*	*9219*	9613	*9120*	*9220*	9614	*9121*	*9221*	**9507**	19.10.09=車内リニューアル＋LED化

▽ＶＶＶＦ機器取替にて、ＶＶＶＦ制御装置をＡＴＲ-Ｈ8180からＶＦＩ-ＨＲ2820Ｑへ変更
▽9702～9707編成は車内を中心としたリニューアル工事に合わせて、各車両の形式を変更。また車体塗装色を YOKOHAMA NAVYBLUE（YN）と変更。前面デザインモデルチェンジ

▽N は新塗色
▽YN はYOKOHAMA NAVYBLUE色
▽斜字はシングルアーム式パンタグラフ（編成図記載以外）
▽ †印の編成は前面のデザインがモデルチェンジされている
▽____はセミクロスシート車（車種はs）

▼優先席……全車両に設置
▼車いす対応スペース……太字の車両に設置
▼フリースペース……***F***の車両に設置
▼弱冷房車…編成図に弱を付した車両

←横浜　　　　　　　　　　　　　　　　湘南台・海老名→

8000系　**60両**(アルミ車体)［自連］④

	Tc2 8700	M1 8100	M2 8200	T 8600	Ms1 8100	M2 8200	T 8600	Ms1 8100	M2 8200	Tc1 8500	
	–	V	– CP	S	–	V	– CP –	S	V	– CP –	
N	**8708**	*8122*	*8222*	8615	8123	8223	8616	*8124*	*8224*	**8508**	←16.04.28=LED化+VVVF更新+SIV更新
YN	**8709**	*8125*	*8225*	8617	8126	8226	8618	*8127*	*8227*	**8509**	←15.03.31=LED化 17.03.22=VVVF更新+SIV更新
N	**8710**	*8128*	*8228*	8619	*8129*	8229	8620	*8130*	*8230*	**8510**	←16.02.12=LED化+VVVF更新+SIV更新
N	**8711**	8131	8231	8621	8132	8232	8622	8133	8233	**8511**	←16.03.14=LED化。18.02.27=VVVF更新+SIV更新
N	**8712**	*8134*	*8234*	8623	*8135*	*8235*	8624	*8136*	*8236*	**8512**	←16.03.07=LED化。18.06.01=VVVF更新+SIV更新
N	**8713**	*8137*	*8237*	8625	*8138*	*8238*	8626	*8139*	*8239*	**8513**	←16.03.22=LED化。19.04.02=VVVF更新+SIV更新

▽8713編成は、2019.04.02 冷房装置をFTUR-375からHRB504-5、STVをSVH260-RG4076Aに変更(改良)
▽8709編成は、20.03.11 車内リニューアル。合わせて塗装を YOKOHAMA NAVYBLUEに
▽8708 ～ 8710編成は、前面デザインをモデルチェンジ
▽前照灯移設　8708F=22.12.14　8710F=23.02.08
　8711F=23.06.20　8712F=23.08.10　8713F=23.10.10

モヤ700形　**4両**(事業用車)

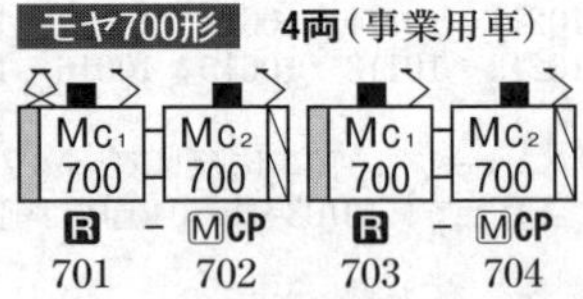

701　702　703　704

▽は検測用パンタグラフ(集電機能なし)
▽701は架線検測車、702は架線観測車、704は事故復旧車

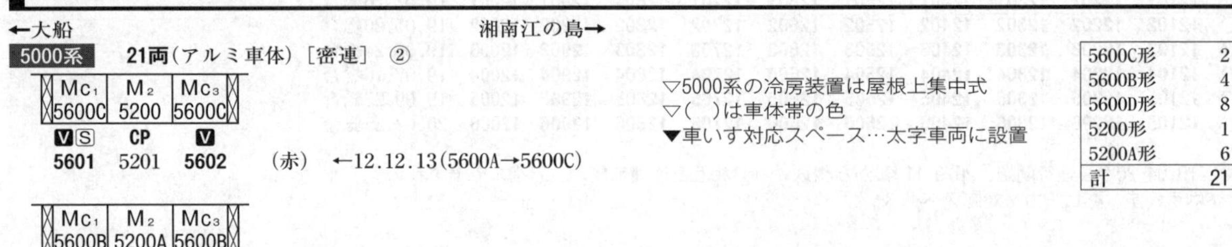

湘南モノレール　深沢車庫　　21両

←大船　　　　　　　　湘南江の島→

5000系　**21両**(アルミ車体)［密連］②

▽5000系の冷房装置は屋根上集中式
▽(　)は車体帯の色
▼車いす対応スペース…太字車両に設置

5600C形	2
5600B形	4
5600D形	8
5200形	1
5200A形	6
計	21

Mc1 5600C	M2 5200	Mc3 5600C		
VS	CP	V		
5601	5201	**5602**	(赤)	←12.12.13(5600A→5600C)

Mc1 5600B	M2 5200A	Mc3 5600B		
VS	CP	V		
5603	5203	**5604**	(青)	←13.06.11(5600→5600B)
5605	5205	**5606**	(緑)	←13.11.20(5600→5600B)

Mc1 5600D	M2 5200A	Mc3 5600D		
VS	CP	V		
5607	5207	**5608**	(黄)	
5609	5209	**5610**	(紫)	←15.11.16三菱重　17.07.26からラッピング車両「OJICO®(オジコ)トレイン」として運行中
5611	5211	**5612**	(黒)	←16.02.18三菱重
5613	5213	**5614**	(ピンク)	←16.05.24三菱重

▽サフェージュ式・直流1500V

江ノ島電鉄 極楽寺検車区

30両

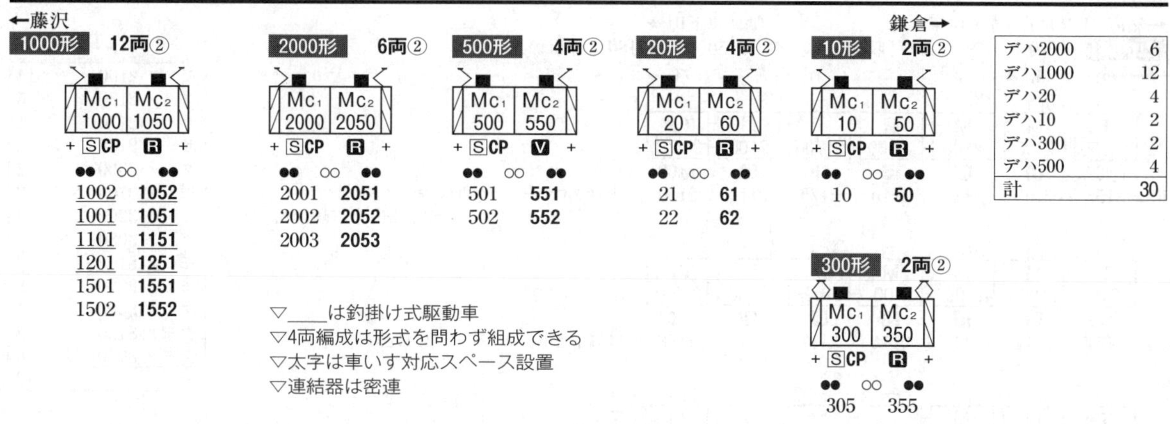

デハ2000	6
デハ1000	12
デハ20	4
デハ10	2
デハ300	2
デハ500	4
計	30

▽2023年度改造 502-552=24.02.15(安全性向上)

▽極楽寺検車区にて、100形108(愛称：タンコロ)を保存

小田急箱根 入生田検車区

29両

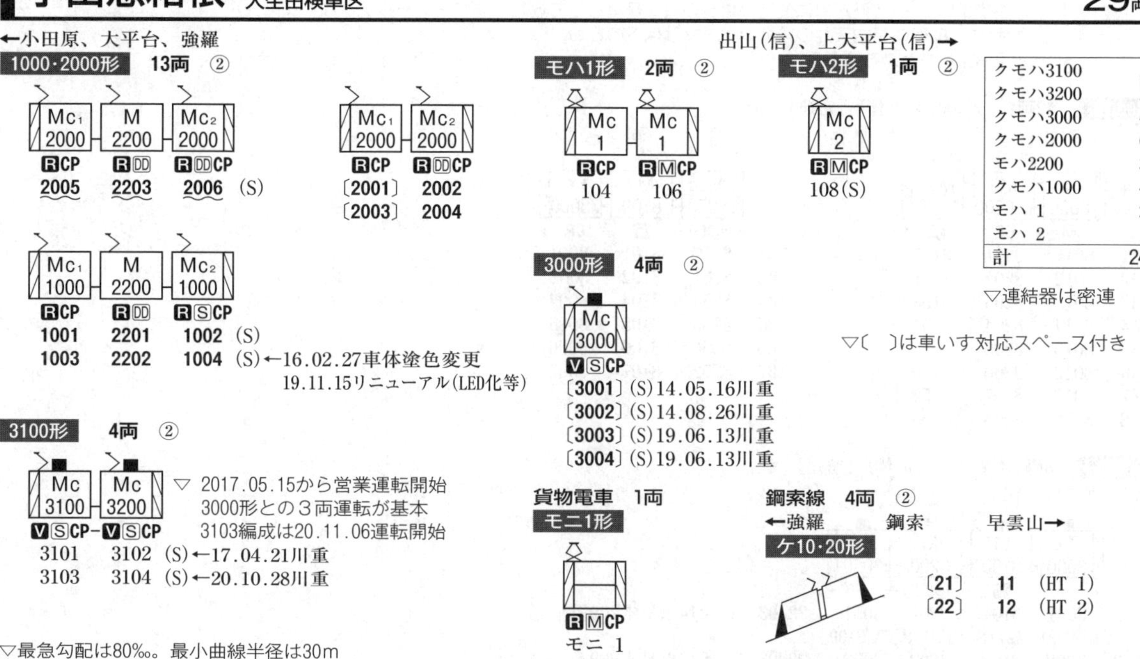

クモハ3100	2
クモハ3200	2
クモハ3000	4
クモハ2000	6
モハ2200	3
クモハ1000	4
モハ 1	2
モハ 2	1
計	24

▽連結器は密連

▽〔 〕は車いす対応スペース付き

▽最急勾配は80‰。最小曲線半径は30m

▽鋼索線は車両取替え、機器更新工事のため
2019.12.03 ～ 2020.03.19まで運休。
2020.03.20からケ10形・ケ20形にて運行再開

▽～～は氷河急行色。17.02.16=前面塗色変更＋前照灯変更
▽太字は冷房車、1000・2000形は連結面の床上に設置
▽(S)はセミクロスシートまたはクロスシート車。そのほかはロングシート車。ボックスシート(ボ)
▽1000形は「ベルニナ号」、2000形は「サン・モリッツ号」。3000·3100·3200形は「アレグラ号」の愛称付き
▽3両編成の時は、小田原寄りの車両のパンタグラフは使用しない
▽1001編成は19.03.19 パンタグラフシングルアーム化
▽2001編成は19.06.28 パンタグラフシングルアーム化、2005編成は18.10.29 パンタグラフシングルアーム化
▽車両再生工事実施 2001編成=22.02.28、2003編成=23.03.27
▽モニ1 22.09.08=特別工事実施、照明器具LED化(前照灯、室内灯等)、ドライブレコーダー取付
▽登山電車の車両は、箱根湯本～強羅間にて運転。小田原～箱根湯本間は小田急の車両が乗入れ
▽途中、出山(信)、大平台、上大平台(信)にて進行方向が変わる
▽おもな駅の標高 小田原=14m、箱根湯本=96m、強羅=541m
▽2022.04.01 箱根ロープウェイと合併。存続会社は箱根登山鉄道
▽2024.04.01 小田急箱根ホールディングス、箱根観光船、箱根施設開発と合併、社名を箱根登山鉄道から変更

伊豆急行 伊豆高原車両区

73両

←熱海（ＪＲ東日本）・伊東　　　　伊豆急下田→

2100系 **23両**（リゾート21）［収納］ ②（クハ2150・サロ2180は客用扉①）

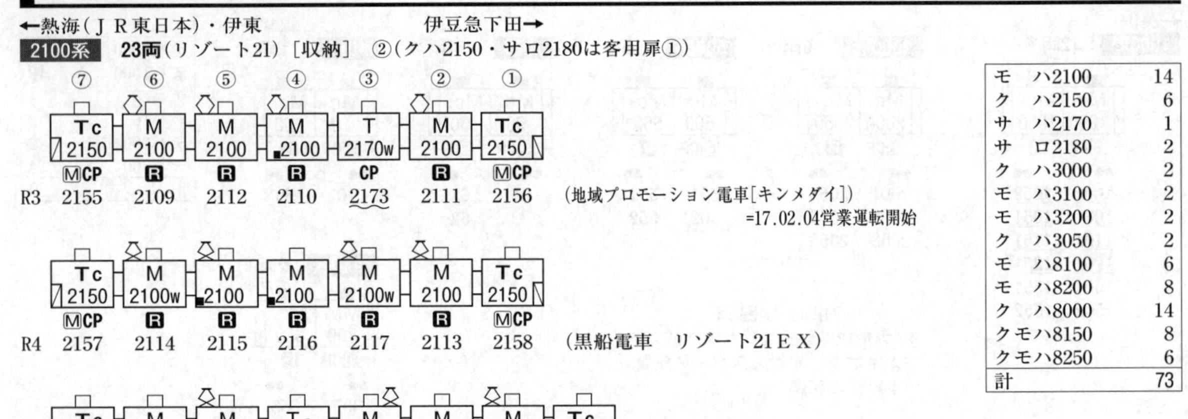

モ　ハ2100	14
ク　ハ2150	6
サ　ハ2170	1
サ　ロ2180	2
ク　ハ3000	2
モ　ハ3100	2
モ　ハ3200	2
ク　ハ3050	2
モ　ハ8100	6
モ　ハ8200	8
ク　ハ8000	14
クモハ8150	8
クモハ8250	6
計	73

	⑦	⑥	⑤	④	③	②	①	
	Tc 2150	M 2100	M 2100	M 2100	T 2170w	M 2100	Tc 2150	
	ⓂCP	R	R	R	CP	R	ⓂCP	
R3	2155	2109	2112	2110	2173	2111	2156	（地域プロモーション電車［キンメダイ］）=17.02.04営業運転開始

	Tc 2150	M 2100w	M 2100	M 2100	M 2100w	M 2100	Tc 2150	
	ⓂCP	R	R	R	R	R	ⓂCP	
R4	2157	2114	2115	2116	2117	2113	2158	（黒船電車　リゾート21ＥＸ）

	Tc 2150	M 2100w	M 2100	Ts w2180	M 2100	M 2100w	M 2100	Tc 2150	
	ⓂCP	R	R		R	R	R	ⓂCP	
R5	2161	2121	2122	2191	2123	2124	2125	2162	（アルファ・リゾート21）←17.07.20=「THE ROYAL EXPRESS」に改造

⑤ Ts w2180
2182

▽特急「リゾート踊り子」に使用できるのはR4の1本
「THE ROYAL EXPRESS」は、2017.07.21、ＪＲ横浜～伊豆急下田間にて運行開始
▽サロ2180形は「ROYAL BOX」
特急「リゾート踊り子」に使用の場合のみ⑤号車として連結、グリーン車扱いとなる（8両化）
▽サロ2180形の星空天井の絵柄のテーマは以下のとおり
2182=星空と港町夜景

8000系 **42両**（ステンレス車体）［密連］ ④

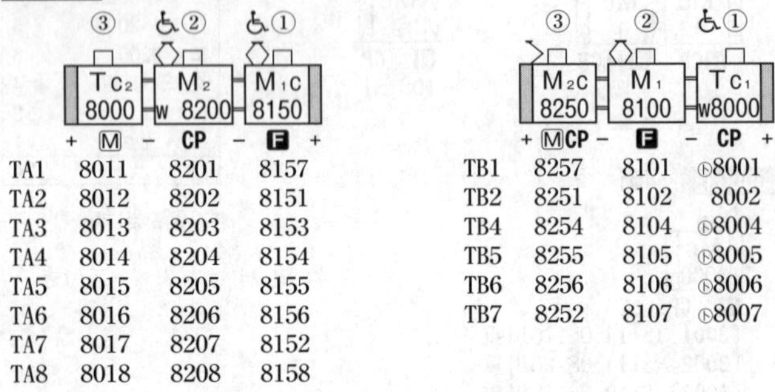

	③ Tc₂ 8000	♿② M₂ w 8200	♿① M₁c 8150
	+ Ⓜ −	CP	− F +
TA1	8011	8201	8157
TA2	8012	8202	8151
TA3	8013	8203	8153
TA4	8014	8204	8154
TA5	8015	8205	8155
TA6	8016	8206	8156
TA7	8017	8207	8152
TA8	8018	8208	8158

	③ M₂c 8250	② M₁ 8100	♿① Tc₁ w8000
	+ ⓂCP −	F	− CP +
TB1	8257	8101	Ⓡ8001
TB2	8251	8102	8002
TB4	8254	8104	Ⓡ8004
TB5	8255	8105	Ⓡ8005
TB6	8256	8106	Ⓡ8006
TB7	8252	8107	Ⓡ8007

3000系 **8両**（ステンレス車体）［密連］ ④

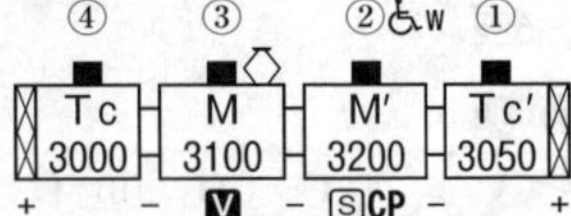

	④ Tc 3000	③ M 3100	②♿w M′ 3200	① Tc′ 3050	
	+	− V −	ⓈCP	+	
Y 1	3001	3101	3201	3051	22.03.31［元JR東日本209系］
	［Tc2109	M2118	M′2118	Tc′2109］	
Y 2	3002	3102	3202	3052	22.03.31［元JR東日本209系］
	［Tc2101	M2102	M′2102	Tc′2101］	

▽8000系の形式区分は便宜的なもの
▽8000系は元東京急行電鉄8000系、車内は海側がクロスシート、山側がロングシート
▽3000系は元ＪＲ東日本209系。先頭車の座席はセミクロスシート、中間車はロングシート。
愛称は「アロハ電車」。スカート色は3000形が青、3500形は赤
▽ＪＲ伊東線乗入れ列車は8000系６両編成、3000系４両編成とリゾート21
▽編成図 w にトイレ設備設置
▽♿に車いすスペース設置
▽Ⓡはレール塗油器取付
▽8011·8013·8015·8016·8017·8018はセラジェット（砂撒き装置）付き

▽2013.08.31　伊豆高原運輸区から変更

伊豆箱根鉄道 大場電車工場・大雄山線分工場 54両

大雄山線(大雄山線分工場) 21両

←小田原

5000系 21両[密連] ③

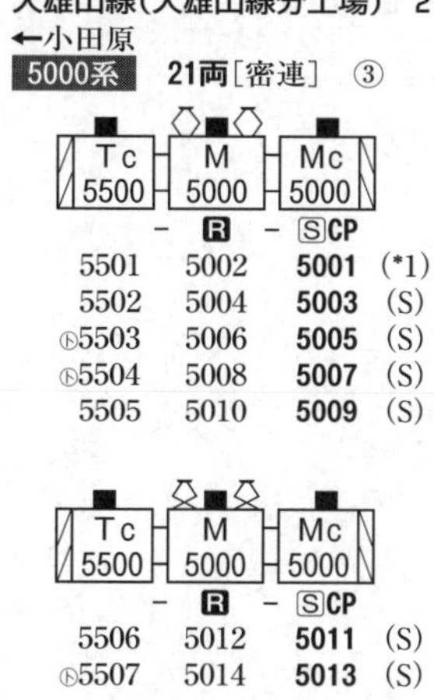

5501	5002	**5001**	(*1)
5502	5004	**5003**	(S)
ⓕ5503	5006	**5005**	(S)
ⓕ5504	5008	**5007**	(S)
5505	5010	**5009**	(S)

5506	5012	**5011**	(S)
ⓕ5507	5014	**5013**	(S)

大雄山→

工事専用車 1両[自連]

コデ165形

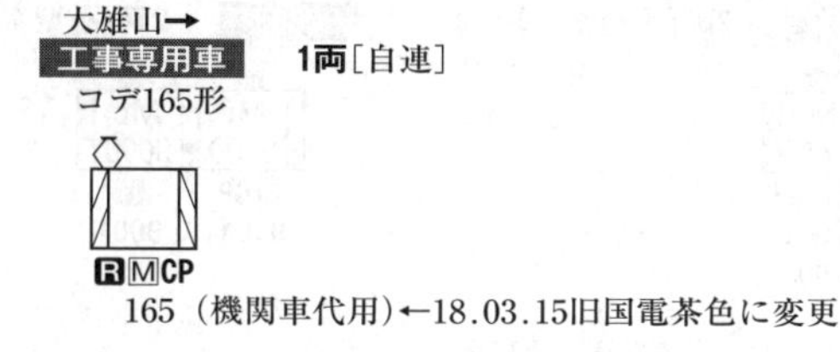

165(機関車代用)←18.03.15旧国電茶色に変更

大雄山線	
クモハ5000	7
モハ5000	7
クハ5500	7
	21
駿豆線	
モハ7100	2
モハ7300	2
クハ7500	2
クモハ3000	6
モハ3000	6
クハ3500	6
モハ1300	2
モハ1400	2
クハ2200	2
	30
計	51

駿豆線(大場電車工場) 30両

←三島

3000系 18両[密連] ③

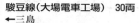

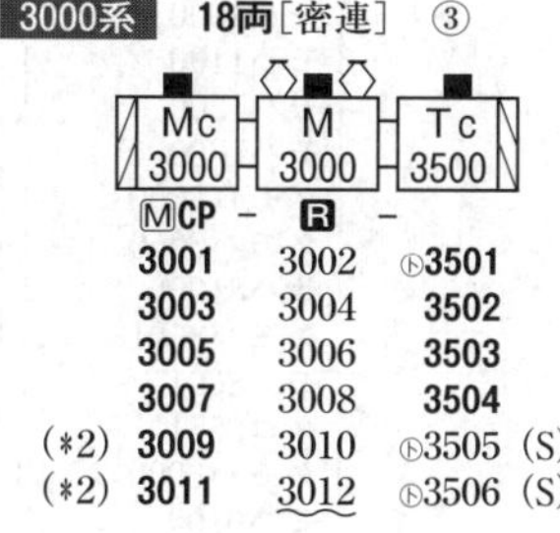

	3001	3002	ⓕ**3501**
	3003	3004	**3502**
	3005	3006	**3503**
	3007	3008	**3504**
(*2)	**3009**	3010	ⓕ3505 (S)
(*2)	**3011**	3012	ⓕ3506 (S)

7000系 6両[密連] ③

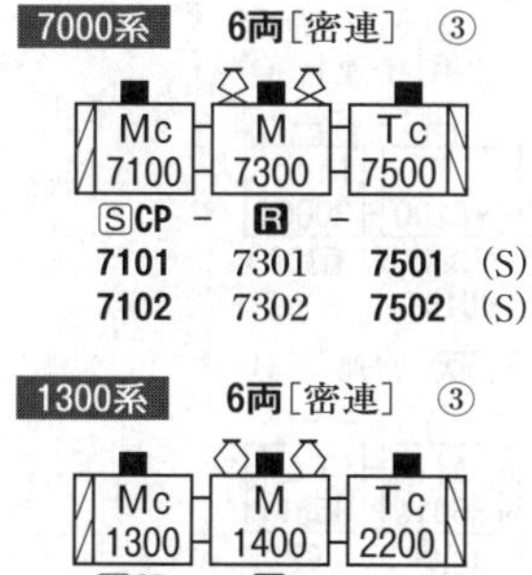

7101	7301	**7501**	(S)
7102	7302	**7502**	(S)

1300系 6両[密連] ③

1301	1401	**2201**
1302	1402	**2202**

イエローパラダイストレイン(西武色)=16.12.10 営業運転開始

修善寺→

電気機関車 2両[自連]

ＥＤ31形

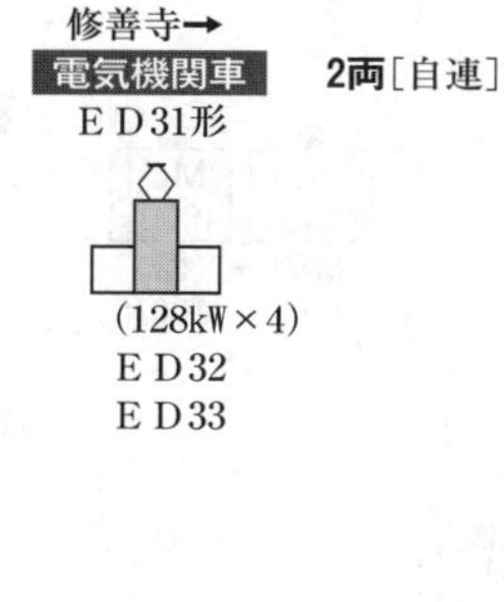

(128kW×4)

ＥＤ32

ＥＤ33

▽駿豆線は2009.04.01からワンマン運転(ＪＲからの直通列車を除く)

(*1) …5001はⓂⓅ。23.09.05 西武赤電色から赤色(天狗色)に塗色変更
(*2) …3009·3011はⓈⓅ
▽(S)はステンレス車体
▽3000系はセミクロスシート、7000系は転換クロスシート、1300系、5000系はロングシート
▽ⓕ印はフランジ塗油器取付車
▽3012のパンタグラフは◇
▽1300系は元西武鉄道101系
▽3001編成 18.06.08=豆相鉄道当時の軌道線の車体色(グリーン、クリーム色)
5007編成 19.03.27=前面及び帯を黄色(Yello Shining Train)
5009編成 19.09.17=前面及び帯をミントグリーン(Mint Spectacle Train)
5013編成 24.04.05=前面及び帯を薄茶色(りんどう電車)に塗色変更
▽ラッピング車両 7102編成 「YOHANE TRAIN」(TVアニメ「幻日のヨハネ-SUNSHINE in the MIRROOR-」=23.06.23 ～運行開始
▼車いす対応スペース…太字の車両に設置

十国峠 2両

十国鋼索線 2両

1形 ②

←十国峠山麓 鋼索 十国峠山頂→

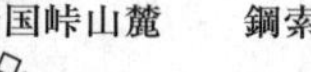
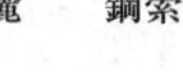

1 日金
2 十国

▽JR熱海駅から伊豆箱根バス約40分。十国峠登り口下車
▽2021.12.01 伊豆箱根鉄道から分社、独立
▽2022.02.01 富士急行が全株式を伊豆箱根鉄道から購入。富士急行グループ傘下に
▽2022.11.05 ケーブルカー名称を十国峠ケーブルカーから十国峠パノラマケーブルカーと変更。合わせて駅名を十国登り口は十国峠山麓、十国峠は十国峠山頂と変更

岳南電車　岳南鉄道車両区(岳南富士岡)　6両

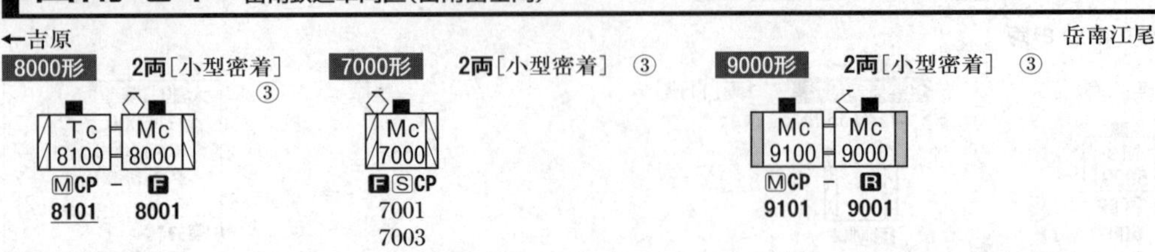

▽2013.04.01から、鉄道事業分社化にともない岳南鉄道から変更
▽2012.03.16限りにて、貨物輸送終了
▽7000形·8000形はワンマンカー、元京王電鉄3000系。7001はブルーグリーンへ車体塗色変更(2016.03.20)
▽通常は7000形によるワンマン運転、7001·7003は連結運転可能
▽9000形は、2018.11.17から運行開始。車内はクロスシートが主体。車体塗色は赤色を基調に白の帯
▽太字は車いすスペース付き
▽前面(窓回り)の色は7000形=オレンジ、8000形=グリーン
▽8000形は2022.11.12　旧5000系をイメージしたカラーに入線20周年を記念して変更

富士山麓電気鉄道　鉄道技術センター(富士山)　32両

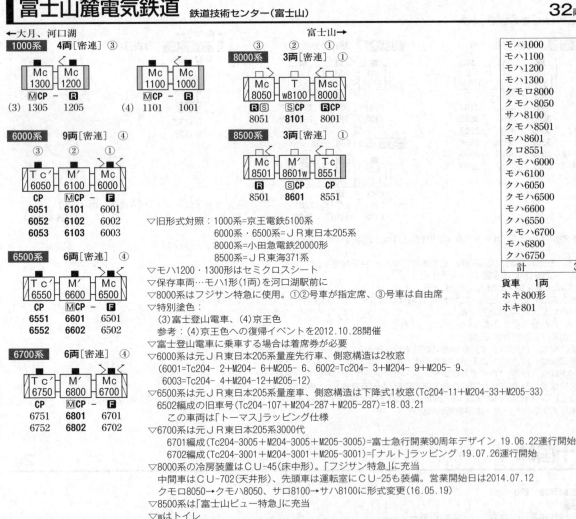

←大月、河口湖　　富士山→

1000系　4両[密連]　③
Mc 1300　Mc 1200
ⓂCP　-　Ⓡ
(3) 1305　1205
Mc 1100　Mc 1000
ⓂCP　-　Ⓡ
(4) 1101　1001

8000系　3両[密連]　①
③ Mc 8050　② T w8100　① Msc 8000
ⓇⓈ　ⓈCP　ⓇCP
8051　**8101**　8001

6000系　9両[密連]　④
③ Tc′ 6050　② M′ 6100　① Mc 6000
CP　ⓂCP　-　Ⓕ
6051　**6101**　6001
6052　**6102**　6002
6053　**6103**　6003

8500系　3両[密連]　①
Mc 8501　M′ 8601w　Tc 8551
Ⓡ　ⓈCP　CP
8501　**8601**　8551

6500系　6両[密連]　④
Tc′ 6550　M′ 6600　Mc 6500
CP　ⓂCP　-　Ⓕ
6551　**6601**　6501
6552　**6602**　6502

6700系　6両[密連]　④
Tc′ 6750　M′ 6800　Mc 6700
CP　ⓂCP　-　Ⓕ
6751　**6801**　6701
6752　**6802**　6702

形式	両数
モハ1000	1
モハ1100	1
モハ1200	1
モハ1300	1
クモロ8000	1
クモハ8050	1
サハ8100	1
クモハ8501	1
モハ8601	1
クロ8551	1
クモハ6000	3
モハ6100	3
クハ6050	3
クモハ6500	2
モハ6600	2
クハ6550	2
クモハ6700	2
モハ6800	2
クハ6750	2
計	31

貨車　1両
ホキ800形
ホキ801

▽旧形式対照：1000系=京王電鉄5100系
6000系・6500系=ＪＲ東日本205系
8000系=小田急電鉄20000形
8500系=ＪＲ東海371系
▽モハ1200・1300形はセミクロスシート
▽保存車両…モハ1形(1両)を河口湖駅前に
▽8000系はフジサン特急に使用。①②号車が指定席、③号車は自由席
▽特別塗色：
(3)富士登山電車、(4)京王色
参考：(4)京王色への復帰イベントを2012.10.28開催
▽富士登山電車に乗車する場合は着席券が必要
▽6000系は元ＪＲ東日本205系量産先行車、側窓構造は2枚窓
(6001=Tc204- 2+M204- 6+M205- 6、6002=Tc204- 3+M204- 9+M205- 9、
6003=Tc204- 4+M204-12+M205-12)
▽6500系は元ＪＲ東日本205系量産車、側窓構造は下降式1枚窓(Tc204-11+M204-33+M205-33)
6502編成の旧車号(Tc204-107+M204-287+M205-287)=18.03.21
この車両は「トーマス」ラッピング仕様
▽6700系は元ＪＲ東日本205系3000代
6701編成(Tc204-3005+M204-3005+M205-3005)=富士急行開業90周年デザイン 19.06.22運行開始
6702編成(Tc204-3001+M204-3001+M205-3001)=「ナルト」ラッピング 19.07.26運行開始
▽8000系の冷房装置はＣＵ-45(床中形)。「フジサン特急」に充当
中間車はＣＵ-702(天井形)、先頭車は運転室にＣＵ-25も装備。営業開始日は2014.07.12
クモロ8050→クモハ8050、サロ8100→サハ8100に形式変更(16.05.19)
▽8500系は「富士山ビュー特急」に充当
▽wはトイレ
▼車いす対応スペース…太字の車両に設置
▽途中、富士山にて進行方向が変わる

▽河口湖駅前にて、モハ１(富士山麓電気鉄道モハ１)、
下吉田駅ではスハネフ1420が保存、展示
▽2022(R04).04.01　富士急行 鉄道部門は鉄道事業分社化にともない富士山麓電気鉄道に

アルピコ交通 新村車庫 10両

上高地線

←新島々　　松本→

形式	両数
モハ20100	3
クハ20100	3
モハ3000	2
クハ3000	2
計	10

3000形　**4両**(ステンレス車体)［小型密着］③

Mc 3000	Tc 3000
R	- MCP
3005	3006
3003	3004

20100形　**6両**［小型密着］③

▽車いす対応スペース設置

Mc 20100	Tc 20100		
V	- SCP		
20101 [25853]	**20102** [24803]	22.03.04	
20103 [25854]	**20104** [26803]	23.03.18	
20105 [25855]	**20106** [26804]	24.02.23	←「渕東なぎさ」ラッピング

▽____はレール塗油器取付け車
▽旧形式：3000形=元京王3000系
　20100形は元東武20000系。[ ]内は旧車号。
　2022.03.25から営業運転開始

▽2011.04.01　松本電気鉄道、諏訪バス、川中島バスの3社が合併して、アルピコ交通が発足。
　「松本電鉄上高地線」の名称は使用
▽クハ3000形とモハ20100形のパンタグラフは霜取用で、冬期以外は使用しない
▽3005-3006 は上高地線イメージキャラクター「渕東なぎさ」のラッピング(2013.03.20)
▽3003-3004 は10形の復刻ラッピング。21.08.14休車

しなの鉄道 運輸区(戸倉駅構内) 56両

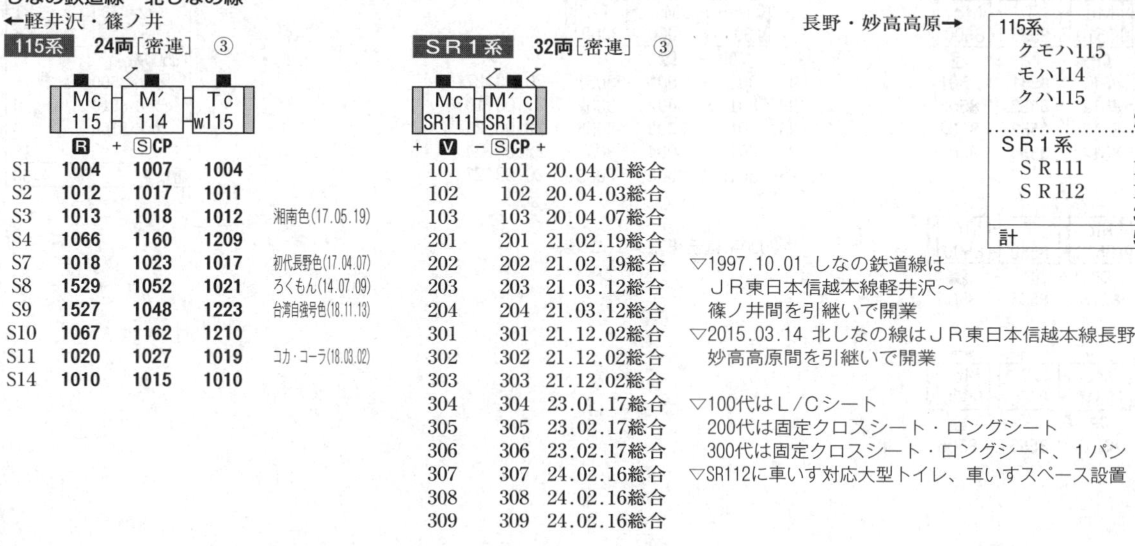

しなの鉄道線・北しなの線

←軽井沢・篠ノ井　　長野・妙高高原→

形式	両数
115系	
クモハ115	8
モハ114	8
クハ115	8
	24
ＳＲ1系	
ＳＲ111	16
ＳＲ112	16
	32
計	56

115系　**24両**［密連］③

	Mc 115	M′ 114	Tc w115	
	R +	SCP		
S1	**1004**	**1007**	**1004**	
S2	**1012**	**1017**	**1011**	
S3	**1013**	**1018**	**1012**	湘南色(17.05.19)
S4	**1066**	**1160**	**1209**	
S7	**1018**	**1023**	**1017**	初代長野色(17.04.07)
S8	**1529**	**1052**	**1021**	ろくもん(14.07.09)
S9	**1527**	**1048**	**1223**	台湾自強号色(18.11.13)
S10	**1067**	**1162**	**1210**	
S11	**1020**	**1027**	**1019**	コカ・コーラ(18.03.02)
S14	**1010**	**1015**	**1010**	

ＳＲ1系　**32両**［密連］③

Mc SR111	M′c SR112	
+ V	- SCP +	
101	101	20.04.01総合
102	102	20.04.03総合
103	103	20.04.07総合
201	201	21.02.19総合
202	202	21.02.19総合
203	203	21.03.12総合
204	204	21.03.12総合
301	301	21.12.02総合
302	302	21.12.02総合
303	303	21.12.02総合
304	304	23.01.17総合
305	305	23.02.17総合
306	306	23.02.17総合
307	307	24.02.16総合
308	308	24.02.16総合
309	309	24.02.16総合

▽1997.10.01 しなの鉄道線は
　ＪＲ東日本信越本線軽井沢～
　篠ノ井間を引継いで開業
▽2015.03.14 北しなの線はＪＲ東日本信越本線長野～
　妙高高原間を引継いで開業

▽100代はＬ/Ｃシート
　200代は固定クロスシート・ロングシート
　300代は固定クロスシート・ロングシート、１パン
▽SR112に車いす対応大型トイレ、車いすスペース設置

▽車両の検査(定検・重検など)は長電テクニカルサービス(屋代駅構内)に委託
▽115系はワンマン車　▽太字はリニューアル車。wはトイレ
◇Ｓ８編成は「ろくもん」(2014.07.11から営業運転開始)
▽パンタグラフ　Ｓ８・11編成は◇

上田電鉄 下之郷電車区 10両

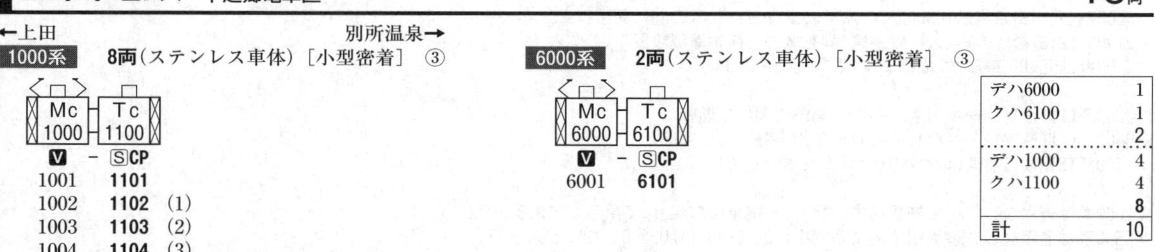

←上田　　別所温泉→

形式	両数
デハ6000	1
クハ6100	1
	2
デハ1000	4
クハ1100	4
	8
計	10

1000系　**8両**(ステンレス車体)［小型密着］③

Mc 1000	Tc 1100	
V	- SCP	
1001	**1101**	
1002	**1102**	(1)
1003	**1103**	(2)
1004	**1104**	(3)

6000系　**2両**(ステンレス車体)［小型密着］③

Mc 6000	Tc 6100
V	- SCP
6001	**6101**

▽(1)=れいんどりーむ号、(2)=自然と友だち号、(3)=まるまどりーむ号(2015.03.28)
▽旧形式：1000系・6000系=東京急行電鉄1000系
▽6000系は2015.03.28から営業運転開始。「さなだどりーむ号」の愛称
▼車いす対応スペース…太字の車両に設置

長野電鉄 須坂車庫 56両

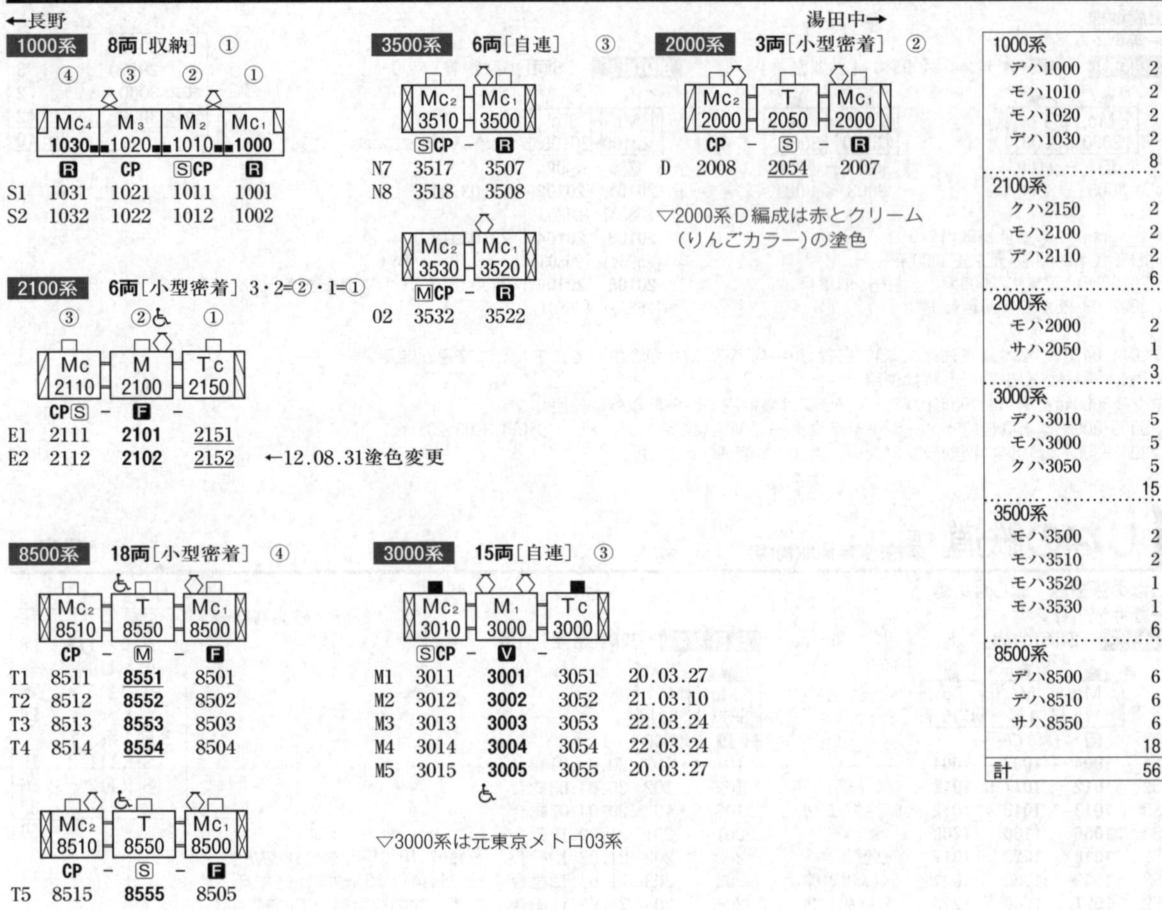

1000系

S1	1031	1021	1011	1001
S2	1032	1022	1012	1002

2100系

E1	2111	**2101**	2151
E2	2112	**2102**	2152

←12.08.31塗色変更

3500系

N7	3517	3507
N8	3518	3508
02	3532	3522

2000系

D	2008	2054	2007

▽2000系D編成は赤とクリーム（りんごカラー）の塗色

8500系

T1	8511	**8551**	8501
T2	8512	**8552**	8502
T3	8513	**8553**	8503
T4	8514	**8554**	8504
T5	8515	**8555**	8505
T6	8516	**8556**	8506

3000系

M1	3011	**3001**	3051	20.03.27
M2	3012	**3002**	3052	21.03.10
M3	3013	**3003**	3053	22.03.24
M4	3014	**3004**	3054	22.03.24
M5	3015	**3005**	3055	20.03.27

▽3000系は元東京メトロ03系

形式	両数
1000系	
デハ1000	2
モハ1010	2
モハ1020	2
デハ1030	2
	8
2100系	
クハ2150	2
モハ2100	2
デハ2110	2
	6
2000系	
モハ2000	2
サハ2050	1
	3
3000系	
デハ3010	5
モハ3000	5
クハ3050	5
	15
3500系	
モハ3500	2
モハ3510	2
モハ3520	1
モハ3530	1
	6
8500系	
デハ8500	6
デハ8510	6
サハ8550	6
	18
計	56

▽3500系・3600系（元東京地下鉄〈旧営団地下鉄〉3000系）はセミステンレス車体、
8500系（元東京急行電鉄8000系）はステンレス車体
3000系は（元東京メトロ03系）はアルミ車体
▽下線はレール塗油器取付
▽太字は車いす対応スペース付き

▽特急以外はワンマン運転
▽特急は1000系（ゆけむり）と2100系（スノーモンキー）を使用
▽1000系（元小田急電鉄10000形）の冷房装置は台枠と床の間に配置
21.03.12=S1編成のみ2人掛け座席1脚を撤去。荷物置場設置
▽2100系は元ＪＲ東日本「成田エクスプレス」用253系

▽3000系は抑速ブレーキ付き。長野～湯田中間にて運転
▽8500系は抑速ブレーキなし。長野～信州中野間にて運転
▽8500系T6編成の前面は非貫通（中間車改造のため）

▽2000系は運用なし。小布施駅構内「ながでん電車の広場」にて展示（2012.07.07から）
▽3500系は運用なし。須坂駅構内に留置中。3518編成は2023.03.19にラストラン

静岡鉄道 運転運輸営業所(長沼)　26両

←新静岡　新清水→

1000形　**2両**(ステンレス車体)［小型密着］③

Mc 1000	Tc 1500
RCP	M
1008	1508

▽＿＿はフランジ塗油器取付車
▽全車にスカート取付

クモハ1000	1
ク　ハ1500	1
	2
Aクモハ3000	12
Aク　ハ3500	12
	24
計	26

A3000形　**24両**(ステンレス車体)［小型密着］③

Mc A3000	Tc A3500	
V	SCP	
A3001	**A3501**	16.03.24総合(青色=富士山)
A3002	**A3502**	17.03.24総合(赤色=いちご)
A3003	**A3503**	18.03.20総合(緑色=お茶)
A3004	**A3504**	18.03.20総合(黄色=みかん)
A3005	**A3505**	19.03.10総合(濃い青色=駿河湾)
A3006	**A3506**	19.03.10総合
A3007	**A3507**	20.03.07総合(ピンク=桜エビ)
A3008	**A3508**	20.03.07総合(黄緑=山葵)
A3009	**A3509**	21.03.06総合
A3010	**A3510**	21.03.06総合
A3011	**A3511**	23.02.25総合
A3012	**A3512**	24.02.23総合

▽各車両に車いす対応スペース設置。座席はロングシート

▽ラッピング車
A3006-A3506=「東洋冷蔵」、
A3009-A3509=「まるちゃんの静岡音頭」
A3010-A3510=「ベルテック静岡」
「清水エスパルス」「トヨタユナイテッド静岡」

遠州鉄道 西鹿島検修場　32両

←西鹿島　新浜松→

1000形　**12両**［小型密着］③

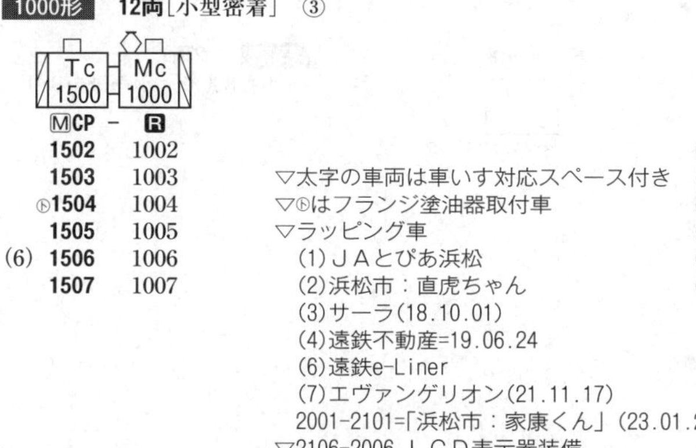

	Tc 1500	Mc 1000
	MCP	R
	1502	1002
	1503	1003
	Ⓕ**1504**	1004
	1505	1005
(6)	**1506**	1006
	1507	1007

▽太字の車両は車いす対応スペース付き
▽Ⓕはフランジ塗油器取付車
▽ラッピング車
(1)ＪＡとぴあ浜松
(2)浜松市：直虎ちゃん
(3)サーラ(18.10.01)
(4)遠鉄不動産=19.06.24
(6)遠鉄e-Liner
(7)エヴァンゲリオン(21.11.17)
2001-2101=「浜松市：家康くん」(23.01.20)
▽2106-2006 ＬＣＤ表示器装備
▽2001=VVVF改良型に変更・
2101=SIV(2107と同形式)変更　19.03.16
2002=VVVF改良型に変更　22.03.07
2102=SIV(2107と同形式)変更　22.03.07
▽全車ＬＣＤ表示器装備

2000形　**16両**［小型密着］③

	Tc 2100	Mc 2000	
	SCP	V	
(2)	**2101**	2001	
(4)	Ⓕ**2102**	2002	
(1)	**2103**	2003	
(7)	**2104**	2004	
(3)	**2105**	2005	←12.10.24日車
(4)	**2106**	2006	←15.03.04日車
	2107	2007	←18.02.16日車
	Ⓕ**2108**	2008	←21.02.26日車

モハ2000	8
クハ2100	8
モハ1000	6
クハ1500	6
計	28

電気機関車　**1両**［自連］
ＥＤ28形

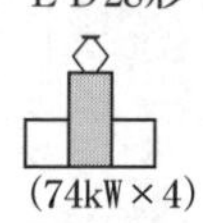

(74kW×4)
ＥＤ282

貨車　**3両**［自連］
ホキ800形　ホキ801 ～ 803

明知鉄道 明智運転区(明智駅構内)　6両

←恵那　明智→

アケチ10形　**4両**［小型密着］②

ロングシート

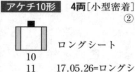

10	
11	17.05.26=ロングシート化
13	
14	

アケチ 100形　**2両**［小型密着］②

ロングシート

101	17.03.31新潟トランシス
102	18.03.26新潟トランシス

▽1985.11.16 国鉄明知線を引継ぎ開業

▽アケチ10形は第三セクター向け標準設計化車両。
エンジンの出力を従来の230psから295psにアップ、
車体は一般の鉄道車両と同じ構造とした
▽明智駅構内にて、2015.08.09にＣ12224構内運行
ＳＬ復活に向けた第１ステップ(圧縮空気利用)

大井川鐵道 新金谷車両区・両国車両区 97両

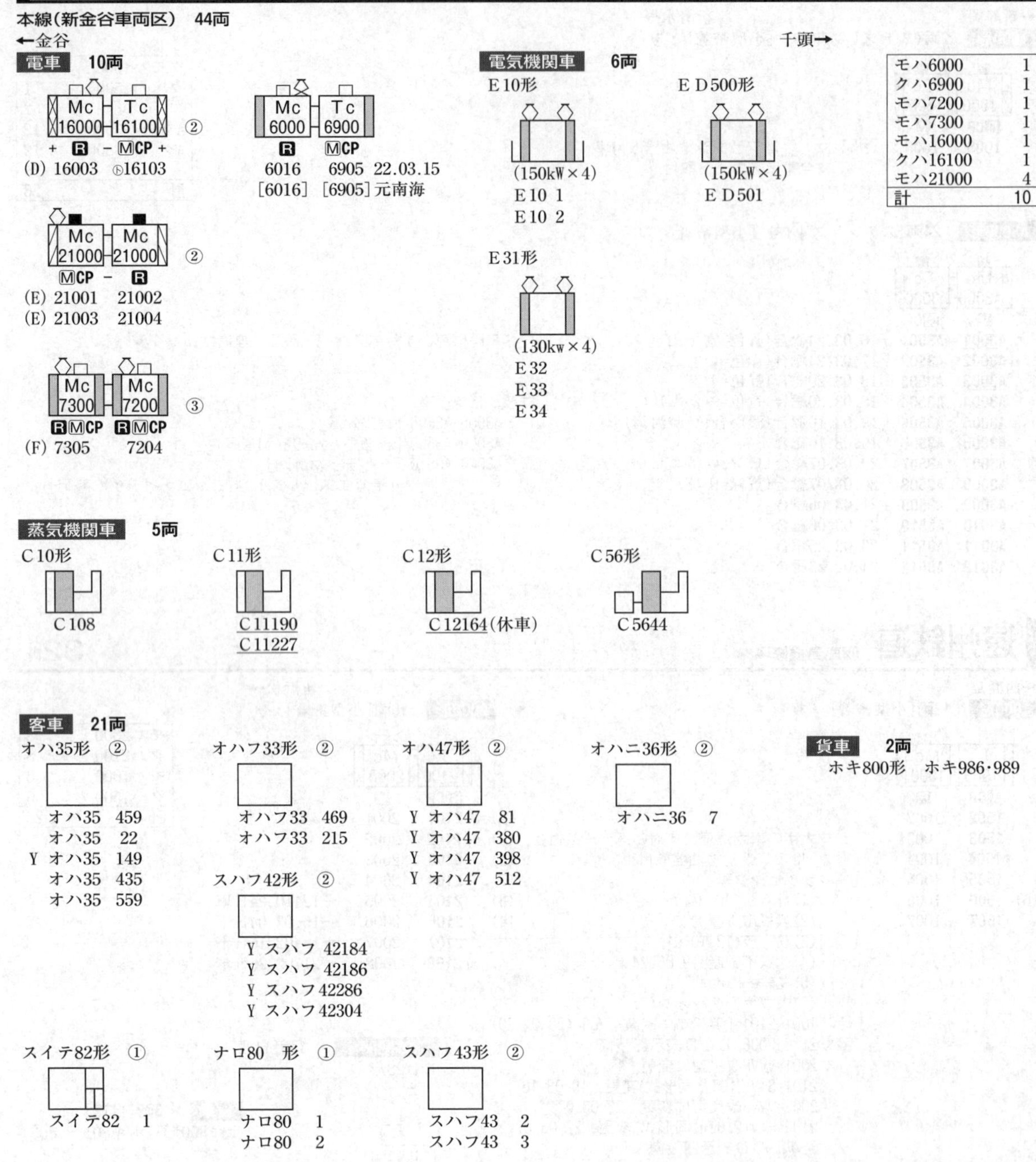

形式	両数
モハ6000	1
クハ6900	1
モハ7200	1
モハ7300	1
モハ16000	1
クハ16100	1
モハ21000	4
計	10

▽連結器 16000系は密連、7200·7300形は小型密着。それ以外の電車・機関車・客車・貨車は自連
▽Ⓡはレール塗油器取付け車。16103は2015年度施工
▽「かわね路」号はＳＬと客車3～7両で運転
▽客車の塗装は、Y=黄色(トーマス用)、表示なしは茶色
▽Ｃ12164とスハフ43·オハニ36形は日本ナショナルトラスト所有
▽Ｃ5644は国鉄仕様に復元、2011.01.29から営業運転
▽電車の旧所有者と形式
(D)=近畿日本鉄道16000系
(E)=南海電気鉄道21000系(高野線用ズームカー)
(F)=旧十和田観光電鉄7200系(元東京急行電鉄7200系)。2015.02.23から営業運転開始
▽Ｅ31形は旧西武鉄道Ｅ31形

井川線(両国車両区)　53両［小型自連］

←千頭　　　　井川→

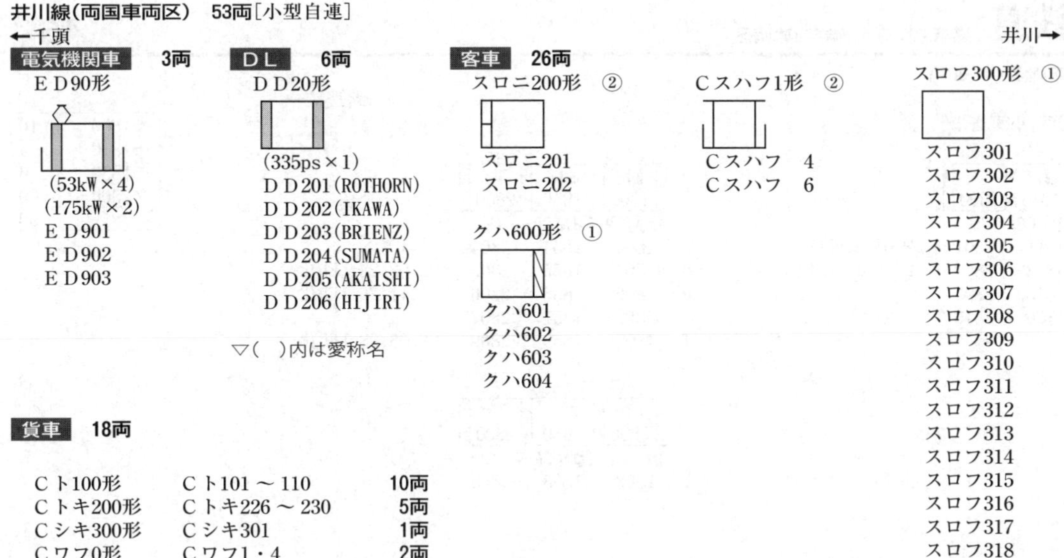

電気機関車　3両

ＥＤ90形

(53kW×4)
(175kW×2)
ＥＤ901
ＥＤ902
ＥＤ903

ＤＬ　6両

ＤＤ20形

(335ps×1)
ＤＤ201(ROTHORN)
ＤＤ202(IKAWA)
ＤＤ203(BRIENZ)
ＤＤ204(SUMATA)
ＤＤ205(AKAISHI)
ＤＤ206(HIJIRI)

▽(　)内は愛称名

客車　26両

スロニ200形　②

スロニ201
スロニ202

クハ600形　①

クハ601
クハ602
クハ603
クハ604

Ｃスハフ1形　②

Ｃスハフ　4
Ｃスハフ　6

スロフ300形　①

スロフ301
スロフ302
スロフ303
スロフ304
スロフ305
スロフ306
スロフ307
スロフ308
スロフ309
スロフ310
スロフ311
スロフ312
スロフ313
スロフ314
スロフ315
スロフ316
スロフ317
スロフ318

貨車　18両

Ｃト100形	Ｃト101～110	**10両**
Ｃトキ200形	Ｃトキ226～230	**5両**
Ｃシキ300形	Ｃシキ301	**1両**
Ｃワフ0形	Ｃワフ1・4	**2両**

▽ワフ1･4は本線車両とも連結可能なように連結器を上下に2基取付けている
▽井川線は上下列車ともＥＬ・ＤＬを千頭方に連結
▽クハ600形はＥＬ・ＤＬを総括制御できる
▽スロフ316は半室オープン構造。
スロフ317はスハフ502から改造(2011.08.12公開、2011.08.28運用開始)
スロフ318はスハフ501から改造(22.03.22:座席はクロスシート、側窓はバス窓を下降式窓に)
▽ＥＤ90形の175kW×2はラック用モーターの出力を示す

天竜浜名湖鉄道　天竜車両区(天竜二俣駅構内)　15両

←掛川　　　　新所原→

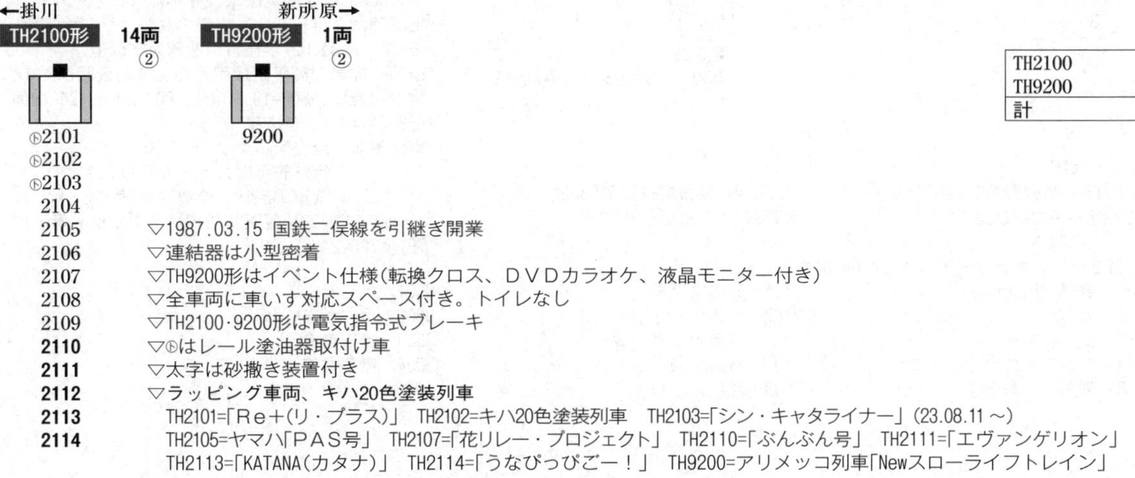

TH2100形　14両　②

㋣2101
㋣2102
㋣2103
2104
2105
2106
2107
2108
2109
2110
2111
2112
2113
2114

TH9200形　1両　②

9200

TH2100	14
TH9200	1
計	15

▽1987.03.15 国鉄二俣線を引継ぎ開業
▽連結器は小型密着
▽TH9200形はイベント仕様(転換クロス、ＤＶＤカラオケ、液晶モニター付き)
▽全車両に車いす対応スペース付き。トイレなし
▽TH2100･9200形は電気指令式ブレーキ
▽㋣はレール塗油器取付け車
▽太字は砂撒き装置付き
▽ラッピング車両、キハ20色塗装列車
TH2101=｢Ｒｅ＋(リ・プラス)｣　TH2102=キハ20色塗装列車　TH2103=｢シン・キャタライナー｣(23.08.11～)
TH2105=ヤマハ｢ＰＡＳ号｣　TH2107=｢花リレー・プロジェクト｣　TH2110=｢ぶんぶん号｣　TH2111=｢エヴァンゲリオン｣
TH2113=｢KATANA(カタナ)｣　TH2114=｢うなぴっぴごー！｣　TH9200=アリメッコ列車｢Newスローライフトレイン｣

▽天竜二俣駅構内にて、Ｃ58389、キハ20443、ナハネ20347を保存、展示しているほか、
日時を決めて、転車台・鉄道歴史館見学ツアーを開催(詳細はホームページにて確認)

豊橋鉄道 高師車両区・赤岩口車両区 46両

渥美線(高師車両区) 30両

←三河田原　　新豊橋→

1800系 30両[小型密着] ③

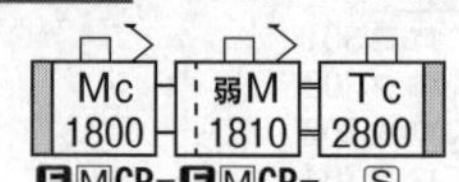

	Mc 1800	弱M 1810	Tc 2800	
H	1801	1811	2801	22.03.22=LED化
H	1802	1812	2802	22.12.17=LED化
H	1803	1813	2803	
T	1810	1860	2810	

	Mc 1800	弱M 1850	Tc 2800	
H	1804	1854	2804	
H	1805	1855	2805	22.02.28=LED化
H	1806	1856	2806	21.11.26=LED化
T	1807	1857	2807	
T	1809	1859	2809	22.08.08=LED化

	Mc 1800	弱M 1850	Tc 2800
T	1808	1858	2808

形式	両数
モ1800	10
モ1810	4
モ1850	6
ク2800	10
計	30

▽中間車は全車、弱冷房車

▽1800系は元東京急行電鉄7200系、Hは日立製作所、Tは東洋電機製造の電機品
▽2013.01.12から、「渥美線カラフルトレイン」を順次運行開始。
1801編成=ばら　1802編成=はまぼう　1803編成=つつじ　1804編成=ひまわり　1805編成=菖蒲
1806編成=しでこぶし　1807編成=「100周年」ラッピング　1808編成=椿　1809編成=桜　1810編成=菊
▽1800系　全編成に車いすスペースあり。LED化改造に合わせ床材更新

東田本線(赤岩口車両区) 16両

←赤岩口・運動公園前　　駅前→

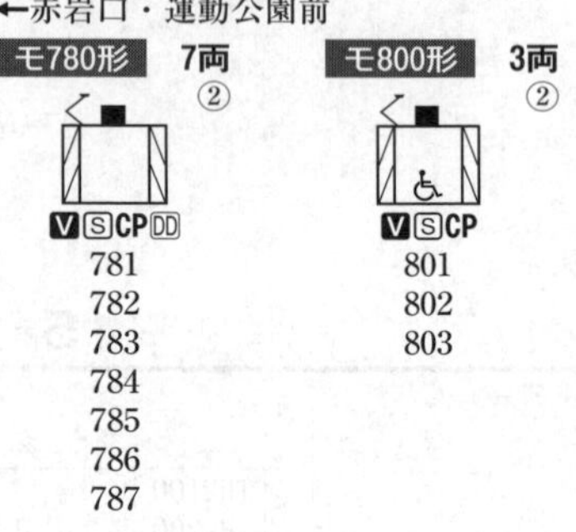

モ780形 7両 ②
781
782
783
784
785
786
787

モ800形 3両 ②
801
802
803

モ3500形 4両 ②
3501
3502
3504

3503　24.03.01=車体更新

モ3200形 1両 ②
3203

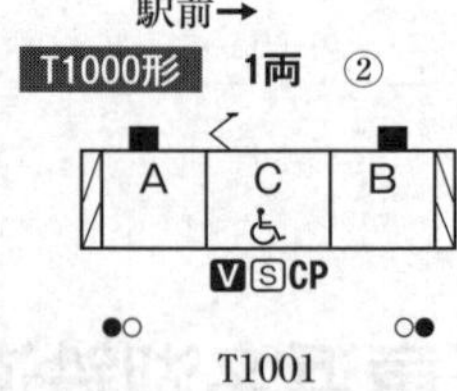

T1000形 1両 ②
T1001

▽モT1000形は全面低床車、愛称は「ほっトラム」
▽モ3203はクリーム色に赤帯の豊鉄オリジナル色
▽モ801=18.04.02(半径11m曲線対応改造)
駅前～赤岩口間限定運用から、運動公園前への入線が可能に。802=19.10.31、803=20.03.24 増備
▽モ800形は部分低床車
▽車体更新　全座席ロングシート化、
行先表示器カラーＬＥＤ化、
降車扉形状、位置変更等
▽780形VVVF制御装置更新(SiCハイブリッド素子)
781・785=24.03.21

▽旧形式対照
モ780形=名古屋鉄道モ780形　　モ3200形=名古屋鉄道モ580形
モ800形=名古屋鉄道モ800形　　モ3500形=東京都電7000形

●全面広告車スポンサー一覧(2024.04.01現在)

781	豊橋信用金庫	786	日の丸薬局	3501	サーラCo.
782	カスタムハウジングCo.	787	メガワールド	3502	ヤマサちくわ
783	クックマート	801	ブラックサンダー	3503	吉田商会
784	シンフォニアテクノロジー	802	有楽製菓	3504	県民共済
785	愛知ダイハツ	803	豊橋けいりん		

愛知環状鉄道 北野桝塚運転区 40両

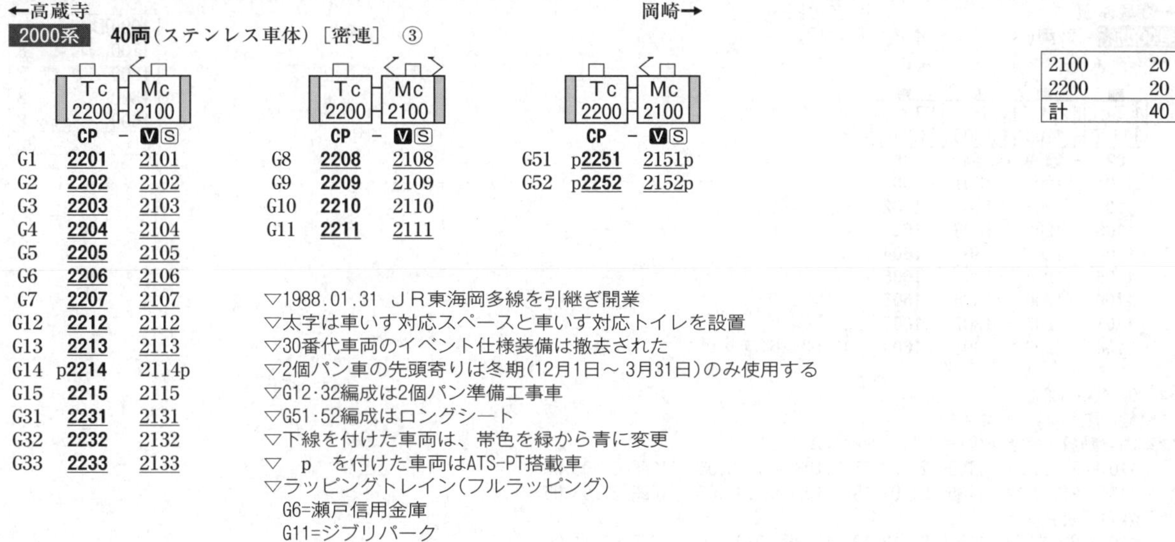

←高蔵寺 岡崎→

2000系 **40両**(ステンレス車体)[密連] ③

	Tc 2200 CP	Mc 2100 VS		Tc 2200 CP	Mc 2100 VS		Tc 2200 CP	Mc 2100 VS
G1	**2201**	2101	G8	**2208**	2108	G51	p**2251**	2151p
G2	**2202**	2102	G9	**2209**	2109	G52	p**2252**	2152p
G3	**2203**	2103	G10	**2210**	2110			
G4	**2204**	2104	G11	**2211**	2111			
G5	**2205**	2105						
G6	**2206**	2106						
G7	**2207**	2107						
G12	**2212**	2112						
G13	**2213**	2113						
G14	p**2214**	2114p						
G15	**2215**	2115						
G31	**2231**	2131						
G32	**2232**	2132						
G33	**2233**	2133						

2100	20
2200	20
計	40

▽1988.01.31 ＪＲ東海岡多線を引継ぎ開業
▽太字は車いす対応スペースと車いす対応トイレを設置
▽30番代車両のイベント仕様装備は撤去された
▽2個パン車の先頭寄りは冬期(12月1日～ 3月31日)のみ使用する
▽G12･32編成は2個パン準備工事車
▽G51･52編成はロングシート
▽下線を付けた車両は、帯色を緑から青に変更
▽ p を付けた車両はATS-PT搭載車
▽ラッピングトレイン(フルラッピング)
G6=瀬戸信用金庫
G11=ジブリパーク

愛知高速交通 車庫(陶磁資料館南付近) 27両

←藤が丘 八草→

100形 **27両**(アルミ車体)[密連] ②

	Mc1 101 VS	M 102 VCP	Mc2 103 VS
01	**111**	112	**113**
02	**121**	122	**123**
03	**131**	132	**133**
04	**141**	142	**143**
05	**151**	152	**153**
06	**161**	162	**163**
07	**171**	172	**173**
08	**181**	182	**183**
09	**191**	192	**193**

100形	
101	9
102	9
103	9
計	27

▽2005.03.06開業
▽常電導吸引型磁気浮上・リニアインダクションモーター推進方式、
ＡＴＯによる自動運転、愛称は「Linimo(リニモ)」
▽太字の車両は車いす対応スペース付き
▽「愛・地球博記念公園(モリコロパーク)」内にジブリパーク、2022.11.01開園。
開園を踏まえて、09編成が2022.10.13、運行復活。
07編成は、2022.10.15、ジブリパーク ラッピング
▽ラッピング 04=「ひまわりネットワーク」(22.10.01 ～) 06=「ソーライオン号」(22.10.01 ～)
その他 08=「KTC GROUP」(23.02.01 ～)

名古屋臨海高速鉄道 潮凪車庫(野跡付近) 32両

←金城ふ頭　　　　　　名古屋→

1000形 **32両**(ステンレス車体)［自連］③

1000形	
1100	8
1200	8
1300	8
1600	8
計	32

Tc1 1100	M1 1200	M2 1300	Tc2 1600	
CP	VS	V	CP	
1101	1201	1301	**1601**	
1102	1202	1302	**1602**	
1103	1203	1303	**1603**	
1104	1204	1304	**1604**	
1105	1205	1305	**1605**	
1106	1206	1306	**1606**	
1107	1207	1307	**1607**	
1108	1208	1308	**1608**	17.03.26(ラッピング)

▽2004.10.06開業

▽路線の名称は「あおなみ線」

▽車内自動放送多言語化(タブレット端末による)

1101F=21.03.12　1102F=21.03.05　1103F=21.03.08　1104F=21.03.06
1105F=21.03.12　1106F=21.02.19　1107F=21.03.07　1108F=21.03.05

▽ＴＡＳＣ装置更新

1101F=21.02.25　1102F=20.12.10　1103F=20.02.25　1104F=21.11.05
1105F=22.02.28　1106F=19.03.19　1107F=22.10.12　1108F=23.02.22

▽車内案内表示器更新(ＬＣＤ化)、優先座席吊皮変更

1101F=23.03.31　1102F=23.03.28　1103F=23.03.10　1104F=23.03.20
1105F=23.03.07　1106F=23.03.24　1107F=23.03.02　1108F=23.03.15

東海交通事業 勝川検修庫 2両

←勝川　　　　　枇杷島→

キハ11形 **2両**［小型密着］②

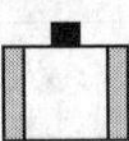

11-301 ←15.09.11(元ＪＲ東海)
11-302 ←16.03.11(元ＪＲ東海)　16.06.15車体色を変更運行開始(窓回り朱色)

▽車いす対応スペース……太字の車両に設置

名古屋市交通局　藤が丘工場・名港工場・大幸車庫・日進工場・徳重車庫　782両

東山線［1号線］（藤が丘工場）288両

←藤が丘　　　　高畑→

5050形　162両（ステンレス車体）［小型密着］③

	Tc1 5150	M2 5250	M1 5350	M1′ 5450	M2′ 5550	Tc2 5650
	S	CP	V	V	CP	S
更新	**5151**	5251	5351	5451	5551	**5651**
更新	**5152**	5252	5352	5452	5552	**5652**
更新	**5153**	5253	5353	5453	5553	**5653**
更新	**5154**	5254	5354	5454	5554	**5654**
更新	**5155**	5255	5355	5455	5555	**5655**
更新	**5156**	5256	5356	5456	5556	**5656**
更新	**5157**	5257	5357	5457	5557	**5657**
更新	**5158**	5258	5358	5458	5558	**5658**
	5159	5259	5359	5459	5559	**5659**
	5160	5260	5360	5460	5560	**5660**
	5161	5261	5361	5461	5561	**5661**
	5162	5262	5362	5462	5562	**5662**
	5163	5263	5363	5463	5563	**5663**
	5164	5264	5364	5464	5564	**5664**
	5165	5265	5365	5465	5565	**5665**
	5166	5266	5366	5466	5566	**5666**
	5167	5267	5367	5467	5567	**5667**
	5168	5268	5368	5468	5568	**5668**
	5169	5269	5369	5469	5569	**5669**
	5170	5270	5370	5470	5570	**5670**
	5171	5271	5371	5471	5571	**5671**
	5172	5272	5372	5472	5572	**5672**
	5173	5273	5373	5473	5573	**5673**
	5174	5274	5374	5474	5574	**5674**
	5175	5275	5375	5475	5575	**5675**
	5176	5276	5376	5476	5576	**5676**
	5177	5277	5377	5477	5577	**5677**

▽5151編成　17.03.06更新修繕
5152編成　19.02.27更新修繕
5153編成　18.02.27更新修繕
5154編成　20.02.03更新修繕
5155編成　22.01.28更新修繕
5156編成　21.02.03更新修繕
5157編成　21.09.29更新修繕
5158編成　21.11.25更新修繕
5159編成　23.11.24更新修繕
5160編成　24.01.26更新修繕
5161編成　24.03.28更新修繕

N1000形　126両（ステンレス車体）［小型密着］③

Tc1 N1100	M1 N1200	M2 N1300	M2′ N1400	M1′ N1500	Tc2 N1600	
S	V	CP	CP	V	S	
N1101	**N1201**	**N1301**	**N1401**	**N1501**	**N1601**	
N1102	**N1202**	**N1302**	**N1402**	**N1502**	**N1602**	
N1103	**N1203**	**N1303**	**N1403**	**N1503**	**N1603**	
N1104	**N1204**	**N1304**	**N1404**	**N1504**	**N1604**	
N1105	**N1205**	**N1305**	**N1405**	**N1505**	**N1605**	12.07.23日車
N1106	**N1206**	**N1306**	**N1406**	**N1506**	**N1606**	12.08.03日車
N1107	**N1207**	**N1307**	**N1407**	**N1507**	**N1607**	12.08.21日車
N1108	**N1208**	**N1308**	**N1408**	**N1508**	**N1608**	12.09.07日車
N1109	**N1209**	**N1309**	**N1409**	**N1509**	**N1609**	12.11.26日車
N1110	**N1210**	**N1310**	**N1410**	**N1510**	**N1610**	12.12.12日車
N1111	**N1211**	**N1311**	**N1411**	**N1511**	**N1611**	13.05.22日車
N1112	**N1212**	**N1312**	**N1412**	**N1512**	**N1612**	13.06.18日車
N1113	**N1213**	**N1313**	**N1413**	**N1513**	**N1613**	13.07.04日車
N1114	**N1214**	**N1314**	**N1414**	**N1514**	**N1614**	13.10.07日車
N1115	**N1215**	**N1315**	**N1415**	**N1515**	**N1615**	13.10.29日車
N1116	**N1216**	**N1316**	**N1416**	**N1516**	**N1616**	14.06.26日車
N1117	**N1217**	**N1317**	**N1417**	**N1517**	**N1617**	14.07.17日車
N1118	**N1218**	**N1318**	**N1418**	**N1518**	**N1618**	14.07.29日車
N1119	**N1219**	**N1319**	**N1419**	**N1519**	**N1619**	15.02.17日車
N1120	**N1220**	**N1320**	**N1420**	**N1520**	**N1620**	15.03.04日車
N1121	**N1221**	**N1321**	**N1421**	**N1521**	**N1621**	15.04.23日車

▼優先席……全車両に設置
▼車いす対応スペース……太字の車両に設置

▽全般検査および重要部検査は各工場で実施

名城線［2・4号線］（名港工場・大幸車庫） 216両

←名古屋港　　　　大曽根→

2000形 **216両**（ステンレス車体）［小型密着］ ③

	Tc1 2100	M1 2200	M2 2300	M2′ 2400	M1′ 2500	Tc2 2600
	S	V	CP	CP	V	S
更新	2101	2201	2301	2401	2501	2601
更新	2102	2202	2302	2402	2502	2602
更新	2103	2203	2303	2403	2503	2603
更新	2104	2204	2304	2404	2504	2604
更新	2105	2205	2305	2405	2505	2605
更新	2106	2206	2306	2406	2506	2606
更新	2107	2207	2307	2407	2507	2607
更新	2108	2208	2308	2408	2508	2608
更新	2109	2209	2309	2409	2509	2609
更新	**2110**	2210	2310	2410	2510	**2610**
更新	**2111**	2211	2311	2411	2511	**2611**
更新	**2112**	2212	2312	2412	2512	**2612**
更新	**2113**	2213	2313	2413	2513	**2613**
更新	**2114**	2214	2314	2414	2514	**2614**
更新	**2115**	2215	2315	2415	2515	**2615**
更新	**2116**	2216	2316	2416	2516	**2616**
更新	**2117**	2217	2317	2417	2517	**2617**
更新	**2118**	2218	2318	2418	2518	**2618**
更新	**2119**	2219	2319	2419	2519	**2619**
更新	**2120**	2220	2320	2420	2520	**2620**
更新	**2121**	2221	2321	2421	2521	**2621**
更新	**2122**	2222	2322	2422	2522	**2622**
	2123	2223	2323	2423	2523	**2623**
更新	**2124**	2224	2324	2424	2524	**2624**
更新	**2125**	2225	2325	2425	2525	**2625**
更新	**2126**	2226	2326	2426	2526	**2626**
更新	**2127**	2227	2327	2427	2527	**2627**
	2128	2228	2328	2428	2528	**2628**
	2129	2229	2329	2429	2529	**2629**
	2130	2230	2330	2430	2530	**2630**
	2131	2231	2331	2431	2531	**2631**
	2132	2232	2332	2432	2532	**2632**
	2133	2233	2333	2433	2533	**2633**
	2134	2234	2334	2434	2534	**2634**
	2135	2235	2335	2435	2535	**2635**
	2136	2236	2336	2436	2536	**2636**

▽名城線は環状運転、金山～名古屋港間は名港線
▽2016.07.04から女性専用車（平日始発から9:30）
▽車両の向きは栄での状態を示す
▽更新修繕
2101F=15.11.13、2102F=14.03.12、2103F=13.02.26、2104F=16.06.10、2105F=14.11.10、2106F=17.04.06、2107F=17.06.26、2108F=18.10.22、2109F=18.11.29、2110F=20.06.25、2111F=17.05.18、2112F=19.12.02、2113F=18.06.22、2114F=18.08.02、2115F=18.09.10、2116F=20.04.06、2117F=17.01.19、2118F=17.08.03、2119F=20.02.26、2120F=16.12.05、2121F=20.05.19、2122F=19.08.01、2124F=16.08.18、2125F=16.10.24、2126F=19.04.04、2127F=19.06.25
▽ホーム柵改造
2101F=17.10.23、2102F=17.12.01、2103F=19.10.23、2104F=18.05.16、2105F=17.02.27、2106F=17.04.06、2107F=17.06.26、2108F=18.10.22、2109F=18.11.29、2110F=20.06.25、2111F=17.05.18、2112F=19.12.02、2113F=18.06.22、2114F=18.08.02、2115F=18.09.10、2116F=20.04.06、2117F=17.01.19、2118F=17.08.03、2119F=20.02.26、2120F=16.12.05、2121F=20.05.19、2122F=19.08.01、2123F=18.02.23、2124F=16.08.18、2125F=16.10.24、2126F=19.04.04、2127F=19.06.25、2128F=18.01.16、2129F=20.01.26、2130F=18.04.04、2131F=19.01.16、2132F=20.08.06、2133F=19.05.20、2134F=19.09.10、2135F=17.09.12、2136F=19.02.25

鶴舞線［3号線］（日進工場） 150両

←赤池（名鉄豊田線）　　　　上小田井（名鉄犬山線）→

3050形 **54両**（ステンレス車体）［小型密着］ ④

Mc1 3150	T1 3250	M′ 3350	T2 3450	M 3750	Tc 3850	
V CP	S	V		V CP	S	
3151	3251	3351	3451	3751	**3851**	23.09.20更新修繕
3152	3252	3352	3452	3752	**3852**	20.07.27更新修繕
3153	3253	3353	3453	3753	**3853**	20.02.10更新修繕
3154	3254	3354	3454	3754	**3854**	24.01.23更新修繕
3155	3255	3355	3455	3755	**3855**	21.01.06更新修繕
3156	3256	3356	3456	3756	**3856**	20.10.02更新修繕
3157	3257	3357	3457	3757	**3857**	24.03.22更新修繕
3158	3258	3358	3458	3758	**3858**	
3160	3260	3360	3460	3760	**3860**	

N3000形 **96両**（アルミ車体［Aℓ］・ステンレス車体［SUS］）［小型密着］ ④

	Tc1 N3100	M1 N3200	M2 N3300	T1 N3400	M3 N3700	Tc2 N3800	
	S	V CP	V		V CP	S	
Aℓ	**N3101**	**N3201**	**N3301**	**N3401**	**N3701**	**N3801**	11.10.27日立
SUS	**N3102**	**N3202**	**N3302**	**N3402**	**N3702**	**N3802**	12.05.31日車
SUS	**N3103**	**N3203**	**N3303**	**N3403**	**N3703**	**N3803**	12.07.31日車
SUS	**N3104**	**N3204**	**N3304**	**N3404**	**N3704**	**N3804**	14.05.30日車
SUS	**N3105**	**N3205**	**N3305**	**N3405**	**N3705**	**N3805**	15.05.29日車
SUS	**N3106**	**N3206**	**N3306**	**N3406**	**N3706**	**N3806**	16.06.10日車
SUS	**N3107**	**N3207**	**N3307**	**N3407**	**N3707**	**N3807**	16.06.24日車
SUS	**N3108**	**N3208**	**N3308**	**N3408**	**N3708**	**N3808**	17.07.31日車
SUS	**N3109**	**N3209**	**N3309**	**N3409**	**N3709**	**N3809**	17.09.07日車
SUS	**N3110**	**N3210**	**N3310**	**N3410**	**N3710**	**N3810**	19.08.02日車
SUS	**N3111**	**N3211**	**N3311**	**N3411**	**N3711**	**N3811**	19.09.26日車
SUS	**N3112**	**N3212**	**N3312**	**N3412**	**N3712**	**N3812**	20.12.11日車
SUS	**N3113**	**N3213**	**N3313**	**N3413**	**N3713**	**N3813**	21.04.16日車
SUS	**N3114**	**N3214**	**N3314**	**N3414**	**N3714**	**N3814**	22.02.14日車
SUS	**N3115**	**N3215**	**N3315**	**N3415**	**N3715**	**N3815**	22.03.17日車
SUS	**N3116**	**N3216**	**N3316**	**N3416**	**N3716**	**N3816**	23.02.13日車

▽鶴舞線は名鉄豊田線・犬山線と乗入れ

▼優先席……全車両に設置
▼車いす対応スペース……太字の車両に設置

桜通線[6号線]（徳重車庫・日進工場） 120両

←徳重　　　　　　　　　　　　　　　中村区役所→

6000形 **100両**(ステンレス車体)［小型密着］ ④

Mc 6100	T1 6200	M′ 6300	M 6700	Tc 6800	更新修繕
VCP	S	V	VCP	S	
6101	6201	6301	6701	6801	15.12.28
6102	6202	6302	6702	6802	18.03.15
6103	6203	6303	6703	6803	20.03.03
6104	6204	6304	6704	6804	12.03.30
6105	6205	6305	6705	6805	17.05.09
6106	6206	6306	6706	6806	18.07.20
6107	6207	6307	6707	6807	18.11.16
6108	6208	6308	6708	6808	16.12.21
6109	6209	6309	6709	6809	18.10.15
6110	6210	6310	6710	6810	17.03.06
6111	6211	6311	6711	6811	13.11.06
6112	6212	6312	6712	6812	14.12.17
6113	6213	6313	6713	6813	13.03.04
6114	6214	6314	6714	**6814**	19.11.11
6115	6215	6315	6715	**6815**	20.06.04
6116	6216	6316	6716	**6816**	22.03.03
6117	6217	6317	6717	**6817**	21.03.05
6118	6218	6318	6718	**6818**	21.06.04
6119	6219	6319	6719	**6819**	21.08.03
6120	6220	6320	6720	**6820**	21.12.24

6050形 **20両**(ステンレス車体)［小型密着］ ④

Tc1 6150	M1 6250	M2 6350	M3 6750	Tc2 6850
S	VCP	V	VCP	S
6151	**6251**	**6351**	**6751**	**6851**
6152	**6252**	**6352**	**6752**	**6852**
6153	**6253**	**6353**	**6753**	**6853**
6154	**6254**	**6354**	**6754**	**6854**

▽桜通線はＡＴＯを併用したワンマン運転

▼優先席……全車両に設置

▼車いす対応スペース……太字の車両に設置

▽更新修繕の施工月日は2011年度以降に実施の車両を表記

東山線		名城線		鶴舞線		桜通線	
5050形		2000形		3050形		6000形	
5150	27	2100	36	3150	9	6100	20
5250	27	2200	36	3250	9	6200	20
5350	27	2300	36	3350	9	6300	20
5450	27	2400	36	3450	9	6700	20
5550	27	2500	36	3750	9	6800	20
5650	27	2600	36	3850	9		100
	162		216		54	6050形	
N1000形		計	216	N3000形		6050	4
N1100	21			N3100	16	6250	4
N1210	21			N3200	16	6350	4
N1300	21			N3300	16	6750	4
N1400	21			N3400	16	6850	4
N1500	21			N3700	16		20
N1600	21			N3800	16	計	120
	126				96	上飯田線	
計	288			計	150	7100	2
						7200	2
						7300	2
						7600	2
							8
						計	8
						合計	782

上飯田線(日進工場) 8両

←平安通　　上飯田(名鉄小牧線)→

7000形 **8両**(ステンレス車体)［小型密着］ ④

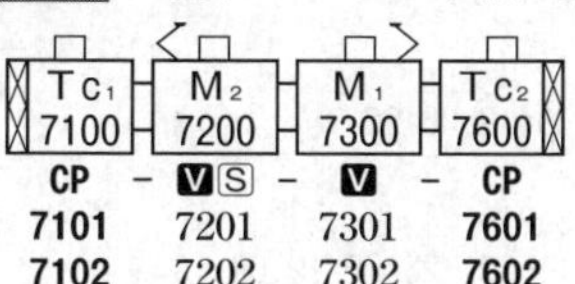

7100	7200	7300	7600
7101	7201	7301	**7601**
7102	7202	7302	**7602**

▽上飯田線は2003.03.27開業。名鉄小牧線と相互乗入れ、ワンマン運転実施

▽レトロでんしゃ館(日進工場北側)に、地下鉄東山線100形107・108、市電1400形1421、2000形2017、3000形3003を保存、展示
公開日など詳細は、名古屋市交通局ホームページなどを参照

名古屋鉄道　茶所・新川・犬山・豊明・猿投・尾張旭検車支区　1076両

名古屋本線系統(茶所・新川・犬山・豊明・猿投検車支区)　978両(瀬戸線はのぞく)

←豊橋・豊川稲荷・河和・内海・中部国際空港・蒲郡・新羽島　　津島・名鉄岐阜→

1000･1200系　72両(パノラマスーパー)［小型密着］②・③(3～6号車)

	①	②WC	wc③	④	⑤	⑥
	Tc₁ 1000	M₂ 1050	M₁′ 1250	弱T 1200	M₂′ 1450	Mc₁ 1400
	DD	F		DDCP	F	DDCP
ⓡ	1011	1061	*1261*	1211	1461	*1411*
ⓡ	1012	1062	*1262*	1212	1462	*1412*
ⓡ	1013	1063	*1263*	1213	1463	*1413*
ⓡ	1014	1064	*1264*	1214	1464	*1414*
ⓡ	1015	1065	*1265*	1215	1465	*1415*
ⓡ	1016	1066	*1266*	1216	1466	*1416*

	①	②WC	③	④	⑤	⑥
	Tc₂ 1100	M₁ 1150	M₂′′ 1350	弱T 1200	M₂′ 1450	Mc₁ 1400
	DD		F	DDCP	F	DDCP
ⓡ	1111	1161	*1361*	1311	1561	*1511*
ⓡ	1112	1162	*1362*	1312	1562	*1512*
ⓡ	1113	1163	*1363*	1313	1563	*1513*
ⓡ	1114	1164	*1364*	1314	1564	*1514*
ⓡ	1115	1165	*1365*	1315	1565	*1515*
ⓡ	1116	1166	*1366*	1316	1566	*1516*

▽Wi-Fi設置　1263-1213-1463-1413=19.10.29
1363-1313-1563-1513=20.02.26
1365-1315-1565-1515=20.10.05

1800系　18両［小型密着］③

Tc 1800	Mc 1900	内装更新
SCP	F	
1801	*1901*	18.01.10
1802	*1902*	17.09.29
1803	*1903*	18.11.02
1804	*1904*	19.02.20
1805	*1905*	18.08.03
1806	*1906*	18.03.06
1807	*1907*	18.05.28
1808	*1908*	17.05.26
1809	*1909*	18.12.19

▽内装更新時に車体デザイン変更

2000系　48両(ミュースカイ)［小型密着］②

①	②WC	③	④
Tc 2000	M 2050	M₁ 2150	Mc 2100
CP	CP	VSCP	VS
2001	*2051*	2151	2101
2002	*2052*	2152	2102
2003	*2053*	2153	2103
2004	*2054*	2154	2104
2005	*2055*	2155	2105
2006	*2056*	2156	2106
2007	*2057*	2157	2107
2008	*2058*	2158	2108
2009	*2059*	2159	2109
2010	*2060*	2160	2110
2011	*2061*	2161	2111
2012	*2062*	2162	2112

▽モ1900のFは界磁添加励磁方式

2200系　102両［小型密着］②・③(3～6号車)

①	wc②	③	④	⑤	⑥	
Mc₁ 2200	T₁ 2250	T₂ 2400	弱M 2450	T₂′ 2350	Mc₂ 2300	
VS		CP	VS	CP	VS	
2201	*2251*	2401	2451	2351	*2301*	15.09.14外観デザイン変更
2202	*2252*	2402	2452	2352	*2302*	16.07.01外観デザイン変更
2203	*2253*	2403	2453	2353	*2303*	16.09.20外観デザイン変更
2204	*2254*	2404	2454	2354	*2304*	16.10.27外観デザイン変更
2205	*2255*	2405	2455	2355	*2305*	16.12.14外観デザイン変更
2206	*2256*	2406	2456	2356	*2306*	17.03.08外観デザイン変更
2207	*2257*	2407	2457	2357	*2307*	16.01.30外観デザイン変更
2208	*2258*	2408	2458	2358	*2308*	16.04.25外観デザイン変更
2209	*2259*	2409	2459	2359	*2309*	16.08.09外観デザイン変更
2210	*2260*	2410	2460	2360	*2310*	15.04.13日車=外観デザイン変更車
2211	*2261*	2411	2461	2361	*2311*	15.05.11日車=外観デザイン変更車
2212	*2262*	2412	2462	2362	*2312*	16.04.13日車=外観デザイン変更車
2213	*2263*	2413	2463	2363	*2313*	19.02.13日車
2231	*2281*	2431	2481	2381	*2331*	①②=20.11.12日車 15.08.06外観デザイン変更③～⑥
2232	*2282*	2432	2482	2382	*2332*	①②=20.11.12日車 15.10.16外観デザイン変更③～⑥
2233	*2283*	2433	2483	2383	*2333*	①②=19.12.10日車
2234	*2284*	2434	2484	2384	*2334*	①②=19.12.10日車

▼弱冷房車…編成図に弱を付した車両
▼車いす対応スペース……斜字の車両に設置(108頁のみ)
▼優先席……点線囲み以外車両に設置

▽2000系は車体傾斜装置付き
Mc･Mは3個モーター、M₁は2個モーター
▽点線囲みは特別車「ミュー」(座席指定車)
▽1000･1200系は名古屋本線特急に使用する
▽2000系は中部国際空港系統の快速特急、2200系はおもに犬山～空港系統の特急に使用する
▽トイレ・化粧室は「wc」表示の号車に装備、2000系･2200系のトイレは車いす対応でベビーベッド付き
▽1800系は名古屋本線特急の増結用、データイムには2両編成または4両編成で普通列車にも使用する
▽1000･1200系 リニューアル工事＋外観デザイン変更(ⓡ)
1011F=19.02.27　1012F=17.08.18　1013F=17.12.22　1014F=17.05.02　1015F=16.08.30　1016F=18.04.13
1111F=15.12.24　1112F=15.08.21　1113F=16.03.31　1114F=16.12.28　1115F=18.11.16　1116F=18.08.14
▽2200系。車体デザイン変更に合わせて、2203F, 2204F, 2206F は荷物置場の改修も実施
▽2200系荷物置場座席化
2202･2252=18.05.14　2205･2255=18.10.31　2207･2257=17.07.20　2208･2258=18.03.27　2209･2259=18.06.22
▽室内灯ＬＥＤ化＋Wi-Fi設置　2433-2483-2383-2333=20.03.31　2434-2484-2384-2334=20.01.31
2412-2462-2362-2312=19.11.15　2308F=20.02.14[Wi-Fi設置のみ]　2231F=21.02.16　2232F=21.03.31
▽室内灯ＬＥＤ化　2301F=17.10.20　2302F=18.05.14　2303=18.07.27　2305=19.12.20　2306F=20.11.06　2307F=19.09.19
2308F=18.03.27　2310F=20.11.06　2311F=19.03.14　2211F=19.02.13新製　2304F=23.02.03　2309F=22.09.28
2102F=24.03.18　2204・2254・2304=24.01.15　2205・2255・2305=24.03.27　2210・2260・2310=24.02.28
2212・2262・2312=23.05.19　2234・2284・2334=23.07.27
▽Wi-Fi設置(一般車)　2304F=20.07.27　2305F=20.09.09　2310F=20.10.27　2311F=20.12.10　2313F=21.02.09

5000系　56両(ステンレス車体)[小型密着]　③

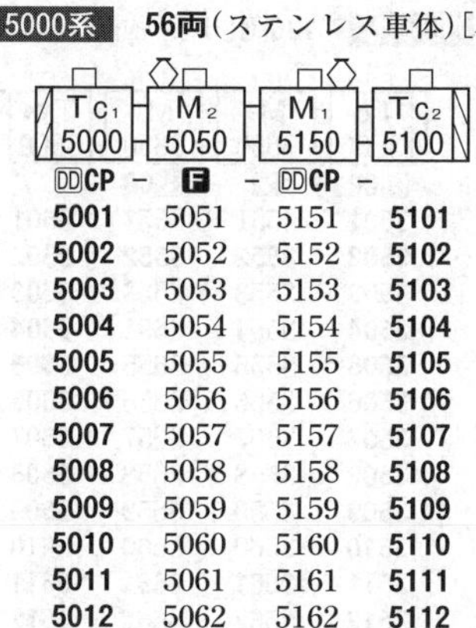

Tc1 5000	M2 5050	M1 5150	Tc2 5100
DDCP	F	DDCP	
5001	5051	5151	**5101**
5002	5052	5152	**5102**
5003	5053	5153	**5103**
5004	5054	5154	**5104**
5005	5055	5155	**5105**
5006	5056	5156	**5106**
5007	5057	5157	**5107**
5008	5058	5158	**5108**
5009	5059	5159	**5109**
5010	5060	5160	**5110**
5011	5061	5161	**5111**
5012	5062	5162	**5112**
5013	5063	5163	**5113**
5014	5064	5164	**5114**

9500系　60両(ステンレス車体)[小型密着]　③

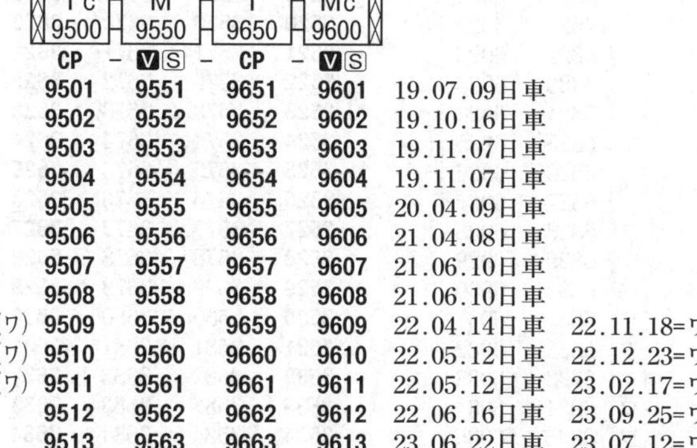

	Tc 9500	M 9550	T 9650	Mc 9600		
	CP	VS	CP	VS		
	9501	**9551**	**9651**	**9601**	19.07.09日車	
	9502	**9552**	**9652**	**9602**	19.10.16日車	
	9503	**9553**	**9653**	**9603**	19.11.07日車	
	9504	**9554**	**9654**	**9604**	19.11.07日車	
	9505	**9555**	**9655**	**9605**	20.04.09日車	
	9506	**9556**	**9656**	**9606**	21.04.08日車	
	9507	**9557**	**9657**	**9607**	21.06.10日車	
	9508	**9558**	**9658**	**9608**	21.06.10日車	
(ワ)	**9509**	**9559**	**9659**	**9609**	22.04.14日車	22.11.18=ワンマン化
(ワ)	**9510**	**9560**	**9660**	**9610**	22.05.12日車	22.12.23=ワンマン化
(ワ)	**9511**	**9561**	**9661**	**9611**	22.05.12日車	23.02.17=ワンマン化
	9512	**9562**	**9662**	**9612**	22.06.16日車	23.09.25=ワンマン化
	9513	**9563**	**9663**	**9613**	23.06.22日車	23.07.12=ワンマン化
	9514	**9564**	**9664**	**9614**	23.06.22日車	23.07.07=ワンマン化
	9515	**9565**	**9665**	**9615**	23.08.01日車	23.08.18=ワンマン化

9100系　20両(ステンレス車体)[小型密着]　③

Tc 9500	Mc 9600		
CP	SV		
9101	**9201**	20.05.19日車	23.05.16=ワンマン化
9102	**9202**	20.09.24日車	23.09.25=ワンマン化
9103	**9203**	20.09.24日車	23.10.02=ワンマン化
9104	**9204**	20.09.24日車	23.10.12=ワンマン化
9105	**9205**	21.04.08日車	23.10.27=ワンマン化
9106	**9206**	21.04.08日車	23.12.25=ワンマン化
9107	**9207**	22.06.16日車	23.12.07=ワンマン化
9108	**9208**	23.08.01日車	
9109	**9209**	23.09.14日車	
9110	**9210**	23.09.14日車	

▼優先席……全車両に設置
▼車いす対応スペース……太字の車両に設置

◎ワンマン運転線区一覧表

線　名	区　間	時間帯	使用形式
尾西線	名鉄一宮～玉ノ井 名鉄一宮～津島	終日・全列車	6800系
豊川線	国府～豊川稲荷	終日・一部列車	6800系
三河線	猿投～知立～碧南	終日・全列車	6000系
西尾線	西尾～吉良吉田	終日・一部列車	6000系
蒲郡線	吉良吉田～蒲郡	終日・一部列車	6000系
小牧線	平安通～犬山	終日・全列車	300系
築港線	大江～東名古屋	終日・全列車	

▽西尾線・蒲郡線は車内で運賃収受を行なう

豊田線　66両

100系　60両[小型密着]　④

←豊田市　赤池・(名古屋市地下鉄舞鶴線)上小田井→

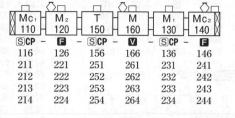

Mc1 110	M2 120	T 150	M 160	M1 130	Mc2 140
SCP	F	SCP	V	SCP	F
116	126	156	166	136	146
211	221	251	261	231	241
212	222	252	262	232	242
213	223	253	263	233	243
214	224	254	264	234	244

Tc1 110♿	M2 120	T 150	M 160	T 130	Mc2 ♿140
MCP	V	SCP	V	MCP	V
111	121	151	161	131	**141**
112	122	152	162	132	**142**
113	123	153	163	133	**143**
114	124	154	164	134	**144**
115	125	155	165	135	**145**

200系　6両[小型密着]　④

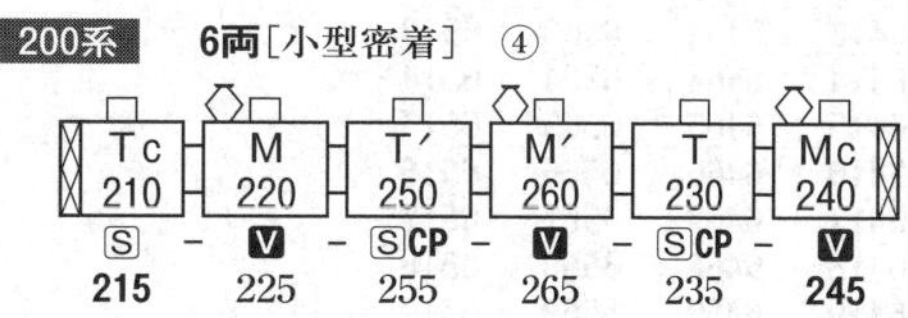

Tc 210	M 220	T′ 250	M′ 260	T 230	Mc 240
S	V	SCP	V	SCP	V
215	225	255	265	235	**245**

▽100系の116編成と200番代はアコモデーションが変更されている
▽ＶＶＶＦ化改造車　111F=12.03.30、112F=12.09.25、113F=13.03.12
114F=13.09.24、115F=14.03.20

小牧線・上飯田線

←平安通(名古屋市地下鉄上飯田線)・上飯田　犬山→

300系　32両(ステンレス車体) [小型密着]　④

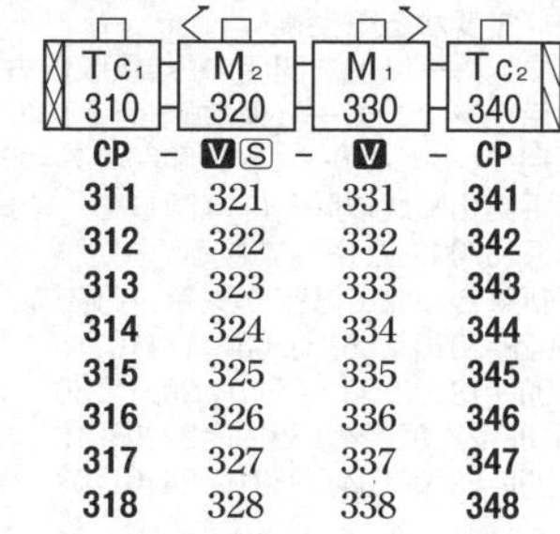

Tc1 310	M2 320	M1 330	Tc2 340
CP	VS	V	CP
311	321	331	**341**
312	322	332	**342**
313	323	333	**343**
314	324	334	**344**
315	325	335	**345**
316	326	336	**346**
317	327	337	**347**
318	328	338	**348**

▽小牧線・上飯田線はワンマン運転

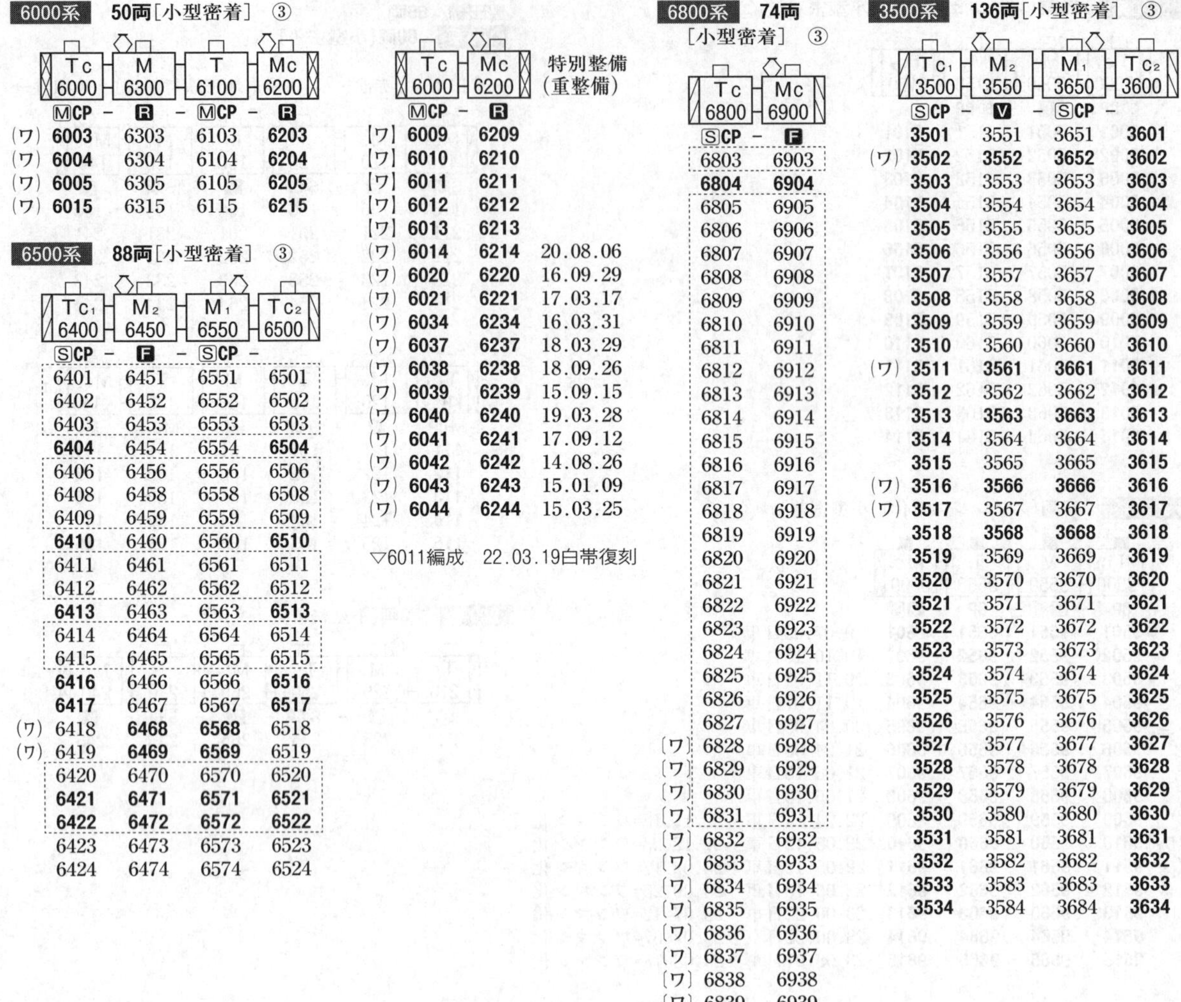

6000系 50両［小型密着］ ③

	Tc 6000	M 6300	T 6100	Mc 6200
	MCP	R	MCP	R
(ワ)	**6003**	6303	6103	**6203**
(ワ)	**6004**	6304	6104	**6204**
(ワ)	**6005**	6305	6105	**6205**
(ワ)	**6015**	6315	6115	**6215**

特別整備（重整備）

	Tc 6000	Mc 6200	
	MCP	R	
【ワ】	**6009**	**6209**	
【ワ】	**6010**	**6210**	
【ワ】	**6011**	**6211**	
【ワ】	**6012**	**6212**	
【ワ】	**6013**	**6213**	
(ワ)	**6014**	**6214**	20.08.06
(ワ)	**6020**	**6220**	16.09.29
(ワ)	**6021**	**6221**	17.03.17
(ワ)	**6034**	**6234**	16.03.31
(ワ)	**6037**	**6237**	18.03.29
(ワ)	**6038**	**6238**	18.09.26
(ワ)	**6039**	**6239**	15.09.15
(ワ)	**6040**	**6240**	19.03.28
(ワ)	**6041**	**6241**	17.09.12
(ワ)	**6042**	**6242**	14.08.26
(ワ)	**6043**	**6243**	15.01.09
(ワ)	**6044**	**6244**	15.03.25

▽6011編成　22.03.19白帯復刻

6500系 88両［小型密着］ ③

	Tc1 6400	M2 6450	M1 6550	Tc2 6500
	SCP	F	SCP	
	6401	6451	6551	6501
	6402	6452	6552	6502
	6403	6453	6553	6503
	6404	6454	6554	**6504**
	6406	6456	6556	6506
	6408	6458	6558	6508
	6409	6459	6559	6509
	6410	6460	6560	**6510**
	6411	6461	6561	6511
	6412	6462	6562	6512
	6413	6463	6563	**6513**
	6414	6464	6564	6514
	6415	6465	6565	6515
	6416	6466	6566	**6516**
	6417	6467	6567	**6517**
(ワ)	6418	**6468**	**6568**	6518
(ワ)	6419	**6469**	**6569**	6519
	6420	6470	6570	6520
	6421	**6471**	**6571**	**6521**
	6422	**6472**	**6572**	**6522**
	6423	6473	6573	6523
	6424	6474	6574	6524

6800系 74両［小型密着］ ③

	Tc 6800	Mc 6900
	SCP	F
	6803	6903
	6804	**6904**
	6805	6905
	6806	6906
	6807	6907
	6808	6908
	6809	6909
	6810	6910
	6811	6911
	6812	6912
	6813	6913
	6814	6914
	6815	6915
	6816	6916
	6817	6917
	6818	6918
	6819	6919
	6820	6920
	6821	6921
	6822	6922
	6823	6923
	6824	6924
	6825	6925
	6826	6926
	6827	6927
〔ワ〕	6828	6928
〔ワ〕	6829	6929
〔ワ〕	6830	6930
〔ワ〕	6831	6931
〔ワ〕	6832	6932
〔ワ〕	6833	6933
〔ワ〕	6834	6934
〔ワ〕	6835	6935
〔ワ〕	6836	6936
〔ワ〕	6837	6937
〔ワ〕	6838	6938
〔ワ〕	6839	6939

3500系 136両［小型密着］ ③

	Tc1 3500	M2 3550	M1 3650	Tc2 3600
	SCP	V	SCP	
	3501	3551	3651	**3601**
(ワ)	**3502**	**3552**	**3652**	**3602**
	3503	3553	3653	**3603**
	3504	3554	3654	**3604**
	3505	3555	3655	**3605**
	3506	3556	3656	**3606**
	3507	3557	3657	**3607**
	3508	3558	3658	**3608**
	3509	3559	3659	**3609**
	3510	3560	3660	**3610**
(ワ)	**3511**	**3561**	**3661**	**3611**
	3512	3562	3662	**3612**
	3513	**3563**	**3663**	**3613**
	3514	3564	3664	**3614**
	3515	3565	3665	**3615**
(ワ)	**3516**	**3566**	**3666**	**3616**
(ワ)	**3517**	3567	3667	**3617**
	3518	**3568**	**3668**	**3618**
	3519	3569	3669	**3619**
	3520	3570	3670	**3620**
	3521	3571	3671	**3621**
	3522	3572	3672	**3622**
	3523	3573	3673	**3623**
	3524	3574	3674	**3624**
	3525	3575	3675	**3625**
	3526	3576	3676	**3626**
	3527	3577	3677	**3627**
	3528	3578	3678	**3628**
	3529	3579	3679	**3629**
	3530	3580	3680	**3630**
	3531	3581	3681	**3631**
	3532	3582	3682	**3632**
	3533	3583	3683	**3633**
	3534	3584	3684	**3634**

▽全般検査施工個所
本線系…舞木検査場（名電山中～藤川間）
瀬戸線…尾張旭検車支区（尾張旭駅隣接）

▼優先席……全車両に設置
▼車いす対応スペース……太字の車両に設置

▽┆┆内はセミクロスシート
▽6017までは側窓が固定式、6045以降は6500系と同形
▽6418以降は6809～と同形のモデルチェンジ車で、前面に大型曲面ガラス採用
側窓が連続タイプとなり、シートピッチが拡大されている
▽モ6200形(6900代)のFは界磁添加励磁方式
▽6000系特別整備は2017年度から重整備
▽(ワ)は三河線用ワンマンカー（ドア開閉のみ=駅収受方式）
【ワ】は西尾・蒲郡線用ワンマンカー（運賃箱付=車内収受方式）
〔ワ〕は尾西・豊川線用ワンマンカー（ドア開閉のみ=駅収受方式）
▽3500系の外観は6500系第18編成以降とほぼ同じで、前頭部にスカート付き
3100系·3150系·3300系·3700系と併結できる。
▽3500系　制御装置更新に合わせてＳＩＶ更新・行先表示器更新・車内案内表示器更新・室内灯ＬＥＤ化・ドアチャイム新設を実施
3501F=17.08.07　3502F=20.02.06　3503F=17.10.16　3504F=18.03.02　3505F=18.03.02　3506F=18.07.02　3507F=17.12.20
3508F=18.11.30　3509F=18.08.28　3511F=20.10.30　3512F=22.04.11　3513F=19.03.10　3514F=19.10.09　3516F=21.03.01
3517F=22.07.15　3518F=22.02.24　3519F=22.03.16　3521F=22.12.02　3522F=22.09.06　3525F=20.08.10　3526F=23.03.16
3527F=23.12.07　3529F=23.08.04　3531F=24.01.04　3534F=23.08.18
▽ワンマン対応工事
3502F=22.09.30　3511F=20.10.30　3516F=21.03.01　3517F=22.07.15　3529F=23.08.04
▽車いす(フリー)スペース設置
3512F=22.04.11　3513F=21.12.04　3518F=22.02.24　3519F=22.03.16　3529F=23.08.04
▽6500系　内装更新、ロングシート化、ワンマン化、室内灯ＬＥＤ化、行先表示器ＬＥＤ化、ドアチャイム新設等
6417F=24.02.03　6418F=23.02.07　6419F=22.10.14　6423F=23.11.21　6424F=24.04.04
▽ホーム検知装置設置　6014F=24.02.15　6020F=23.10.17　6021F=24.02.23　6034F=23.06.22　6040F=24.03.25

3100系 **46両**［小型密着］ ③

Tc	Mc
3100	3200

塗色変更

CP	－ VS	
3101	3201	
3102	3202	
3103	3203	19.12.04
3104	3204	19.07.05
3105	3205	
3106	3206	19.11.06
3107	3207	19.06.05
3108	3208	20.01.17
3109	3209	20.03.20
3110	3210	19.09.30
3111	3211	
3112	3212	20.01.28
3113	3213	
3114	3214	
3115	3215	
3116	3216	
3117	3217	
3118	3218	
3119	3219	
3120	3220	
3121	3221	
3122	3222	
3123	3223	

3150系 **44両**（ステンレス車体）［小型密着］ ③

Tc	Mc
3150	3250

外観デザイン変更

CP	－ VS	
3151	3251	17.11.24
3152	3252	15.12.01
3153	3253	16.04.01
3154	3254	15.12.07　22.08.12=室内灯LED化
3155	3255	18.01.11
3156	3256	18.03.01
3157	3257	15.08.21
3158	3258	15.07.17
3159	3259	15.10.01
3160	3260	16.07.18
3161	3261	16.07.08
3162	3262	16.08.26
3163	3263	16.10.17
3164	3264	17.02.06　22.08.29=室内灯LED化
3165	3265	16.12.02
3166	3266	17.04.11
3167	3267	15.04.13日車=外観デザイン変更車
3168	3268	15.05.11日車=外観デザイン変更車
3169	3269	16.04.13日車=外観デザイン変更車
3170	3270	17.04.07日車=外観デザイン変更車
3171	3271	17.04.07日車=外観デザイン変更車
3172	3272	17.04.07日車=外観デザイン変更車

▽3150系·3300系は転換クロスとロングシートを併用
ただし、3155·3306以降はオールロングシート
▽3100系·3150系は2200系の増結用にも使用
▽3300系3307F以降は外観デザイン変更車
▽3100系　塗色変更は、スカーレット1色から2200系に準拠した塗装に

3700系 **20両**［小型密着］ ③

Tc_1	M_2	M_1	Tc_2
3700	3750	3850	3800
SCP －	V －	S －	CP
3701	3751	3851	3801
3702	3752	3852	3802
3703	3753	3853	3803
3704	3754	3854	3804
3705	3755	3855	3805

3300系 **56両**（ステンレス車体）［小型密着］ ③

Tc	M	T	Mc	
3300	3350	3450	3400	外観デザイン変更
SCP －	V －	SCP －	V	
3301	3351	3451	3401	18.04.19
3302	3352	3452	3402	16.04.13
3303	3353	3453	3403	16.03.02
3304	3354	3454	3404	16.05.19
3305	3355	3455	3405	15.12.25
3307	3357	3457	3407	15.08.19日車
3308	3358	3458	3408	16.06.21日車
3309	3359	3459	3409	16.06.21日車
3310	3360	3460	3410	17.05.19日車
3311	3361	3461	3411	17.05.19日車
3312	3362	3462	3412	18.11.20日車
3313	3363	3463	3413	18.11.20日車
3314	3364	3464	3414	19.01.09日車
3315	3365	3465	3415	19.01.09日車

ＳＲ車

形式	両数
2000系	
モ2100	12
モ2150	12
モ2050	12
ク2000	12
	48
2200系	
モ2200	17
サ2250	17
サ2400	17
モ2450	17
サ2350	17
モ2300	17
	102
1000系	
モ1050	6
モ1150	6
ク1000	6
ク1100	6
	24
1200系	
モ1250	6
モ1350	6
モ1400	12
モ1450	12
サ1200	12
	48
1800系	
モ1900	9
ク1800	9
	18
300系	
ク310	8
モ320	8
モ330	8
ク340	8
	32
200系	
ク210	1
モ220	1
サ230	1
モ240	1
サ250	1
ク260	1
	6
100系	
モ110	5
ク110	5
モ120	10
モ130	5
サ130	5
モ140	10
サ150	10
ク160	10
	60
9100系	
モ9600	10
ク9500	10
	20

形式	両数
6500系	
モ6550	22
モ6450	22
ク6500	22
ク6400	22
	88
6000系	
モ6200	21
モ6300	4
ク6000	21
サ6100	4
	50
6800系	
モ6900	37
ク6800	37
	74
3700系	
モ3750	5
モ3850	5
ク3700	5
ク3800	5
	20
3500系	
モ3550	34
モ3650	34
ク3500	34
ク3600	34
	136
3100系	
モ3200	23
ク3100	23
	46
3300系	
モ3400	15
サ3450	15
モ3350	15
ク3300	15
	60
3150系	
モ3250	22
ク3150	22
	44
4000系	
ク4000	18
モ4050	18
モ4150	18
ク4100	18
	72
5000系	
ク5000	14
モ5050	14
モ5150	14
ク5100	14
	56
9500系	
ク9500	15
モ9500	15
サ9650	15
モ9600	15
	60
合　計	1,064

瀬戸線(尾張旭検車区)　76両

←尾張瀬戸　　　　　　　　　　　　　　　　　　　　　　　　栄町→

4000系　**72両**(ステンレス車体)［小型密着］③

Tc1 4000	M2 4050	M1 4150	Tc2 4100	
CP	V	S	CP	
4001	4051	4151	**4101**	
4002	4052	4152	**4102**	
4003	4053	4153	**4103**	
4004	4054	4154	**4104**	
4005	4055	4155	**4105**	
4006	4056	4156	**4106**	
4007	4057	4157	**4107**	
4008	4058	4158	**4108**	
4009	4059	4159	**4109**	12.04.11日車
4010	4060	4160	**4110**	12.05.16日車
4011	4061	4161	**4111**	12.06.15日車
4012	4062	4162	**4112**	12.07.18日車
4013	4063	4163	**4113**	13.02.21日車
4014	4064	4164	**4114**	13.03.19日車
4015	4065	4165	**4115**	13.05.13日車
4016	4066	4166	**4116**	14.01.17日車
4017	4067	4167	**4117**	14.02.18日車
4018	4068	4168	**4118**	14.03.18日車

▽室内灯ＬＥＤ化　4001F=23.07.13

3300系　**4両**(ステンレス車体)［小型密着］③

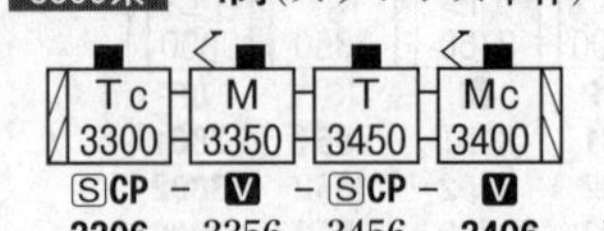

Tc 3300	M 3350	T 3450	Mc 3400	
S CP	V	S CP	V	
3306	3356	3456	**3406**	16.09.17日車

▼優先席……全車両に設置

▼車いす対応スペース……太字の車両に設置

電気機関車　**2両**［自連］

ＥＬ120形

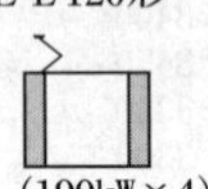

(190kW×4)

ＥＬ121　15.01.30東芝

ＥＬ122　15.01.30東芝

▽303は舞木検査場入換用(工場設備。両数には含めず)

貨車　**10両**［自連］

チキ10形

11・12・13・14(14.12.26)

ホキ80形

81・82・83(15.02.20)

84・85・86(15.03.13)

▽( )内の年月日は、ＥＬ120形連結時の総括制御のための電気連結栓、引通し栓の追加工事施工月日

▽舞木検車場に、パノラマカー（モ7001＋モ7002)、モ3401とモ5517、モ8803カットボディを保存

名古屋ガイドウェイバス

28両

ガイドウェイバス

GB-2110形 **28両** ②

G-01 13.04.10日野自動車
G-02 13.04.10日野自動車
G-03 13.04.24日野自動車
G-04 13.04.30日野自動車
G-05 13.05.07日野自動車
G-06 13.05.15日野自動車
G-07 13.05.22日野自動車
G-21 13.09.17日野自動車
G-22 13.09.20日野自動車
G-23 13.10.04日野自動車
G-24 13.10.10日野自動車
G-25 13.11.01日野自動車
G-26 13.11.08日野自動車
G-27 13.11.15日野自動車
G-28 13.11.21日野自動車
G-29 13.12.11日野自動車
G-31 13.12.18日野自動車
G-32 13.12.26日野自動車
G-33 14.01.10日野自動車
G-34 14.02.20日野自動車
G-35 14.01.17日野自動車
G-36 14.01.24日野自動車
G-37 14.01.31日野自動車
G-38 14.02.07日野自動車
G-39 14.02.14日野自動車

G-51 15.02.26日野自動車
G-52 15.03.04日野自動車
G-53 15.03.10日野自動車

▽2001.03.23開業、愛称は「ゆとりーとライン」
▽ガイドウェイ区間は大曽根～小幡緑地、鉄道事業法では案内軌条式軌道に分類
▽運行区間は、大曽根～小幡緑地間のほか、小幡緑地から一般道を中志段味・高蔵寺など
▽ハイブリッド車(型式=HU8J)。全車リフト付き車いす対応スペース設置

衣浦臨海鉄道 半田埠頭機関区

4両

DL **4両**[自連]

ＫＥ65形

(1350ps×1)
ＫＥ65 1
ＫＥ65 2 (11.09.15から休車)
ＫＥ65 3
ＫＥ65 5

▽路線は、半田線半田埠頭～東成岩〔武豊線〕間 3.4km、碧南線東浦〔武豊線〕～碧南市間8.2km

▽2014.04.01 半田埠頭技術区から改称

名古屋臨海鉄道 東港車両区

7両

DL **5両**(東港車両区)

ＮＤ552形[自連]

(500ps×2)
ＮＤ552 7
ＮＤ**552 8**
ＮＤ**552 10**

ＮＤ60形[自連]

(560ps×2)
ＮＤ60 1
ＮＤ60 2

DL **1両**(名古屋貨物ターミナル駅入換事業所)

ＮＤ552形[自連]

(500ps×2)
ＮＤ552 15

貨車 **1両**[自連]

ワ 1形 ワ 1 (救援車)

▽路線は、東港線笠寺〔東海道本線〕～東港間 3.80km、昭和町線東港～昭和町間 1.1km、汐見町線東港～汐見町間 3.0km(休止)、南港線東港～名古屋南貨物間 6.9km、名古屋南貨物～知多間 4.4km(休止)、築港線東港～名電築港間 1.3km 以上 20.5km

▽太字は塗色変更車(ブルーに白帯)。ＮＤ552 7は開業時のカラー(赤2号)に変更(2015.09.01)

三岐鉄道 保々車両区・北大社車両区 57両

三岐線(保々車両区) 33両

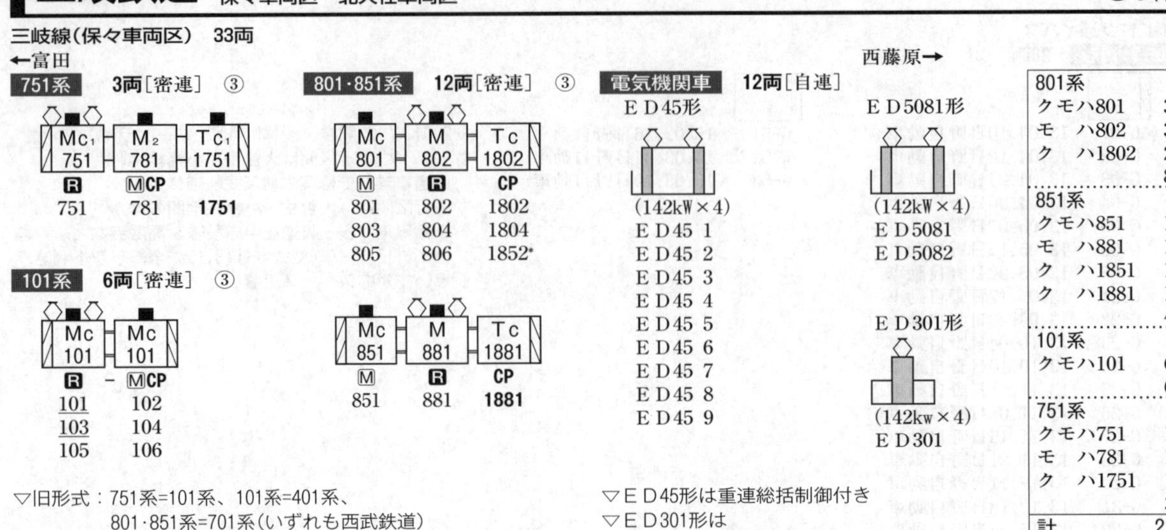

801系	
クモハ801	3
モ ハ802	3
ク ハ1802	2
	8
851系	
クモハ851	1
モ ハ881	1
ク ハ1851	1
ク ハ1881	1
	4
101系	
クモハ101	6
	6
751系	
クモハ751	1
モ ハ781	1
ク ハ1751	1
	3
計	21

▽旧形式：751系=101系、101系=401系、
801·851系=701系(いずれも西武鉄道)
▽＿＿はフランジ塗油器取付け車
▽751系·851系は空気バネ台車(ＦＳ-372·072)
▽803編成は 19.04.21 赤電色(旧西武)に変更
▽*印の1852はクハ1851形。同編成は18.04.26 西武カラー(黄色)へ変更
▽101編成は20.05.01 旧三岐塗装へ
▽801編成 住友電装ラッピング(2024.04.02)
▽太字は車いす対応スペース付き
▽早朝・深夜を除きワンマン運転(ドア扱いのみ)
▽会社創立70周年(2001年)を記念して西藤原駅前に公園を整備し、開業当時のＳＬ102号機を静態保存している

▽ＥＤ45形は重連総括制御付き
▽ＥＤ301形は
セメント工場内(東藤原)の入換え用
▽ＥＤ5081形は元東武鉄道ＥＤ5080形

北勢線(北大社車両区) 24両[自連] ②

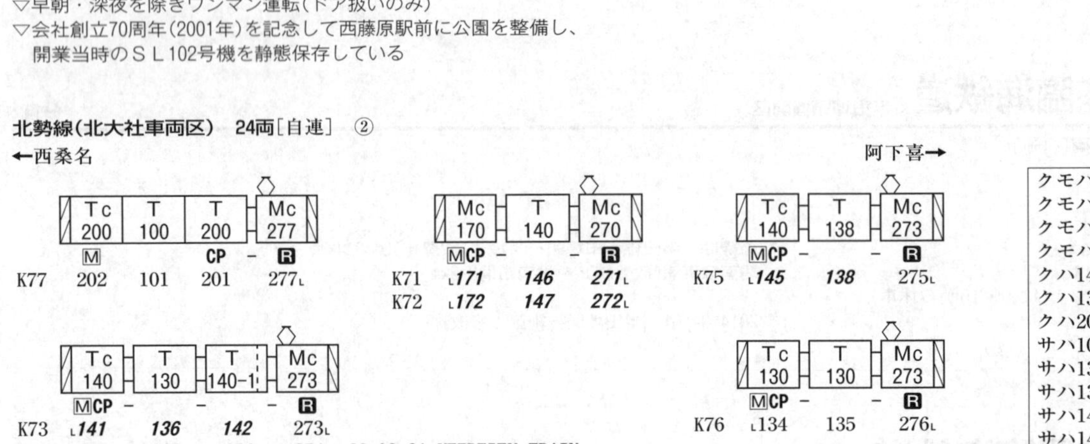

クモハ273	4
クモハ277	1
クモハ270	2
クモハ170	2
クハ140	3
クハ130	1
クハ200	1
サハ100	1
サハ130	3
サハ138	1
サハ140-1	2
サハ140	2
サハ200	1
計	24

▽太斜字は冷房車(クーラーは車内に設置)
▽高速化は全編成完了
▽全列車ワンマン運転 K77(202+101+201=2013.10.29、連接車)(277=2014.10.10=三重交通カラー)
▽ʟ 行先字幕ＬＥＤ化車。201年度施工は273·141(17.09.22)、275·145(18.03.28) 以上にて対象車両完了
▽軽便鉄道博物館(阿下喜構内)に、モニ226を保存

伊勢鉄道 玉垣機関区 4両

←四日市(ＪＲ関西本線)・河原田 津→

イセⅢ型 4両[小型密着] ②

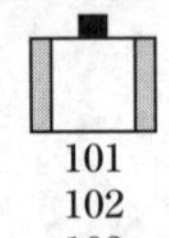

101
102
103
104

▽1987.03.27 国鉄伊勢線を引継ぎ開業
▽運転本数…四日市～津間 19往復
▽全車両、車いす対応スペース付き
▽102編成 「ミジェル」ラッピング(24.01.22)

西濃鉄道 機関区(美濃赤坂駅構内)　3両

DL　**3両**［自連］

ＤＤ40形

ＤＤ403(520ps×1)

ＤＤ45形

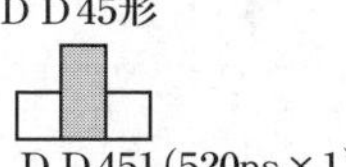

ＤＤ451(520ps×1)

ＤＥ10形

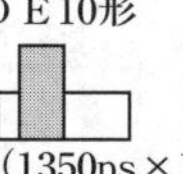

(1350ps×1)
ＤＥ10 1251(旧所有者：秋田臨海鉄道)

▽路線は、美濃赤坂～乙女坂間 1.3km(猿岩駅構内は2022.09乙女坂駅に併合。総延長キロ数は 2.0km)
▽ＤＥ10形の塗色はＪＲのＤＥ10形と同じ

樽見鉄道 検修区(本巣駅構内)　6両

←大垣　　樽見→

ハイモ295-310形　**1両**
295-315

ハイモ295-510形　**1両**
295-516

ハイモ295-610形　**1両**
295-617

ハイモ330-700形　**3両**
330-701
330-702 15.12.22
330-703 18.12.03

形式	両数
ハイモ295-310	1
ハイモ295-510	1
ハイモ295-610	1
ハイモ330-700	3
計	6

▽1984.10.06 国鉄樽見線を引継ぎ開業
▽連結器は小型密着。客用扉数②
▽太字は車いす対応スペース設置車
▽ハイモ295-315　23.05.20　朱色５号に車体塗色変更
▽ハイモ295-610形は元三木鉄道ミキ300形。2022.03.26、中部ケーブルネットワーク(ラッピング=広告)
▽ハイモ330-700形は、電気指令式のブレーキ方式を採用
▽ハイモ330-701は、2017.11.03から観光列車「ねおがわ」として運行開始。
車体塗色変更、吊手を鮎型に変更、車内モニターを設置、本巣市のＰＲ動画を放映

長良川鉄道 検修区(関駅構内)　12両

←美濃太田　　北濃→

ナガラ3形　**6両**
301
302
304
305
306
307

ナガラ5形　**3両**
501
502
503

ナガラ6形　**2両**
601　22.03.08新潟トランシス「おくみの号」
602　24.03.06新潟トランシス「パーシモン美濃里号」(国鉄キハ48形柿色)

DL　**1両**
ＮＴＢ209形［自連］
13

▽1986.12.11 国鉄越美南線を引継ぎ開業

▽連結器は小型密着。客用扉数②
▽太字は車いす対応スペース設置車
▽301は「ながら☆森」、302は「ながら☆鮎」に改造(2016.04.27)
302は、24.03.26　トイレ設置工事完了、運行開始
▽502は、18.04.18　観光列車「ながら」川風号に改造
▽601は、22.04.03、営業運転開始(国鉄キハ28、キハ58塗色)
▽ラッピング
501=「長良川わくわくたんけん号」　503=「ＧＪ８マン」　303=「クロネコヤマト」　307=「食品サンプル列車」
▽NTB209形は工事用
▽郡上八幡駅構内に1993.12.11から「ふるさとの鉄道館」がオープン

北越急行　六日町運輸指令区　12両

←直江津（ＪＲ東日本）・犀潟　　六日町・越後湯沢（ＪＲ東日本）→

ＨＫ100形　12両［密連］　②

cMc 100

+VSCP+

100-1　10.10.15=車体色変更
100-2　12.12.14=車体色変更
100-3　15.02.27=車体色変更
100-4　10.12.10=車体色変更
100-5　12.03.30=車体色変更
100-6　13.06.08=車体色変更
100-7　11.12.09=車体色変更
100-8
100-9
100-10　13.12.13=車体色変更

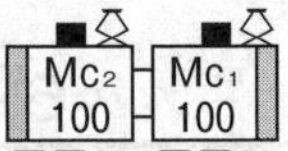

Mc2 100 ｜ Mc1 100

+VSCP−VSCP+

100-102　100-101

▽1997.03.22開業（六日町～犀潟間）
▽ＨＫ100形は直江津～六日町・越後湯沢間にて運転
2015.03.14改正からえちごトキめき鉄道新井まで乗入れ開始
2023.03.18改正にて えちごトキめき鉄道への乗入れ消滅
▽各車両に車いす対応スペースを設置
▽太字はイベント対応の多目的車
▽100-8･100-9は「ゆめぞらⅡ」
トンネル内で天井に星座などの映像を投影する。おもに日曜日に運転

えちごトキめき鉄道　運輸区（直江津駅構内）　33両

←長岡（ＪＲ東日本）・直江津　**妙高はねうまライン**　妙高高原→

ＥＴ127系　20両［密連］　③

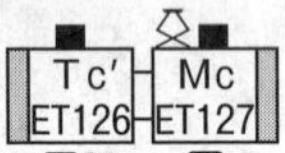

Tc′ ET126 ｜ Mc ET127

+ SCP　V +

	Tc′ ET126	Mc ET127	機器変更
Ｖ１	**1**	1	19.10.17
Ｖ２	**2**	2	19.08.20
Ｖ３	**3**	3	19.12.11
Ｖ４	**4**	4	20.07.13
Ｖ５	**5**	5	18.11.21
Ｖ６	**6**	6	21.06.03
Ｖ７	**7**	7	21.02.08
Ｖ８	**8**	8	20.12.04
Ｖ９	**9**	9	18.07.18
V10	**10**	10	18.10.02

413・455系　3両［密連］　観光用

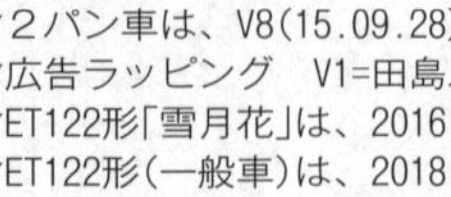

Mc 413 ｜ M′ 412 ｜ Tc 455

RCP −　−　M

6　6　701　21.07.04 運行開始

←直江津　**日本海ひすいライン**　市振・泊→

ＥＴ122形　10両［小型密着］　②

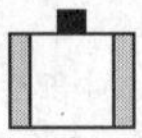

Ｋ１	**1**	14.10.20新潟トランシス
Ｋ２	**2**	14.10.20新潟トランシス
Ｋ３	**3**	15.03.03新潟トランシス
Ｋ４	**4**	15.01.19新潟トランシス
Ｋ５	**5**	15.01.19新潟トランシス
Ｋ６	**6**	15.01.19新潟トランシス
Ｋ７	**7**	15.01.19新潟トランシス
Ｋ８	**8**	15.01.19新潟トランシス

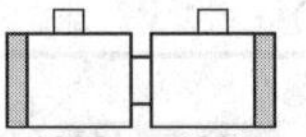

雪月花

1002　1001　←16.03.31新潟トランシス

ＥＴ127系	
クモハＥＴ127	10
ク　ハＥＴ126	10
	20
413系等	
クモハ413	1
モ　ハ412	1
ク　ハ455	1
	3
ＥＴ122形	
ＥＴ122	8
（雪月花）	2
	10
計	33

▽2015.03.14　ＪＲ東日本信越本線妙高高原～直江津間、ＪＲ西日本北陸本線市振～直江津間を引継いで開業
妙高高原～直江津間は妙高はねうまライン、市振～直江津間は日本海ひすいラインの路線名
ＥＴ127系はＪＲ信越本線長岡、ＥＴ122形はあいの風とやま鉄道泊まで乗入れ
▽全車ワンマン車
▽２パン車は、V8（15.09.28）、V9（15.11.27）
▽広告ラッピング　V1=田島ルーフィング（国鉄初代新潟色）、V3=田辺工業、V4=ミタカ、V5=日本曹達
▽ET122形「雪月花」は、2016.04.23から上越妙高～直江津～糸魚川間にて営業運転を開始
▽ET122形（一般車）は、2018.03.17改正から妙高はねうまライン新井まで乗入れ開始

▽車いす対応スペース…車号太字
▽トイレ設備は、クハET126形、クハ455形、ET122形（除く1002）に設置

▽直江津D51レールパーク　展示車両（公開日等詳しくはホームページ参照）
D51827、オヤ3131、ＤＥ151518

黒部峡谷鉄道　宇奈月車庫　288両

電気機関車　23両［ピンリンク式連結器］

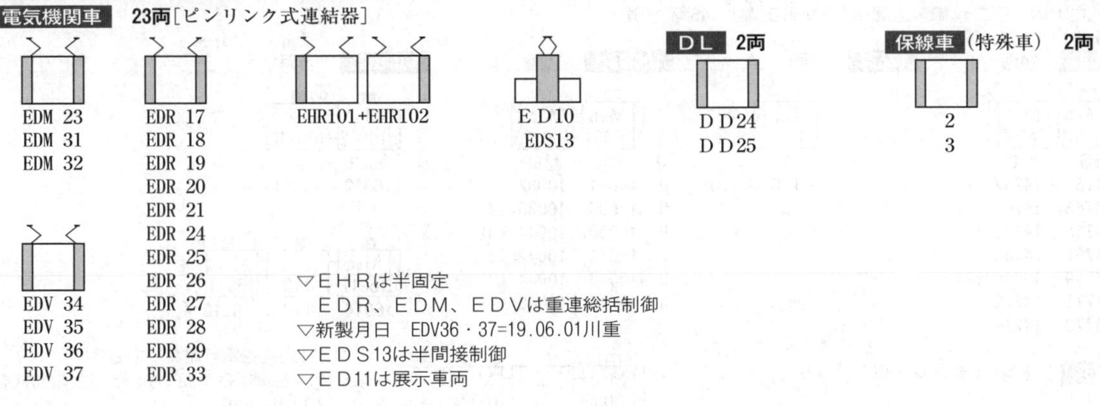

EDM 23	EDR 17	EHR101+EHR102	E D10	D D24	2
EDM 31	EDR 18		EDS13	D D25	3
EDM 32	EDR 19				
	EDR 20				
	EDR 21				
	EDR 24				
	EDR 25				
EDV 34	EDR 26				
EDV 35	EDR 27				
EDV 36	EDR 28				
EDV 37	EDR 29				
	EDR 33				

DL　2両　　**保線車**（特殊車）　2両

▽ＥＨＲは半固定
　ＥＤＲ、ＥＤＭ、ＥＤＶは重連総括制御
▽新製月日　EDV36・37=19.06.01川重
▽ＥＤＳ13は半間接制御
▽ＥＤ11は展示車両

客車　116両［ピンリンク式連結器］

←欅平　　　　　　　　　　　　　　宇奈月→

1000形（開放客車）　49両

	1号車	2号車	3号車	4号車	5号車	6号車	7号車
	ボハフ1000	ボハ1000	ボハ1000	ボハ1000	ボハ1000	ボハ1000	ボハフ1000
B1	**1111**	**1112**	**1113**	**1114**	**1115**	**1116**	**1117**
B2	**1121**	**1122**	**1123**	**1124**	**1125**	**1126**	**1127**
B3	**1131**	**1132**	**1133**	**1134**	**1135**	**1136**	**1137**
B4	**1141**	**1142**	**1143**	**1144**	**1145**	**1146**	**1147**
B5	**1151**	**1152**	**1153**	**1154**	**1155**	**1156**	**1157**
B6	**1161**	**1162**	**1163**	**1164**	**1165**	**1166**	**1167**
B7	**1171**	**1172**	**1173**	**1174**	**1175**	**1176**	**1177**

2000形・**3100形**（密閉客車）　29両　①

	8号車
	ボハ2100
S1	2100

	ボハフ3100	ボハ3100	ボハ3100	ボハ3100	ボハ3100	ボハフ3100
NR1	3111	3112	3113	3114	3115	3116
NR2	3121	3122	3123	3124	3125	3126
NR3	3131	3132	3133	3134	3135	3136
NR4	3141	3142	3143			3146
NR5	3151	3152	3153	3154	3155	3156

2500形（リラックスカー）・**2550形**（密閉客車）　17両　①

	8号車	9号車	10号車	11号車	12号車	13号車
	ボハフ2500	ボハ2500	ボハ2500	ボハ2500	ボハ2500	ボハフ2500
R1	2501	2502	2503	2504	2505	2506
R4	2511	2512	2513	2514	2515	2516
R5	2571	2572				2576

	ボハ2550
S2	2552
S3	2553

▽R5編成は号車番号なし

ハ形客車　17両
ハフ3～8・11・13・15～21・31・32
ハ形密閉客車　4両
ハ51～54

▽ハ形は2軸車（トロッコ車）
▽＿＿は関電関係の専用車として使用する

▽ボハ2100形と2500形・2550形・2800形・3100形は転換クロスシート
▽太字の車体はステンレス製（塗装している）
▽開放客車以外の車種に乗車する場合は、
　運賃のほかに特別料金が必要
▽NR3編成は2014.06.30 アルナ車両にて新製
　NR4編成は2016.09.27 アルナ車両にて新製
　NR5編成は2019.06.01 アルナ車両にて新製

貨車　145両［ピンリンク式連結器］

形式	車号	両数
ワ形	ワ8～10	**3両**
オシ形	オシ2・3	**2両**
ムチ形	ムチ2	**1両**
ナチ形	ナチ1～4	**4両**
オチ形	オチ2～16	**15両**
オト形	オト601～610・653～657・660・661・665～676・678～681	**33両**
ト形	ト202～208・211・214・218・219・222・224～230・236～245・248・250・281・282・284～297・299～304・307・308・310・311・314・315・317・320・322・327	**63両**
チ形	チ111～130・134・135	**22両**
シ形	シ106	**1両**
ハト形	9(16.05.01=ハフ9から改造)	**1両**

▽客車の7両編成までは単機（凸、□形どちらでも可）、それ以上の長編成（1000形が欅平寄り）は□形2両で牽引する
▽混合列車はハ形密閉客車・密閉客車・開放客車・小型貨車を合わせて14両編成までで組成
▽貨車形式　ワ形=有蓋貨車　シ形=重量物運搬用　オシ形=大型重量物運搬用　ムチ形=長物用運搬車
　チ形=長尺物運搬車　ナチ形=長大長尺物運搬車　オチ形=長大長尺物運搬車（本線限定）
　ト形=無蓋車　オト形=大型無蓋車　ハト形=主に作業員の手荷物運搬車

富山地方鉄道　稲荷町工場・南富山車庫　82両

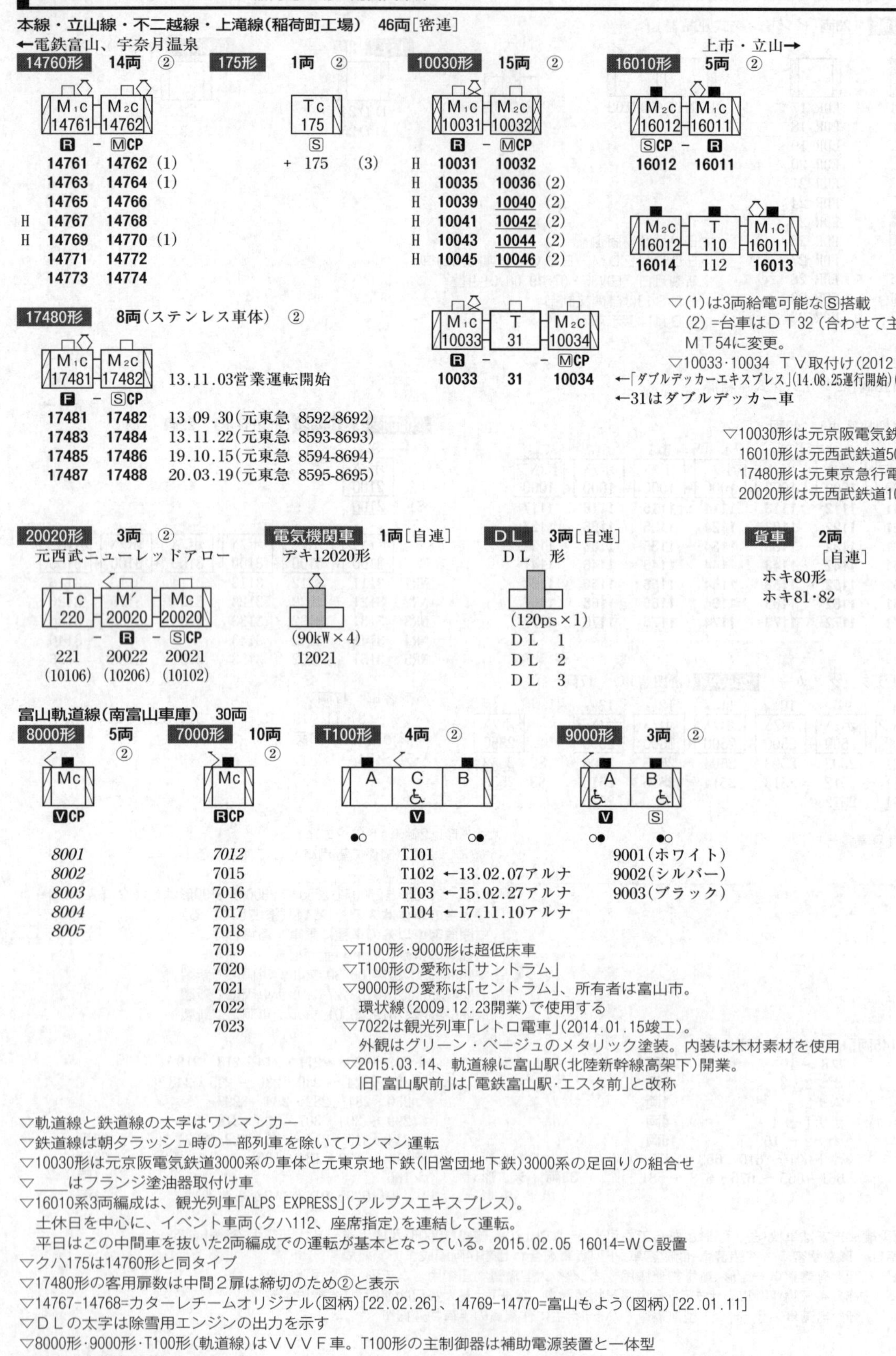

本線・立山線・不二越線・上滝線（稲荷町工場）　46両［密連］

←電鉄富山、宇奈月温泉　　　　上市・立山→

14760形　14両　②

M1c 14761 ― M2c 14762
R　―　MCP

	14761	**14762**	(1)
	14763	**14764**	(1)
	14765	**14766**	
H	**14767**	**14768**	
H	**14769**	**14770**	(1)
	14771	**14772**	
	14773	**14774**	

175形　1両　②

Tc 175
S

＋　175　(3)

10030形　15両　②

M1c 10031 ― M2c 10032
R　―　MCP

H	**10031**	**10032**	
H	**10035**	**10036**	(2)
H	**10039**	<u>**10040**</u>	(2)
H	**10041**	<u>**10042**</u>	(2)
H	**10043**	<u>**10044**</u>	(2)
H	**10045**	<u>**10046**</u>	(2)

M1c 10033 ― T 31 ― M2c 10034
R　―　　―　MCP

10033　**31**　**10034**　←「ダブルデッカーエキスプレス」(14.08.25運行開始) (2)

←31はダブルデッカー車

16010形　5両　②

M2c 16012 ― M1c 16011
SCP　―　R

16012　**16011**

M2c 16012 ― T 110 ― M1c 16011

16014　112　**16013**

▽(1)は3両給電可能なS搭載

(2)＝台車はＤＴ32（合わせて主電動機をＭＴ54に変更。

▽10033･10034　ＴＶ取付け（2012.04.26）

17480形　8両（ステンレス車体）　②

M1c 17481 ― M2c 17482　13.11.03営業運転開始
F　―　SCP

17481	**17482**	13.09.30（元東急 8592-8692）
17483	**17484**	13.11.22（元東急 8593-8693）
17485	**17486**	19.10.15（元東急 8594-8694）
17487	**17488**	20.03.19（元東急 8595-8695）

▽10030形は元京阪電気鉄道3000系
16010形は元西武鉄道5000系
17480形は元東京急行電鉄8590系
20020形は元西武鉄道10000系

20020形　3両　②

元西武ニューレッドアロー

Tc 220 ― M′ 20020 ― Mc 20020
―　R　―　SCP

221　20022　20021
(10106)　(10206)　(10102)

電気機関車　1両［自連］

デキ12020形

（90kW×4）

12021

ＤＬ　3両［自連］

ＤＬ　形

（120ps×1）

ＤＬ　1
ＤＬ　2
ＤＬ　3

貨車　2両

［自連］

ホキ80形
ホキ81･82

富山軌道線（南富山車庫）　30両

8000形　5両　②

Mc
VCP

8001
8002
8003
8004
8005

7000形　10両　②

Mc
RCP

7012
7015
7016
7017
7018
7019
7020
7021
7022
7023

T100形　4両　②

A ― C ― B
V

T101
T102　←13.02.07アルナ
T103　←15.02.27アルナ
T104　←17.11.10アルナ

9000形　3両　②

A ― B
V　S

9001（ホワイト）
9002（シルバー）
9003（ブラック）

▽T100形･9000形は超低床車
▽T100形の愛称は「サントラム」
▽9000形の愛称は「セントラム」、所有者は富山市。
　環状線（2009.12.23開業）で使用する
▽7022は観光列車「レトロ電車」（2014.01.15竣工）。
　外観はグリーン・ベージュのメタリック塗装。内装は木材素材を使用
▽2015.03.14、軌道線に富山駅（北陸新幹線高架下）開業。
　旧「富山駅前」は「電鉄富山駅･エスタ前」と改称

▽軌道線と鉄道線の太字はワンマンカー
▽鉄道線は朝夕ラッシュ時の一部列車を除いてワンマン運転
▽10030形は元京阪電気鉄道3000系の車体と元東京地下鉄（旧営団地下鉄）3000系の足回りの組合せ
▽＿＿はフランジ塗油器取付け車
▽16010系3両編成は、観光列車「ALPS EXPRESS」（アルプスエキスプレス）。
　土休日を中心に、イベント車両（クハ112、座席指定）を連結して運転。
　平日はこの中間車を抜いた2両編成での運転が基本となっている。2015.02.05 16014=ＷＣ設置
▽クハ175は14760形と同タイプ
▽17480形の客用扉数は中間２扉は締切のため②と表示
▽14767-14768=カターレチームオリジナル（図柄）［22.02.26］、14769-14770=富山もよう（図柄）［22.01.11］
▽ＤＬの太字は除雪用エンジンの出力を示す
▽8000形･9000形･T100形（軌道線）はＶＶＶＦ車。T100形の主制御器は補助電源装置と一体型
▽斜字は広告車（側面ラッピング）

←南富山・大学前　　岩瀬浜→
0600形　**8両**(超低床車)　②

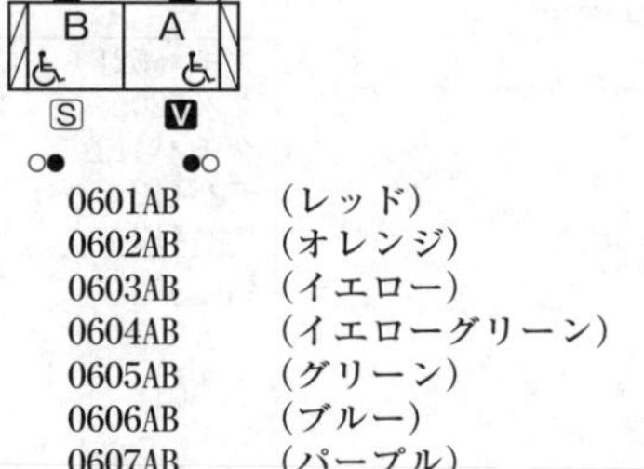

モハ20020	2
クハ220	1
モハ16011	2
モハ16012	2
クハ110	1
モハ10030	14
サハ30	1
モハ14760	14
クハ175	1
モハ17480	8
計	46

0601AB　(レッド)
0602AB　(オレンジ)
0603AB　(イエロー)
0604AB　(イエローグリーン)
0605AB　(グリーン)
0606AB　(ブルー)
0607AB　(パープル)
0608AB　(シルバーホワイト)　19.03.16新潟トランシス　0600E形[車いすスペースはA車]

▽2006.04.29 富山ライトレール開業
▽2020.02.22 富山地方鉄道と合併
▽2020.03.21 富山駅高架下にて南北の路面電車がつながり、
岩瀬浜～環状線・南富山駅前・大学前の3方向と直通運転開始
▽(　)内は編成ごとのアクセントカラー
▽車両の愛称はPORTRAM(ポートラム)

立山黒部貫光　14両

鋼索線　4両
←立山　　鋼索　　美女平→
2003形

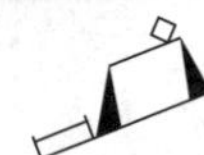

1
2

▽富山地方鉄道立山線立山下車
冬期(12月1日～4月上旬)は運休

←黒部湖　　鋼索　　黒部平→
コ21形

1
2

▽立山黒部アルペンルート内に位置し、
黒部湖から大観峰へのロープウェイが発着する黒部平まで運転。
冬期(12月1日～4月上旬)は運休

トロリーバス(室堂～大観峰)
8000形　**8両**　①

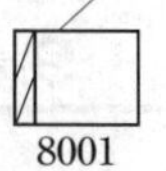

8001
8002
8003
8004
8005
8006
8007
8008

▽8000形はVVVFインバータ制御方式
▽室堂までのアクセスは、美女平から立山高原バス
大観峰までのアクセスは、黒部平から立山ロープウェイ
▽23.11.30　無軌条電車(トロリーバス)事業を24.12.01(予定)を以って廃止の届出提出。
2024年が最終運行となる年となるので、記念イベント等を企画

あいの風とやま鉄道 運転管理センター(富山) 53両

←糸魚川(えちごトキめき鉄道)・市振　　富山・倶利伽羅・金沢(ＩＲいしかわ鉄道)→

521系　**44両**(ステンレス車体)[密連]　③

形式	両数
クモハ521	22
クハ520	22
クモハ413	3
モハ412	3
クハ412	3
計	53

	Mc 521	Tc w 520	
	+VSCP	+	
AK01	6	**6**	
AK02	7	**7**	
AK03	8	**8**	
AK04	9	**9**	
AK05	11	**11**	
AK06	12	**12**	
AK07	13	**13**	
AK08	15	**15**	
AK09	16	**16**	
AK10	17	**17**	
AK11	18	**18**	
AK12	21	**21**	
AK13	23	**23**	
AK14	24	**24**	
AK15	31	**31**	
AK16	32	**32**	
AK17	1001	**1001**	18.01.11川重
AK18	1002	**1002**	20.03.04川重
AK19	1003	**1003**	21.03.08川重
AK20	1004	**1004**	22.02.21川車
AK21	1005	**1005**	23.02.20川車
AK22	1006	**1006**	23.02.20川車

▽521系は、元ＪＲ西日本521系。形式変更等はなし
　譲受月日は2015.03.14。1000代は増備車
▽座席は、転換クロスシート、固定クロスシートとロングシート
▽扉半自動設備(押ボタン式)を装備
▽車間幌は先頭部を含めて設置済み
▽車体カラーは、富山湾方向を背景とする山側側面はブルー基調、
　反対に立山連峰を背景とする海側側面はグリーン基調のデザイン。
　2015.03 ～ 08に全編成を施工完了

413系　**9両**[密連]　②

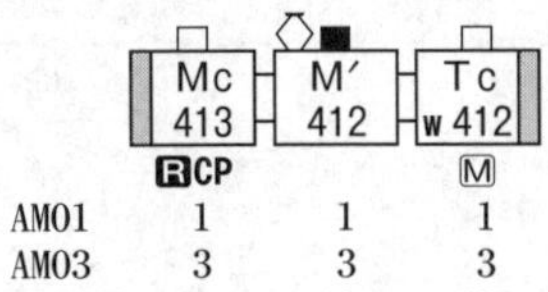

	Mc 413	M′ 412	Tc w 412	
AM01	1	1	1	←観光列車「一万三千尺物語」(18.12.20)
AM03	3	3	3	←16.08.28=「とやま絵巻」
AM05	10	10	10	

▽2015.03.14　ＪＲ西日本北陸本線倶利伽羅～富山～市振間を引継いで開業。駅は石動～富山～越中宮崎間を管轄
▽ＩＲいしかわ鉄道金沢、えちごトキめき鉄道糸魚川まで乗入れ
▽w はトイレ設備。太字の車両に車いす対応スペース

のと鉄道 穴水運輸区 9両

←七尾・和倉温泉　　穴水→

ＮＴ200形　**7両**[小型密着]　②

201
202
203
204
211
212
213

ＮＴ300形　**2両**[小型密着]　②

301　←15.03.19新潟トランシス
302　←15.03.19新潟トランシス

▽1988.03.25　ＪＲ西日本能登線を引継ぎ開業
▽1991.09.01　ＪＲ西日本七尾線和倉温泉～輪島間の運行を、
　のと鉄道に移管
▽2001.03.31限りで穴水～輪島間廃止
▽2005.03.31限りで穴水～蛸島間廃止
▽NT200形は車いす対応トイレ、車いす対応スペース付き。
　太字はクロスシートが両側とも2人掛け
▽ラッピング車両　ＮＴ204=花咲くいろは
　(P.A.WORKS、のと鉄道)
　ＮＴ212=君は放課後のインソムニア(七尾市)
▽ＮＴ300形は観光用車両「のと里山里海号」。2015.04.29から営業運転開始。
　ＮＴ301はトイレなし、サービスカウンター付き。ＮＴ302はトイレ付き

ＩＲいしかわ鉄道　車両基地(金沢)　49両

←富山(あいの風とやま鉄道)・倶利伽羅　　　金沢・福井→

521系　**48両**(ステンレス車体)[密連]　③

	Mc 521 +VSCP	Tc w 520 +	車両デザイン色
IR01	10	**10**	緑／草系
IR02	14	**14**	紫／古代紫系
IR03	30	**30**	群青／藍系
IR04	55	**55**	黄／黄土(金)系
IR05	56	**56**	赤／臙脂系
IR06	116	**116**	20.12.03近車
IR07	117	**117**	20.12.03近車
IR08	118	**118**	20.12.03近車
IR09	19	**19**	11.01.12川重
IR10	20	**20**	11.01.12川重
IR11	22	**22**	11.01.26川重
IR12	26	**26**	11.02.04川重
IR13	28	**28**	11.02.15川重
IR14	34	**34**	11.03.08川重
IR15	37	**37**	13.11.06近車
IR16	39	**39**	13.12.11近車
IR17	40	**40**	13.12.11近車
IR18	41	**41**	13.12.11近車
IR19	42	**42**	14.01.22近車
IR20	43	**43**	14.01.22近車
IR21	52	**52**	14.02.21川重
IR22	53	**53**	14.02.21川重
IR23	54	**54**	14.02.21川重
IR24	57	**57**	21.04.01川重

キヤ143系　**1両**

キヤ 143
9

▽キヤ143形は除雪用

クモハ521	24
クハ520	24
計	48

▽521系は、元ＪＲ西日本521系。形式変更等はなし
　譲受月日は2015.03.14
　IR06～08は2020年度増備車。ＪＲ七尾線に入線
　IR09 ～ 24編成は2024.03.16　ＪＲ西日本から譲受
▽座席は、転換クロスシート、固定クロスシートとロングシート
▽扉半自動設備(押ボタン式)を装備
▽車間幌は先頭部を含めて設置済み

▽2015.03.14　ＪＲ西日本北陸本線金沢～倶利伽羅間を引継いで開業
▽2024.03.16　ＪＲ北陸本線大聖寺～金沢間を承継
▽ハピラインふくい福井、あいの風とやま鉄道富山まで乗入れ
▽座席は、転換クロスシート、固定クロスシートとロングシート
▽扉半自動設備(押ボタン式)を装備
▽w はトイレ設備。太字の車両に車いす対応スペース

ハピラインふくい　車両管理センター(南福井)　33両

←金沢・大聖寺　　　福井・敦賀→

521系　**32両**(ステンレス車体)[密連]　③

	Mc 521 +VSCP	Tc w520 +	新製月日
HF01	25	25	11.02.04川重
HF02	27	27	11.02.04川重
HF03	29	29	11.02.15川重
HF04	33	33	11.02.24川重
HF05	35	35	11.03.08川重
HF06	36	36	13.11.06近車
HF07	38	38	13.11.06近車
HF08	44	44	14.01.08近車
HF09	45	45	14.01.08近車
HF10	46	46	14.01.08近車
HF11	47	47	14.01.27川重
HF12	48	48	14.01.27川重
HF13	49	49	14.03.04近車
HF14	50	50	14.03.04近車
HF15	51	51	14.03.04近車
HF16	58	58	21.04.01川重

キヤ143系　**1両**

キヤ 143
5

▽キヤ143形は除雪用

クモハ521	16
ク　ハ520	16
計	32

▽ハピラインふくいは、2024(R06).03.16、北陸本線大聖寺～福井～敦賀間を承継して営業運転を開始
　ＩＲいしかわ鉄道と相互直通運転を実施。金沢まで乗入れ
▽521系は元ＪＲ西日本521系。譲受月日は2024(R06).03.16。形式車号の変更なし
▽座席は、転換クロスシート、固定クロスシートとロングシート
▽扉半自動設備(押ボタン式)を装備
▽w はトイレ設備。太字の車両に車いす対応スペース

万葉線 米島車庫区 12両

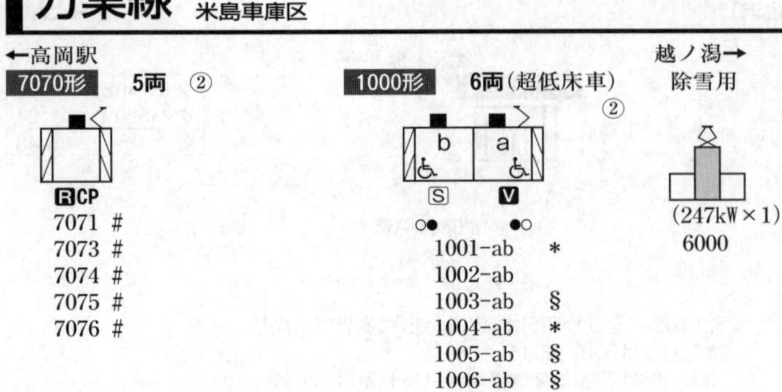

←高岡駅 越ノ潟→

7070形 **5両** ②

RCP
7071 #
7073 #
7074 #
7075 #
7076 #

1000形 **6両**(超低床車) ②

b a
S V
●● ●○
1001-ab ＊
1002-ab
1003-ab §
1004-ab ＊
1005-ab §
1006-ab §

除雪用
(247kW×1)
6000

デ7070形	5
1000形	6
計	11

▽2002.04.01 加越能鉄道から事業を承継、運行開始
▽2014.03.29から高岡駅(高岡ステーションビル)乗入れ開始。電停名を高岡駅前から改称

▽1000形の愛称はアイトラム
▽特別塗色車=7073(レトロ電車)は20.04.09全面広告車に
▽除雪用車のパンタグラフは信号操作用
▽2016.04.16から「ドラえもん電車」(1003-ab)運行開始
▽2020.08.09から「獅子舞トラム」(1005-ab)運行開始
▽2020.10.05から「LIBOOOTRAM/ライブゥートラム」(1006-ab)運行開始
▽# は全面広告車。＊ は部分ラッピング広告車。§は全面ラッピング広告車
▽7074 22.03.18=電源装置、冷房装置改造
　7076 23.03.24=電源装置、冷房装置改造

北陸鉄道 鶴来検車区・内灘検車区 25両

石川線(鶴来検車区) 12両[小型密着] ③

←野町 鶴来→

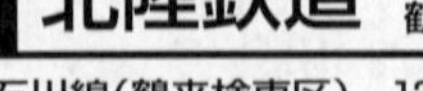

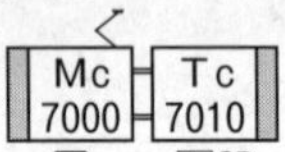

Mc 7000 - Tc 7010
R - MCP
7001 7011

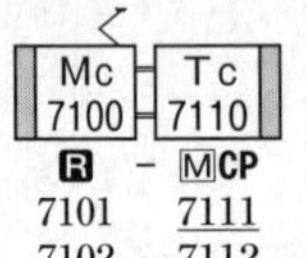

Mc 7100 - Tc 7110
R - MCP
7101 7111
7102 7112

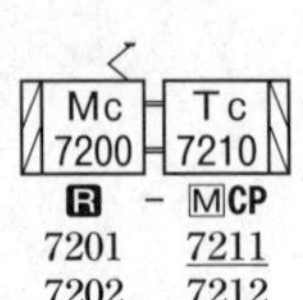

Mc 7200 - Tc 7210
R - MCP
7201 7211
7202 7212

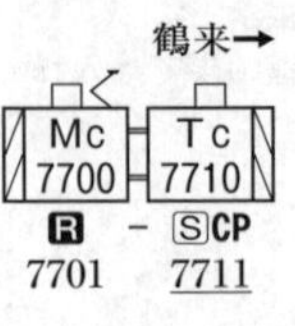

Mc 7700 - Tc 7710
R - SCP
7701 7711

モハ7000	1
クハ7010	1
モハ7100	2
クハ7110	2
モハ7200	2
クハ7210	2
モハ7700	1
クハ7710	1
計	12

電気機関車 **1両**
ＥＤ20形[自連] 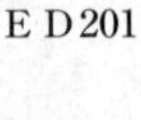
(75kW×4)
ＥＤ201

▽7000系は7001－7011を除き冷房車
　冷房装置は床下と天井のセパレートタイプ
▽＿＿はフランジ塗油器取付車
▽パンタグラフシングルアーム化
　7102・7201・7701=19.02、7001・7101=20.12、7202=22.02
▽鶴来～加賀一の宮間は2009.11.01付で廃止(営業運転は2009.10.31限り)

浅野川線(内灘検車区) 12両[小型密着] ③

←内灘 北鉄金沢→

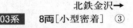

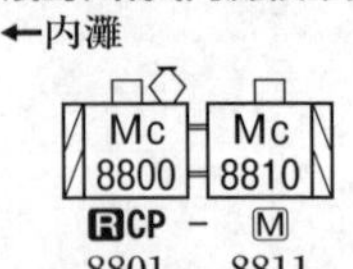

Mc 8800 - Mc 8810
RCP - M
8801 8811

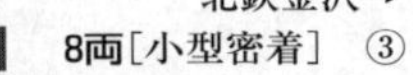

03系 **8両**[小型密着] ③

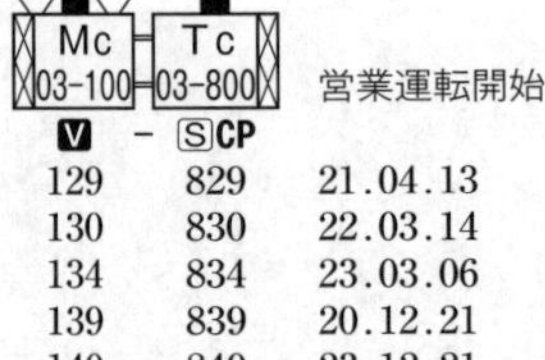

Mc 03-100 - Tc 03-800
V - SCP

03-100	03-800	営業運転開始日
129	829	21.04.13
130	830	22.03.14
134	834	23.03.06
139	839	20.12.21
140	840	23.12.21

モハ8800	1
モハ8900	1
モハ03-100	5
クハ03-800	5
計	12

▽7000系・7100系・7200系は元東京急行電鉄7000系。7200系は運転台新設車
▽8800系・8900系・7700系は元京王電鉄3000系。8800系は狭幅・片開き扉車。8900系と7700系は広幅・両開き扉車
▽03系は元東京地下鉄日比谷線03系。03-830·834-840にフランジ塗油器取付。20.12.21営業運転開始

えちぜん鉄道 福井口車庫 32両

←福井　　　　　　　　　　　　　　　　三国港・勝山→

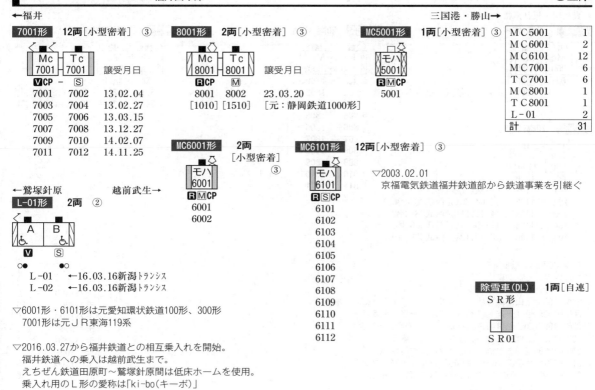

7001形 12両［小型密着］ ③

Mc 7001	Tc 7001	譲受月日
VCP －	S	
7001	7002	13.02.04
7003	7004	13.02.27
7005	7006	13.03.15
7007	7008	13.12.27
7009	7010	14.02.07
7011	7012	14.11.25

8001形 2両［小型密着］ ③

Mc 8001	Tc 8001	譲受月日
RCP	M	
8001	8002	23.03.20
［1010］	［1510］	［元：静岡鉄道1000形］

MC5001形 1両［小型密着］ ③

モハ 5001
RMCP
5001

MC5001	1
MC6001	2
MC6101	12
MC7001	6
TC7001	6
MC8001	1
TC8001	1
L－01	2
計	31

MC6001形 2両［小型密着］ ③

モハ 6001
RMCP
6001
6002

MC6101形 12両［小型密着］ ③

モハ 6101
RSCP
6101
6102
6103
6104
6105
6106
6107
6108
6109
6110
6111
6112

▽2003.02.01
京福電気鉄道福井鉄道部から鉄道事業を引継ぐ

←鷲塚針原　　　　越前武生→

L-01形 2両 ②

A	B
V	S
○●	●○

L－01 ←16.03.16新潟トランシス
L－02 ←16.03.16新潟トランシス

除雪車(DL) 1両［自連］

ＳＲ形
ＳＲ01

▽6001形・6101形は元愛知環状鉄道100形、300形
7001形は元ＪＲ東海119系

▽2016.03.27から福井鉄道との相互乗入れを開始。
福井鉄道への乗入は越前武生まで。
えちぜん鉄道田原町～鷲塚針原間は低床ホームを使用。
乗入れ用のＬ形の愛称は「ki-bo(キーボ)」

福井鉄道 北府車両工場 33両

福武線　33両

←たけふ新・福井駅　　　　　　　　　　　　田原町→

880形 8両 ②

Mc1 880	Mc2 880
RS	SCP
●● ○○	●●
883	882
885	884
887	886
889	888

770形 8両 ②

Mc1 770	Mc2 770
RS	CP
●● ○○	●●
771	770
773	772
775	774
777	776

F1000形 12両「フクラム」 ④

A	C	B
	VV	V
○●	●○	●○

F1001 13.03.31新潟(赤)
F1002 15.02.18新潟(青)
F1003 16.03.20新潟(黄緑)
F1004 16.12.19新潟(桜)

F2000形 3両「フクラムライナー」

A	C	B	
V			新製月日
●●	○○	●○	
	F2001		23.03.27アルナ

▽客用扉はＡＢに２箇所ずつ設置

F10形 2両「レトラム」 ②

A	B
R	CP
○●	●○

735 ←14.04.12営業運転開始

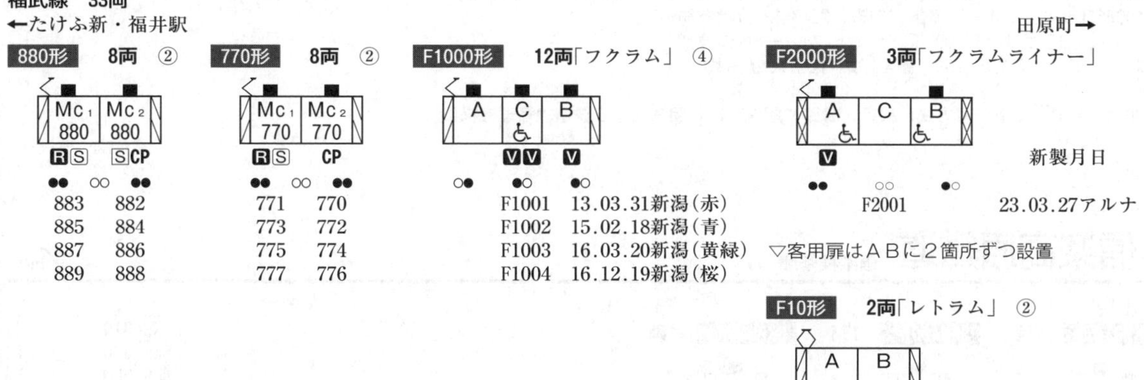

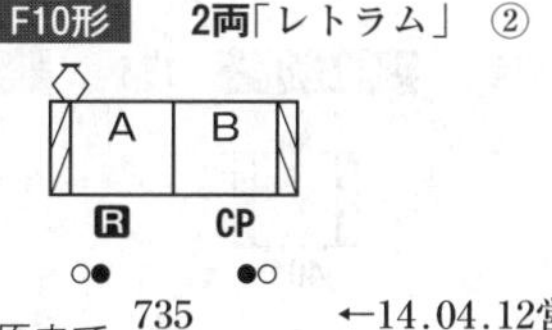

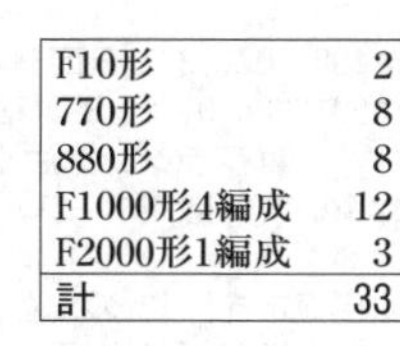

F10形	2
770形	8
880形	8
F1000形4編成	12
F2000形1編成	3
計	33

▽2016.03.27からえちぜん鉄道との相互乗入れを開始。えちぜん鉄道への乗入れは鷲塚針原まで。
乗入れ用車両は、Ｆ1000形
また同日、福井駅前線を約140m延伸、福井駅前を福井駅と改称。
合わせて、木田四ツ辻停留場を商工会議所前停留場、公園口停留場を足羽山公園口停車場と変更
▽2018.03から市役所前停留場を福井城址大名町停留場に改称
▽2023.02.25　越前武生駅　たけふ新駅に改称

▽Ｆ1001は2013.03.31から営業運転開始。客用扉は１編成にて４箇所
▽F2000形は2023.03.27から営業運転開始。えちぜん鉄道乗入れは04.08から
▽200形は越前市に譲渡(2022.04.01)
▽770形･880形は名古屋鉄道からの譲受車
▽880形889F=21.03.22(制御装置ＶＶＶＦ化、主電動機更新、空気圧縮機更新、空調装置更新)
882F=22.01.31(制御装置ＶＶＶＦ化、主電動機更新、空気圧縮機更新、空調装置更新)
886F=21.11.08(制御装置ＶＶＶＦ化、主電動機更新、空気圧縮機更新、空調装置更新)
▽Ｆ10形はとさでん交通からの譲受け車。元シュツットガルト市(ドイツ)の車両

近江鉄道 車両区(彦根)　36両

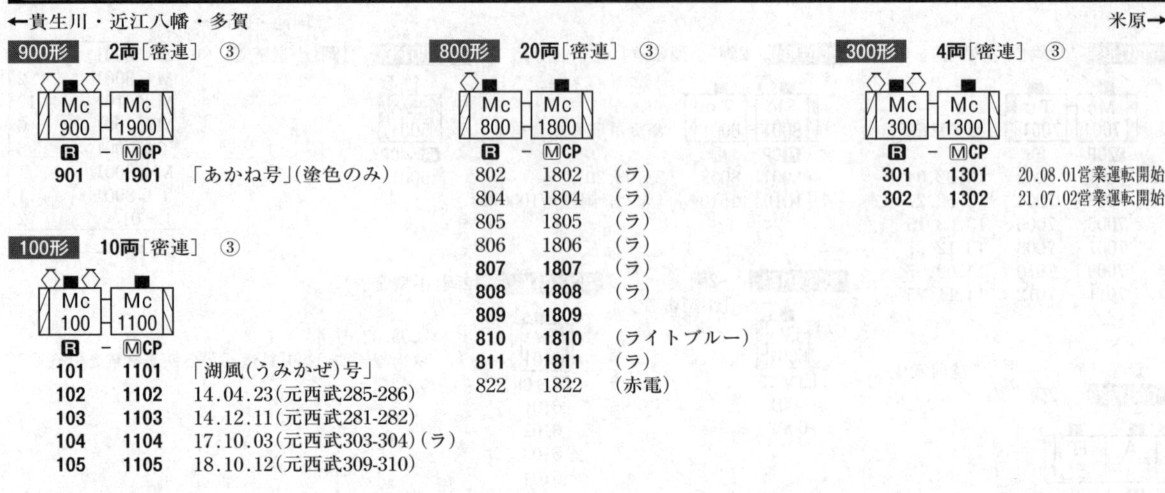

←貴生川・近江八幡・多賀　米原→

900形 **2両**［密連］ ③

Mc 900 - Mc 1900

R - ⓂCP

901 **1901** 「あかね号」(塗色のみ)

100形 **10両**［密連］ ③

Mc 100 - Mc 1100

R - ⓂCP

101 **1101** 「湖風(うみかぜ)号」
102 **1102** 14.04.23(元西武285-286)
103 **1103** 14.12.11(元西武281-282)
104 **1104** 17.10.03(元西武303-304)(ラ)
105 **1105** 18.10.12(元西武309-310)

800形 **20両**［密連］ ③

Mc 800 - Mc 1800

R - ⓂCP

802 1802 (ラ)
804 1804 (ラ)
805 1805 (ラ)
806 1806 (ラ)
807 **1807** (ラ)
808 **1808** (ラ)
809 **1809**
810 **1810** (ライトブルー)
811 **1811** (ラ)
822 1822 (赤電)

300形 **4両**［密連］ ③

Mc 300 - Mc 1300

R - ⓂCP

301 **1301** 20.08.01営業運転開始
302 **1302** 21.07.02営業運転開始

モハ220	1
モハ300	2
モハ1300	2
モハ800	10
モハ1800	10
モハ900	1
モハ1900	1
モハ100	5
モハ1100	5
計	36

▽ワンマン運転実施
▽(ラ)はラッピング車
802＋1802=ダイドー　フルラッピング電車
804＋1804=土山たぬきサービスエリア　フルラッピング電車
805＋1805=近江十景トレイン　フルラッピング電車
806＋1806=2025滋賀国スポ・障スポ 全面ラッピング
807＋1807=豊郷あかね　部分ラッピング電車
808＋1808=豊郷あかね　フルラッピング電車
811＋1811=伊藤園「お～いお茶」　フルラッピング電車
822＋1822=120周年イベント「赤電復刻」(16.06.16)
104＋1104=健康診断　フルラッピング
▽太字は車いす対応スペース設置
▽800形の旧形式は西武鉄道401系
810編成　車体塗色ライトブルー(23.09.29)
▽900形·100形の旧形式は西武鉄道101系。バリアフリーを強化
900形は700形「初代あかね」を引継いだ「あかね号」塗装、2013.06.14営業開始
100形はライトブルーを基調に白帯、2013.12.27営業開始
▽300形、旧型式は西武3000系。ライトブルー一色に塗装
バリアフリーを強化。ドア鴨居に案内表示器初搭載

▽2024.04.01　上下分離方式に移行。線路や駅保有は社団法人近江鉄道線管理機構に

信楽高原鐵道 信楽検修庫　4両

←貴生川　信楽→

SKR310形 **2両**　**SKR400形** **1両**　**SKR500形** **1両**

311
312　**401**　**501**

SKR 310	2
SKR 400	1
SKR 500	1
計	4

▽1987.07.13　ＪＲ西日本信楽線を引継ぎ開業
▽2013.04.01「上下分離」方式経営に移行。信楽高原鐵道は第２種鉄道事業者、第３種鉄道事業者は甲賀市
▽＿＿はフランジ塗油器取付け車。連結器は小型密着。客用扉数②
▽車いす対応スペース…太字の車両に設置

▽甲賀市を「忍者のまち」としてＰＲするためラッピング施工
「SHINOBI-TRAIN」ラッピング
ＳＫＲ311=緑色(17.02.22)、ＳＫＲ312=紫色(17.02.23)
ＳＫＲ401=「リサラーソン」(ラッピング) 信楽高原鐵道利用促進協議会

叡山電鉄 修学院車庫　23両

23両(22+1)［営業用車　連結器は小型密着］

←出町柳　　八瀬比叡山口・鞍馬→

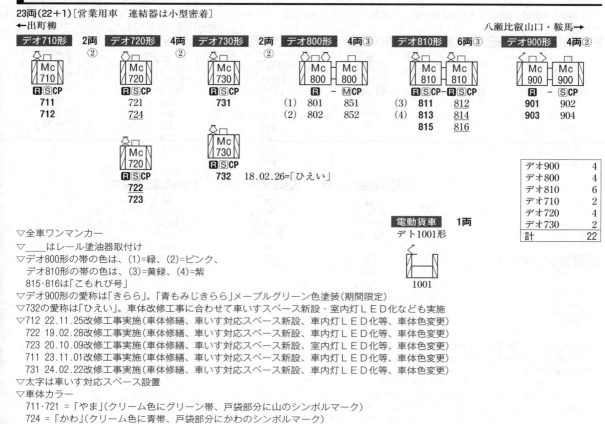

デオ710形 2両②
Mc 710
RSCP
711
712

デオ720形 4両②
Mc 720
RSCP
721
<u>724</u>

Mc 720
RSCP
<u>722</u>
723

デオ730形 2両②
Mc 730
RSCP
731

Mc 730
RSCP
732　18.02.26=「ひえい」

デオ800形 4両③
Mc 800 - Mc 800
R - MCP
(1) 801　851
(2) 802　852

デオ810形 6両③
Mc 810 - Mc 810
RSCP-RSCP
(3) 811　<u>812</u>
(4) 813　<u>814</u>
815　<u>816</u>

デオ900形 4両②
Mc 900 - Mc 900
R - SCP
901　902
903　904

デオ900	4
デオ800	4
デオ810	6
デオ710	2
デオ720	4
デオ730	2
計	22

電動貨車 1両
デト1001形
1001

▽全車ワンマンカー
▽＿＿はレール塗油器取付け
▽デオ800形の帯の色は、(1)=緑、(2)=ピンク、
　デオ810形の帯の色は、(3)=黄緑、(4)=紫
　815·816は「こもれび号」
▽デオ900形の愛称は「きらら」。「青もみじきらら」メープルグリーン色塗装(期間限定)
▽732の愛称は「ひえい」。車体改修工事に合わせて車いすスペース新設・室内灯ＬＥＤ化なども実施
▽712 22.11.25改修工事実施(車体修繕、車いす対応スペース新設、車内灯ＬＥＤ化等、車体色変更)
　722 19.02.28改修工事実施(車体修繕、車いす対応スペース新設、車内灯ＬＥＤ化等、車体色変更)
　723 20.10.09改修工事実施(車体修繕、車いす対応スペース新設、室内灯ＬＥＤ化等、車体色変更)
　711 23.11.01改修工事実施(車体修繕、車いす対応スペース新設、車内灯ＬＥＤ化等、車体色変更)
　731 24.02.22改修工事実施(車体修繕、車いす対応スペース新設、車内灯ＬＥＤ化等、車体色変更)
▽太字は車いす対応スペース設置
▽車体カラー
　711·721 = 「やま」(クリーム色にグリーン帯、戸袋部分に山のシンボルマーク)
　724 = 「かわ」(クリーム色に青帯、戸袋部分にかわのシンボルマーク)
　731 = 「ノスタルジック731改」(24.02.22)
▽台枠下部覆い取付は、デオ800形・デオ810形・デオ900形と711・712・722・723・731・732

鞍馬寺　1両

←山門　　鋼索　　多宝塔→

No. 1形

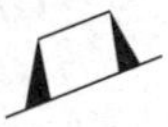

1　牛若号Ⅳ

▽叡山電鉄鞍馬駅下車。乗車料金は冥加料
▽車両と施設更新工事が完了、2016.05.20から運転再開

嵯峨野観光鉄道　6両

←トロッコ嵯峨　　トロッコ亀岡→

ＤＬ 1両［自連］
ＤＥ10形 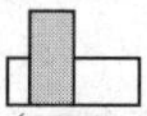
(1350ps×1)
DE101104

客車 5両［自連］①
ＳＫ100·200·300形

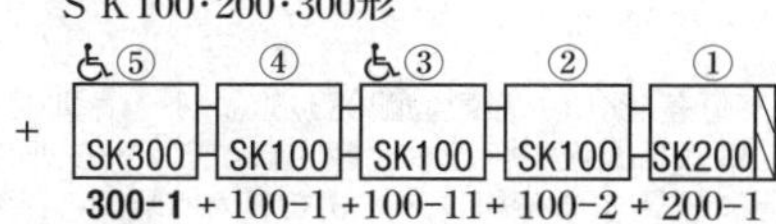

+ **300-1** + 100-1 +100-11+ 100-2 + 200-1

▽1991.04.27 旧山陰本線の路線を引続き開業
▽ＤＬは常にトロッコ嵯峨方に連結
▽客車のうち、太字はオープンタイプ
▽ＳＫ300形の愛称は「ザ·リッチ」

▽19世紀ホール(トロッコ嵯峨駅)に、Ｃ5848、Ｃ57148、実習用蒸気機関車「若鷹号」、Ｄ51603(頭部)、
　ジオラマ京都ＪＡＰＡＮ(トロッコ嵯峨駅)にＥＦ6645・ＥＦ6641(前頭部)などを保存、展示

京福電気鉄道 西院車庫

30両

嵐山本線・北野線　28両(27+1)［営業用車　連結器はトムリンソン式］　②

←嵐山　　　　　　　　　　　　　　　　　　　　　　　　　　北野白梅町・四条大宮→

モボ101形 6両	モボ301形 1両	モボ501形 2両	モボ611形 6両	モボ621形 5両
Mc 101	Mc 301	Mc 501	Mc 611	Mc 621
RSCP	RSCP	RSCP	RSCP	RSCP
101	301	**501**	**611**	**621**
102		**502**	**612**	**622**
103			**613**	**623**
104			**614**	**624** (*1)
105			**615**	**625**
106			**616**	

形式	両数
モボ101	6
モボ301	1
モボ501	2
モボ611	6
モボ621	5
モボ631	3
モボ21	2
モボ2001	2
計	27

モボ631形 3両	モボ21形 2両	モボ2001形 2両
Mc 631	Mc 21	Mc 2001
RSCP	RSCP	VSCP
631	26	**2001**
632 (*2)	27	**2002**
633		

電動貨車　1両

モト1000形

1001

▽モボ21形はレトロ調車体、車体の縁取りは26=金・27=銀
▽2009.10.14に江ノ島電鉄と姉妹提携したのを記念し、631は江ノ電色
▽太字は新塗色(京紫色)
▽ラッピング車の図柄(スポンサー)は以下のとおり
*1=夕子号(井筒八ツ橋)、*2=もり号(もりの漬物)、
ほかにパートラッピングは、611=エルハウジング、613=京都七味唐辛子、621=グッドタイムリビング
612・615=京都銀行、502=京都先端科学大学、623=京都シネマレトロ
▽2両編成はモボ2001形を除き異形式の組合せも可能
▽モボ501形　2016年度にリニューアル。京紫色に変更するとともに、乗降用扉を前・中扉から前・後扉に変更
▽車いすスペースは、モボ101形・モボ301形をのぞく車両に設置

鋼索線　2両

←ケーブル八瀬　　鋼索　　ケーブル比叡→

ケ形

1　　▽叡山電鉄八瀬比叡山口下車
2　　▽車体リニューアル、2021(R03).03.20～運行開始

比叡山鉄道

2両

←ケーブル坂本　　鋼索　　ケーブル延暦寺→

1　縁(YEN)
2　福(FUKU)

▽全長2,025m(日本最長)、高低差484m、最急勾配333.3‰。トンネル２箇所
▽ＪＲ湖西線比叡山坂本駅、京阪石山坂本線坂本比叡山駅からケーブル坂本行連絡バス(江若交通)
▽2007年、駅停車時に蓄電池に充電する架線レス方式を導入、駅間の架線を撤去

京都市交通局　竹田車両基地・醍醐車庫　222両

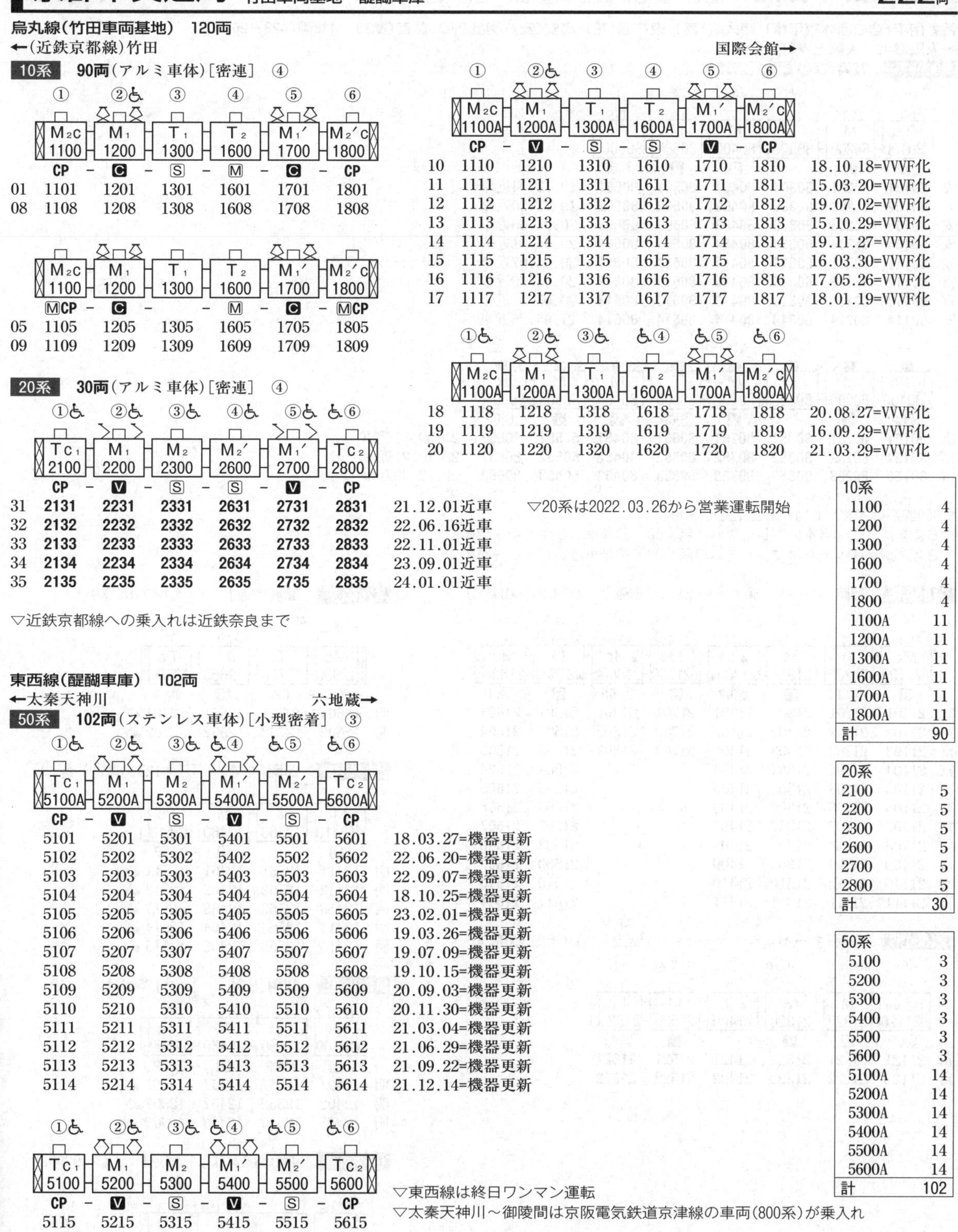

烏丸線(竹田車両基地)　120両

←(近鉄京都線)竹田　　　　国際会館→

10系　**90両**(アルミ車体)[密連]　④

	①	②♿	③	④	⑤	⑥	
	M2c 1100	M1 1200	T1 1300	T2 1600	M1′ 1700	M2′c 1800	
	CP	C	S	M	C	CP	
01	1101	1201	1301	1601	1701	1801	
08	1108	1208	1308	1608	1708	1808	

	①	②	③	④	⑤	⑥
	M2c 1100	M1 1200	T1 1300	T2 1600	M1′ 1700	M2′c 1800
	MCP	C		M	C	MCP
05	1105	1205	1305	1605	1705	1805
09	1109	1209	1309	1609	1709	1809

	①	②♿	③	④	⑤	⑥	
	M2c 1100A	M1 1200A	T1 1300A	T2 1600A	M1′ 1700A	M2′c 1800A	
	CP	V	S	S	V	CP	
10	1110	1210	1310	1610	1710	1810	18.10.18=VVVF化
11	1111	1211	1311	1611	1711	1811	15.03.20=VVVF化
12	1112	1212	1312	1612	1712	1812	19.07.02=VVVF化
13	1113	1213	1313	1613	1713	1813	15.10.29=VVVF化
14	1114	1214	1314	1614	1714	1814	19.11.27=VVVF化
15	1115	1215	1315	1615	1715	1815	16.03.30=VVVF化
16	1116	1216	1316	1616	1716	1816	17.05.26=VVVF化
17	1117	1217	1317	1617	1717	1817	18.01.19=VVVF化

	①♿	②♿	③♿	♿④	♿⑤	♿⑥	
	M2c 1100A	M1 1200A	T1 1300A	T2 1600A	M1′ 1700A	M2′c 1800A	
18	1118	1218	1318	1618	1718	1818	20.08.27=VVVF化
19	1119	1219	1319	1619	1719	1819	16.09.29=VVVF化
20	1120	1220	1320	1620	1720	1820	21.03.29=VVVF化

20系　**30両**(アルミ車体)[密連]　④

	①♿	②♿	③♿	④♿	⑤♿	♿⑥	
	Tc1 2100	M1 2200	M2 2300	M2′ 2600	M1′ 2700	Tc2 2800	
	CP	V	S	S	V	CP	
31	**2131**	**2231**	**2331**	**2631**	**2731**	**2831**	21.12.01近車
32	**2132**	**2232**	**2332**	**2632**	**2732**	**2832**	22.06.16近車
33	**2133**	**2233**	**2333**	**2633**	**2733**	**2833**	22.11.01近車
34	**2134**	**2234**	**2334**	**2634**	**2734**	**2834**	23.09.01近車
35	**2135**	**2235**	**2335**	**2635**	**2735**	**2835**	24.01.01近車

▽20系は2022.03.26から営業運転開始

▽近鉄京都線への乗入れは近鉄奈良まで

東西線(醍醐車庫)　102両

←太秦天神川　　　　六地蔵→

50系　**102両**(ステンレス車体)[小型密着]　③

①♿	②♿	③♿	♿④	♿⑤	♿⑥	
Tc1 5100A	M1 5200A	M2 5300A	M1′ 5400A	M2′ 5500A	Tc2 5600A	
CP	V	S	V	S	CP	
5101	5201	5301	5401	5501	5601	18.03.27=機器更新
5102	5202	5302	5402	5502	5602	22.06.20=機器更新
5103	5203	5303	5403	5503	5603	22.09.07=機器更新
5104	5204	5304	5404	5504	5604	18.10.25=機器更新
5105	5205	5305	5405	5505	5605	23.02.01=機器更新
5106	5206	5306	5406	5506	5606	19.03.26=機器更新
5107	5207	5307	5407	5507	5607	19.07.09=機器更新
5108	5208	5308	5408	5508	5608	19.10.15=機器更新
5109	5209	5309	5409	5509	5609	20.09.03=機器更新
5110	5210	5310	5410	5510	5610	20.11.30=機器更新
5111	5211	5311	5411	5511	5611	21.03.04=機器更新
5112	5212	5312	5412	5512	5612	21.06.29=機器更新
5113	5213	5313	5413	5513	5613	21.09.22=機器更新
5114	5214	5314	5414	5514	5614	21.12.14=機器更新

①♿	②♿	③♿	♿④	♿⑤	♿⑥
Tc1 5100	M1 5200	M2 5300	M1′ 5400	M2′ 5500	Tc2 5600
CP	V	S	V	S	CP
5115	5215	5315	5415	5515	5615
5116	5216	5316	5416	5516	5616
5117	5217	5317	5417	5517	5617

10系	
1100	4
1200	4
1300	4
1600	4
1700	4
1800	4
1100A	11
1200A	11
1300A	11
1600A	11
1700A	11
1800A	11
計	90

20系	
2100	5
2200	5
2300	5
2600	5
2700	5
2800	5
計	30

50系	
5100	3
5200	3
5300	3
5400	3
5500	3
5600	3
5100A	14
5200A	14
5300A	14
5400A	14
5500A	14
5600A	14
計	102

▽東西線は終日ワンマン運転

▽太秦天神川～御陵間は京阪電気鉄道京津線の車両(800系)が乗入れ

▼優先席……全車両に設置

▼車いす対応スペース……♿の車両に設置

▽梅小路公園の「市電ひろば」などに、N電29、500形505、700形703、800形890、900形935、1600形1605、2000形2001を保存、展示。また運転日を決めて、N電27が公園内の市電広場～すざくゆめ広場間運転

近畿日本鉄道　西大寺・東花園・高安・明星・富吉・古市・東生駒車庫　1895両

特急用車〔含む団体専用車〕(西大寺〔西〕・東花園〔花〕・高安〔安〕・明星〔明〕・富吉〔富〕)　448両(428＋20)

←大阪難波・大阪上本町・京都

80000系　**72両**(ひのとり)［密連］　①

	⑥	⑤	④	③	②	①	
	Tc	M	T	M	M	Tc	
	80100	80200	80300	80400	80500	80600	
	ⓈCP –	Ⓥ –		– Ⓥ	– Ⓥ	– ⓈCP	
安	**80101**	**80201**	**80301**	**80401**	**80501**	**80601**	19.12.04近車
安	**80102**	**80202**	**80302**	**80402**	**80502**	**80602**	19.12.20近車
安	**80103**	**80203**	**80303**	**80403**	**80503**	**80603**	20.01.06近車
安	**80104**	**80204**	**80304**	**80404**	**80504**	**80604**	20.04.01近車
安	**80111**	**80211**	**80311**	**80411**	**80511**	**80611**	20.04.07近車
富	**80112**	**80212**	**80312**	**80412**	**80512**	**80612**	20.04.30近車
富	**80113**	**80213**	**80313**	**80413**	**80513**	**80613**	20.05.13近車
安	**80114**	**80214**	**80314**	**80414**	**80514**	**80614**	21.04.26近車

	Tc	M	T	M	T	M	M	Tc	
	80100	80200	80300	80700	80800	80400	80500	80600	
	ⓈCP –	Ⓥ –		– Ⓥ	ⓈCP –	Ⓥ	Ⓥ	ⓈCP	
富	**80151**	**80251**	**80351**	**80751**	**80851**	**80451**	**50551**	**80651**	20.09.11近車
富	**80152**	**80252**	**80352**	**80752**	**80852**	**80452**	**50552**	**80652**	20.10.21近車
富	**80153**	**80253**	**80353**	**80753**	**80853**	**80453**	**50553**	**80653**	20.12.29近車

▽80000系は2020.03.14から営業運転開始
▽６両編成　①⑥号車はプレミアム車両、②～⑤号車はレギュラー車両
▽８両編成　①⑧号車はプレミアム車両、②～⑦号車はレギュラー車両

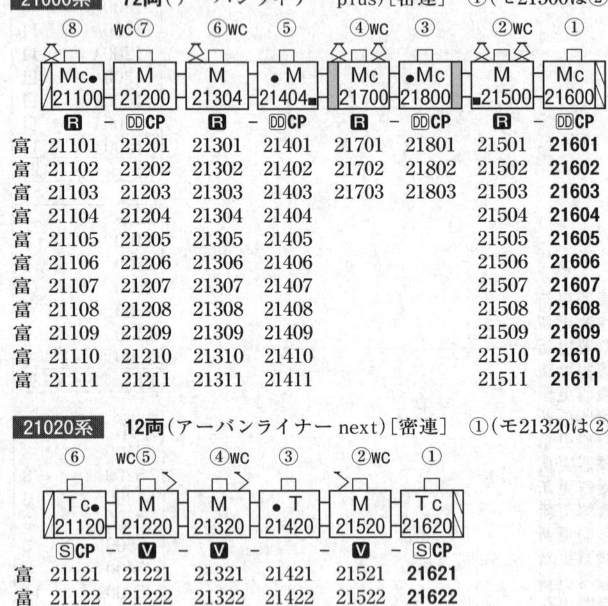

21000系　**72両**(アーバンライナー plus)［密連］　①(モ21500は②)

	⑧	WC⑦	⑥WC	⑤	④WC	③	②WC	①
	Mc●	M	M	●M	Mc	●Mc	M	Mc
	21100	21200	21304	21404■	21700	21800	■21500	21600
	Ⓡ –	ⒹⒹCP	Ⓡ –	ⒹⒹCP	Ⓡ –	ⒹⒹCP	Ⓡ –	ⒹⒹCP
富	21101	21201	21301	21401	21701	21801	21501	**21601**
富	21102	21202	21302	21402	21702	21802	21502	**21602**
富	21103	21203	21303	21403	21703	21803	21503	**21603**
富	21104	21204	21304	21404			21504	**21604**
富	21105	21205	21305	21405			21505	**21605**
富	21106	21206	21306	21406			21506	**21606**
富	21107	21207	21307	21407			21507	**21607**
富	21108	21208	21308	21408			21508	**21608**
富	21109	21209	21309	21409			21509	**21609**
富	21110	21210	21310	21410			21510	**21610**
富	21111	21211	21311	21411			21511	**21611**

21020系　**12両**(アーバンライナー next)［密連］　①(モ21320は②)

	⑥	WC⑤	④WC	③	②WC	①
	Tc●	M	M	●T	M	Tc
	21120	21220	21320	21420	21520	21620
	ⓈCP –	Ⓥ –	Ⓥ –		– Ⓥ	– ⓈCP
富	21121	21221	21321	21421	21521	**21621**
富	21122	21222	21322	21422	21522	**21622**

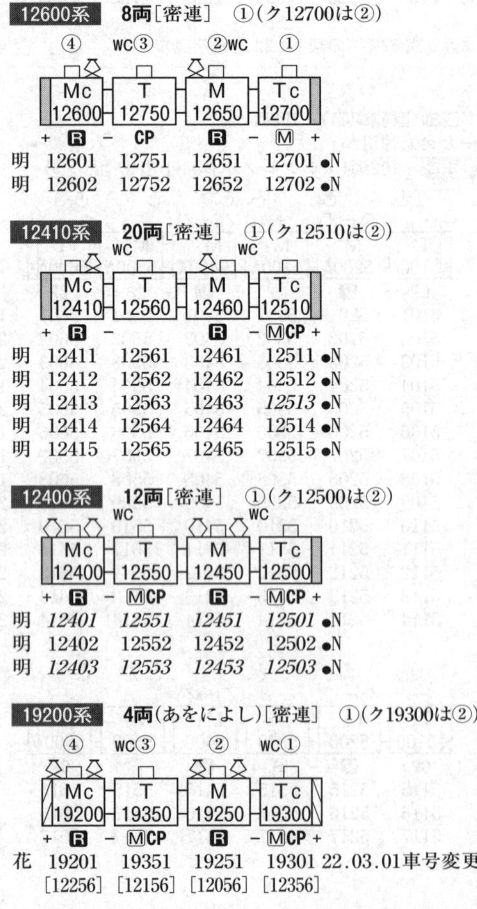

12600系　**8両**［密連］　①(ク12700は②)

	④	WC③	②WC	①
	Mc	T	M	Tc
	12600	12750	12650	12700
	＋ Ⓡ –	CP	Ⓡ –	Ⓜ ＋
明	12601	12751	12651	12701 ●N
明	12602	12752	12652	12702 ●N

12410系　**20両**［密連］　①(ク12510は②)

		WC		WC
	Mc	T	M	Tc
	12410	12560	12460	12510
	＋ Ⓡ –		Ⓡ	– ⓂCP ＋
明	12411	12561	12461	12511 ●N
明	12412	12562	12462	12512 ●N
明	12413	12563	12463	*12513* ●N
明	12414	12564	12464	12514 ●N
明	12415	12565	12465	12515 ●N

12400系　**12両**［密連］　①(ク12500は②)

		WC		WC
	Mc	T	M	Tc
	12400	12550	12450	12500
	＋ Ⓡ –	ⓂCP	Ⓡ –	ⓂCP ＋
明	*12401*	*12551*	*12451*	*12501* ●N
明	12402	12552	12452	12502 ●N
明	*12403*	*12553*	*12453*	*12503* ●N

19200系　**4両**(あをによし)［密連］　①(ク19300は②)

	④	WC③	②	WC①	
	Mc	T	M	Tc	
	19200	19350	19250	19300	
	＋ Ⓡ –	ⓂCP	Ⓡ –	ⓂCP ＋	
花	19201	19351	19251	19301	22.03.01車号変更
	［12256］	［12156］	［12056］	［12356］	

▽特急券のほかに「あおによし」特別車両料金が必要

←大阪難波・大阪上本町・京都

50000系 **18両**(しまかぜ)[密連]　①

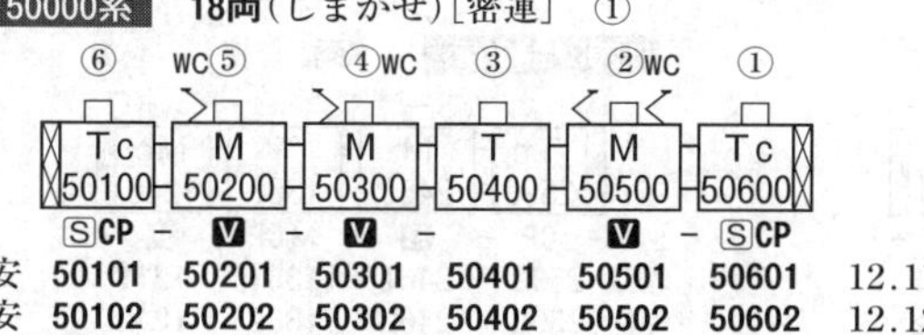

	Tc 50100	M 50200	M 50300	T 50400	M 50500	Tc 50600	
安	**50101**	**50201**	**50301**	**50401**	**50501**	**50601**	12.11.06近車
安	**50102**	**50202**	**50302**	**50402**	**50502**	**50602**	12.12.18近車
安	**50103**	**50203**	**50303**	**50403**	**50503**	**50603**	14.09.01近車

▽1・6号車は展望車両
　3号車は2階建てカフェ車両
　4号車はグループ車両
▽特急券のほかに「しまかぜ特別料金」が必要

22000系 **86両**(ACE)[密連]　②(モ22200は①)

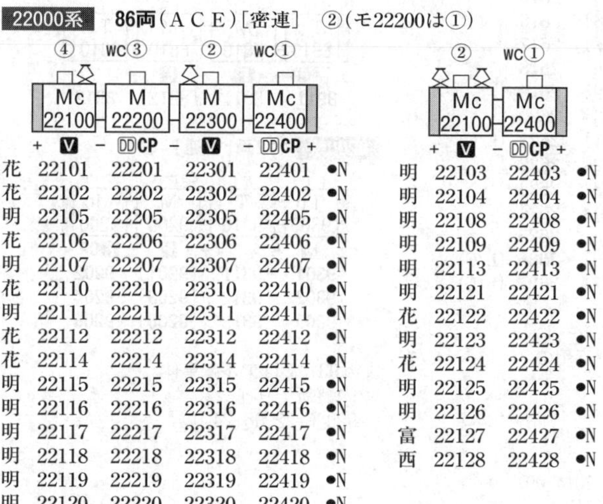

	Mc 22100	M 22200	M 22300	Mc 22400	
花	22101	22201	22301	22401	●N
花	22102	22202	22302	22402	●N
明	22105	22205	22305	22405	●N
花	22106	22206	22306	22406	●N
明	22107	22207	22307	22407	●N
花	22110	22210	22310	22410	●N
明	22111	22211	22311	22411	●N
花	22112	22212	22312	22412	●N
花	22114	22214	22314	22414	●N
明	22115	22215	22315	22415	●N
明	22116	22216	22316	22416	●N
明	22117	22217	22317	22417	●N
明	22118	22218	22318	22418	●N
明	22119	22219	22319	22419	●N
明	22120	22220	22320	22420	●N

	Mc 22100	Mc 22400	
明	22103	22403	●N
明	22104	22404	●N
明	22108	22408	●N
明	22109	22409	●N
明	22113	22413	●N
明	22121	22421	●N
花	22122	22422	●N
明	22123	22423	●N
花	22124	22424	●N
明	22125	22425	●N
明	22126	22426	●N
富	22127	22427	●N
西	22128	22428	●N

23000系 **36両**(伊勢志摩ライナー)[密連]
①(モ23300は②)

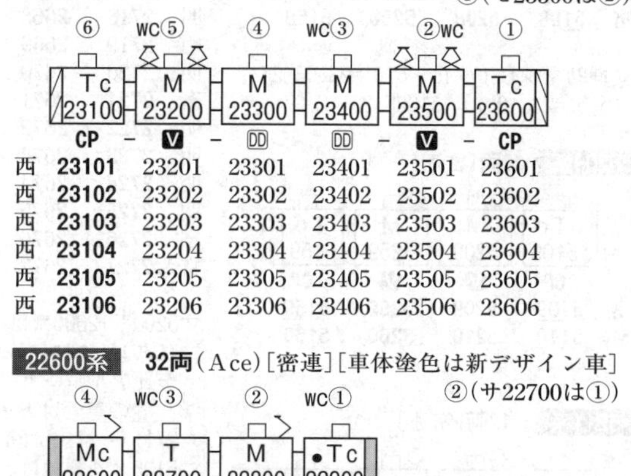

	Tc 23100	M 23200	M 23300	M 23400	M 23500	Tc 23600
西	**23101**	23201	23301	23401	23501	23601
西	**23102**	23202	23302	23402	23502	23602
西	**23103**	23203	23303	23403	23503	23603
西	**23104**	23204	23304	23404	23504	23604
西	**23105**	23205	23305	23405	23505	23605
西	**23106**	23206	23306	23406	23506	23606

22600系 **32両**(Ace)[密連][車体塗色は新デザイン車]
②(サ22700は①)

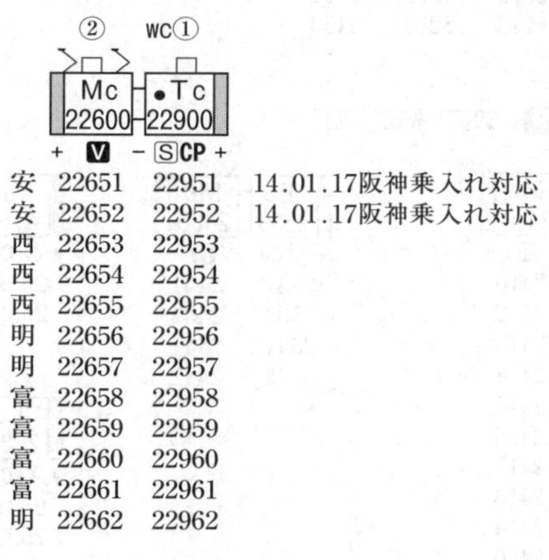

	Mc 22600	T 22700	M 22800	Tc 22900	
安	22601	22701	22801	22901	14.01.23阪神乗入れ対応
安	22602	22702	22802	22902	14.01.10阪神乗入れ対応

	Mc 22600	Tc 22900	
安	22651	22951	14.01.17阪神乗入れ対応
安	22652	22952	14.01.17阪神乗入れ対応
西	22653	22953	
西	22654	22954	
西	22655	22955	
明	22656	22956	
明	22657	22957	
富	22658	22958	
富	22659	22959	
富	22660	22960	
富	22661	22961	
明	22662	22962	

30000系 **60両**(ビスタEX)[密連]　①(モ30250は②)

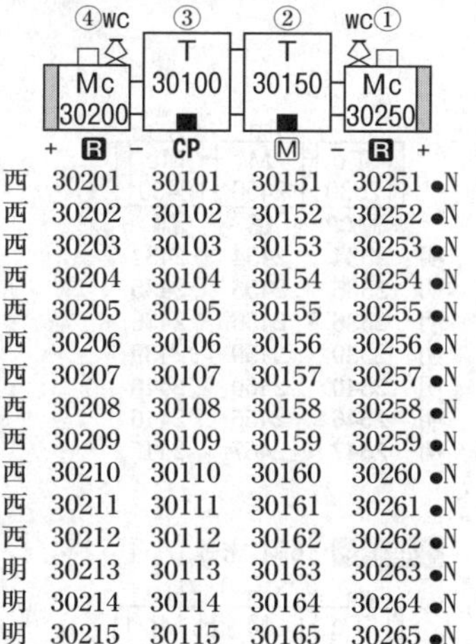

	Mc 30200	T 30100	T 30150	Mc 30250	
西	30201	30101	30151	30251	●N
西	30202	30102	30152	30252	●N
西	30203	30103	30153	30253	●N
西	30204	30104	30154	30254	●N
西	30205	30105	30155	30255	●N
西	30206	30106	30156	30256	●N
西	30207	30107	30157	30257	●N
西	30208	30108	30158	30258	●N
西	30209	30109	30159	30259	●N
西	30210	30110	30160	30260	●N
西	30211	30111	30161	30261	●N
西	30212	30112	30162	30262	●N
明	30213	30113	30163	30263	●N
明	30214	30114	30164	30264	●N
明	30215	30115	30165	30265	●N

▽デラックスカー(太字の号車)乗車には特急券のほかに特別車両料金が必要
▽モ21700形-モ21800形を組込む編成は、検査などの関係で一定していない
▽12400系のパンタグラフは◇に換えられた車両も在籍
▽30000系の階下席は3～5人のグループ専用席。2010年度完了。車体更新工事は2011年度にて全編成が完了
▽12600系　Nは車体塗色新デザイン車。合わせて車両リニューアル

▽23000系　リニューアル工事施工。車体色をサンシャインレッド色(=奇数編成)、サンシャインイエロー色(=偶数編成)に変更
　23101F=2013.06.04、23102F=2012.12.26、23103F=2012.07.31、23104F=2012.09.06、23105F=2013.07.10、23106F=2013.02.08
▽22000系　Nは車体塗色新デザイン車。合わせて車両リニューアル
　2019年度施工　22103F=20.03.03、22104F=20.03.05、22107F=19.07.11、22108F=19.12.20、22109F=19.12.24
▽団体専用車は、138頁下段を参照

大阪線・名古屋線（高安車庫・明星車庫〔明〕・富吉車庫〔富〕） 563両

←大阪上本町・近鉄名古屋

5200系 32両［密連］ ③

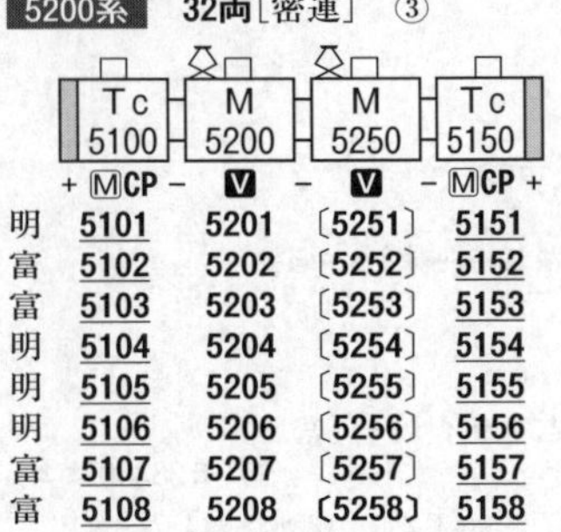

	Tc 5100	M 5200	M 5250	Tc 5150
	+ ⓂCP −	V	− V	− ⓂCP +
明	**5101**	**5201**	**〔5251〕**	**5151**
富	**5102**	**5202**	**〔5252〕**	**5152**
富	**5103**	**5203**	**〔5253〕**	**5153**
明	**5104**	**5204**	**〔5254〕**	**5154**
明	**5105**	**5205**	**〔5255〕**	**5155**
明	**5106**	**5206**	**〔5256〕**	**5156**
富	**5107**	**5207**	**〔5257〕**	**5157**
富	**5108**	**5208**	**〔5258〕**	**5158**

▽補助電源ＳＩＶ化　5101=23.03.25
5151=23.10.13　5102F=23.12.27

5209系 8両［密連］ ③

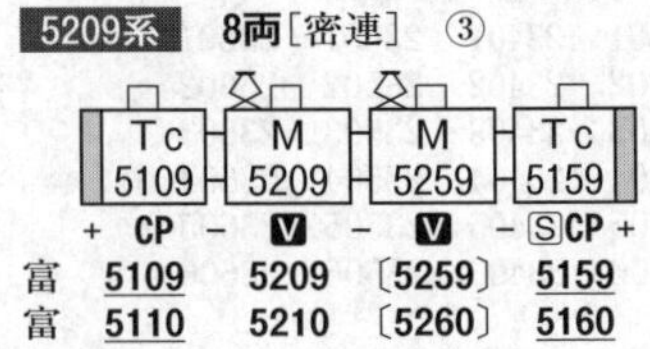

	Tc 5109	M 5209	M 5259	Tc 5159
	+ CP −	V	− V	− ⓈCP +
富	**5109**	**5209**	**〔5259〕**	**5159**
富	**5110**	**5210**	**〔5260〕**	**5160**

5211系 12両［密連］ ③

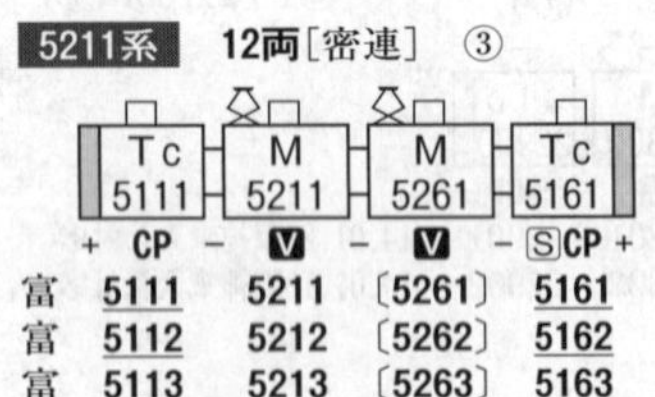

	Tc 5111	M 5211	M 5261	Tc 5161
	+ CP −	V	− V	− ⓈCP +
富	**5111**	**5211**	**〔5261〕**	**5161**
富	**5112**	**5212**	**〔5262〕**	**5162**
富	**5113**	**5213**	**〔5263〕**	**5163**

2610系 68両［密連］ ④

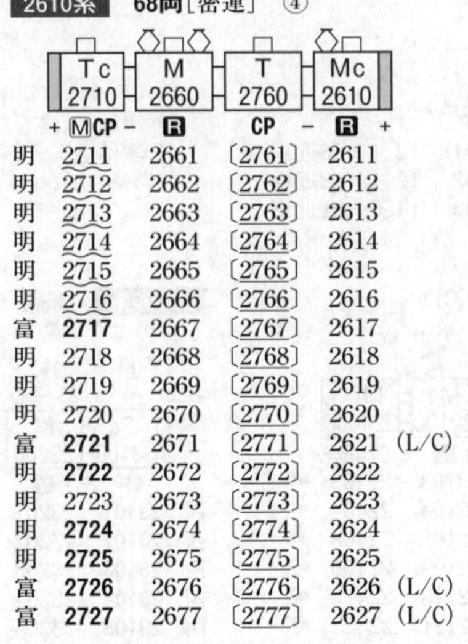

	Tc 2710	M 2660	T 2760	Mc 2610	
	+ ⓂCP −	R	CP	− R +	
明	2711	2661	〔2761〕	2611	
明	2712	2662	〔2762〕	2612	
明	2713	2663	〔2763〕	2613	
明	2714	2664	〔2764〕	2614	
明	2715	2665	〔2765〕	2615	
明	2716	2666	〔2766〕	2616	
富	**2717**	2667	〔2767〕	2617	
明	2718	2668	〔2768〕	2618	
明	2719	2669	〔2769〕	2619	
明	2720	2670	〔2770〕	2620	
富	**2721**	2671	〔2771〕	2621	(L/C)
明	**2722**	2672	〔2772〕	2622	
明	2723	2673	〔2773〕	2623	
明	**2724**	2674	〔2774〕	2624	
明	**2725**	2675	〔2775〕	2625	
富	**2726**	2676	〔2776〕	2626	(L/C)
富	**2727**	2677	〔2777〕	2627	(L/C)

▽5200系・2600系はクロスシート
▽(L/C)はクロス～ロング両用のデュアルシート
▽＿＿の車両はトイレ付き
▽2711～2716はⓅなし
▽5105×4編成は、旧2250系特急色に変更(2014.09)
▽2015年度　2610系の車両リニューアル(ク2710形に車いす対応スペース設置)
2726F=15.05.28、2727F=15.12.21

1200・2430系 8両［密連］ ④

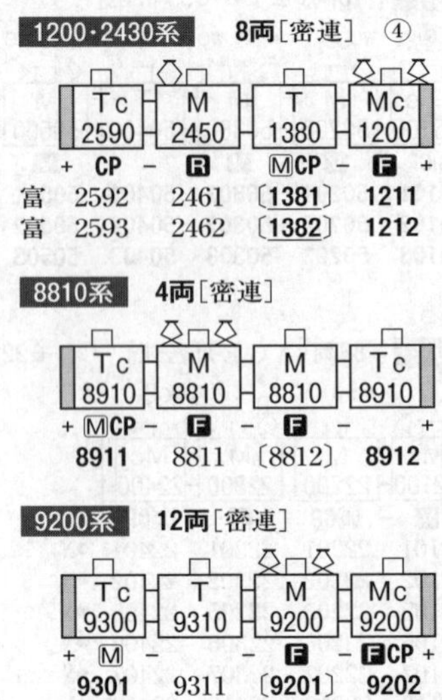

	Tc 2590	M 2450	T 1380	Mc 1200
	+ CP −	R	ⓂCP	− F +
富	**2592**	**2461**	**〔1381〕**	**1211**
富	**2593**	**2462**	**〔1382〕**	**1212**

8810系 4両［密連］

	Tc 8910	M 8810	M 8810	Tc 8910
	+ ⓂCP −	F	− F	− +
	8911	8811	〔8812〕	**8912**

9200系 12両［密連］

	Tc 9300	T 9310	M 9200	Mc 9200
	+ Ⓜ −		− F	FCP +
	9301	9311	**〔9201〕**	**9202**
	9302	9312	**〔9203〕**	**9204**
	9303	9313	**〔9205〕**	**9206**

▽サ9310形はアルミ車体
▽内装新デザイン
9204F=22.06.24

2410・2430系 89両［密連］ ④

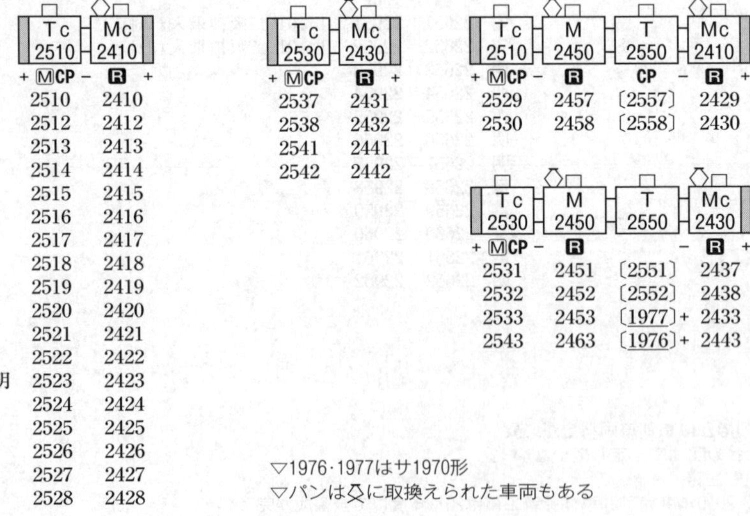

	Tc 2510	Mc 2410
	+ ⓂCP −	R +
	2510	2410
	2512	2412
	2513	2413
	2514	2414
	2515	2415
	2516	2416
	2517	2417
	2518	2418
	2519	2419
	2520	2420
	2521	2421
	2522	2422
明	2523	2423
	2524	2424
	2525	2425
	2526	2426
	2527	2427
	2528	2428

Tc 2530	Mc 2430
+ ⓂCP	R +
2537	2431
2538	2432
2541	2441
2542	2442

Tc 2510	M 2450	T 2550	Mc 2410
+ ⓂCP −	R	CP	− R +
2529	2457	〔2557〕	2429
2530	2458	〔2558〕	2430

Tc 2530	M 2450	T 2550	Mc 2430
+ ⓂCP −	R		− R +
2531	2451	〔2551〕	2437
2532	2452	〔2552〕	2438
2533	2453	〔1977〕+	2433
2543	2463	〔1976〕+	2443

▽1976・1977はサ1970形
▽パンは◇に取換えられた車両もある

	Tc 2530	M 2450	Mc 2430
	+ ⓂCP −	R	R +
明	2534	2454	2434
明	2535	2455	2435
明	2536	2456	2436
明	2539	2459	2439
明	2540	2460	2440
明	**2546**	2466	2446
明	**2547**	2467	2447

2444系 6両［密連］ ④

	Tc 2544	M 2464	Mc 2444	
	+ ⓂCP −	R	R +	
富	2544	2464	2444	(ワ)
富	2545	2465	2445	(ワ)

▽無印(高安車庫所属)は大阪線系統、富・明は名古屋線系統で使用
明星車庫所属車の一部は大阪線でも使用
▽(ワ)はワンマン運転対応車
▽2430系2423は鮮魚運搬車両(伊勢志摩お魚図鑑)

▽全般検査施工個所
標準軌線、南大阪線系統…五位堂検修車庫

▼優先座席……一般車の全車両に設置
▼車いす対応スペース……太字の車両に設置
▼弱冷房車……〔　〕の車両

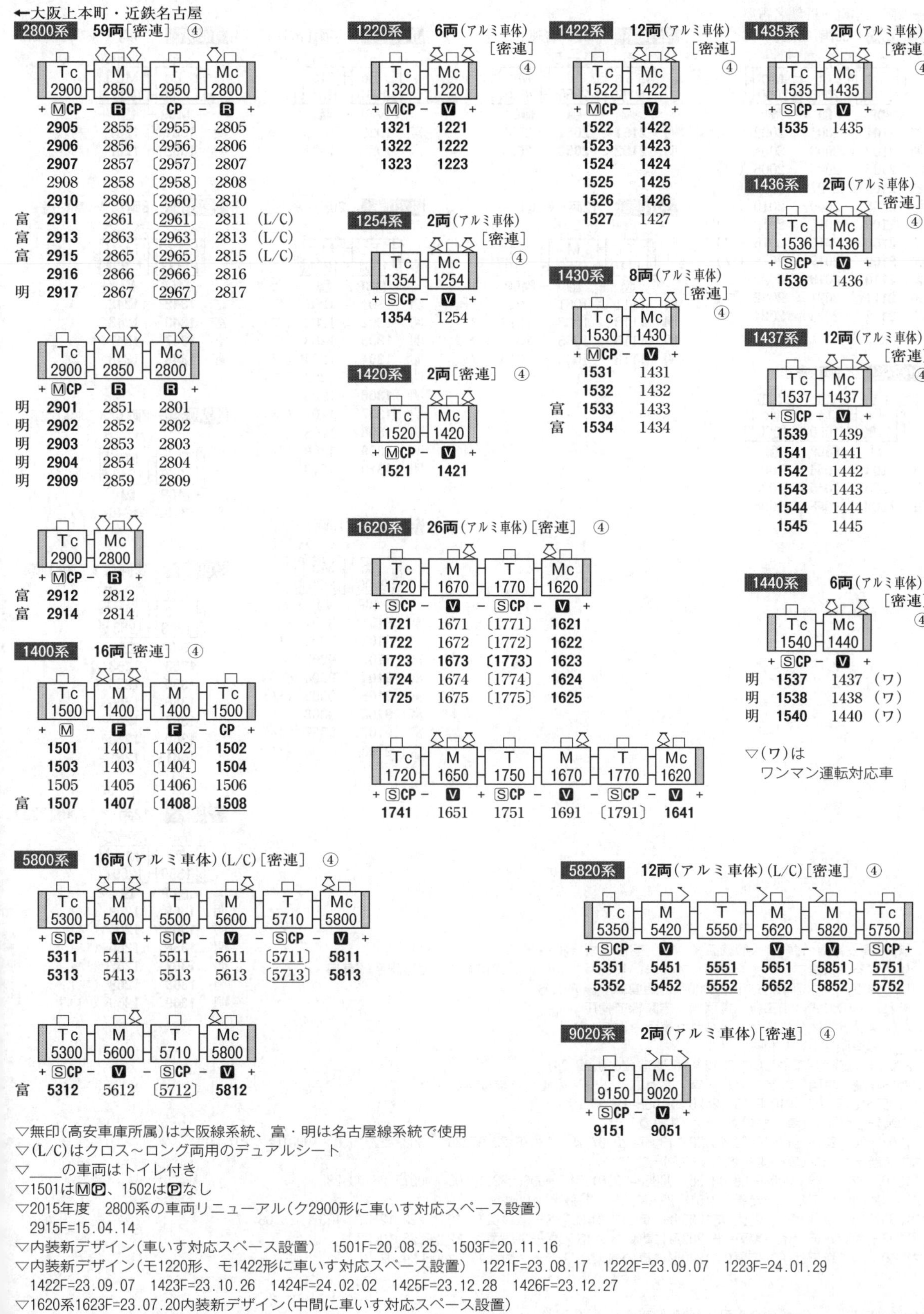

←大阪上本町・近鉄名古屋

2800系 **59両**［密連］ ④

	Tc 2900	M 2850	T 2950	Mc 2800	
	+ ⓂCP −	Ⓡ	CP −	Ⓡ +	
	2905	2855	〔2955〕	2805	
	2906	2856	〔2956〕	2806	
	2907	2857	〔2957〕	2807	
	2908	2858	〔2958〕	2808	
	2910	2860	〔2960〕	2810	
富	**2911**	2861	〔2961〕	2811	(L/C)
富	**2913**	2863	〔2963〕	2813	(L/C)
富	**2915**	2865	〔2965〕	2815	(L/C)
	2916	2866	〔2966〕	2816	
明	**2917**	2867	〔2967〕	2817	

	Tc 2900	M 2850	Mc 2800
	+ ⓂCP −	Ⓡ	Ⓡ +
明	**2901**	2851	2801
明	**2902**	2852	2802
明	**2903**	2853	2803
明	**2904**	2854	2804
明	**2909**	2859	2809

	Tc 2900	Mc 2800
	+ ⓂCP −	Ⓡ +
富	**2912**	2812
富	**2914**	2814

1400系 **16両**［密連］ ④

	Tc 1500	M 1400	M 1400	Tc 1500
	+ Ⓜ −	Ⓕ −	Ⓕ −	CP +
	1501	1401	〔1402〕	**1502**
	1503	1403	〔1404〕	**1504**
	1505	1405	〔1406〕	1506
富	**1507**	**1407**	**〔1408〕**	**1508**

5800系 **16両**(アルミ車体)(L/C)［密連］ ④

	Tc 5300	M 5400	T 5500	M 5600	T 5710	Mc 5800
	+ ⓈCP −	Ⓥ +	ⓈCP −	Ⓥ −	ⓈCP −	Ⓥ +
	5311	5411	5511	5611	〔5711〕	**5811**
	5313	5413	5513	5613	〔5713〕	**5813**

	Tc 5300	M 5600	T 5710	Mc 5800
	+ ⓈCP −	Ⓥ −	ⓈCP −	Ⓥ +
富	**5312**	5612	〔5712〕	**5812**

1220系 **6両**(アルミ車体)［密連］ ④

Tc 1320	Mc 1220
+ ⓂCP −	Ⓥ +
1321	**1221**
1322	**1222**
1323	**1223**

1254系 **2両**(アルミ車体)［密連］ ④

Tc 1354	Mc 1254
+ ⓈCP −	Ⓥ +
1354	1254

1420系 **2両**［密連］ ④

Tc 1520	Mc 1420
+ ⓂCP −	Ⓥ +
1521	**1421**

1620系 **26両**(アルミ車体)［密連］ ④

Tc 1720	M 1670	T 1770	Mc 1620
+ ⓈCP −	Ⓥ −	ⓈCP −	Ⓥ +
1721	1671	〔1771〕	**1621**
1722	1672	〔1772〕	**1622**
1723	**1673**	**〔1773〕**	**1623**
1724	1674	〔1774〕	**1624**
1725	1675	〔1775〕	**1625**

Tc 1720	M 1650	T 1750	M 1670	T 1770	Mc 1620
+ ⓈCP −	Ⓥ +	ⓈCP −	Ⓥ −	ⓈCP −	Ⓥ +
1741	1651	1751	1691	〔1791〕	**1641**

1422系 **12両**(アルミ車体)［密連］ ④

Tc 1522	Mc 1422
+ ⓂCP −	Ⓥ +
1522	**1422**
1523	**1423**
1524	**1424**
1525	**1425**
1526	**1426**
1527	1427

1430系 **8両**(アルミ車体)［密連］ ④

	Tc 1530	Mc 1430
	+ ⓂCP −	Ⓥ +
	1531	1431
	1532	1432
富	**1533**	1433
富	**1534**	1434

1435系 **2両**(アルミ車体)［密連］ ④

Tc 1535	Mc 1435
+ ⓈCP −	Ⓥ +
1535	1435

1436系 **2両**(アルミ車体)［密連］ ④

Tc 1536	Mc 1436
+ ⓈCP −	Ⓥ +
1536	1436

1437系 **12両**(アルミ車体)［密連］ ④

Tc 1537	Mc 1437
+ ⓈCP −	Ⓥ +
1539	1439
1541	1441
1542	1442
1543	1443
1544	1444
1545	1445

1440系 **6両**(アルミ車体)［密連］ ④

	Tc 1540	Mc 1440	
	+ ⓈCP −	Ⓥ +	
明	**1537**	1437	(ワ)
明	**1538**	1438	(ワ)
明	**1540**	1440	(ワ)

▽(ワ)は
ワンマン運転対応車

5820系 **12両**(アルミ車体)(L/C)［密連］ ④

Tc 5350	M 5420	T 5550	M 5620	M 5820	Tc 5750
+ ⓈCP −	Ⓥ		− Ⓥ −	Ⓥ −	ⓈCP +
5351	**5451**	**5551**	**5651**	〔5851〕	**5751**
5352	**5452**	**5552**	**5652**	〔5852〕	**5752**

9020系 **2両**(アルミ車体)［密連］ ④

Tc 9150	Mc 9020
+ ⓈCP −	Ⓥ +
9151	**9051**

▽無印(高安車庫所属)は大阪線系統、富・明は名古屋線系統で使用
▽(L/C)はクロス～ロング両用のデュアルシート
▽＿＿の車両はトイレ付き
▽1501はⓂⓅ、1502はⓅなし
▽2015年度　2800系の車両リニューアル(ク2900形に車いす対応スペース設置)
2915F=15.04.14
▽内装新デザイン(車いす対応スペース設置)　1501F=20.08.25、1503F=20.11.16
▽内装新デザイン(モ1220形、モ1422形に車いす対応スペース設置)　1221F=23.08.17　1222F=23.09.07　1223F=24.01.29
1422F=23.09.07　1423F=23.10.26　1424F=24.02.02　1425F=23.12.28　1426F=23.12.27
▽1620系1623F=23.07.20内装新デザイン(中間に車いす対応スペース設置)

▼優先座席……一般車の全車両に設置
▼車いす対応スペース……太字の車両に設置
▼弱冷房車……〔　〕の車両

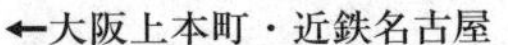
←大阪上本町・近鉄名古屋

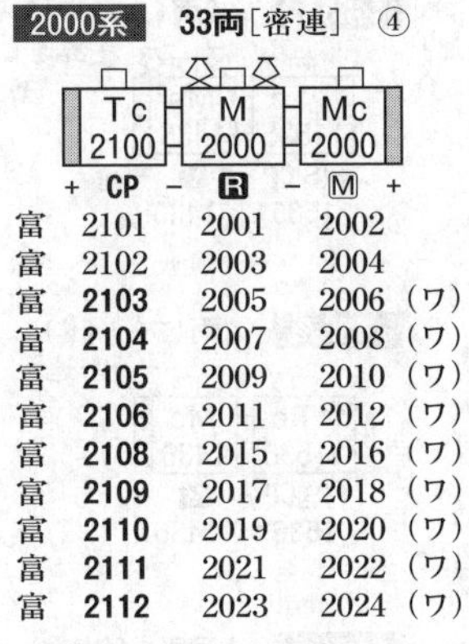

2000系 33両[密連] ④

	Tc 2100	M 2000	Mc 2000	
	+ CP −	R −	Ⓜ +	
富	2101	2001	2002	
富	2102	2003	2004	
富	**2103**	2005	2006	(ワ)
富	**2104**	2007	2008	(ワ)
富	**2105**	2009	2010	(ワ)
富	**2106**	2011	2012	(ワ)
富	**2108**	2015	2016	(ワ)
富	**2109**	2017	2018	(ワ)
富	**2110**	2019	2020	(ワ)
富	**2111**	2021	2022	(ワ)
富	**2112**	2023	2024	(ワ)

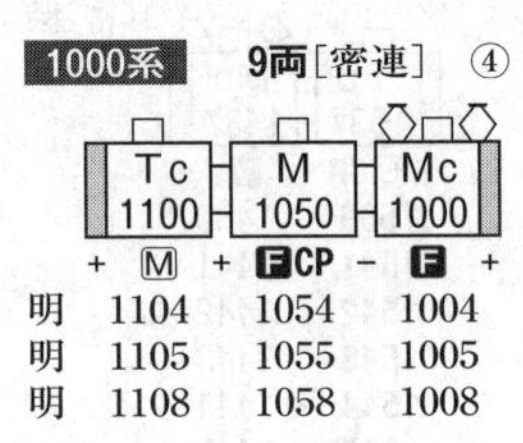

1000系 9両[密連] ④

	Tc 1100	M 1050	Mc 1000
	+ Ⓜ +	FCP −	F +
明	1104	1054	1004
明	1105	1055	1005
明	1108	1058	1008

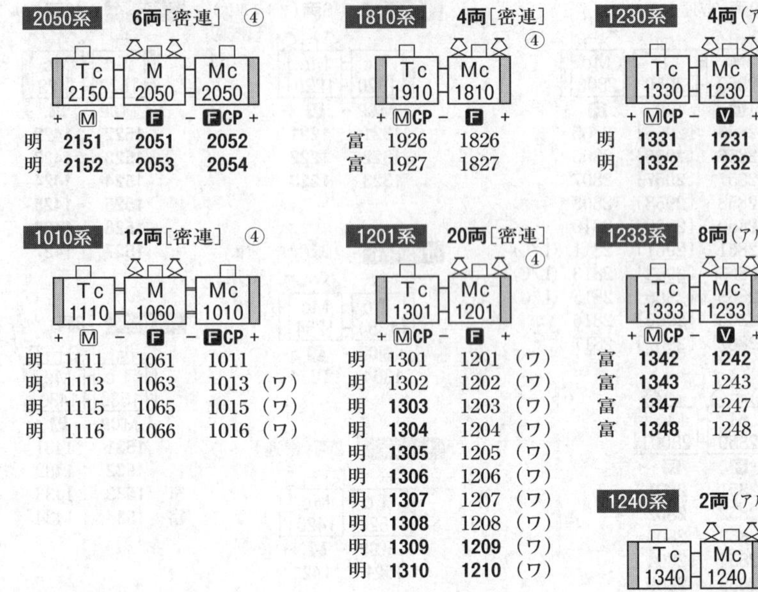

2050系 6両[密連] ④

	Tc 2150	M 2050	Mc 2050
	+ Ⓜ −	F −	FCP +
明	**2151**	**2051**	**2052**
明	**2152**	**2053**	**2054**

1010系 12両[密連] ④

	Tc 1110	M 1060	Mc 1010	
	+ Ⓜ −	F −	FCP +	
明	1111	1061	1011	
明	1113	1063	1013	(ワ)
明	1115	1065	1015	(ワ)
明	1116	1066	1016	(ワ)

1810系 4両[密連] ④

	Tc 1910	Mc 1810
	+ ⓂCP −	F +
富	1926	1826
富	1927	1827

1201系 20両[密連] ④

	Tc 1301	Mc 1201	
	+ ⓂCP −	F +	
明	1301	1201	(ワ)
明	1302	1202	(ワ)
明	**1303**	1203	(ワ)
明	**1304**	1204	(ワ)
明	**1305**	1205	(ワ)
明	1306	1206	(ワ)
明	**1307**	1207	(ワ)
明	**1308**	1208	(ワ)
明	**1309**	**1209**	(ワ)
明	**1310**	**1210**	(ワ)

9000系 16両[密連] ④

	Tc 9100	Mc 9000	
	+ ⓂCP −	F +	
富	**9101**	9001	(ワ)
富	**9102**	9002	(ワ)
富	**9103**	**9003**	
富	**9104**	**9004**	
富	**9105**	**9005**	(ワ)
富	**9106**	**9006**	
富	**9107**	**9007**	(ワ)
富	**9108**	**9008**	(ワ)

1230系 4両(アルミ車体)[密連] ④

	Tc 1330	Mc 1230	
	+ ⓂCP −	V +	
明	**1331**	**1231**	(ワ)
明	**1332**	**1232**	(ワ)

1233系 8両(アルミ車体)[密連] ④

	Tc 1333	Mc 1233
	+ ⓂCP −	V +
富	**1342**	**1242**
富	**1343**	1243
富	**1347**	1247
富	**1348**	1248

1240系 2両(アルミ車体)[密連] ④

	Tc 1340	Mc 1240	
	+ ⓂCP −	V +	
明	**1340**	**1240**	(ワ)

1253系 12両(アルミ車体)[密連] ④

	Tc 1353	Mc 1253
	+ ⓈCP −	V +
	1353	1253
	1355	1255
	1356	1256
	1357	1257
富	**1360**	1260
	1361	1261

1259系 12両(アルミ車体)[密連] ④

	Tc 1359	Mc 1259	
	+ ⓈCP −	V +	
明	**1359**	1259	(ワ)
明	**1365**	1265	(ワ)
明	**1366**	1266	(ワ)
明	**1367**	1267	(ワ)
明	**1368**	1268	(ワ)
明	**1369**	1269	(ワ)

▽無印(高安車庫所属)は大阪線系統、富・明は名古屋線系統で
　使用する。抑速ブレーキを装備していない1000系・1010系・1810系は名古屋線系統専用
▽(ワ)はワンマン運転対応車、2000系は鈴鹿線・湯の山線、
　それ以外の形式は山田線・鳥羽線・志摩線で使用
▽パンタグラフはに取り替えられた車両も在籍
▽＿＿の車両はトイレ付き
▽2107Fは観光列車「つどい」(2013系)に改造(2013.09.24)
▽2018年度　車両リニューアル＋車いす対応スペース設置した編成は、
　2105F=18.06.07　2106F=18.12.26　2108F=19.03.29
▽内装新デザイン(車いす対応スペース設置)
　1303F=20.12.18　1304F=20.10.22　1305F=20.07.29　1307F=22.07.25　1308F=22.10.07　9001F=22.07.09
▽内装新デザイン(車いす対応スペース既設)
　1310F=22.12.28　9004F=23.03.08　9005F=23.01.31　9006F=22.11.02　9007F=23.03.28
▽2000系内装新デザイン変更　2151F=23.04.21　2152F=23.05.26
▽1230系内装新デザイン変更(モ1230形に車いす対応スペース設置)　1231F=23.12.07　1232F=23.08.17
▽1233系内装新デザイン変更(モ1233形に車いす対応スペース設置)　1242F=23.10.02
▽1240系内装新デザイン変更(モ1240形に車いす対応スペース設置)　1240F=24.02.27

▼優先座席……一般車の全車両(鮮魚専用車を除く)に設置
▼車いす対応スペース……太字の車両に設置
▼弱冷房車……〔　〕の車両

けいはんな線(東生駒車庫)　78両

←コスモスクエア(大阪メトロ中央線)・長田　　　　**学研奈良登美ヶ丘→**

7000系　**54両**[市交密連]　④

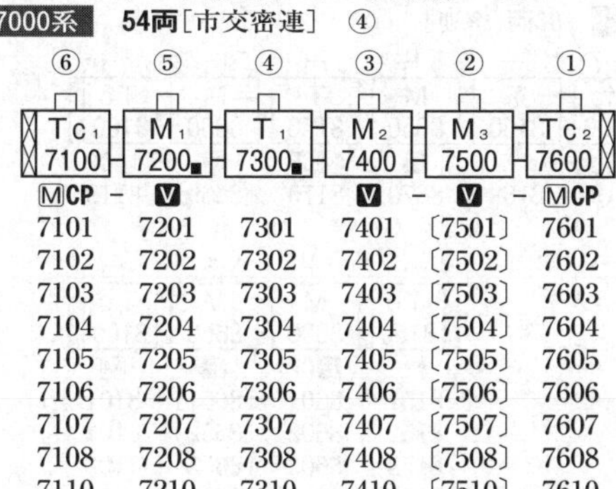

⑥	⑤	④	③	②	①
Tc1 7100	M1 7200■	T1 7300■	M2 7400	M3 7500	Tc2 7600
ⓂCP	Ⓥ		Ⓥ	Ⓥ	ⓂCP
7101	7201	7301	7401	〔7501〕	7601
7102	7202	7302	7402	〔7502〕	7602
7103	7203	7303	7403	〔7503〕	7603
7104	7204	7304	7404	〔7504〕	7604
7105	7205	7305	7405	〔7505〕	7605
7106	7206	7306	7406	〔7506〕	7606
7107	7207	7307	7407	〔7507〕	7607
7108	7208	7308	7408	〔7508〕	7608
7110	7210	7310	7410	〔7510〕	7610

▽第三軌条集電
▽大阪メトロ中央線に乗入れ

▼優先座席……全車両に設置
▼車いす対応スペース……全車両に設置
▼弱冷房車……〔　〕の車両

▽7000系は全車リニューアルが完了
▽長田～学研奈良登美ヶ丘間は
　全列車ワンマン運転

7000系	
モ7200	9
モ7400	9
モ7500	9
ク7100	9
ク7600	9
サ7300	9
	54
7020系	
モ7220	4
モ7420	4
モ7520	4
ク7120	4
ク7620	4
サ7320	4
	24
合　計	78

7020系　**24両**[市交密連]　④

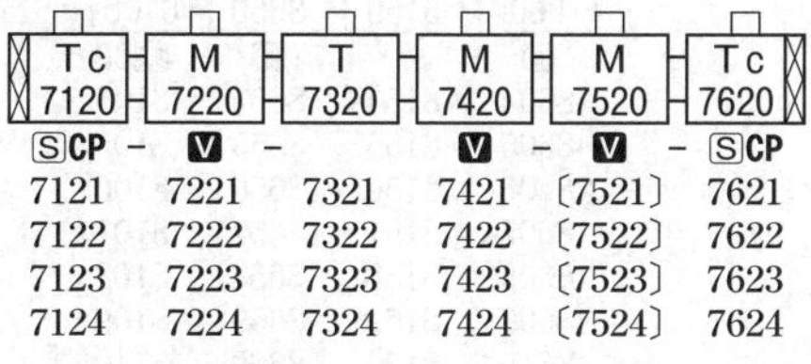

Tc 7120	M 7220	T 7320	M 7420	M 7520	Tc 7620
ⓈCP	Ⓥ		Ⓥ	Ⓥ	ⓈCP
7121	7221	7321	7421	〔7521〕	7621
7122	7222	7322	7422	〔7522〕	7622
7123	7223	7323	7423	〔7523〕	7623
7124	7224	7324	7424	〔7524〕	7624

電動貨車　**8両**[密連]

大阪線・名古屋線・奈良線(高安検車区〔安〕・富吉検車区〔富〕・西大寺検車区〔西〕)　8両

モト90形

ⓇⓂCP+ⓇⓂCP　ⓇⓂCP

安　97　98
富　94
富　96

モト75形

ⓇⓂCP

西　77
西　78

モワ24形 ・ クワ25形

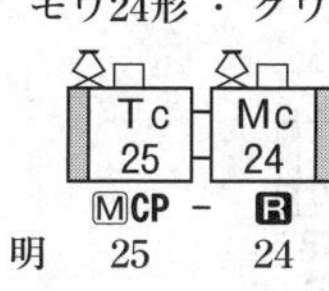

ⓂCP － Ⓡ

明　25　24

▽モワ24・クワ25は電気検測車。
　クワ25に架線、ATS、
　無線等の検測機器を搭載。
　クワ25は台車を交換して
　狭軌線区にも入線できる。
　愛称は「はかるくん」

鋼索線　10両

生駒鋼索線

←鳥居前　　鋼索　　**宝山寺→**

宝山寺1号線

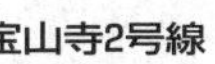

コ11形　11(ブル)
　　　　12(ミケ)

宝山寺2号線

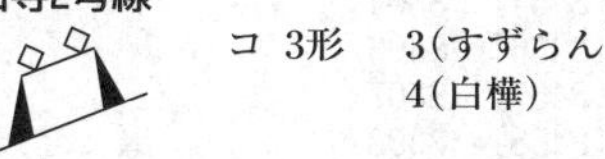

コ 3形　3(すずらん)
　　　　4(白樺)

山上線

←宝山寺　　鋼索　　**生駒山上→**

コ15形　15(ドレミ)
　　　　16(スイート)

西信貴鋼索線

←信貴山口　　鋼索　　**高安山→**

コ 7形　7(ずいうん)
　　　　8(しょううん)

コニ 7形　7
(貨車)　　8

▽生駒鋼索線は奈良線生駒駅下車
　西信貴鋼索線は信貴線信貴山口駅下車

ワンマン運転線区一覧表

線　名	区　間	時間帯	使用形式
田原本線	西田原本～新王寺(全)	終日・全列車	8400系
生駒線	生駒～王寺(全)	終日・全列車	1021系・1026系
南大阪線	古市～橿原神宮前	普通列車の約半数	6432系
道明寺線	道明寺～柏原(全)	普通列車*2	6432系
御所線	尺土～近鉄御所(全)	普通列車*3	6432系
名古屋線	白塚～伊勢中川	普通列車の大部分	1201系・1230系 1240系・1259系 1440系・9000系
山田線	伊勢中川～宇治山田	普通列車の大部分	
鳥羽線	宇治山田～鳥羽(全)	普通列車の大部分	
志摩線	鳥羽～賢島(全)	普通列車の全列車	
湯の山線	近鉄四日市～湯の山温泉(全)	終日・全列車	2000系・2444系・1010系
鈴鹿線	伊勢若松～平田町(全)	普通の全列車	
けいはんな線	長田～学研奈良登美ケ丘(全)	終日・全列車	7000系・7020系

*1=12 ～ 18時　*2=7 ～ 24時　*3=9時～ 23時30分　ただし、例外あり
(全)=全区間を示す

奈良線・難波線・京都線・橿原線・天理線(西大寺車庫〔西〕・東花園車庫) 532両

←(阪神線)大阪難波・京都　　　　橿原神宮前・天理・近鉄奈良→

8000系 28両[密連] ④

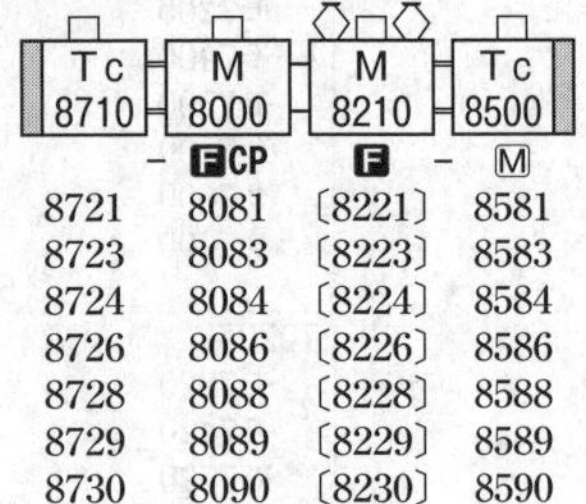

Tc 8710	M 8000	M 8210	Tc 8500
–	FCP	F	– M
8721	8081	〔8221〕	8581
8723	8083	〔8223〕	8583
8724	8084	〔8224〕	8584
8726	8086	〔8226〕	8586
8728	8088	〔8228〕	8588
8729	8089	〔8229〕	8589
8730	8090	〔8230〕	8590

▼優先座席……全車両に設置
▼車いす対応スペース……太字の車両に設置
▼弱冷房車……〔　〕の車両

5820系 30両(アルミ車体)(L/C)[密連] ④

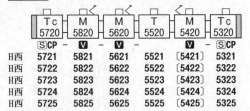

	Tc 5720	M 5820	M 5620	T 5520	M 5420	Tc 5320
	SCP –	V –	V –		V –	SCP
H西	**5721**	**5821**	**5621**	**5521**	**〔5421〕**	**5321**
H西	**5722**	**5822**	**5622**	**5522**	**〔5422〕**	**5322**
H西	**5723**	**5823**	**5623**	**5523**	**〔5423〕**	**5323**
H西	**5724**	**5824**	**5624**	**5524**	**〔5424〕**	**5324**
H西	**5725**	**5825**	**5625**	**5525**	**〔5425〕**	**5325**

5800系 30両(アルミ車体)(L/C)[密連] ④

	Mc 5800	T 5700	M 5600	T 5500	M 5400	Tc 5300
	V –	SCP –	V –	SCP –	V –	SCP
H西	**5801**	5701	5601	5501	〔5401〕	**5301**
H西	**5802**	5702	5602	5502	〔5402〕	**5302**
H西	**5803**	5703	5603	5503	〔5403〕	**5303**
H西	**5804**	5704	5604	5504	〔5404〕	**5304**
H西	**5805**	5705	5605	5505	〔5405〕	**5305**

9820系 60両(アルミ車体)[密連] ④

	Tc 9720	M 9820	M 9620	T 9520	M 9420	Tc 9320
	SCP –	V –	V –		V –	SCP
H西	**9721**	**9821**	**9621**	**9521**	**〔9421〕**	**9321**
H西	**9722**	**9822**	**9622**	**9522**	**〔9422〕**	**9322**
H西	**9723**	**9823**	**9623**	**9523**	**〔9423〕**	**9323**
H西	**9724**	**9824**	**9624**	**9524**	**〔9424〕**	**9324**
H西	**9725**	**9825**	**9625**	**9525**	**〔9425〕**	**9325**
H西	**9726**	**9826**	**9626**	**9526**	**〔9426〕**	**9326**
H西	**9727**	**9827**	**9627**	**9527**	**〔9427〕**	**9327**
H西	**9728**	**9828**	**9628**	**9528**	**〔9428〕**	**9328**
H西	**9729**	**9829**	**9629**	**9529**	**〔9429〕**	**9329**
H西	**9730**	**9830**	**9630**	**9530**	**〔9430〕**	**9330**

▽Hは阪神電気鉄道乗入れ対応車。三宮まで乗入れ
▽(L/C)はクロス～ロング両用のデュアルシート
▽パンタグラフは◇に取り替えられた車両も在籍
▽(ワ)は田原本線、生駒線用のワンマン運転対応車

8600系 86両[密連] ④

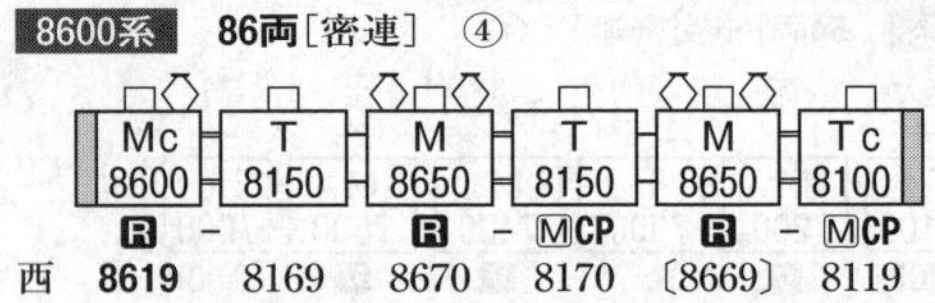

	Mc 8600	T 8150	M 8650	T 8150	M 8650	Tc 8100
	R –		R –	MCP	R –	MCP
西	**8619**	8169	8670	8170	〔8669〕	8119

Tc 8150	M 8600	M 8650	Tc 8100
–	FCP	F	– M
8151	8601	〔8651〕	8101
8152	8602	〔8652〕	8102
8153	8603	〔8653〕	8103
8162	8612	〔8662〕	8112

Mc 8600	T 8150	M 8650	Tc 8100
R –		R –	MCP
8604	8154	〔8654〕	8104
8605	8155	〔8655〕	8105
8606	8156	〔8656〕	8106
8607	8157	〔8657〕	8107
8608	8158	〔8658〕	8108
8609	8159	〔8659〕	8109
8610	8160	〔8660〕	8110
8611	8161	〔8661〕	8111
8613	8163	〔8663〕	**8113**
8614	8164	〔8664〕	**8114**
8615	8165	〔8665〕	8115
8616	8166	〔8666〕	8116
8618	8168	〔8668〕	8118
8621	8171	〔8671〕	8121
8622	8172	〔8672〕	8122

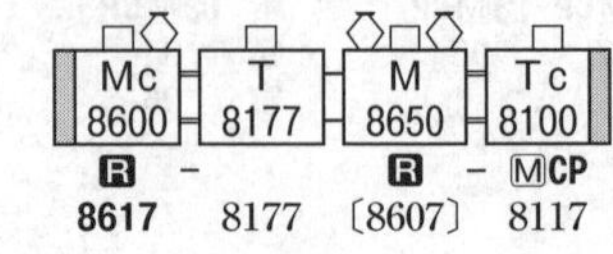

Mc 8600	T 8177	M 8650	Tc 8100
R –		R –	MCP
8617	8177	〔8607〕	8117

8400系 42両[密連] ④

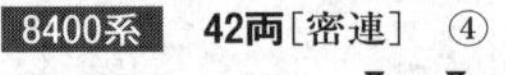

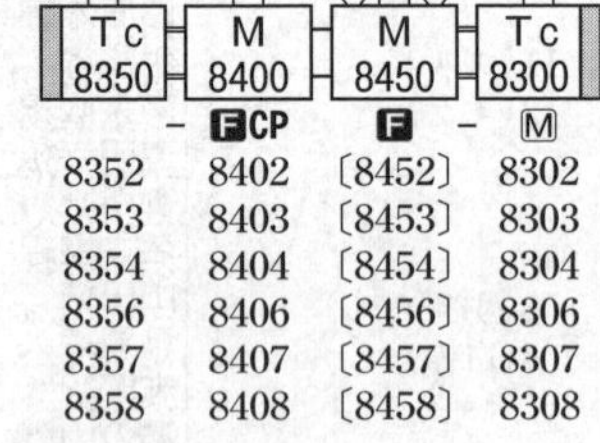

Tc 8350	M 8400	M 8450	Tc 8300
–	FCP	F	– M
8352	8402	〔8452〕	8302
8353	8403	〔8453〕	8303
8354	8404	〔8454〕	8304
8356	8406	〔8456〕	8306
8357	8407	〔8457〕	8307
8358	8408	〔8458〕	8308

	Mc 8400	M 8450	Tc 8300	
	FCP	F	– M	
西	8409	8459	8309	(ワ)
西	8411	8461	8311	(ワ)
西	8412	8462	8312	(ワ)
西	8413	8463	8313	(ワ)
西	8414	8464	8314	(ワ)
西	8415	8465	8315	(ワ)

▽奈良・京都線系統　2018年度　車両リニューアル＋車いす対応スペース設置した編成は、8902F=18.11.27
液晶ディスプレイ設置車は、1237F=18.10.19　1238F=18.10.09　1239F=19.03.14　1241F=18.12.18　1244F=18.12.18
1245F=19.01.25　1246F=19.01.25　1249F=19.02.20　1250F=19.03.14　1251F=19.02.20

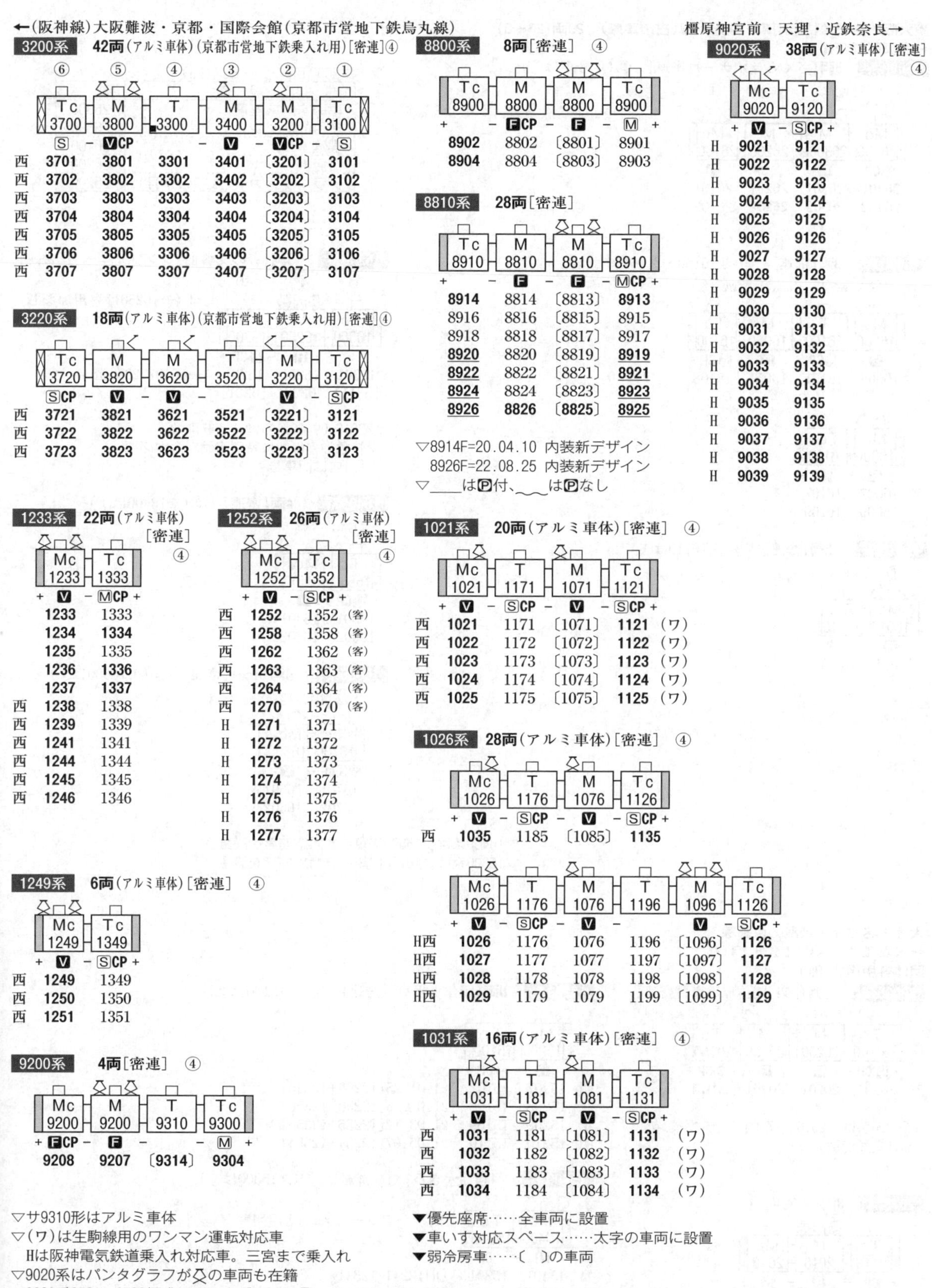

←(阪神線)大阪難波・京都・国際会館(京都市営地下鉄烏丸線)　　　　橿原神宮前・天理・近鉄奈良→

3200系 42両(アルミ車体)(京都市営地下鉄乗入れ用)[密連]④

	⑥	⑤	④	③	②	①
	Tc 3700	M 3800	T 3300	M 3400	M 3200	Tc 3100
	S	– VCP	–	– V	– VCP	– S
西	**3701**	**3801**	**3301**	**3401**	**〔3201〕**	**3101**
西	**3702**	**3802**	**3302**	**3402**	**〔3202〕**	**3102**
西	**3703**	**3803**	**3303**	**3403**	**〔3203〕**	**3103**
西	**3704**	**3804**	**3304**	**3404**	**〔3204〕**	**3104**
西	**3705**	**3805**	**3305**	**3405**	**〔3205〕**	**3105**
西	**3706**	**3806**	**3306**	**3406**	**〔3206〕**	**3106**
西	**3707**	**3807**	**3307**	**3407**	**〔3207〕**	**3107**

3220系 18両(アルミ車体)(京都市営地下鉄乗入れ用)[密連]④

	Tc 3720	M 3820	M 3620	T 3520	M 3220	Tc 3120
	SCP –	V –	V –	–	V –	SCP
西	**3721**	**3821**	**3621**	**3521**	**〔3221〕**	**3121**
西	**3722**	**3822**	**3622**	**3522**	**〔3222〕**	**3122**
西	**3723**	**3823**	**3623**	**3523**	**〔3223〕**	**3123**

1233系 22両(アルミ車体)[密連]④

	Mc 1233	Tc 1333
	+ V –	MCP +
	1233	1333
	1234	**1334**
	1235	1335
	1236	**1336**
	1237	**1337**
西	**1238**	1338
西	**1239**	1339
西	**1241**	1341
西	**1244**	1344
西	**1245**	1345
西	**1246**	1346

1252系 26両(アルミ車体)[密連]④

	Mc 1252	Tc 1352	
	+ V –	SCP +	
西	**1252**	1352	(客)
西	**1258**	1358	(客)
西	**1262**	1362	(客)
西	**1263**	1363	(客)
西	**1264**	1364	(客)
西	**1270**	1370	(客)
H	**1271**	1371	
H	**1272**	1372	
H	**1273**	1373	
H	**1274**	1374	
H	**1275**	1375	
H	**1276**	1376	
H	**1277**	1377	

1249系 6両(アルミ車体)[密連]④

	Mc 1249	Tc 1349
	+ V –	SCP +
西	**1249**	1349
西	**1250**	1350
西	**1251**	1351

9200系 4両[密連]④

Mc 9200	M 9200	T 9310	Tc 9300
+ FCP –	F –	–	M +
9208	**9207**	**〔9314〕**	**9304**

8800系 8両[密連]④

Tc 8900	M 8800	M 8800	Tc 8900
+ –	FCP –	F –	M +
8902	8802	〔8801〕	8901
8904	8804	〔8803〕	8903

8810系 28両[密連]

Tc 8910	M 8810	M 8810	Tc 8910
+ –	F –	F –	MCP +
8914	8814	〔8813〕	**8913**
8916	8816	〔8815〕	8915
8918	8818	〔8817〕	8917
8920	8820	〔8819〕	**8919**
8922	8822	〔8821〕	**8921**
8924	8824	〔8823〕	**8923**
8926	**8826**	**〔8825〕**	**8925**

▽8914F=20.04.10 内装新デザイン
　8926F=22.08.25 内装新デザイン
▽＿＿はⓅ付、﹏﹏はⓅなし

9020系 38両(アルミ車体)[密連]④

	Mc 9020	Tc 9120
	+ V –	SCP +
H	**9021**	**9121**
H	**9022**	**9122**
H	**9023**	**9123**
H	**9024**	**9124**
H	**9025**	**9125**
H	**9026**	**9126**
H	**9027**	**9127**
H	**9028**	**9128**
H	**9029**	**9129**
H	**9030**	**9130**
H	**9031**	**9131**
H	**9032**	**9132**
H	**9033**	**9133**
H	**9034**	**9134**
H	**9035**	**9135**
H	**9036**	**9136**
H	**9037**	**9137**
H	**9038**	**9138**
H	**9039**	**9139**

1021系 20両(アルミ車体)[密連]④

	Mc 1021	T 1171	M 1071	Tc 1121	
	+ V –	SCP –	V –	SCP +	
西	**1021**	1171	〔1071〕	**1121**	(ワ)
西	**1022**	1172	〔1072〕	**1122**	(ワ)
西	**1023**	1173	〔1073〕	**1123**	(ワ)
西	**1024**	1174	〔1074〕	**1124**	(ワ)
西	**1025**	1175	〔1075〕	**1125**	(ワ)

1026系 28両(アルミ車体)[密連]④

	Mc 1026	T 1176	M 1076	Tc 1126
	+ V –	SCP –	V –	SCP +
西	**1035**	1185	〔1085〕	**1135**

	Mc 1026	T 1176	M 1076	T 1196	M 1096	Tc 1126
	+ V –	SCP –	V –	–	V –	SCP +
H西	**1026**	1176	1076	1196	〔1096〕	**1126**
H西	**1027**	1177	1077	1197	〔1097〕	**1127**
H西	**1028**	1178	1078	1198	〔1098〕	**1128**
H西	**1029**	1179	1079	1199	〔1099〕	**1129**

1031系 16両(アルミ車体)[密連]④

	Mc 1031	T 1181	M 1081	Tc 1131	
	+ V –	SCP –	V –	SCP +	
西	**1031**	1181	〔1081〕	**1131**	(ワ)
西	**1032**	1182	〔1082〕	**1132**	(ワ)
西	**1033**	1183	〔1083〕	**1133**	(ワ)
西	**1034**	1184	〔1084〕	**1134**	(ワ)

▽サ9310形はアルミ車体
▽(ワ)は生駒線用のワンマン運転対応車
　Hは阪神電気鉄道乗入れ対応車。三宮まで乗入れ
▽9020系はパンタグラフが◇の車両も在籍
▽3220系3721・3722編成のパンタグラフは◇
▽界磁チョッパ車(F)のうち、1000系・1010系・1400系・2050系・8000系・8400系・8600系・8800系・8810系・9200系は8M1C方式。
　原則としてパン付き車に主制御器、パンなし車に界磁チョッパ制御装置と抵抗器の一部を搭載
▽京都市交通局地下鉄烏丸線乗入れ車は、地下鉄の号車表示に準拠して掲載(単独編成で乗入れ)
▽(客)は、客室案内表示装置設置車
▽内装新デザイン(1333形に車いす対応スペース設置)　1234F=23.09.29　1236F=23.11.15　1237F=24.03.29

▼優先座席……全車両に設置
▼車いす対応スペース……太字の車両に設置
▼弱冷房車……〔　〕の車両

南大阪・吉野線特急用車・観光用車(古市車庫)　29両(26+3)
←大阪阿部野橋　　　　　　　　　　　　　吉野→

26000系　**8両**(さくらライナー)[密連]　②(4号車は①)

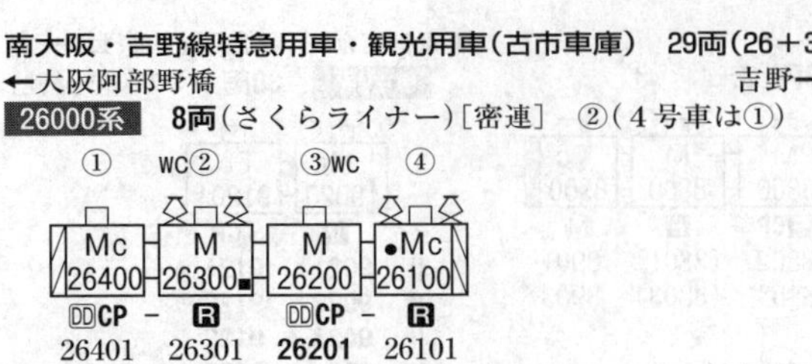

26401 26301 **26201** 26101
26402 26302 **26202** 26102

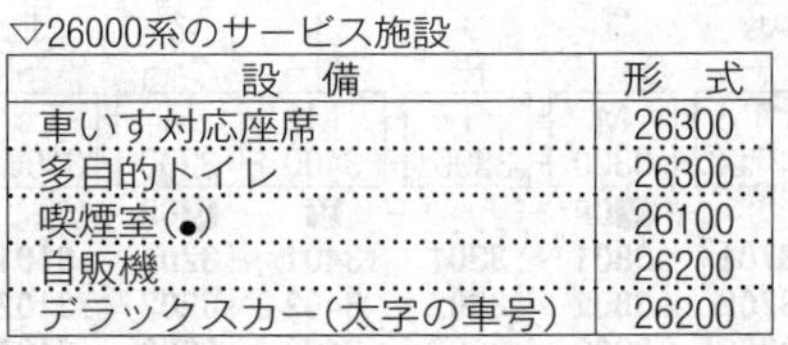
▽26000系のサービス施設

設　備	形　式
車いす対応座席	26300
多目的トイレ	26300
喫煙室(●)	26100
自販機	26200
デラックスカー(太字の車号)	26200

16000系　**8両**[密連]　②(サ16150・ク16100は①)

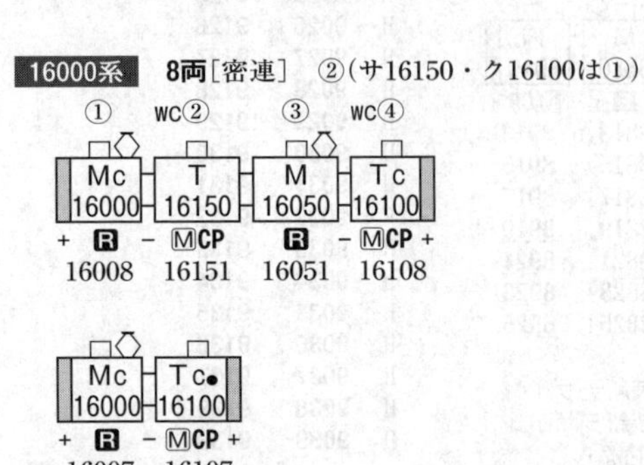

16008 16151 16051 16108

16007 16107
16009 16109

16010系　**2両**[密連]　②(ク16110は①)

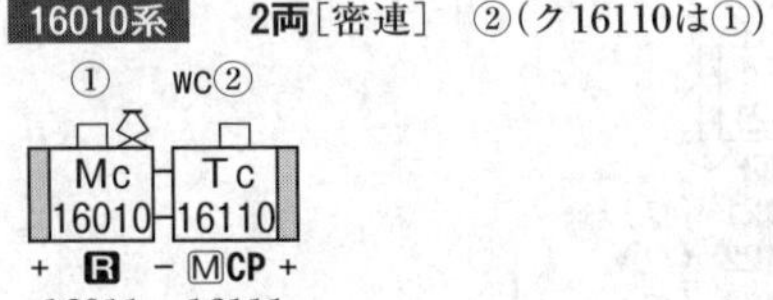

16011 16111

16200系　**3両**(青の交響曲[シンフォニー])[密連]

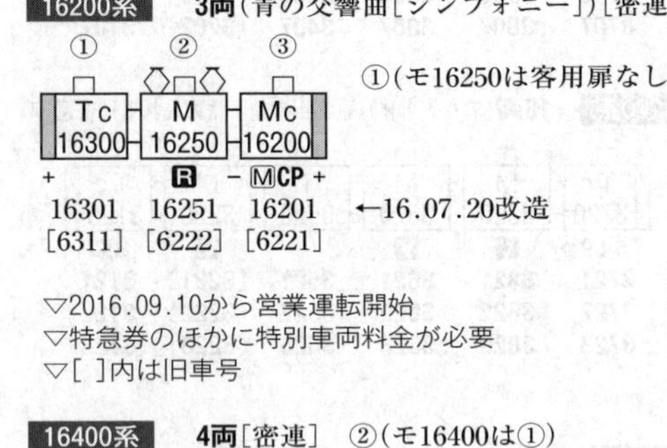

①(モ16250は客用扉なし)

16301 16251 16201 ←16.07.20改造
[6311] [6222] [6221]

▽2016.09.10から営業運転開始
▽特急券のほかに特別車両料金が必要
▽[ ]内は旧車号

16400系　**4両**[密連]　②(モ16400は①)

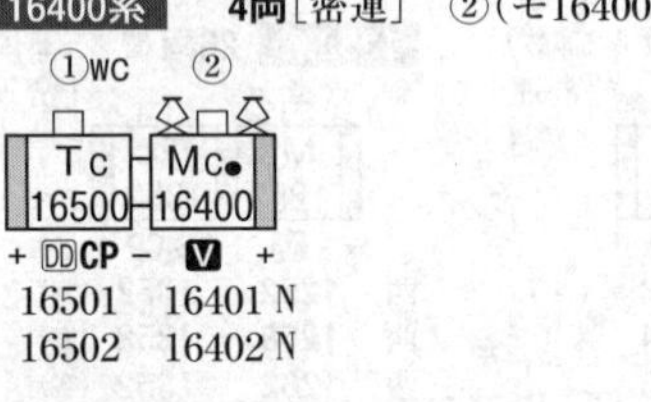

16501 16401 N
16502 16402 N

16600系　**4両**(Ace)[密連]　②(モ16600は①)

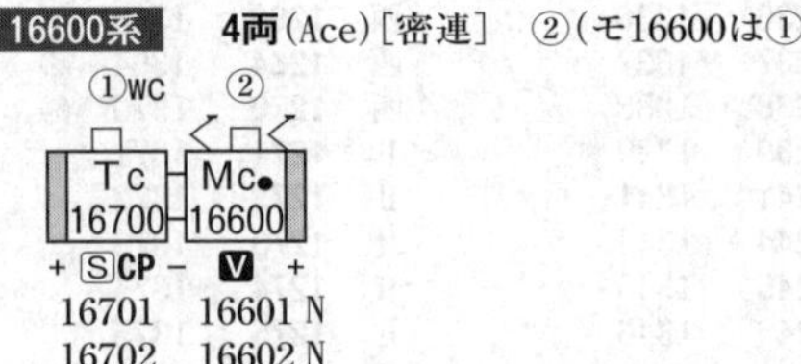

16701 16601 N
16702 16602 N

▽16400系はク16500に車いす対応座席を設置
▽16600系はク16700に車いす対応座席を設置

大阪・名古屋・奈良・京都線
←大阪難波・大阪上本町・京都
団体専用車　19両

20000系　**4両**(「楽」団体専用車)[密連]
①

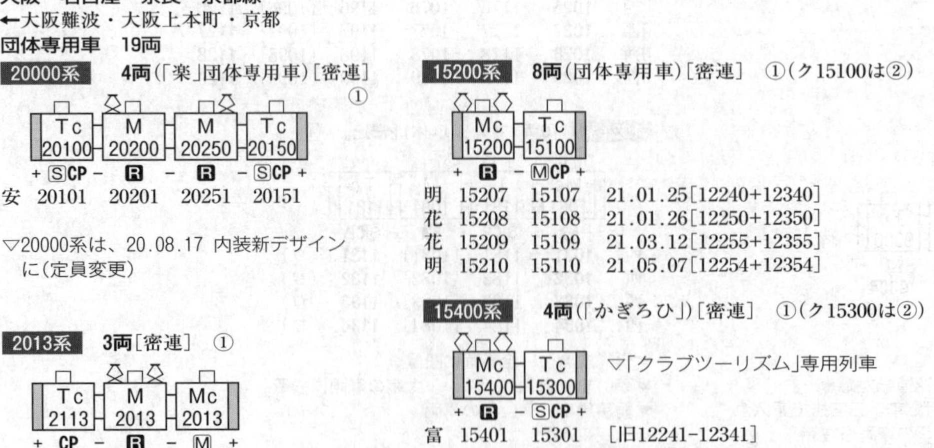

安 20101 20201 20251 20151

▽20000系は、20.08.17 内装新デザインに(定員変更)

15200系　**8両**(団体専用車)[密連]　①(ク15100は②)

明 15207 15107 21.01.25[12240+12340]
花 15208 15108 21.01.26[12250+12350]
花 15209 15109 21.03.12[12255+12355]
明 15210 15110 21.05.07[12254+12354]

15400系　**4両**(「かぎろひ」)[密連]　①(ク15300は②)

▽「クラブツーリズム」専用列車

富 15401 15301 [旧12241-12341]
富 15402 15302 [旧12242-12342]

2013系　**3両**[密連]　①

明 2107 2013 2014 観光列車「つどい」

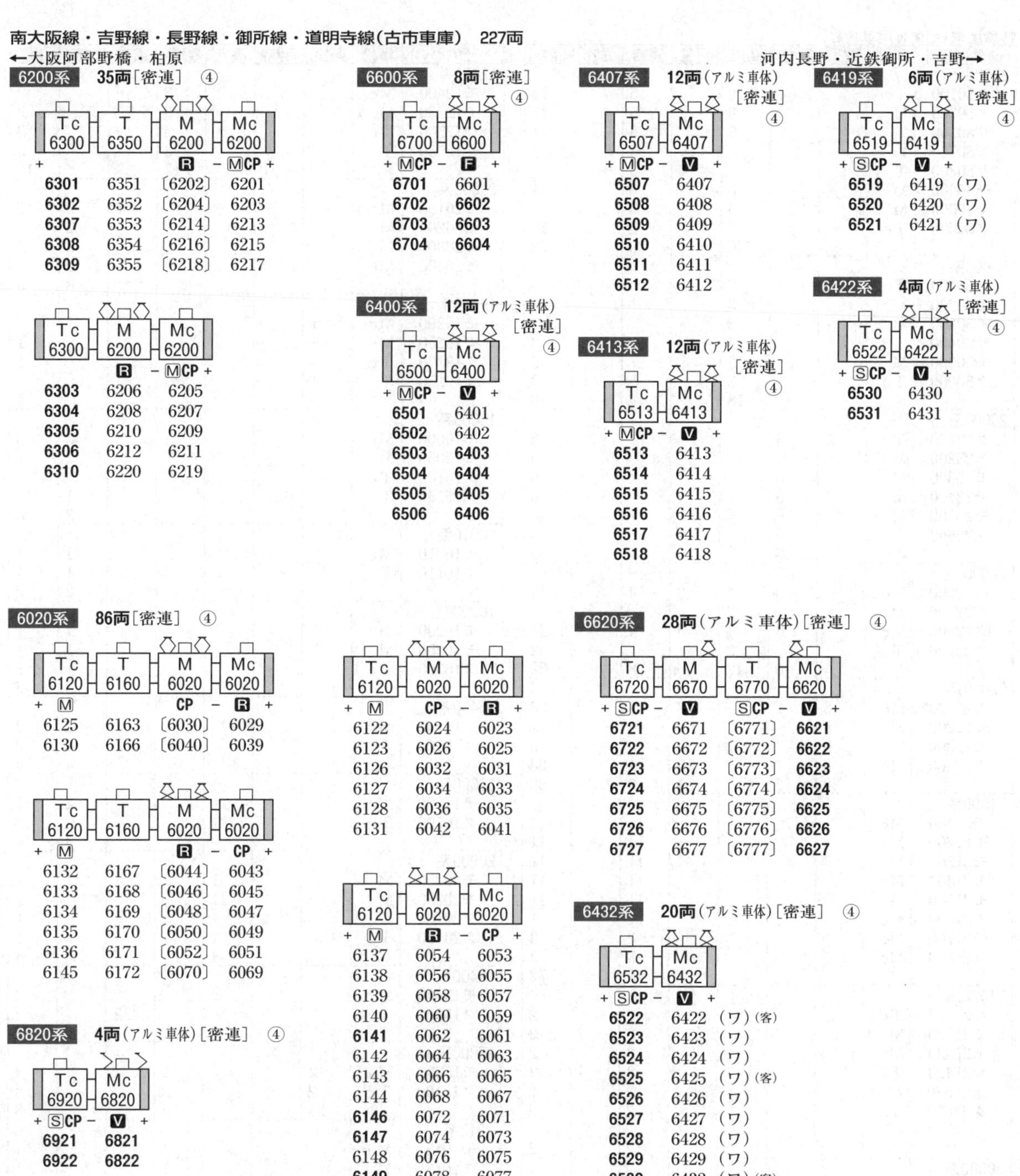

南大阪線・吉野線・長野線・御所線・道明寺線(古市車庫)　227両

←大阪阿部野橋・柏原　　　　河内長野・近鉄御所・吉野→

6200系　35両[密連]　④

Tc 6300	T 6350	M 6200	Mc 6200
+		R	− MCP +
6301	6351	〔6202〕	6201
6302	6352	〔6204〕	6203
6307	6353	〔6214〕	6213
6308	6354	〔6216〕	6215
6309	6355	〔6218〕	6217

Tc 6300	M 6200	Mc 6200
	R	− MCP +
6303	6206	6205
6304	6208	6207
6305	6210	6209
6306	6212	6211
6310	6220	6219

6600系　8両[密連]　④

Tc 6700	Mc 6600
+ MCP −	F +
6701	6601
6702	**6602**
6703	**6603**
6704	**6604**

6400系　12両(アルミ車体)[密連]　④

Tc 6500	Mc 6400
+ MCP −	V +
6501	6401
6502	6402
6503	**6403**
6504	**6404**
6505	**6405**
6506	**6406**

6407系　12両(アルミ車体)[密連]　④

Tc 6507	Mc 6407
+ MCP −	V +
6507	6407
6508	6408
6509	6409
6510	6410
6511	6411
6512	6412

6413系　12両(アルミ車体)[密連]　④

Tc 6513	Mc 6413
+ MCP −	V +
6513	6413
6514	6414
6515	6415
6516	6416
6517	6417
6518	6418

6419系　6両(アルミ車体)[密連]　④

Tc 6519	Mc 6419	
+ SCP −	V +	
6519	6419	(ワ)
6520	6420	(ワ)
6521	6421	(ワ)

6422系　4両(アルミ車体)[密連]　④

Tc 6522	Mc 6422
+ SCP −	V +
6530	6430
6531	6431

6020系　86両[密連]　④

Tc 6120	T 6160	M 6020	Mc 6020
+ M		CP −	R +
6125	6163	〔6030〕	6029
6130	6166	〔6040〕	6039

Tc 6120	T 6160	M 6020	Mc 6020
+ M		R −	CP +
6132	6167	〔6044〕	6043
6133	6168	〔6046〕	6045
6134	6169	〔6048〕	6047
6135	6170	〔6050〕	6049
6136	6171	〔6052〕	6051
6145	6172	〔6070〕	6069

Tc 6120	M 6020	Mc 6020
+ M	CP −	R +
6122	6024	6023
6123	6026	6025
6126	6032	6031
6127	6034	6033
6128	6036	6035
6131	6042	6041

Tc 6120	M 6020	Mc 6020
+ M	R −	CP +
6137	6054	6053
6138	6056	6055
6139	6058	6057
6140	6060	6059
6141	6062	6061
6142	6064	6063
6143	6066	6065
6144	6068	6067
6146	6072	6071
6147	6074	6073
6148	6076	6075
6149	6078	6077

6820系　4両(アルミ車体)[密連]　④

Tc 6920	Mc 6820
+ SCP −	V +
6921	**6821**
6922	**6822**

6620系　28両(アルミ車体)[密連]　④

Tc 6720	M 6670	T 6770	Mc 6620
+ SCP −	V	SCP −	V +
6721	6671	〔6771〕	**6621**
6722	6672	〔6772〕	**6622**
6723	6673	〔6773〕	**6623**
6724	6674	〔6774〕	**6624**
6725	6675	〔6775〕	**6625**
6726	6676	〔6776〕	**6626**
6727	6677	〔6777〕	**6627**

6432系　20両(アルミ車体)[密連]　④

Tc 6532	Mc 6432	
+ SCP −	V +	
6522	6422	(ワ)(客)
6523	6423	(ワ)
6524	6424	(ワ)
6525	6425	(ワ)(客)
6526	6426	(ワ)
6527	6427	(ワ)
6528	6428	(ワ)
6529	6429	(ワ)
6532	6432	(ワ)(客)
6533	6433	(ワ)

▼優先座席……一般車の全車両に設置
▼車いす対応スペース……太字の車両に設置
▼弱冷房車……〔　〕の車両

▽(ワ)は吉野線・道明寺線・御所線用の
ワンマン運転対応車

▽6136Fは「ラビットカー」塗装(2012.09.08 ～)
▽2018年度　6200系の車両リニューアル(内装新デザイン化、ク6300形に車いす対応スペース設置)
6310F=18.06.18
▽内装新デザイン(車いす対応スペース設置)
6601F=20.07.29　6604F=22.11.04
▽内装新デザイン(6400形に車いす対応スペース設置)　6403F=23.11.07　6404F=23.12.11　6405F=24.02.07　6406F=23.03.15
▽(客)は、客室案内表示装置設置車

特急用車（団体専用車含む）

形式	車種	東花園	西大寺	高安	明星	富吉	古市	計
80000系								
ク80100	Tc			6		5		11
モ80200	M			6		5		11
サ80300	T			6		5		11
モ80700	M					3		3
サ80800	T					3		3
モ80400	M			6		5		11
モ80500	M			6		5		11
ク80600	Tc			6		5		11
				36		36		72
50000系								
ク50100	Tc			3				3
モ50200	M			3				3
モ50300	M			3				3
サ50400	T			3				3
モ50500	M			3				3
ク50600	Tc			3				3
				18				18
23000系								
ク23100	Tc		6					6
モ23200	M		6					6
モ23300	M		6					6
モ23400	M		6					6
モ23500	M		6					6
ク23600	Tc		6					6
			36					36
22600系								
モ22600	Mc		3	4	3	4		14
モ22800	M			2				2
ク22900	Tc		3	4	3	4		14
サ22700	T			2				2
			6	12	6	8		32
22000系								
モ22100	Mc	8	1		18	1		28
モ22200	M	6			9			15
モ22300	M	6			9			15
モ22400	Mc	8	1		18	1		28
		28	2		54	2		86
21000系								
モ21100	Mc					11		11
モ21200	M					11		11
モ21304	M					11		11
モ21404	M					11		11
モ21500	M					11		11
モ21600	Mc					11		11
モ21700	Mc					3		3
モ21800	Mc					3		3
						72		72
21020系								
ク21120	Tc					2		2
モ21220	M					2		2
モ21320	M					2		2
サ21420	T					2		2
モ21520	M					2		2
ク21620	Tc					2		2
						12		12
30000系								
モ30200	Mc		12		3			15
モ30250	Mc		12		3			15
サ30100	T		12		3			15
サ30150	T		12		3			15
			48		12			60
12600系								
モ12600	Mc				2			2
モ12650	M				2			2
ク12700	Tc				2			2
サ12750	T				2			2
					8			8
12410系								
モ12410	Mc				5			5
モ12460	M				5			5
ク12510	Tc				5			5
サ12560	T				5			5
					20			20
12400系								
モ12400	Mc				3			3
モ12450	M				3			3
ク12500	Tc				3			3
サ12550	T				3			3
					12			12
26000系								
モ26100	Mc						2	2
モ26200	M						2	2
モ26300	M						2	2
モ26400	Mc						2	2
							8	8
19000系								
モ19200	Mc	1						1
モ19250	M	1						1
ク19300	Tc	1						1
サ19250	T	1						1
		4						4
16000系								
モ16000	Mc						3	3
モ16050	M						1	1
ク16100	Tc						3	3
サ16150	T						1	1
							8	8
16010系								
モ16010	Mc						1	1
ク16110	Tc						1	1
							2	2
16200系								
モ16200	Mc						1	1
モ16250	M						1	1
ク16300	Tc						1	1
							3	3
16400系								
モ16400	Mc						2	2
ク16500	Tc						2	2
							4	4
16600系								
モ16600	Mc						2	2
ク16700	Tc						2	2
							4	4
20000系								
モ20200	M			1				1
モ20250	M			1				1
ク20100	Tc			1				1
ク20150	Tc			1				1
				4				4
15400系								
モ15400	Mc					2		2
ク15300	Tc					2		2
						4		4
15200系								
モ15200	Mc	2			2			4
ク15100	Tc	2			2			4
		4			4			8
2013系								
モ2013	Mc				1			1
モ2013	M				1			1
モ2013	Tc				1			1
					3			3
合　計		36	92	70	119	134	29	480

大阪線・名古屋線

形式	車種	高安	明星	富吉	計
9020系					
モ9020	Mc	1			1
ク9150	Tc	1			1
		2			2
9000系					
モ9000	Mc			8	8
ク9100	Tc			8	8
				16	16
9200系					
モ9200	Mc	3			3
モ9200	M	3			3
ク9300	Tc	3			3
サ9310	T	3			3
		12			12
5820系					
モ5420	M	2			2
モ5620	M	2			2
モ5820	M	2			2
ク5350	Tc	2			2
ク5750	Tc	2			2
サ5550	T	2			2
		12			12
5800系					
モ5800	Mc	2		1	3
モ5600	M	2		1	3
モ5400	M	2			2
ク5300	Tc	2		1	3
サ5500	T	2			2
サ5710	T	2		1	3
		12		4	16
5211系					
モ5211	M			3	3
モ5261	M			3	3
ク5111	Tc			3	3
ク5161	Tc			3	3
				12	12
5209系					
モ5209	M			2	2
モ5259	M			2	2
ク5109	Tc			2	2
ク5159	Tc			2	2
				8	8
5200系					
モ5200	M		4	4	8
モ5250	M		4	4	8
ク5100	Tc		4	4	8
ク5150	Tc		4	4	8
			16	16	32

形式	車種	高安	明星	富吉	計
2800系					
モ2800	Mc	6	6	5	17
モ2850	M	6	6	3	15
ク2900	Tc	6	6	5	17
サ2950	T	6	1	3	10
		24	19	16	59
2610系					
モ2610	Mc		13	4	17
モ2660	M		13	4	17
ク2710	Tc		13	4	17
サ2760	T		13	4	17
			52	16	68
2410·2430系					
モ2410	Mc	19	1		20
モ2430	Mc	8	7		15
モ2450	M	6	7	2	15
ク2510	Tc	19	1		20
ク2530	Tc	8	7		15
ク2590	Tc			2	2
サ2550	T	4			4
モ2444	Mc			2	2
モ2464	M			2	2
ク2544	Tc			2	2
サ1970	T	2			2
		66	23	10	99
2050系					
モ2050	Mc		2		2
モ2050	M		2		2
ク2150	Tc		2		2
			6		6
8810系					
モ8810	M	2			2
ク8910	Tc	2			2
		4			4
1400系					
モ1400	M	6		2	8
ク1500	Tc	6		2	8
		12		4	16
1440系					
モ1440	M		3		3
ク1540	Tc		3		3
			6		6
1437系					
モ1437	Mc	6			6
ク1537	Tc	6			6
		12			12
1436系					
モ1436	Mc	1			1
ク1536	Tc	1			1
		2			2
1435系					
モ1435	Mc	1			1
ク1535	Tc	1			1
		2			2
1430系					
モ1430	Mc	2		2	4
ク1530	Tc	2		2	4
		4		4	8
1422系					
モ1422	Mc	6			6
ク1522	Tc	6			6
		12			12
1420系					
モ1420	Mc	1			1
ク1520	Tc	1			1
		2			2

形式	車種	高安	明星	富吉	計
1259系					
モ1259	Mc		6		6
ク1359	Tc		6		6
			12		12
1254系					
モ1254	Mc	1			1
ク1354	Tc	1			1
		2			2
1253系					
モ1253	Mc	5		1	6
ク1353	Tc	5		1	6
		10		2	12
1240系					
モ1240	Mc		1		1
ク1340	Tc		1		1
			2		2
1233系					
モ1233	Mc			4	4
ク1333	Tc			4	4
				8	8
1230系					
モ1230	Mc		2		2
ク1330	Tc		2		2
			4		4
1220系					
モ1220	Mc	3			3
ク1320	Tc	3			3
		6			6
1200系					
モ1200	Mc			2	2
サ1380	T			2	2
				4	4
1201系					
モ1201	Mc		10		10
ク1301	Tc		10		10
			20		20
2000系					
モ2000	Mc			11	11
モ2000	M			11	11
ク2100	Tc			11	11
				33	33
1810系					
モ1810	Mc			2	2
ク1910	Tc			2	2
				4	4
1620系					
モ1620	Mc	6			6
モ1650	M	1			1
モ1670	M	6			6
ク1720	Tc	6			6
サ1750	T	1			1
サ1770	T	6			6
		26			26
1010系					
モ1010	Mc		4		4
モ1060	M		4		4
ク1110	Tc		4		4
			12		12
1000系					
モ1000	Mc		3		3
モ1050	M		3		3
ク1100	Tc		3		3
			9		9
合　計		222	181	157	560

奈良線・京都線

形式	車種	西大寺	東花園	計
5820系				
モ5420	M	5		5
モ5620	M	5		5
モ5820	M	5		5
ク5320	Tc	5		5
ク5720	Tc	5		5
サ5520	T	5		5
		30		30
5800系				
モ5800	Mc	5		5
モ5600	M	5		5
モ5400	M	5		5
ク5300	Tc	5		5
サ5500	T	5		5
サ5700	T	5		5
		30		30
1031系				
モ1031	Mc	4		4
モ1081	M	4		4
ク1131	Tc	4		4
サ1181	T	4		4
		16		16
1026系				
モ1026	Mc	5		5
モ1076	M	5		5
モ1096	M	4		4
ク1126	Tc	5		5
サ1176	T	5		5
サ1196	T	4		4
		28		28
1021系				
モ1021	Mc	5		5
モ1071	M	5		5
ク1121	Tc	5		5
サ1171	T	5		5
		20		20
1252系				
モ1252	Mc	6	7	13
ク1352	Tc	6	7	13
		12	14	26
1249系				
モ1249	Mc	3		3
ク1349	Tc	3		3
		6		6
1233系				
モ1233	Mc	6	5	11
ク1333	Tc	6	5	11
		12	10	22
9820系				
モ9420	M	10		10
モ9620	M	10		10
モ9820	M	10		10
ク9320	Tc	10		10
ク9720	Tc	10		10
サ9520	T	10		10
		60		60
9200系				
モ9200	Mc		1	1
モ9200	M		1	1
ク9300	Tc		1	1
サ9310	T		1	1
			4	4
9020系				
モ9020	Mc		19	19
ク9120	Tc		19	19
			38	38
8810系				
モ8810	M		14	14
ク8910	Tc		14	14
			28	28
8800系				
モ8800	M		4	4
ク8900	Tc		4	4
			8	8
8600系				
モ8600	Mc	1	16	17
モ8600	M		4	4
モ8650	M	2	20	22
ク8100	Tc	1	20	21
ク8150	Tc		4	4
サ8150	T	2	15	17
サ8177	T		1	1
		6	80	86
8400系				
モ8400	Mc	6		6
モ8400	M		6	6
モ8450	M	6	6	12
ク8300	Tc	6	6	12
ク8350	Tc		6	6
		18	24	42
8000系				
モ8000	M		7	7
モ8210	M		7	7
ク8500	Tc		7	7
ク8710	Tc		7	7
			28	28
3220系				
モ3220	M	3		3
モ3620	M	3		3
モ3820	M	3		3
ク3120	Tc	3		3
ク3720	Tc	3		3
サ3520	T	3		3
		18		18
3200系				
モ3200	M	7		7
モ3400	M	7		7
モ3800	M	7		7
ク3100	Tc	7		7
ク3700	Tc	7		7
サ3300	T	7		7
		42		42
合　計		298	236	532

南大阪線〔古市〕

形式	車種	計
6620系		
モ6620	Mc	7
モ6670	M	7
ク6720	Tc	7
サ6770	T	7
		28
6432系		
モ6432	Mc	10
ク6532	Tc	10
		20
6422系		
モ6422	Mc	2
ク6522	Tc	2
		4
6419系		
モ6419	Mc	3
ク6519	Tc	3
		6
6413系		
モ6413	Mc	6
ク6513	Tc	6
		12
6407系		
モ6407	Mc	6
ク6507	Tc	6
		12
6400系		
モ6400	Mc	6
ク6500	Tc	6
		12
6600系		
モ6600	Mc	4
ク6700	Tc	4
		8
6200系		
モ6200	Mc	10
モ6200	M	10
ク6300	Tc	10
サ6350	T	5
		35
6020系		
モ6020	Mc	26
モ6020	M	26
ク6120	Tc	26
サ6160	T	8
		86
6820系		
モ6820	Mc	2
ク6920	Tc	2
		4
合　計		227

▽五位堂検修車庫に、旧大阪電気軌道デボ１形14を保存

四日市あすなろう鉄道 内部車庫　14両

内部・八王子線(内部車庫)　14両［自連］ ②

←あすなろう四日市　　西日野・内部→

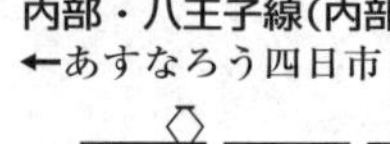

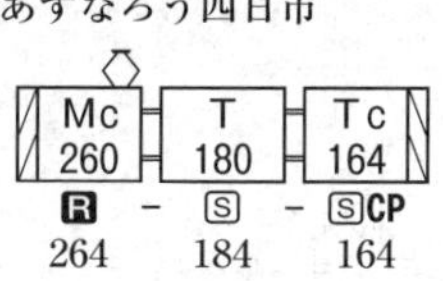

264　184　164

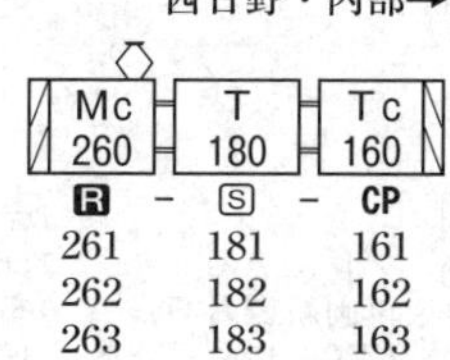

261　181　161
262　182　162
263　183　163

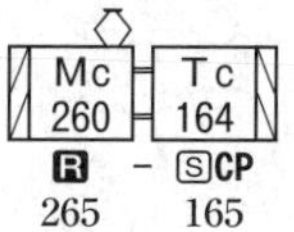

265　165

モ260	5
ク160	3
ク164	2
サ180	4
計	14

▽2015.04.01 近鉄内部・八王子線を引継いで営業運転開始
▽四日市あすなろう鉄道は第２種鉄道事業者、施設・車両は四日市市(第３種鉄道事業者)が保有
▽全般検査は、近畿日本鉄道塩浜検修車庫(委託)にて施工
▽ワンマン運転　▽冷房装置は床置式
▼優先座席……全車両に設置

養老鉄道 大垣車庫　31両

←大垣　　揖斐、桑名→

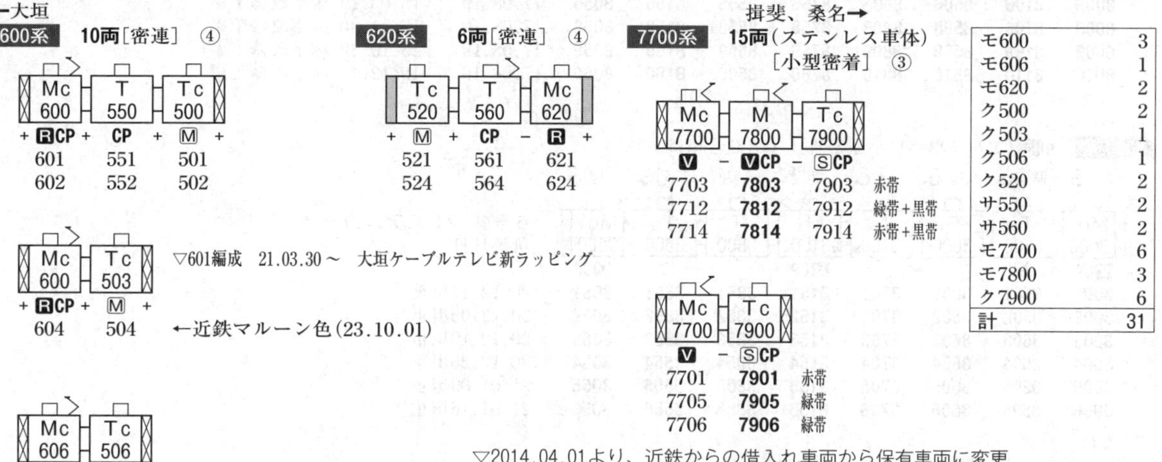

600系　10両［密連］ ④

Mc 600 - T 550 - Tc 500
+ RCP + CP + M +
601　551　501
602　552　502

Mc 600 - Tc 503
+ RCP + M +
604　504

▽601編成　21.03.30～　大垣ケーブルテレビ新ラッピング
←近鉄マルーン色(23.10.01)

Mc 606 - Tc 506
+ R + MCP +
606　506　←ラビットカー塗色

620系　6両［密連］ ④

Tc 520 - T 560 - Mc 620
+ M + CP - R +
521　561　621
524　564　624

7700系　15両(ステンレス車体)［小型密着］ ③

Mc 7700 - M 7800 - Tc 7900
V - VCP - SCP
7703　**7803**　7903　赤帯
7712　**7812**　7912　緑帯+黒帯
7714　**7814**　7914　赤帯+黒帯

Mc 7700 - Tc 7900
V - SCP
7701　**7901**　赤帯
7705　**7905**　緑帯
7706　**7906**　緑帯

モ600	3
モ606	1
モ620	2
ク500	2
ク503	1
ク506	1
ク520	2
サ550	2
サ560	2
モ7700	6
モ7800	3
ク7900	6
計	31

▽2014.04.01より、近鉄からの借入れ車両から保有車両に変更
▽2018.01.01　第３種鉄道事業者は 一般社団法人 養老線管理機構と変更、養老鉄道は第２種鉄道事業者に

▽7700系は元東京急行電鉄7700系
▽モ7800は転換式シートを８席設置。ほかはロングシート
▽7700系　２両編成はク7900 大垣側に車いす対応スペースを設置

▽ワンマン運転
▽途中、大垣にて進行方向が変わる
▼優先座席……全車両に設置
▼車いす対応スペース……太字の車両に設置

伊賀鉄道 上野市車庫　10両

←伊賀上野　　伊賀神戸→

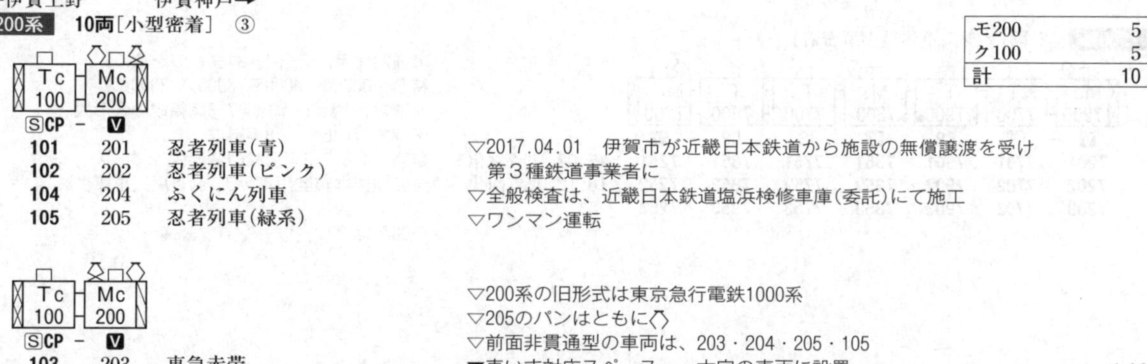

200系　10両［小型密着］ ③

Tc 100 - Mc 200
SCP - V
101　201　忍者列車(青)
102　202　忍者列車(ピンク)
104　204　ふくにん列車
105　205　忍者列車(緑系)

Tc 100 - Mc 200
SCP - V
103　203　東急赤帯

モ200	5
ク100	5
計	10

▽2017.04.01　伊賀市が近畿日本鉄道から施設の無償譲渡を受け第３種鉄道事業者に
▽全般検査は、近畿日本鉄道塩浜検修車庫(委託)にて施工
▽ワンマン運転

▽200系の旧形式は東京急行電鉄1000系
▽205のパンはともに◇
▽前面非貫通型の車両は、203・204・205・105
▼車いす対応スペース……太字の車両に設置

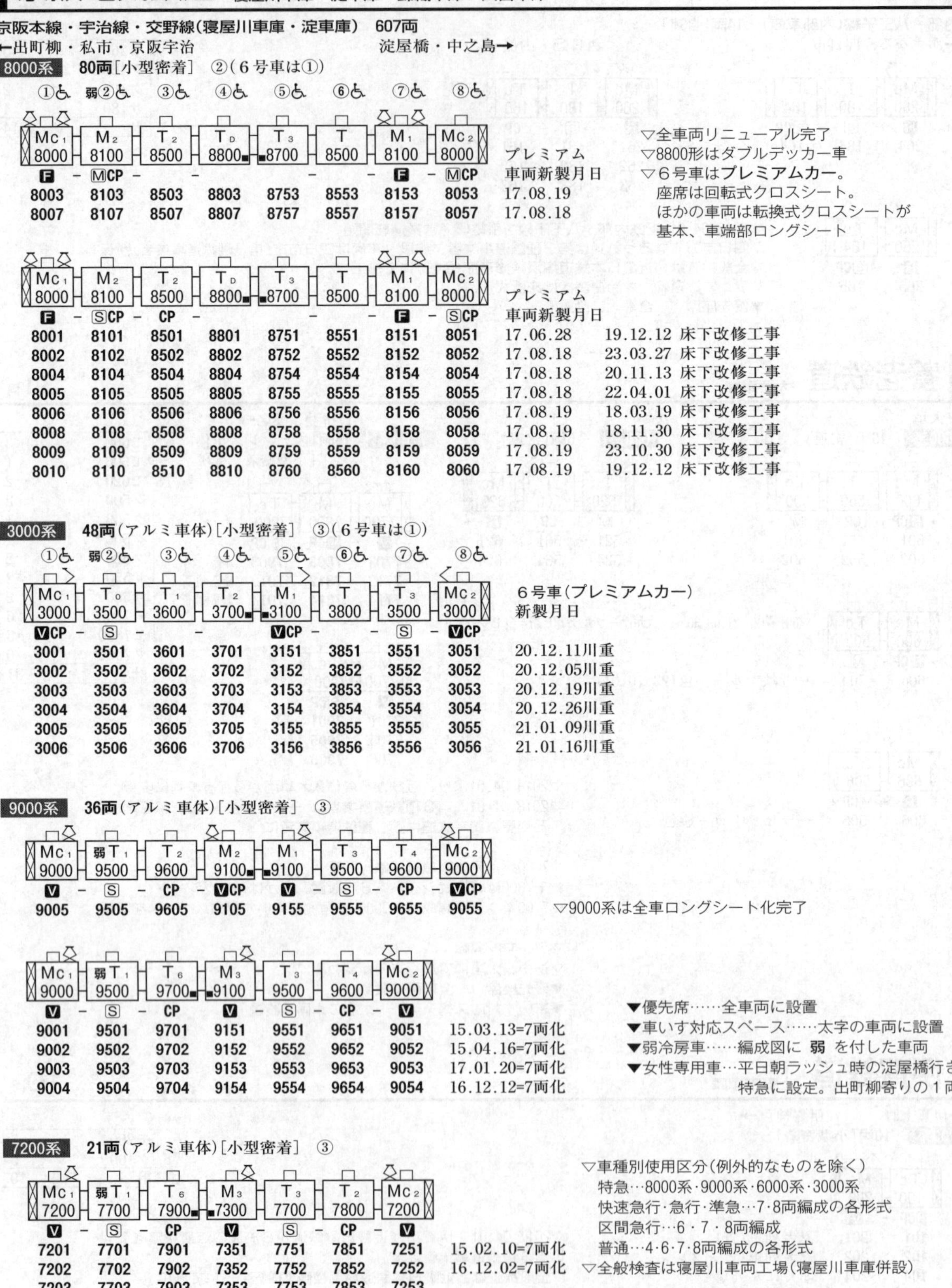

京阪電気鉄道　寝屋川車庫・淀車庫・錦織車庫・四宮車庫　671両

京阪本線・宇治線・交野線(寝屋川車庫・淀車庫)　607両

←出町柳・私市・京阪宇治　　淀屋橋・中之島→

8000系　80両[小型密着]　②(6号車は①)

①♿	弱②♿	③♿	④♿	⑤♿	⑥♿	⑦♿	⑧♿	
Mc1 8000	M2 8100	T2 8500	TD 8800	T3 8700	T 8500	M1 8100	Mc2 8000	プレミアム
F	ⓂCP					F	ⓂCP	車両新製月日
8003	8103	8503	8803	8753	8553	8153	8053	17.08.19
8007	8107	8507	8807	8757	8557	8157	8057	17.08.18

▽全車両リニューアル完了
▽8800形はダブルデッカー車
▽6号車は**プレミアムカー**。
座席は回転式クロスシート。
ほかの車両は転換式クロスシートが基本、車端部ロングシート

Mc1 8000	M2 8100	T2 8500	TD 8800	T3 8700	T 8500	M1 8100	Mc2 8000	プレミアム	
F	ⓈCP	CP				F	ⓈCP	車両新製月日	
8001	8101	8501	8801	8751	8551	8151	8051	17.06.28	19.12.12 床下改修工事
8002	8102	8502	8802	8752	8552	8152	8052	17.08.18	23.03.27 床下改修工事
8004	8104	8504	8804	8754	8554	8154	8054	17.08.18	20.11.13 床下改修工事
8005	8105	8505	8805	8755	8555	8155	8055	17.08.18	22.04.01 床下改修工事
8006	8106	8506	8806	8756	8556	8156	8056	17.08.19	18.03.19 床下改修工事
8008	8108	8508	8808	8758	8558	8158	8058	17.08.19	18.11.30 床下改修工事
8009	8109	8509	8809	8759	8559	8159	8059	17.08.19	23.10.30 床下改修工事
8010	8110	8510	8810	8760	8560	8160	8060	17.08.19	19.12.12 床下改修工事

3000系　48両(アルミ車体)[小型密着]　③(6号車は①)

①♿	弱②♿	③♿	④♿	⑤♿	⑥♿	⑦♿	⑧♿	
Mc1 3000	To 3500	T1 3600	T2 3700	M1 3100	T 3800	T3 3500	Mc2 3000	6号車(プレミアムカー)新製月日
VCP	Ⓢ			VCP		Ⓢ	VCP	
3001	3501	3601	3701	3151	3851	3551	3051	20.12.11川重
3002	3502	3602	3702	3152	3852	3552	3052	20.12.05川重
3003	3503	3603	3703	3153	3853	3553	3053	20.12.19川重
3004	3504	3604	3704	3154	3854	3554	3054	20.12.26川重
3005	3505	3605	3705	3155	3855	3555	3055	21.01.09川重
3006	3506	3606	3706	3156	3856	3556	3056	21.01.16川重

9000系　36両(アルミ車体)[小型密着]　③

Mc1 9000	弱T1 9500	T2 9600	M2 9100	M1 9100	T3 9500	T4 9600	Mc2 9000
V	Ⓢ	CP	VCP	V	Ⓢ	CP	VCP
9005	9505	9605	9105	9155	9555	9655	9055

▽9000系は全車ロングシート化完了

Mc1 9000	弱T1 9500	T6 9700	M3 9100	T3 9500	T4 9600	Mc2 9000	
V	Ⓢ	CP	V	Ⓢ	CP	V	
9001	9501	9701	9151	9551	9651	9051	15.03.13=7両化
9002	9502	9702	9152	9552	9652	9052	15.04.16=7両化
9003	9503	9703	9153	9553	9653	9053	17.01.20=7両化
9004	9504	9704	9154	9554	9654	9054	16.12.12=7両化

▼優先席……全車両に設置
▼車いす対応スペース……太字の車両に設置
▼弱冷房車……編成図に 弱 を付した車両
▼女性専用車…平日朝ラッシュ時の淀屋橋行き特急に設定。出町柳寄りの1両

7200系　21両(アルミ車体)[小型密着]　③

Mc1 7200	弱T1 7700	T6 7900	M3 7300	T3 7700	T2 7800	Mc2 7200	
V	Ⓢ	CP	V	Ⓢ	CP	V	
7201	7701	7901	7351	7751	7851	7251	15.02.10=7両化
7202	7702	7902	7352	7752	7852	7252	16.12.02=7両化
7203	7703	7903	7353	7753	7853	7253	

▽車種別使用区分(例外的なものを除く)
特急…8000系・9000系・6000系・3000系
快速急行・急行・準急…7・8両編成の各形式
区間急行…6・7・8両編成
普通…4・6・7・8両編成の各形式
▽全般検査は寝屋川車両工場(寝屋川車庫併設)

▽7200系はパワーウィンドウ装備

←出町柳・私市・京阪宇治　　　　　　　　淀屋橋・中之島→

6000系　**112両**(アルミ車体)[小型密着]　③

Mc_1 6000	弱M_2 6100	T 6600	T_2 6500■	■T_3 6700	T_1 6500	M_1 6100	Mc_2 6000	
F	S	CP		CP	CP	F	S	
6001	**6101**	**6601**	**6501**	**6751**	**6551**	**6151**	**6051**	19.04.26改修工事
6002	**6102**	**6602**	**6502**	**6752**	**6552**	**6152**	**6052**	21.07.14改修工事
6003	**6103**	**6603**	**6503**	**6753**	**6553**	**6153**	**6053**	19.10.31改修工事
6004	**6104**	**6604**	**6504**	**6754**	**6554**	**6154**	**6054**	20.04.27改修工事
6005	**6105**	**6605**	**6505**	**6755**	**6555**	**6155**	**6055**	21.01.20改修工事
6006	**6106**	**6606**	**6506**	**6756**	**6556**	**6156**	**6056**	18.09.18改修工事
6007	**6107**	**6607**	**6507**	**6757**	**6557**	**6157**	**6057**	15.03.09改修工事
6008	**6108**	**6608**	**6508**	**6758**	**6558**	**6158**	**6058**	15.12.18改修工事
6009	**6109**	**6609**	**6509**	**6759**	**6559**	**6159**	**6059**	16.09.01改修工事
6010	**6110**	**6610**	**6510**	**6760**	**6560**	**6160**	**6060**	18.04.13改修工事
6011	**6111**	**6611**	**6511**	**6761**	**6561**	**6161**	**6061**	14.08.08改修工事
6012	**6112**	**6612**	**6512**	**6762**	**6562**	**6162**	**6062**	23.04.14改修工事
6013	**6113**	**6613**	**6513**	**6763**	**6563**	**6163**	**6063**	22.01.25改修工事
6014	**6114**	**6614**	**6514**	**6764**	**6564**	**6164**	**6064**	23.06.12改修工事

▽旧6014-6614-6114は7004-7504-7104に改番。
1993年度に新造された6014-6114-6614は、7000系と同形態

13000系　**113両**(アルミ車体)[小型密着]　③

①　②　③　④　⑤　⑥　⑦

Mc_1 13000	T_0 13500	T_1 13600	Mc_2 13000	
VCP	S		VCP	
13001	**13501**	**13651**	**13051**	12.03.26川重
13002	**13502**	**13652**	**13052**	12.05.25川重
13003	**13503**	**13653**	**13053**	12.06.08川重
13004	**13504**	**13654**	**13054**	12.06.26川重
13005	**13505**	**13655**	**13055**	12.07.10川重
13006	**13506**	**13656**	**13056**	14.03.19川重
13007	**13507**	**13657**	**13057**	16.07.11川重

T_4 13700	
13771	14.04.23川重
13773	16.07.11川重
13774	16.09.20川重
13775	17.03.28川重
13776	18.04.18川重
13777	18.05.22川重

Mc_1 13000	弱T_0 13500	T_2 13700	M_1 13100	T_3 13500	Mc_2 13000	
VCP	S		VCP	S	VCP	
13031	**13531**	**13731**	**13181**	**13581**	**13081**	21.01.19川重
13032	**13532**	**13732**	**13182**	**13582**	**13082**	21.02.10川重
13033	**13533**	**13733**	**13183**	**13583**	**13083**	21.03.04川重
13034	**13534**	**13734**	**13184**	**13584**	**13084**	21.03.15川重
13035	**13535**	**13735**	**13185**	**13585**	**13085**	21.07.02川重
13036	**13536**	**13736**	**13186**	**13586**	**13086**	21.09.02川重

Mc_1 13000	弱T_0 13500	T_2 13700	M_1 13100	T_3 13500	T_6 13800	Mc_2 13000		6号車改番月日(旧車号)
VCP	S		VCP	S		VCP		
13021	**13521**	**13721**	**13171**	**13571**	**13871**	**13071**	14.04.23川重	23.06.19(3751)
13022	**13522**	**13722**	**13172**	**13572**	**13772**	**13072**	14.07.12川重	
13023	**13523**	**13723**	**13173**	**13573**	**13873**	**13073**	16.07.11川重	23.07.04(3753)
13024	**13524**	**13724**	**13174**	**13574**	**13874**	**13074**	16.09.20川重	23.07.10(3754)
13025	**13525**	**13725**	**13175**	**13575**	**13875**	**13075**	17.03.28川重	23.07.12(3755)
13026	**13526**	**13726**	**13176**	**13576**	**13876**	**13076**	18.04.18川重	23.07.24(3756)
13027	**13527**	**13727**	**13177**	**13577**	**13877**	**13077**	18.05.22川重	23.08.08(3752)

▽13000系は2012.04.14から営業運転開始。
4両編成は宇治線、交野線にて運転
▽宇治線は、2013.06.01からワンマン運転開始
▽7両編成は本線用(2014.05.30から運行開始)
▽6両編成は本線用(2021.02.17から運行開始)
▽13022F 13772 形式は13700(T_4)

▼優先席……………全車両に設置
▼車いす対応スペース……太字の車両に設置
▼弱冷房車……………編成図に **弱** を付した車両

形式別両数表

形式		両数
3000系		
3000	Mc	12
3100	M	6
3500	T	12
3600	T	6
3700	T	6
3800	T	6
		48
2600系		
2600	Mc	4
2700	M	12
2800	Tc	4
2900	T	8
		28
2400系		
2500	M	20
2450	Tc	10
2550	T	5
		35
2200系		
2200	Mc	4
2300	M	12
2250	Tc	4
2350	T	8
		28
13000系		
13000	Mc	40
13100	M	13
13500	T	33
13600	T	7
13700	T	20
13800	T	6
		119
10000系		
10000	Mc	12
10100	M	2
10500	T	6
10550	T	2
10600	T	4
10700	T	2
10750	T	2
		30
1000系		
1100	M	12
1200	M	12
1500	Tc	12
1600	T	6
		42

形式		両数
9000系		
9000	Mc	10
9100	M	6
9500	T	10
9600	T	6
9700	T	4
		36
8000系		
8000	Mc	20
8100	M	20
8500	T	20
8700	T	10
8800	T	10
		80
7200系		
7200	Mc	6
7300	M	3
7700	T	6
7800	T	3
7900	T	3
		21
7000系		
7000	Mc	8
7100	M	4
7500	T	8
7600	T	8
		28
6000系		
6000	Mc	28
6100	M	28
6500	T	28
6600	T	14
6700	T	14
		112
合　計		607

▽寝屋川車庫に、60形63「びわこ号」を保存
▽くずはモール SANZEN-HIROBA
旧3000系3505 デジタル動態保存
5000系5551車両復刻展示(先頭部～第2ドア付近迄)
2600系2601　先頭部カットモデル

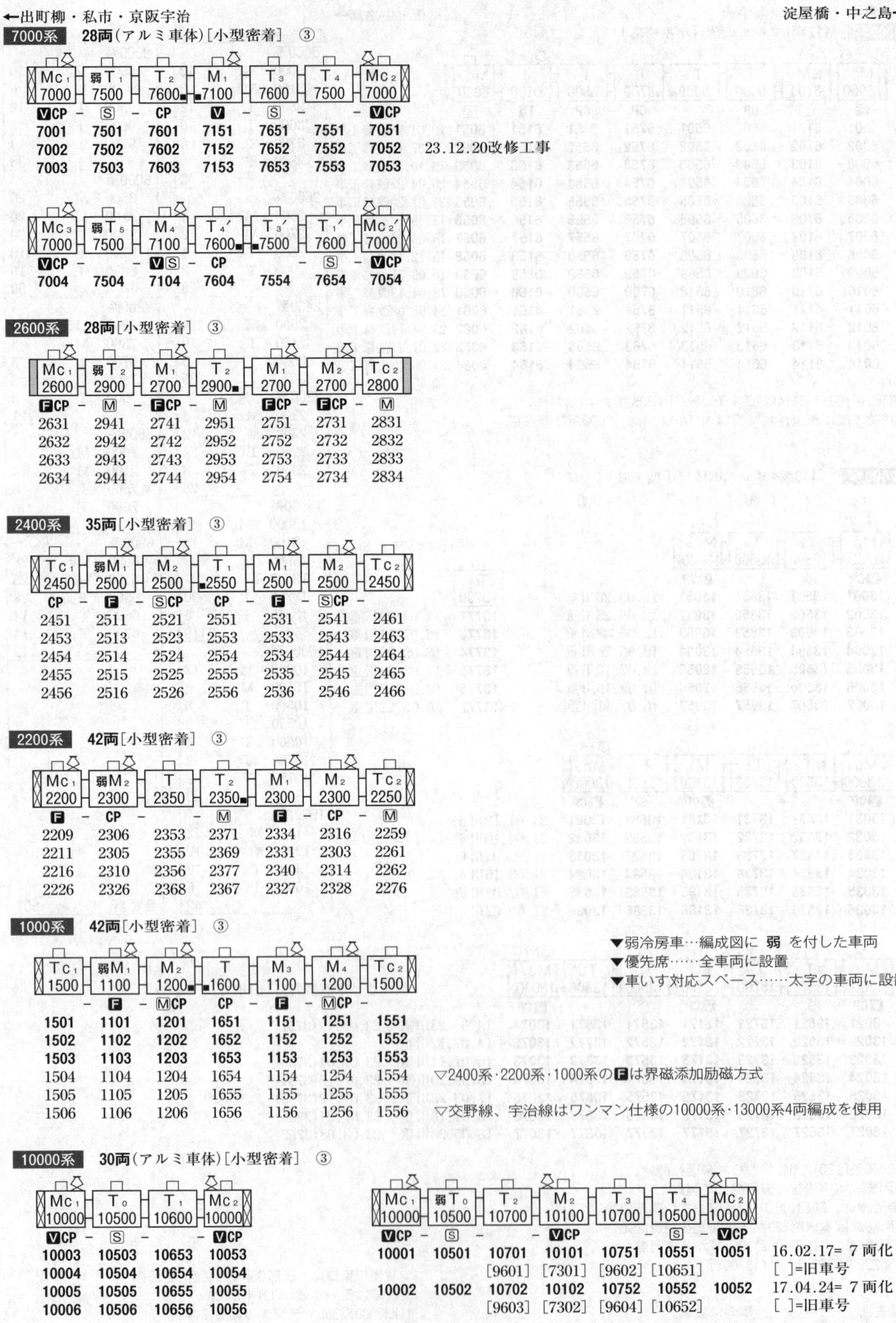

7000系　28両(アルミ車体)[小型密着]　③
Mc1 7000 | 弱T1 7500 | T2 7600 | M1 7100 | T3 7600 | T4 7500 | Mc2 7000
VCP – S – CP V – S – – VCP
7001 7501 7601 7151 7651 7551 7051
7002 7502 7602 7152 7652 7552 7052　23.12.20改修工事
7003 7503 7603 7153 7653 7553 7053
Mc3 7000 | 弱T5 7500 | M4 7100 | T4′ 7600 | T3′ 7500 | T1′ 7600 | Mc2′ 7000
VCP – VS – CP – S – VCP
7004 7504 7104 7604 7554 7654 7054
2600系　28両[小型密着]　③
Mc1 2600 | 弱T2 2900 | M1 2700 | T2 2900 | M1 2700 | M2 2700 | Tc2 2800
FCP – M – FCP – M FCP – FCP – M
2631 2941 2741 2951 2751 2731 2831
2632 2942 2742 2952 2752 2732 2832
2633 2943 2743 2953 2753 2733 2833
2634 2944 2744 2954 2754 2734 2834
2400系　35両[小型密着]　③
Tc1 2450 | 弱M1 2500 | M2 2500 | T1 2550 | M1 2500 | M2 2500 | Tc2 2450
CP – F – SCP CP – F – SCP –
2451 2511 2521 2551 2531 2541 2461
2453 2513 2523 2553 2533 2543 2463
2454 2514 2524 2554 2534 2544 2464
2455 2515 2525 2555 2535 2545 2465
2456 2516 2526 2556 2536 2546 2466
2200系　42両[小型密着]　③
Mc1 2200 | 弱M2 2300 | T 2350 | T2 2350 | M1 2300 | M2 2300 | Tc2 2250
F – CP – – M F – CP – M
2209 2306 2353 2371 2334 2316 2259
2211 2305 2355 2369 2331 2303 2261
2216 2310 2356 2377 2340 2314 2262
2226 2326 2368 2367 2327 2328 2276
1000系　42両[小型密着]　③
Tc1 1500 | 弱M1 1100 | M2 1200 | T 1600 | M3 1100 | M4 1200 | Tc2 1500
– F – MCP CP – F – MCP –
1501 1101 1201 1651 1151 1251 1551
1502 1102 1202 1652 1152 1252 1552
1503 1103 1203 1653 1153 1253 1553
1504 1104 1204 1654 1154 1254 1554
1505 1105 1205 1655 1155 1255 1555
1506 1106 1206 1656 1156 1256 1556
▼弱冷房車…編成図に 弱 を付した車両
▼優先席……全車両に設置
▼車いす対応スペース……太字の車両に設置
▽2400系・2200系・1000系のFは界磁添加励磁方式
▽交野線、宇治線はワンマン仕様の10000系・13000系4両編成を使用
10000系　30両(アルミ車体)[小型密着]　③
Mc1 10000 | T0 10500 | T1 10600 | Mc2 10000
VCP – S – – VCP
10003 10503 10653 10053
10004 10504 10654 10054
10005 10505 10655 10055
10006 10506 10656 10056
Mc1 10000 | 弱T0 10500 | T2 10700 | M2 10100 | T3 10700 | T4 10500 | Mc2 10000
VCP – S – – VCP – – S – VCP
10001 10501 10701 10101 10751 10551 10051　16.02.17= 7両化
[9601] [7301] [9602] [10651]　[ ]=旧車号
10002 10502 10702 10102 10752 10552 10052　17.04.24= 7両化
[9603] [7302] [9604] [10652]　[ ]=旧車号

京津線・石山坂本線(四宮車庫・錦織車庫)　62両

形式	両数
600	20
700	10
800	16
850	16
計	62

←坂本比叡山口　　　　びわ湖浜大津・石山寺→

600形　**20両**[自連]　②

Mc1 600	Mc2 600	
FCP	SCP	
601	602	
603	604	「びわこ号」塗装
605	606	
607	608	
609	610	
611	612	
613	614	
615	616	
617	618	
619	620	

700形　**10両**[自連]　②

Mc1 700	Mc2 700
FCP	SCP
701	702
703	704
705	706
707	708
709	710

←(京都市営地下鉄東西線)御陵　　　　びわ湖浜大津→

800系　**32両**[小型密着]　③

Mc1 800 ①♿	M1 850 ②♿	M2 850 ♿③	Mc2 800 ♿④
S	VCP	VCP	S
801	851	852	802
803	853	854	804
805	855	856	806
807	857	858	808
809	859	860	810
811	861	862	812
813	863	864	814
815	865	866	816

▽600形・700形は石山坂本線、800系は京津線(京都市交通局地下鉄東西線乗入れ)で使用
▽地下鉄東西線乗入れ列車の運転区間はびわ湖浜大津〜太秦天神川間(2008.01.16から)
▽全般検査は錦織車両工場(錦織車庫に併設)で実施
▽全列車ワンマン運転

▼優先席……全車両に設置
▼車いす対応スペース……全車両に設置

鋼索線(男山鋼索線)　2両

←ケーブル八幡宮口　　鋼索　　ケーブル八幡宮山上→

1　あかね
2　こがね

▽2019.10.01 通称を「男山ケーブル」から「石清水八幡宮参道ケーブル」に変更とするとともに、駅名を八幡市をケーブル八幡宮口、男山山上をケーブル八幡宮山上と変更。
▽2019.06.19 車両リニューアル、運転再開。車両に愛称名を命名

阪急電鉄 西宮車庫・平井車庫・正雀車庫・桂車庫 1251両

神戸線・今津線・伊丹線・甲陽線(西宮車庫)　430両(429両＋1)

←大阪梅田・今津・甲陽園　　　伊丹・宝塚・神戸三宮・新開地(神戸高速鉄道)→

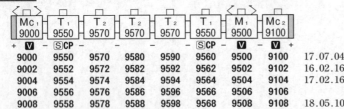

1000系　**88両**(アルミ車体[アルミダブルスキン構体])[密連]　③

①	弱②	③	④	⑤	⑥	弱⑦	⑧	
Tc 1000	M 1500	M 1600	T 1050	T 1050	M 1500	M 1600	Tc 1000	
CP	V	S			V	S	CP	
1000	1500	1600	1050	1150	1550	1650	1100	13.11.19日立
1002	1502	1602	1052	1152	1552	1652	1102	14.07.14日立
1005	1505	1605	1055	1155	1555	1655	1105	15.06.12日立
1007	1507	1607	1057	1157	1557	1657	1107	15.10.22日立
1008	1508	1608	1058	1158	1558	1658	1108	16.01.29日立
1010	1510	1610	1060	1160	1560	1660	1110	17.03.23日立
1011	1511	1611	1061	1161	1561	1661	1111	17.07.31日立
1014	1514	1614	1064	1164	1564	1664	1114	18.03.22日立
1016	1516	1616	1066	1166	1566	1666	1116	19.02.14日立
1017	1517	1617	1067	1167	1567	1667	1117	19.03.26日立
1019	1519	1619	1069	1169	1569	1669	1119	21.06.16日立

▽1000系は2013.11.28から営業運転開始
▽室内灯はＬＥＤ照明

9000系　**40両**(アルミ車体[アルミダブルスキン構体])[密連]　③

Mc1 9000	T1 9550	T2 9570	T2 9570	T2 9570	T1 9550	M1 9500	Mc2 9100	
＋ V	S CP				S CP	V	V ＋	
9000	9550	9570	9580	9590	9560	9500	9100	17.07.04=可とう歯車継手変更(+形式変更)
9002	9552	9572	9582	9592	9562	9502	9102	16.02.16=可とう歯車継手変更(+形式変更)
9004	9554	9574	9584	9594	9564	9504	9104	17.02.16=可とう歯車継手変更(+形式変更)
9006	9556	9576	9586	9596	9566	9506	9106	
9008	9558	9578	9588	9598	9568	9508	9108	18.05.10=可とう歯車継手変更(+形式変更)

▽9000系　貫通路ドアは自動ドアを採用

8000系　**58両**(アルミ車体)(うち6両は7000系に組込み)[密連]　③

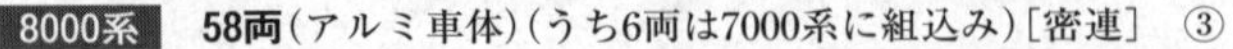

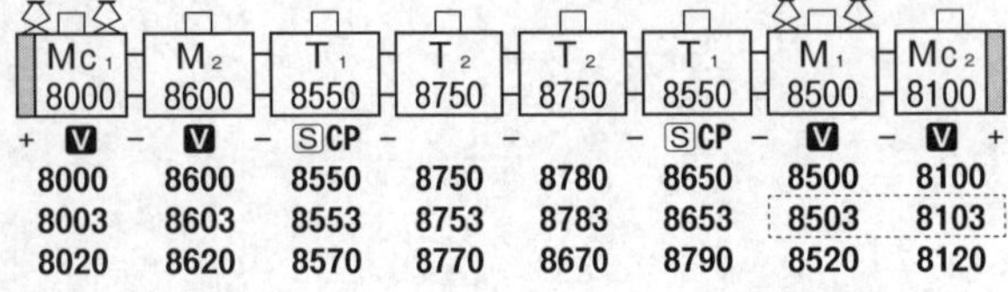

Mc1 8000	M2 8600	T1 8550	T2 8750	T2 8750	T1 8550	M1 8500	Mc2 8100	
＋ V	V	S CP			S CP	V	V ＋	
8000	8600	8550	8750	8780	8650	8500	8100	21.07.19=VVVF更新等
8003	8603	8553	8753	8783	8653	8503	8103	
8020	8620	8570	8770	8670	8790	8520	8120	

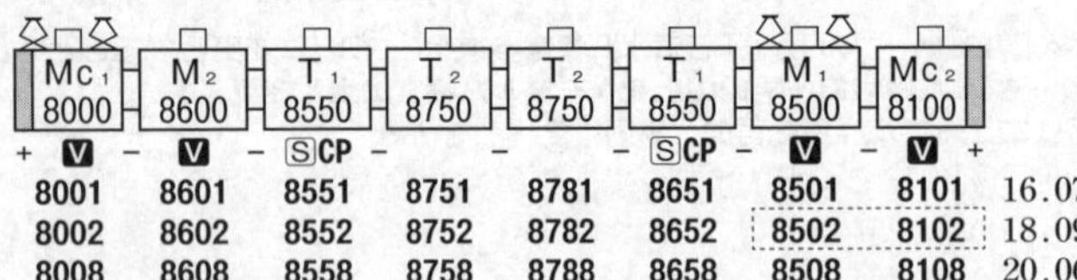

Mc1 8000	M2 8600	T1 8550	T2 8750	T2 8750	T1 8550	M1 8500	Mc2 8100	
＋ V	V	S CP			S CP	V	V ＋	
8001	8601	8551	8751	8781	8651	8501	8101	16.07.14=VVVF更新等
8002	8602	8552	8752	8782	8652	8502	8102	18.09.12=VVVF更新等
8008	8608	8558	8758	8788	8658	8508	8108	20.06.19

Mc 8000	Tc 8150
＋ V	S CP ＋
8031	8151
8033	8153

▽[　]内はセミクロスシート車、
8670は8750形、8790は8550形
▽8008･8508はシングルアームパンタグラフ

8200系　**4両**(アルミ車体)[密連]　③

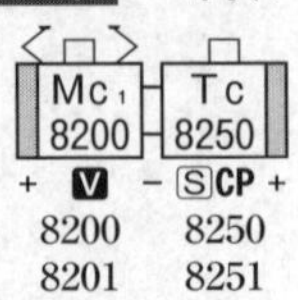

Mc1 8200	Tc 8250
＋ V	S CP ＋
8200	8250
8201	8251

▼車いす対応スペース……太字の車両に設置
▼弱冷房車……編成図に**弱**を付した車両

←大阪梅田・今津・甲陽園　　　　　　　　　　　　　　　　伊丹・宝塚・神戸三宮・新開地(神戸高速鉄道)→

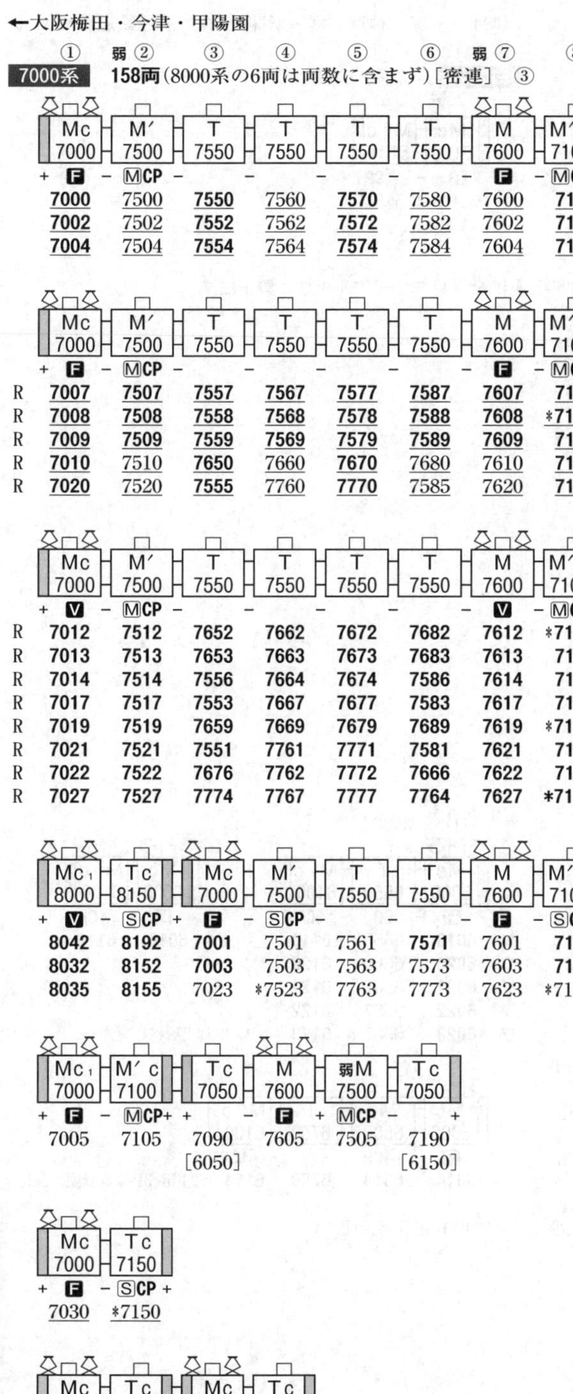

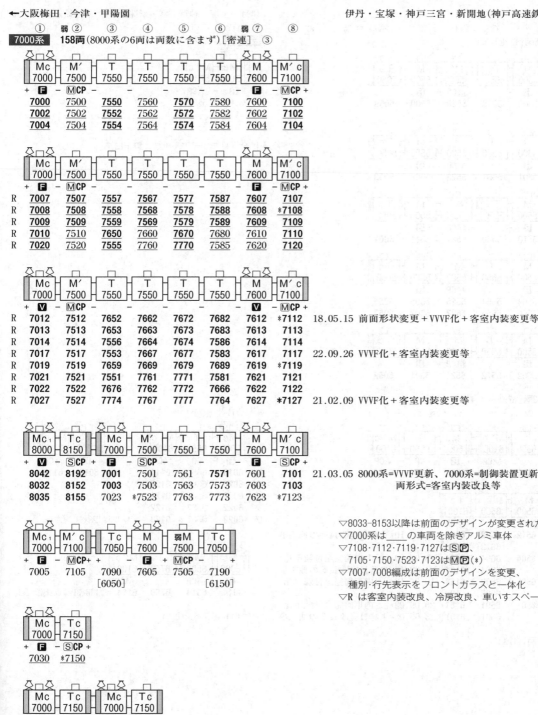

7000系 158両(8000系の6両は両数に含まず)[密連]　③

	①	弱②	③	④	⑤	⑥	弱⑦	⑧	
	Mc 7000	M′ 7500	T 7550	T 7550	T 7550	T 7550	M 7600	M′c 7100	
	+ F	− MCP	−	−	−	−	F	− MCP +	
	7000	7500	7550	7560	7570	7580	7600	7100	
	7002	7502	7552	7562	7572	7582	7602	7102	
	7004	7504	7554	7564	7574	7584	7604	7104	

	Mc 7000	M′ 7500	T 7550	T 7550	T 7550	T 7550	M 7600	M′c 7100
	+ F	− MCP	−	−	−	−	F	− MCP +
R	7007	7507	7557	7567	7577	7587	7607	7107
R	7008	7508	7558	7568	7578	7588	7608	*7108
R	7009	7509	7559	7569	7579	7589	7609	7109
R	7010	7510	7650	7660	7670	7680	7610	7110
R	7020	7520	7555	7760	7770	7585	7620	7120

	Mc 7000	M′ 7500	T 7550	T 7550	T 7550	T 7550	M 7600	M′c 7100	
	+ V	− MCP	−	−	−	−	V	− MCP +	
R	7012	7512	7652	7662	7672	7682	7612	*7112	18.05.15 前面形状変更＋VVVF化＋客室内装変更等
R	7013	7513	7653	7663	7673	7683	7613	7113	
R	7014	7514	7556	7664	7674	7586	7614	7114	
R	7017	7517	7553	7667	7677	7583	7617	7117	22.09.26 VVVF化＋客室内装変更等
R	7019	7519	7659	7669	7679	7689	7619	*7119	
R	7021	7521	7551	7761	7771	7581	7621	7121	
R	7022	7522	7676	7762	7772	7666	7622	7122	
R	7027	7527	7774	7767	7777	7764	7627	*7127	21.02.09 VVVF化＋客室内装変更等

Mc₁ 8000	Tc 8150	Mc 7000	M′ 7500	T 7550	T 7550	M 7600	M′c 7100	
+ V	− SCP +	F	− SCP	−	−	F	− SCP +	
8042	8192	7001	7501	7561	7571	7601	7101	21.03.05 8000系=VVVF更新、7000系=制御装置更新、両形式=客室内装改良等
8032	8152	7003	7503	7563	7573	7603	7103	
8035	8155	7023	*7523	7763	7773	7623	*7123	

Mc₁ 7000	M′c 7100	Tc 7050	M 7600	弱M 7500	Tc 7050
+ F	− MCP+	+	− F	+ MCP	− +
7005	7105	7090	7605	7505	7190
		[6050]			[6150]

Mc 7000	Tc 7150
+ F	− SCP +
7030	*7150

Mc 7000	Tc 7150	Mc 7000	Tc 7150	
+ F	− SCP +	F	− SCP +	
7034	7154	7035	7155	4両化(伊丹線16.07.12～)

▽8033-8153以降は前面のデザインが変更された
▽7000系は___の車両を除きアルミ車体
▽7108·7112·7119·7127はSP、
7105·7150·7523·7123はMP(*)
▽7007·7008編成は前面のデザインを変更、
種別·行先表示をフロントガラスと一体化
▽R は客室内装改良、冷房改良、車いすスペース設置

←大阪梅田・今津・甲陽園　　　　伊丹・宝塚・神戸三宮・新開地(神戸高速鉄道)→

5000系　**36両**[自連]　③

①	弱②	③	④	⑤	⑥
M′c 5000	M 5500	To 5550	M′o 5520	M 5500	Tc 5050
ⓂCP	R		ⓂCP	R	
5008	5508	5558	**5529**	5509	**5059**

M′c 5000	M 5500	T 5550	M′ 5520	M 5500	Tc 5050
ⓂCP	R		ⓂCP	R	
5001	5501	5551	**5523**	5503	**5053**

M′c 5000	M 5500	To 5550	M′o 5520	M 5500	Tc 5050
ⓂCP	R		ⓂCP	R	
5010	5510	5560	**5531**	5511	**5061**

M′c 5000	M 5500	T 5550	M′ 5520	M 5500	Tc 5050
ⓂCP	R		ⓂCP	R	
5004	5504	5554	**5525**	5505	**5055**
5006	5506	5556	**5527**	5507	**5057**

M′c 5000	M 5500	T 5550	M′ 5520	M 5500	Tc 5050
ⓂCP	R		ⓂCP	R	
5002	5502	5572	**5521**	5541	**5052**

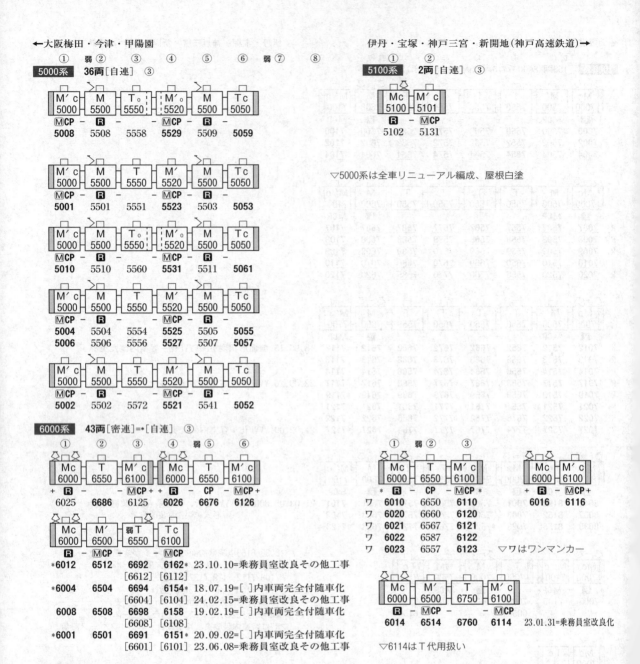

5100系　**2両**[自連]　③

①	②
Mc 5100	M′c 5101
R	ⓂCP
5102	5131

▽5000系は全車リニューアル編成、屋根白塗

6000系　**43両**[密連]=*[自連]　③

①	②	③	④	弱⑤	⑥
Mc 6000	T 6550	M′c 6100	Mc 6000	T 6550	M′c 6100
+ R		ⓂCP +	+ R	CP	ⓂCP +
6025	**6686**	6125	**6026**	**6676**	**6126**

Mc 6000	M′ 6500	弱T 6550	Tc 6100	
R	ⓂCP		ⓂCP	
***6012**	**6512**	**6692**	**6162***	23.10.10=乗務員室改良その他工事
		[6612]	[6112]	
***6004**	**6504**	**6694**	**6154***	18.07.19=[ ]内車両完全付随車化
		[6604]	[6104]	24.02.15=乗務員室改良その他工事
6008	**6508**	**6698**	**6158**	19.02.19=[ ]内車両完全付随車化
		[6608]	[6108]	
***6001**	**6501**	**6691**	**6151***	20.09.02=[ ]内車両完全付随車化
		[6601]	[6101]	23.06.08=乗務員室改良その他工事

	①	弱②	③
	Mc 6000	T 6550	M′c 6100
	* R	CP	ⓂCP *
ワ	**6010**	6650	**6110**
ワ	**6020**	6660	**6120**
ワ	**6021**	6567	**6121**
ワ	**6022**	6587	**6122**
ワ	**6023**	6557	**6123**

▽ワはワンマンカー

Mc 6000	M′c 6100
+ R	ⓂCP +
6016	**6116**

Mc 6000	M′ 6500	T 6750	M′c 6100	
R	ⓂCP		ⓂCP	
6014	**6514**	**6760**	**6114**	23.01.31=乗務員室改良化

▽6114はT代用扱い

救援車　**1両**[自連]

4250形

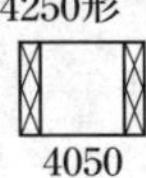

4050

▽神戸線はラッシュ時の一部を除き8両編成
▽今津線(今津～西宮北口)と甲陽線は6000系3両編成にてワンマン運転、
6両編成は今津線(西宮北口～宝塚)、4両編成は伊丹線(24.03.23～ワンマン運転)で使用。
なお、朝ラッシュ時、今津線から大阪梅田に直通準急は、
8両編成にて運転の列車もある
▽女性専用車　平日朝ラッシュ時の10両編成の通勤特急(大阪梅田～神戸三宮間)にて設定

▼車いす対応スペース……太字の車両に設置
▼弱冷房車……各号車等に弱で表示

形式別両数表　神戸・宝塚線

形式	神戸線	宝塚線	計
1000系			
1000 Tc	22	18	40
1500 M	22	18	40
1600 M	22	18	40
1050 T	22	18	40
	88	72	160
9000系			
9000 Mc$_1$	5	5	10
9100 Mc$_2$	5	5	10
9500 M$_1$	5	5	10
9550 T$_1$	5	6	11
9570 T$_2$	15	18	33
	40	48	88
8200系			
8200 Mc$_1$	2		2
8250 Tc	2		2
	4		4
8000系			
8000 Mc$_1$	11	8	19
8100 Mc$_2$	6	4	10
8500 M$_1$	6	4	10
8600 M$_2$	6	4	10
8150 Tc	5	4	9
8550 T	12	8	20
8750 T	12	8	20
	58	40	98
7000系			
7000 Mc	23	7	30
7100 M′c	20	4	24
7500 M′	20	3	23
7600 M	20	4	24
7150 Tc	3	3	6
7550 T	72	15	87
	158	36	194
6000系			
6000 Mc	13	9	22
6100 M′c	9	8	17
6500 M′	5	8	13
6600 M		8	8
6550 T	7	23	30
6100 Tc	4		4
6550 T	4		4
6750 T	1	11	12
	43	68	111
5100系			
5100 Mc	1	11	12
5101 M′c	1	11	12
5650 T		10	10
	2	32	34
5000系			
5000 M′c	6		6
5500 M	12		12
5520 M′$_o$	6		6
5050 Tc	6		6
5550 T	6		6
	36		36
合　計	429	296	725

形式別両数表　京都線

形式	両数
1300系	
1300 Tc	32
1800 M	32
1900 M	32
1350 T	32
	128
9300系	
9300 Mc$_1$	11
9400 Mc$_2$	11
9800 M$_1$	11
9850 T$_1$	22
9870 T$_2$	33
	88
8300系	
8300 Mc$_1$	15
8400 Mc$_2$	11
8800 M$_1$	11
8900 M$_2$	5
8450 Tc	4
8850 T	24
8950 T	14
	84
6300系	
6800 M	3
6900 M′	3
6350 Tc	3
6450 Tc	3
	12
7300系	
7300 Mc	16
7400 M′c	9
7800 M′	9
7900 M	9
7450 Tc	6
7950 To	1
7850 T	33
	83
7000系	
7000 Mc	1
7100 M′c	1
7500 Mc	1
7600 M′	1
7550 T	2
	6
5300系	
5300 Mc	22
5400 M′c	22
5800 M′	7
5900 M	7
5850 T	36
	94
3300系	
3300 Mc	7
3300 M$_o$	5
3400 M′c	2
3400 M′$_o$	5
3430 M′$_o$	1
3800 M′	4
3820 M′	0
3350 Tc	4
3350 T$_o$	0
3950 T	1
	29
合　計	524

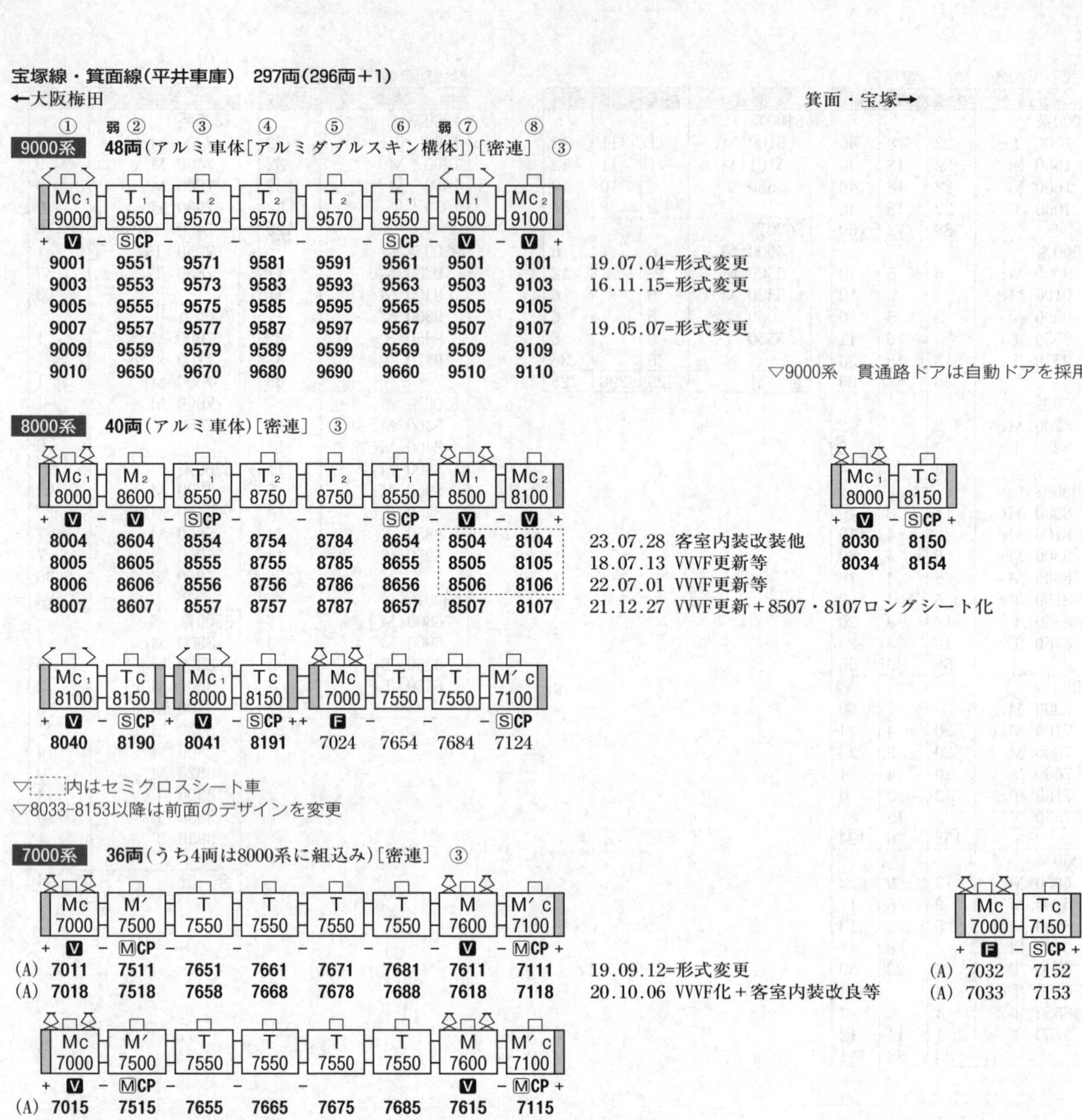

宝塚線・箕面線(平井車庫)　297両(296両＋1)

←大阪梅田　　　　　　　　　　　　　　　　　　　　　　　箕面・宝塚→

9000系　**48両**(アルミ車体[アルミダブルスキン構体])[密連]　③

①	弱②	③	④	⑤	⑥	弱⑦	⑧	
Mc1 9000	T1 9550	T2 9570	T2 9570	T2 9570	T1 9550	M1 9500	Mc2 9100	
+ V –	ⓈCP –	–	–	–	ⓈCP –	V –	V +	
9001	**9551**	**9571**	**9581**	**9591**	**9561**	**9501**	**9101**	19.07.04=形式変更
9003	**9553**	**9573**	**9583**	**9593**	**9563**	**9503**	**9103**	16.11.15=形式変更
9005	**9555**	**9575**	**9585**	**9595**	**9565**	**9505**	**9105**	
9007	**9557**	**9577**	**9587**	**9597**	**9567**	**9507**	**9107**	19.05.07=形式変更
9009	**9559**	**9579**	**9589**	**9599**	**9569**	**9509**	**9109**	
9010	**9650**	**9670**	**9680**	**9690**	**9660**	**9510**	**9110**	

▽9000系　貫通路ドアは自動ドアを採用

8000系　**40両**(アルミ車体)[密連]　③

Mc1 8000	M2 8600	T1 8550	T2 8750	T2 8750	T1 8550	M1 8500	Mc2 8100	
+ V –	V –	ⓈCP –	–	–	ⓈCP –	V –	V +	
8004	**8604**	**8554**	**8754**	**8784**	**8654**	**8504**	**8104**	23.07.28 客室内装改装他
8005	**8605**	**8555**	**8755**	**8785**	**8655**	**8505**	**8105**	18.07.13 VVVF更新等
8006	**8606**	**8556**	**8756**	**8786**	**8656**	**8506**	**8106**	22.07.01 VVVF更新等
8007	**8607**	**8557**	**8757**	**8787**	**8657**	**8507**	**8107**	21.12.27 VVVF更新＋8507・8107ロングシート化

Mc1 8000	Tc 8150
+ V –	ⓈCP +
8030	**8150**
8034	**8154**

Mc1 8100	Tc 8150	Mc1 8000	Tc 8150	Mc 7000	T 7550	T 7550	M′c 7100
+ V –	ⓈCP +	V –	ⓈCP ++	F –	–	–	– ⓈCP
8040	**8190**	**8041**	**8191**	7024	7654	7684	7124

▽[　]内はセミクロスシート車

▽8033-8153以降は前面のデザインを変更

7000系　**36両**(うち4両は8000系に組込み)[密連]　③

	Mc 7000	M′ 7500	T 7550	T 7550	T 7550	T 7550	M 7600	M′c 7100	
	+ V –	ⓂCP –	–	–	–	–	V –	ⓂCP +	
(A)	**7011**	**7511**	**7651**	**7661**	**7671**	**7681**	**7611**	**7111**	19.09.12=形式変更
(A)	**7018**	**7518**	**7658**	**7668**	**7678**	**7688**	**7618**	**7118**	20.10.06 VVVF化＋客室内装改良等

	Mc 7000	Tc 7150
	+ F –	ⓈCP +
(A)	7032	7152
(A)	7033	7153

	Mc 7000	M′ 7500	T 7550	T 7550	T 7550	T 7550	M 7600	M′c 7100
	+ V –	ⓂCP –	–	–	–	–	V –	ⓂCP +
(A)	**7015**	**7515**	**7655**	**7665**	**7675**	**7685**	**7615**	**7115**

Mc 7000	T 7550	M 7600	Tc 7150
+ F –	ⓂCP –	F –	+
7031	7596	7616	7151

▽４両編成は箕面線にて運用

▽7031・7151 はアルミ車

▽7118はⓈCP

▽(A)の編成はアルミ車体

▼車いす対応スペース……太字の車両に設置

▼弱冷房車……………各号車に弱で表示

▼女性専用車…平日朝ラッシュ時の川西能勢口発梅田行き10両編成の通勤特急に設定。
　宝塚寄りの１両

▽特急「日生エクスプレス」(直通特急)にて、能勢電鉄日生中央まで朝・夕に乗入れ

←大阪梅田　　　　　　　　　　　　　　　　　　　　　　　　　　　箕面・宝塚→

1000系　72両(アルミ車体[アルミダブルスキン構体])[密連]　③

①	弱②	③	④	⑤	⑥	弱⑦	⑧	
Tc 1000	M 1500	M 1600	T 1050	T 1050	M 1500	M 1600	Tc 1000	
CP	V	S			V	S	CP	
1001	**1501**	**1601**	**1051**	**1151**	**1551**	**1651**	**1101**	13.12.24日立
1003	**1503**	**1603**	**1053**	**1153**	**1553**	**1653**	**1103**	14.09.09日立
1004	**1504**	**1604**	**1054**	**1154**	**1554**	**1654**	**1104**	15.04.09日立
1006	**1506**	**1606**	**1056**	**1156**	**1556**	**1656**	**1106**	15.09.04日立
1009	**1509**	**1609**	**1509**	**1159**	**1559**	**1659**	**1109**	16.08.19日立
1012	**1512**	**1612**	**1062**	**1162**	**1562**	**1662**	**1112**	17.10.24日立
1013	**1513**	**1613**	**1063**	**1163**	**1563**	**1663**	**1113**	18.03.05日立
1015	**1515**	**1615**	**1065**	**1165**	**1565**	**1665**	**1115**	18.10.04日立
1018	**1518**	**1618**	**1068**	**1168**	**1568**	**1668**	**1118**	20.03.18日立

▽1000系は2013.12.25から営業運転開始
▽室内灯はＬＥＤ照明

6000系　68両[密連]　③

①	弱②	③	④	⑤	⑥	弱⑦	⑧
Mc 6000	M′ 6500	T 6550	T 6550	T 6550	T 6550	M 6600	M′c 6100
+ R	ⓂCP					R	ⓂCP +
6000	6500	6550	6560	6570	6580	**6614**	6100
6003	**6503**	**6553**	**6563**	**6573**	**6583**	**6603**	**6103**
6005	**6505**	**6555**	**6565**	**6575**	**6585**	**6605**	**6105**
6006	**6506**	**6556**	**6566**	**6576**	**6586**	**6606**	**6106**

Mc 6000	M′ 6500	T 6750	T 6550	T 6550	T 6750	M 6600	M′c 6100
+ R	ⓂCP					R	ⓂCP +
6011	**6511**	**6761**	**6651**	**6661**	**6771**	**6611**	**6111**

Mc 6000	T 6550	T 6550	M′c 6100	
+ R			ⓂCP +	
6024	**6654**	**6664**	**6124**	23.11.15 乗務員室改良その他工事

Mc 6000	M′ 6500	T 6750	T 6750	T 6750	T 6750	M 6600	M′c 6100
+ R	ⓂCP					R	ⓂCP +
6013	6513	6662	6653	6663	6652	6613	6113

Mc 6000	M′ 6500	T 6750	T 6750	T 6750	T 6750	M 6600	M′c 6100
+ R	ⓂCP					R	ⓂCP +
6015	6515	**6762**	6655	**6665**	6772	6615	**6115**

▽____はアルミ車体

Mc 6000	M′ 6500	T 6550	T 6550	T 6550	T 6750	M 6600	M′c 6100
+ R	ⓂCP					R	ⓂCP +
6007	6507	**6690**	6590	**6577**	6770	6607	**6107**

5100系　32両[自連]　③

Mc 5100	T 5650	T 5650	M′c 5101	Mc 5100	M′c 5101	Mc 5100	M′c 5101
R			ⓂCP +	R	ⓂCP +	R	ⓂCP
5104	5654	5685	5105	5110	5143	5126	5145
5106	5656	5657	5107	5116	5117	5122	5123

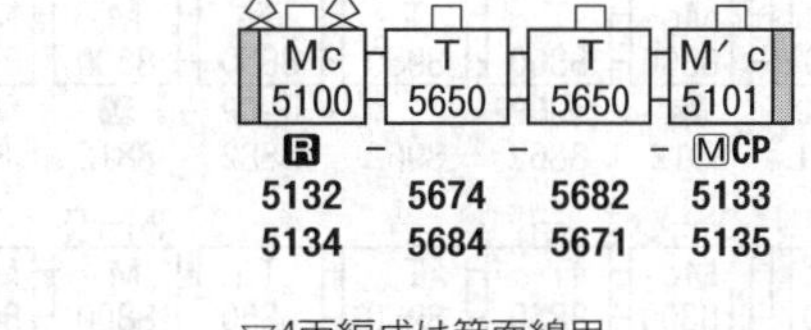

▽4両編成は箕面線用

Mc 5100	T 5650	T 5650	M′c 5101	Mc 5100	T 5650	T 5650	M′c 5101
R			ⓂCP +	R			ⓂCP
5128	5678	**5683**	5127	**5140**	5779	5770	**5121**

救援車　1両[自連]

4050形

4051

京都線・千里線・嵐山線（正雀車庫・桂車庫）　524両（524両）

←大阪梅田・天神橋筋六丁目（大阪メトロ堺筋線）　　　　嵐山・北千里・京都河原町→

1300系　128両（アルミ車体［アルミダブルスキン構体］）［密連］　③

①	弱②	③	④	⑤	⑥	弱⑦	⑧	
Tc 1300	M 1800	M 1900	T 1350	T 1350	M 1800	M 1900	Tc 1300	
CP	V	S			V	S	CP	
1300	**1800**	**1900**	**1350**	**1450**	**1850**	**1950**	**1400**	14.03.28日立
1301	**1801**	**1901**	**1351**	**1451**	**1851**	**1951**	**1401**	14.04.28日立
1302	**1802**	**1902**	**1352**	**1452**	**1852**	**1952**	**1402**	14.10.17日立
1303	**1803**	**1903**	**1353**	**1453**	**1853**	**1953**	**1403**	15.03.04日立
1304	**1804**	**1904**	**1354**	**1454**	**1854**	**1954**	**1404**	16.04.04日立
1305	**1805**	**1905**	**1355**	**1455**	**1855**	**1955**	**1405**	16.12.09日立
1306	**1806**	**1906**	**1356**	**1456**	**1856**	**1956**	**1406**	17.02.08日立
1307	**1807**	**1907**	**1357**	**1457**	**1857**	**1957**	**1407**	18.08.29日立
1308	**1808**	**1908**	**1358**	**1458**	**1858**	**1958**	**1408**	19.08.17日立
1309	**1809**	**1909**	**1359**	**1459**	**1859**	**1959**	**1409**	19.09.25日立
1310	**1810**	**1910**	**1360**	**1460**	**1860**	**1960**	**1410**	20.08.11日立
1311	**1811**	**1911**	**1361**	**1461**	**1861**	**1961**	**1411**	20.08.21日立
1312	**1812**	**1912**	**1362**	**1462**	**1862**	**1962**	**1412**	20.09.29日立
1313	**1813**	**1913**	**1363**	**1463**	**1863**	**1963**	**1413**	21.07.30日立
1314	**1814**	**1914**	**1364**	**1464**	**1864**	**1964**	**1414**	22.05.24日立
1315	**1815**	**1915**	**1365**	**1465**	**1865**	**1965**	**1415**	22.07.26日立

▽1300系は2014.03.30から営業運転開始
▽室内灯はＬＥＤ照明

8300系　84両（アルミ車体）（7300系の4両は両数に含まず）［密連］　③

	①	弱②	③	④	⑤	⑥	弱⑦	⑧	
	Mc1 8300	M2 8900	T1 8850	T2 8950	T2 8950	T1 8850	M1 8800	Mc2 8400	
	+ V	V	SCP			SCP	V	V +	
R	**8300**	**8900**	**8850**	**8950**	**8980**	**8870**	**8800**	**8400**	23.03.09=VVVF化＋客室内装改良
R	**8301**	**8901**	**8851**	**8951**	**8981**	**8871**	**8801**	**8401**	23.07.20=VVVF化＋客室内装改良
	8303	8903	8853	8953	8983	8873	8803	8403	

▽8300系は8303·8403と8304·8404形から前頭部のデザインを変更

Mc1 8300	M2 8900	T1 8850	T2 8950	T2 8950	T1 8850	M1 8800	Mc2 8400	
+ V	V	SCP			SCP	V	V +	
8302	8902	8852	8952	8982	8872	8802	8402	

▼車いす対応スペース……8300系の全車と太字の車両に設置
▼弱冷房車……8両編成は2・7号車、7両編成は2・6号車

Mc1 8300	M2 8900	T1 8850	T2 8950	T2 8950	T1 8850	M1 8800	Mc2 8400	
+ V	V	SCP			SCP	V	V +	
8315	8904	8865	8965	8984	8885	8815	8415	18.08.23=可とう歯車継手変更

Mc1 8300	Tc 8450	Mc1 8300	T1 8850	T2 8950	T1 8850	M1 8800	Mc2 8400	
+ V	SCP +	V	SCP		SCP	V	V +	
8330	8450	8310	8860	8960	8880	8810	8410	19.03.29=制御装置更新

Mc1 8300	Tc 8450	Mc1 8300	T1 8850	T2 8950	T1 8850	M1 8800	Mc2 8400
+ V	SCP +	V	SCP		SCP	V	V +
8331	8451	8312	8862	8962	8882	8812	8412

Mc1 8300	Tc 8450	Mc1 8300	T1 8850	T2 8950	T1 8850	M1 8800	Mc2 8400
+ V	SCP +	V	SCP		SCP	V	V +
8332	8452	8313	8863	8963	8883	8813	8413
8333	8453	8314	8864	8964	8884	8814	8414

Mc 7300	Tc 7450	Mc1 8300	T1 8850	T2 8950	T1 8850	M1 8800	Mc2 8400	
+ F	SCP +	V	SCP		SCP	V	V +	
7326	7456	8304	8854	8954	8874	8804	8404	19.01.22=可とう歯車継手変更(8300系)

Mc 7300	To 7950	Mc1 8300	T1 8850	T2 8950	T1 8850	M1 8800	Mc2 8400	
+ F	SCP +	V	SCP		SCP	V	V +	
7325	**7955**	**8311**	**8861**	**8961**	**8881**	**8811**	**8411**	24.02.21=VVVF更新＋客室内装改良他

←大阪梅田・天神橋筋六丁目(大阪メトロ堺筋線)　　　　嵐山・北千里・京都河原町→

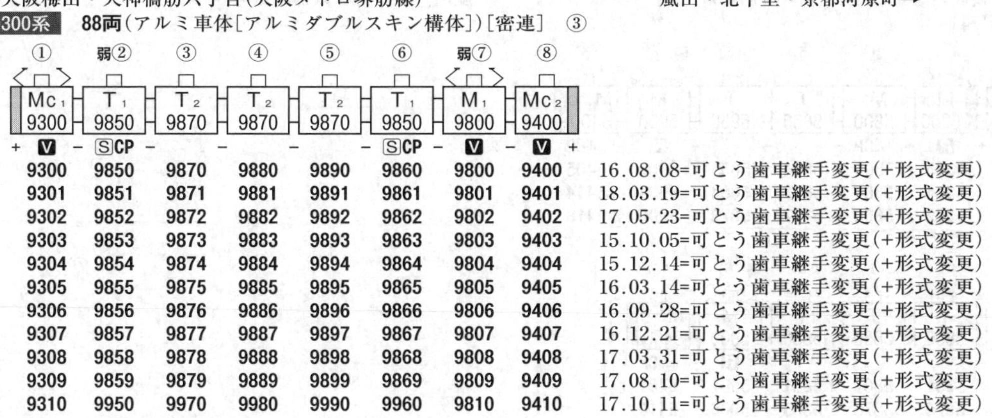

9300系　**88両**(アルミ車体[アルミダブルスキン構体])[密連]　③

①	弱②	③	④	⑤	⑥	弱⑦	⑧	
Mc_1 9300	T_1 9850	T_2 9870	T_2 9870	T_2 9870	T_1 9850	M_1 9800	Mc_2 9400	
+ [V] −	ⓈCP −	−	−	−	ⓈCP −	[V] −	[V] +	
9300	9850	9870	9880	9890	9860	9800	9400	16.08.08=可とう歯車継手変更(+形式変更)
9301	9851	9871	9881	9891	9861	9801	9401	18.03.19=可とう歯車継手変更(+形式変更)
9302	9852	9872	9882	9892	9862	9802	9402	17.05.23=可とう歯車継手変更(+形式変更)
9303	9853	9873	9883	9893	9863	9803	9403	15.10.05=可とう歯車継手変更(+形式変更)
9304	9854	9874	9884	9894	9864	9804	9404	15.12.14=可とう歯車継手変更(+形式変更)
9305	9855	9875	9885	9895	9865	9805	9405	16.03.14=可とう歯車継手変更(+形式変更)
9306	9856	9876	9886	9896	9866	9806	9406	16.09.28=可とう歯車継手変更(+形式変更)
9307	9857	9877	9887	9897	9867	9807	9407	16.12.21=可とう歯車継手変更(+形式変更)
9308	9858	9878	9888	9898	9868	9808	9408	17.03.31=可とう歯車継手変更(+形式変更)
9309	9859	9879	9889	9899	9869	9809	9409	17.08.10=可とう歯車継手変更(+形式変更)
9310	9950	9970	9980	9990	9960	9810	9410	17.10.11=可とう歯車継手変更(+形式変更)

▽9300系は３ドア・転換式クロスシート。おもに特急に使用する
▽平日の特急・通勤特急は、５号車(梅田寄りから５両目)が女性専用車。
ただし、２人掛けクロスシートのある車両のみの設定で、ロングシート車両では設定なし
▽貫通路ドアは自動ドアを採用

7300系　**83両**(うち4両は8300系に組込み)[密連]　③

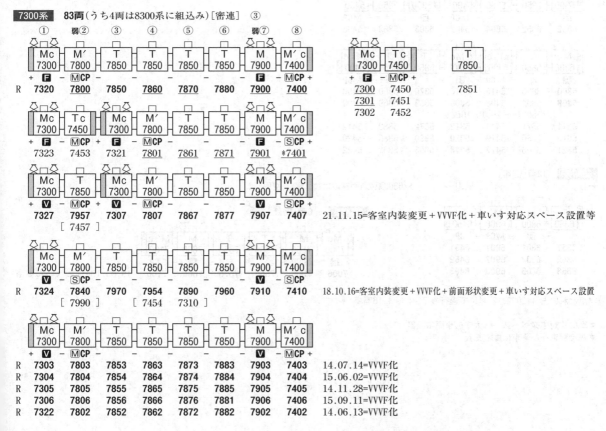

	①	弱②	③	④	⑤	⑥	弱⑦	⑧
	Mc 7300	M′ 7800	T 7850	T 7850	T 7850	T 7850	M 7900	M′c 7400
	+ [F] −	ⓂCP −	−	−	−	−	[F] −	ⓂCP +
R	7320	7800	7850	7860	7870	7880	7900	7400

Mc 7300	Tc 7450	T 7850
+ [F] −	ⓂCP +	
7300	7450	7851
7301	7451	
7302	7452	

Mc 7300	Tc 7450	Mc 7300	M′ 7800	T 7850	T 7850	M 7900	M′c 7400
+ [F] −	ⓂCP +	[F] −	ⓂCP −	−	−	[F] −	ⓈCP +
7323	7453	7321	7801	7861	7871	7901	*7401

Mc 7300	T 7850	Mc 7300	M′ 7800	T 7850	T 7850	M 7900	M′c 7400	
+ [V] −	ⓂCP +	[V] −	ⓂCP −	−	−	[V] −	ⓈCP +	
7327	7957	7307	7807	7867	7877	7907	7407	21.11.15=客室内装変更+VVVF化+車いす対応スペース設置等
	[7457]							

	Mc 7300	M′ 7800	T 7850	T 7850	T 7850	T 7850	M 7900	M′c 7400	
	[V] −	ⓈCP −	−	−	−	−	[V] −	ⓈCP	
R	7324	7840	7970	7954	7890	7960	7910	7410	18.10.16=客室内装変更+VVVF化+前面形状変更+車いす対応スペース設置
		[7990]		[7454	7310]				

	Mc 7300	M′ 7800	T 7850	T 7850	T 7850	T 7850	M 7900	M′c 7400	
	+ [V] −	ⓂCP −	−	−	−	−	[V] −	ⓂCP +	
R	7303	7803	7853	7863	7873	7883	7903	7403	14.07.14=VVVF化
R	7304	7804	7854	7864	7874	7884	7904	7404	15.06.02=VVVF化
R	7305	7805	7855	7865	7875	7885	7905	7405	14.11.28=VVVF化
R	7306	7806	7856	7866	7876	7881	7906	7406	15.09.11=VVVF化
R	7322	7802	7852	7862	7872	7882	7902	7402	14.06.13=VVVF化

▽7300系は____を除きアルミ車体
▽7406はⓈCP、7401はⓂCP
▽8300系·7300系は連解運用車
▽R 印の編成はリニューアル車。
7320編成は前面のデザインを変更。
他の編成も若干変化がある

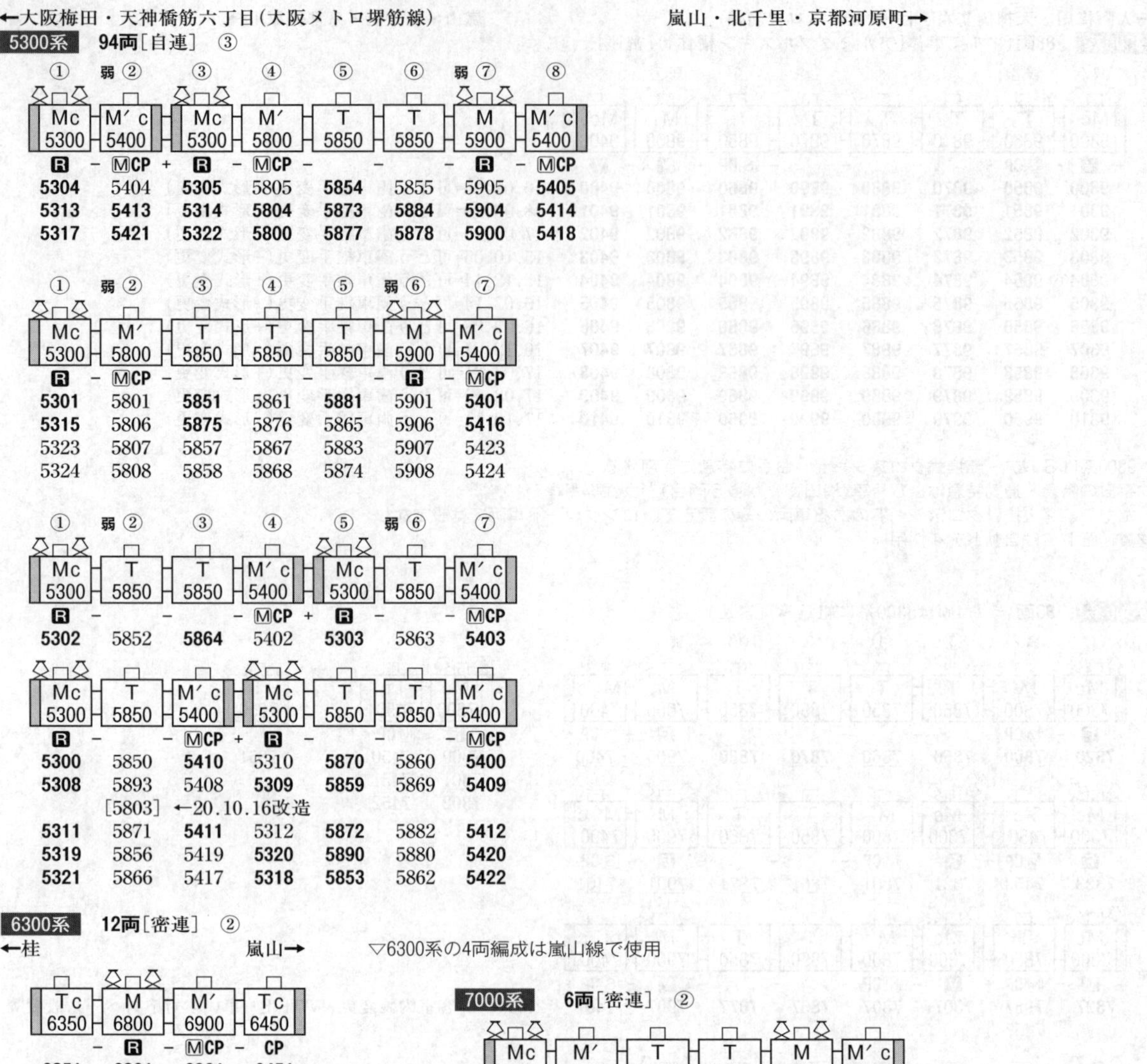

←大阪梅田・天神橋筋六丁目(大阪メトロ堺筋線)　　嵐山・北千里・京都河原町→

5300系　94両[自連]　③

①	弱②		③	④	⑤	⑥	弱⑦	⑧
Mc 5300	M′c 5400		Mc 5300	M′ 5800	T 5850	T 5850	M 5900	M′c 5400
R	ⓂCP	+	R	ⓂCP			R	ⓂCP
5304	5404		**5305**	5805	**5854**	5855	5905	**5405**
5313	5413		**5314**	5804	**5873**	5884	5904	**5414**
5317	5421		**5322**	5800	**5877**	5878	5900	**5418**

①	弱②	③	④	⑤	弱⑥	⑦
Mc 5300	M′ 5800	T 5850	T 5850	T 5850	M 5900	M′c 5400
R	ⓂCP				R	ⓂCP
5301	5801	**5851**	5861	**5881**	5901	**5401**
5315	5806	**5875**	5876	**5865**	5906	**5416**
5323	5807	5857	5867	5883	5907	5423
5324	5808	5858	5868	5874	5908	5424

①	弱②	③	④		⑤	弱⑥	⑦
Mc 5300	T 5850	T 5850	M′c 5400		Mc 5300	T 5850	M′c 5400
R			ⓂCP	+	R		ⓂCP
5302	5852	**5864**	5402		**5303**	5863	**5403**

Mc 5300	T 5850	M′c 5400		Mc 5300	T 5850	T 5850	M′c 5400
R		ⓂCP	+	R			ⓂCP
5300	5850	**5410**		5310	**5870**	5860	**5400**
5308	5893	5408		**5309**	**5859**	5869	**5409**
	[5803]	←20.10.16改造					
5311	5871	**5411**		5312	**5872**	5882	**5412**
5319	5856	5419		**5320**	**5890**	5880	**5420**
5321	5866	5417		**5318**	**5853**	5862	**5422**

6300系　12両[密連]　②

←桂　　嵐山→

▽6300系の4両編成は嵐山線で使用

Tc 6350	M 6800	M′ 6900	Tc 6450
	R	ⓂCP	CP
6351	**6801**	**6901**	**6451**
6352	**6802**	**6902**	**6452**
6353	**6803**	**6903**	**6453**

7000系　6両[密連]　②

Mc 7000	M′ 7500	T 7550	T 7550	M 7600	M′c 7100	
F	ⓈCP			F	ⓈCP	
7006	7506	7566	7576	7606	**7106**	19.03.15=京とれいん雅洛

▽京とれいん は2022.12.11にて運行終了。23.11.16廃車

▼車いす対応スペース……太字の車両に設置
▼弱冷房車……号車に弱を表示

▽正雀車庫に、1、10、116、602、900、2301+2352を保存

←大阪梅田・天神橋筋六丁目(大阪メトロ堺筋線)　　嵐山・北千里・京都河原町→

3300系　29両［自連］ ③

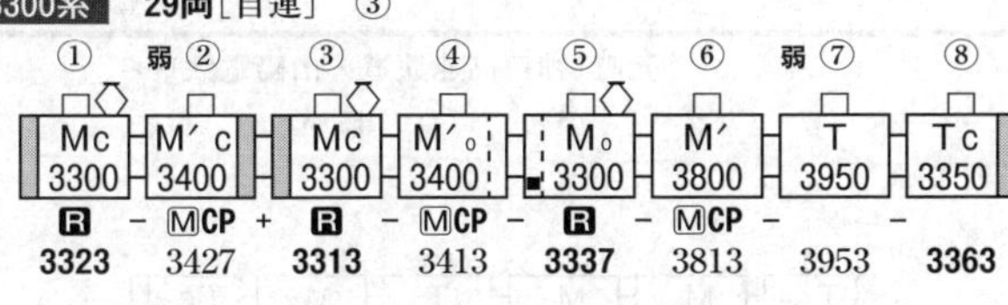

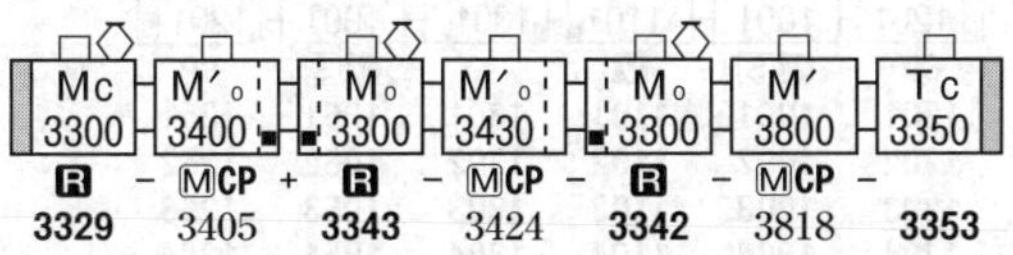

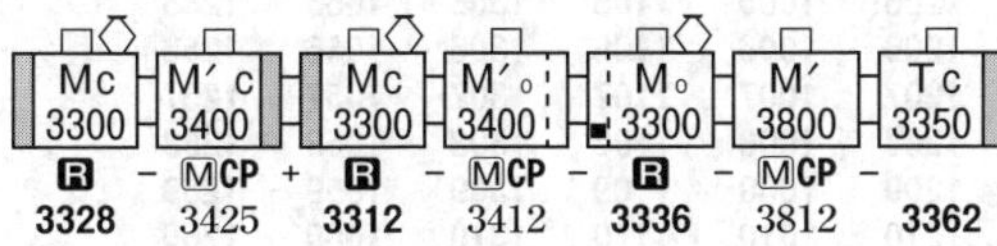

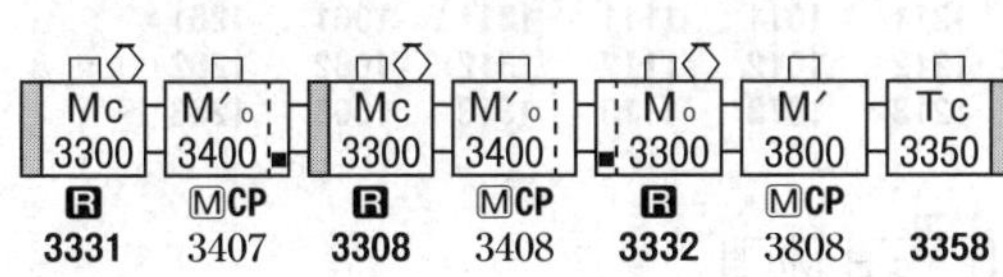

▼弱冷房車……号車に弱を表示
▼車いす対応スペース……太字の車両に設置

阪神電気鉄道　尼崎車庫〔全〕・石屋川車庫　356両

←大阪梅田・大阪難波（近鉄奈良線）　　　元町（神戸高速鉄道・山陽電鉄）→

□系　258両［密連］　③

特急・急行系統

	①	②	③	④	弱⑤	⑥
	Tc1 9501	M′ 9301	M 9401	M 9401	M′ 9301	Tc2 9501
	-	ⓈCP	-	V	V	- ⓈCP -
	9501	9301	9401	9402	9302	9502
	9503	9303	9403	9404	9304	9504
	9505	9305	9405	9406	9306	9506

	①	②	③	④	弱⑤	⑥
	Tc1 9201	M′ 9001	M 9101	M 9101	M′ 9001	Tc2 9201
	-	ⓈCP	-	V	V	- ⓈCP -
近	9201	9001	9101	9102	9002	9202
近	9203	9003	9103	9104	9004	9204
近	9205	9005	9105	9106	9006	9206
近	9207	9007	9107	9108	9008	9208
近	9209	9009	9109	9110	9010	9210

	①	②	③	④	弱⑤	⑥	リニューアル
	Tc1 8201	M′ 8001	M 8101	M 8101	M′ 8001	Tc2 8201	
	CP -	Ⓢ -	F	F	- Ⓢ -	CP	
R	8211	8011	8111	8112	8012	8212	
R	8215	8015	8115	8116	8016	8216	
R	8213	8013	8117	8118	8018	8218	
R	8219	8019	8119	8120	8020	8220	
R	8221	8021	8121	8122	8022	8214	
R	8523	8023	8123	8102	8002	8502	
R	8225	8025	8125	8126	8026	8226	
R	8227	8027	8127	8128	8028	8228	
R	8229	8029	8129	8130	8030	8230	
R	8231	8031	8131	8132	8032	8232	11.09.26
R	8233	8033	8133	8134	8034	8234	12.03.23
R	8235	8035	8135	8136	8336	8536	12.09.28
R	8237	8037	8137	8138	8038	8238	13.03.12
R	8239	8039	8139	8140	8040	8240	15.09.28
R	8241	8041	8141	8142	8042	8242	16.07.10
R	8243	8043	8143	8144	8044	8244	13.09.24
R	8245	8045	8145	8146	8046	8246	14.03.31
R	8247	8047	8147	8148	8048	8248	14.09.02
R	8249	8049	8149	8150	8050	8250	15.04.28

	①	②	③	④	弱⑤	⑥
	Tc1 1201	M1 1001	M2 1101	T 1301	M3 1001	Tc2 1201
	CP -	VⓈ -	V		- VⓈ -	CP
近	1201	1001	1101	1301	1051	1251
近	1202	1002	1102	1302	1052	1252
近	1203	1003	1103	1303	1053	1253
近	1204	1004	1104	1304	1054	1254
近	1205	1005	1105	1305	1055	1255
近	1206	1006	1106	1306	1056	1256
近	1207	1007	1107	1307	1057	1257
近	1208	1008	1108	1308	1058	1258
近	1209	1009	1109	1309	1059	1259
近	1210	1010	1110	1310	1060	1260
近	1211	1011	1111	1311	1061	1261
近	1212	1012	1112	1312	1062	1262
近	1213	1013	1113	1313	1063	1263

	Tc 1601	Mc 1501
	CP -	VⓈ
近	1601	1501
近	1602	1502
近	1603	1503
近	1604	1504
近	1605	1505
近	1606	1506
近	1607	1507
近	1608	1508
近	1609	1509

▽9300系は中間車が転換クロスシート
▽Rはリニューアル編成、
　＿＿は転換クロスシート
　2011年度以降の施工車は施工月日を表示
▽8000系の8002･8102･8502は2000系に準じた車体
　8217以降の編成はクーラーが集約化され、
　8233以降の編成は側窓が3連ユニットになった
▽阪神梅田～山陽姫路間の直通列車は、
　阪神電気鉄道=1000系･8000系･9000系･9300系
　山陽電鉄=5000系･5030系･6000系
▽近=近鉄奈良線乗入れ対応車。
　おもに阪神～近鉄直通の快急、準急、普通に使用する。
　近鉄奈良線近鉄奈良まで乗入れ
▽1000系2両編成は、
　6両編成（1000系･9000系）の大阪難波寄りに連結

▽ラッピングトレイン
1207F=17.10.01～　「灘の酒蔵」活性化プロジェクトとしてラッピングトレイン「Go! Go! 灘五郷」
1210F=19.01.16～　阪神なんば線開業及び阪神・近鉄相互直通運転開始から10周年記念企画　ラッピング
1208F=19.03.09～　阪神電車×桃園メトロ連携記念ラッピング列車
1204F=19.05.27～　阪急阪神未来のゆめ・まちプロジェクトが10周年を迎えたとして「SDGs 未来のゆめ・まち号」
8219F=22.08.01～　甲子園球場100周年記念ラッピングトレイン

▼優先席……全車両に設置
▼車いす対応スペース……太字の車両に設置
▼弱冷房車…編成図に弱を付した車両

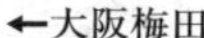
←大阪梅田　　　　　　　　元町(神戸高速鉄道)→

①　②　弱③　④

J系　**96両**[密連]　③

本線普通運用

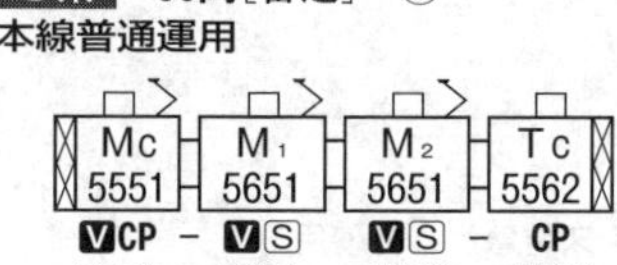

Mc 5551	M1 5651	M2 5651	Tc 5562
VCP	VS	VS	CP
5551	5651	5652	5562

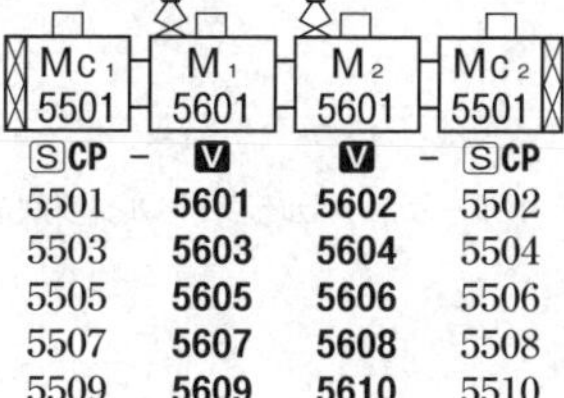

Mc1 5501	M1 5601	M2 5601	Mc2 5501	
SCP	V	V	SCP	
5501	**5601**	**5602**	5502	17.03.21=リニューアル
5503	**5603**	**5604**	5504	17.09.15=リニューアル
5505	**5605**	**5606**	5506	18.03.22=リニューアル
5507	**5607**	**5608**	5508	19.03.20=リニューアル
5509	**5609**	**5610**	5510	22.12.27=リニューアル
5515	**5615**	**5616**	5516	21.03.17=リニューアル
5517	**5617**	**5618**	5518	

Mc1 5001	M2 5001	M1 5001	Mc2 5001
MCP	R	MCP	R
5025	**5026**	5027	**5028**

Mc1 5701	M1 5801	M2 5801	Mc2 5701	新製月日
SCP	V	V	SCP	
5701	**5801**	**5802**	**5702**	15.06.25近車
5703	**5803**	**5804**	**5704**	17.03.21近車
5705	**5805**	**5806**	**5706**	17.06.15近車
5707	**5807**	**5808**	**5708**	17.07.11近車
5709	**5809**	**5810**	**5710**	19.03.22近車
5711	**5811**	**5812**	**5712**	19.12.19近車
5713	**5813**	**5814**	**5714**	20.02.03近車
5715	**5815**	**5816**	**5716**	21.04.15近車
5717	**5817**	**5818**	**5718**	21.06.07近車
5719	**5819**	**5820**	**5720**	22.04.18近車
5721	**5821**	**5822**	**5722**	22.05.24近車
5723	**5823**	**5824**	**5724**	23.11.28近車
5725	**5825**	**5826**	**5726**	23.12.28近車

形式	両数	車種
□系		
1000系		
1001形	26	M
1101形	13	M
1201形	26	Tc
1301形	13	T
1501形	9	Mc
1601形	9	Tc
	96	
9300系		
9401形	6	M
9301形	6	M′
9501形	6	Tc
	18	
9000系		
9101形	10	M
9001形	10	M′
9201形	10	Tc
	30	
8000系		
8101形	38	M
8001形	38	M′
8201形	38	Tc
	114	
□　計	258	

形式	両数	車種
J系		
5700系		
5701形	13	Mc1
5701形	13	Mc2
5801形	13	M1
5801形	13	M2
	52	
5550系		
5551形	1	Mc
5651形	2	M1
5562形	1	Tc
	4	
5500系		
5501形	9	Mc2
5501形	9	Mc1
5601形	7	M2
5601形	7	M1
5901形	2	Mc1
5901形	2	Mc2
	36	
5000系		
5001形	1	Mc2
5001形	1	Mc1
5001形	1	M2
5001形	1	M1
	4	
J　計	96	
合　計	354	

▽5700系は、2015.08.24から営業運転開始。
主電動機は自閉自冷式永久磁石同期電動機(PMSM)を装備。
5701形は2個モーター(先頭台車搭載なし)

工務用車　**2両**[密連]

201形(工事用車)　202形(工事用車)

RMCP
201

RMCP
202

▽202はホイスト2基装備

▼優先席……全車両に設置
▼車いす対応スペース……太字の車両に設置
▼弱冷房車…編成図に弱を付した車両

武庫川線運用　▽2001(H13).10.01から全列車ワンマン化

←武庫川　　　　　　　　武庫川団地前→

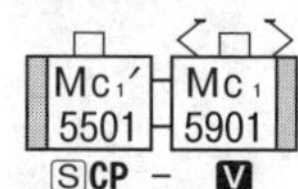

Mc1′ 5501	Mc1 5901	
SCP	V	
5511	**5911**	20.05.18 ワンマン化+5601形を5901形に(先頭車化)TORACO号
5513	**5913**	20.02.10 ワンマン化+5601形を5901形に(先頭車化)タイガース号

Mc2 5901	Mc2′ 5501	
V	SCP	
5912	**5512**	20.05.21 ワンマン化+5601形を5901形に(先頭車化)トラッキー号
5914	**5514**	20.02.13 ワンマン化+5601形を5901形に(先頭車化)甲子園号

南海電気鉄道　検車区　住ノ江検車、羽倉崎検車、和歌山検車 検車区　小原田検車、千代田検車、高野山鋼索区　698両

南海線(住ノ江検車)　396両

←難波　　　　和歌山市→

50000系　**36両**(特急ラピート)[収納]　①

⑥	⑤WC	④	♿③WC	②	①
Tc1	M1	M2	T	M3	Tc2
50501	50001	50101	50601	50201	50701
ⓈCP	Ⓥ	Ⓥ		Ⓥ	ⓈCP
50501	50001	50101	50601	50201	50701
50502	50002	50102	50602	50202	50702
50503	50003	50103	50603	50203	50703
50504	50004	50104	50604	50204	50704
50505	50005	50105	50605	50205	50705
50506	50006	50106	50606	50206	50706

▽50000系は関西国際空港へのアクセス特急として使用
▽⑤⑥号車はスーパーシート、
③⑤号車にトイレ・洗面所(WC)
③号車に自動販売機
▽全車両禁煙(デッキ部分も含む)

▽50502F 「スイス姉妹鉄道 BOB(モントルー・オーベルラン・ベルノワ鉄道)」ラッピング(24.03.14～)

10000系　**20両**(特急サザン)[小型密着]

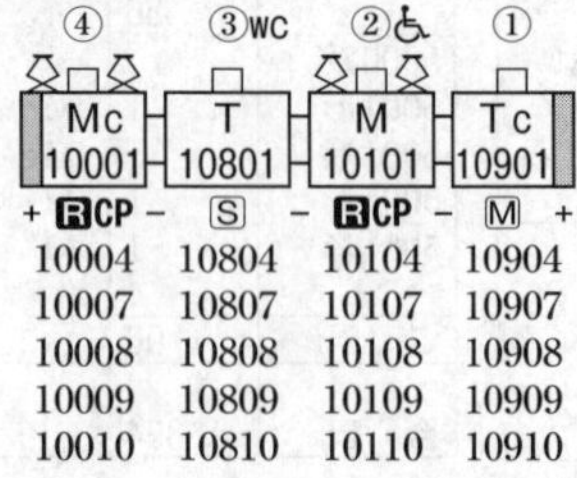

▽片側客用扉数は10001形が2、あとの3両は1
▽10000系は難波～和歌山市間の座席指定特急に使用
一般車(7100系)との併結運用もある
▽3号車にトイレ、洗面所(WC)
▽2011.09.01から全車禁煙
▽M・T車の末尾番号4～6は先頭車からの改造、補助電源はⓂ、
▽M・T車の末尾番号7～10は4両編成化用の新造車で、
窓高さ・シートピッチが異なる
▽10004編成は、「HYDEサザン」ラッピング編成(19.12.23～21.秋 予定)

12000系　**8両**(特急サザン)[密連]　①

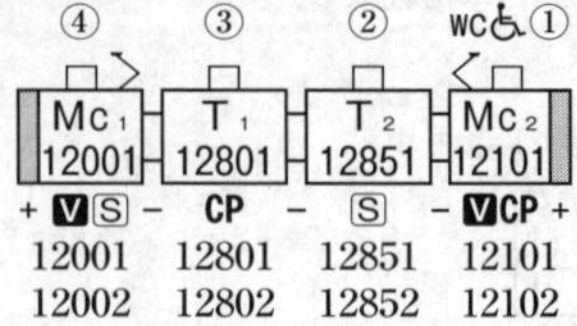

▽12000系は、2011.09.01から営業運転開始
愛称は「サザン・プレミアム」
▽1号車にトイレ、洗面所(WC)
▽一般車との併結運転時は8000系・9000系を連結

▼優先席……特急用とケーブルカーを除く全車両に設置
▼車いす対応スペース……太字の全車両に設置
▼弱冷房車……編成図に **弱** を付した車両

▽全般検査は千代田工場で行なう

←難波　　　　　　　　　　　　　　　　　　　　　　　　　　　　　　和歌山市→

1000系　**76両**（ステンレス車体）［密連］　④

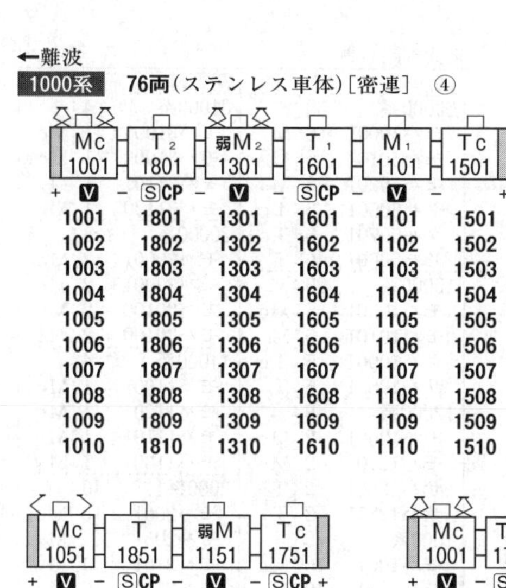

Mc 1001	T₂ 1801	弱M₂ 1301	T₁ 1601	M₁ 1101	Tc 1501
+ V	− ⓈCP	− V	− ⓈCP	− V	− +
1001	1801	1301	1601	1101	1501
1002	1802	1302	1602	1102	1502
1003	1803	1303	1603	1103	1503
1004	1804	1304	1604	1104	1504
1005	1805	1305	1605	1105	1505
1006	1806	1306	1606	1106	1506
1007	1807	1307	1607	1107	1507
1008	1808	1308	1608	1108	1508
1009	1809	1309	1609	1109	1509
1010	1810	1310	1610	1110	1510

Mc 1051	T 1851	弱M 1151	Tc 1751
+ V	− ⓈCP	− V	− ⓈCP +
1051	1851	1151	1751

Mc 1001	Tc₂ 1701
+ V	− ⓈCP +
1031	1701
1032	1702
1033	1703
1034	1704
1035	1705
1036	1706

8000系　**52両**（ステンレス車体）［密連］　④

Mc₁ 8001	T₁ 8801	弱T₂ 8851	Mc₂ 8101	
+ VⓈ	− CP	− Ⓢ	− VCP +	
8001	8801	8851	8101	
8002	8802	8852	8102	
8003	8803	8853	8103	
8004	8804	8854	8104	
8005	8805	8855	8105	
8006	8806	8856	8106	
8007	8807	8857	8107	
8008	8808	8858	8108	13.03.09総合
8009	8809	8859	8109	13.03.09総合
8010	8810	8860	8110	14.04.11総合
8011	8811	8861	8111	14.04.14総合
8012	8812	8862	8112	14.05.19総合
8013	8813	8863	8113	14.05.20総合

▽1000系は6両・2両編成とも第1～3編成は車体幅が100㎜狭い
▽1000系の全車と2000系のＳ印の編成は連結面にクロスシートを備える

8300系　**54両**（ステンレス車体）［密連］　④

Mc₁ 8300	T₁ 8600	T₂ 8650	Mc₂ 8400	新製月日
+ VⓈ	− CP	− Ⓢ	− VCP +	
8301	8601	8651	8401	15.10.08近車
8302	8602	8652	8402	15.10.08近車
8303	8603	8653	8403	15.11.13近車
8304	8604	8654	8404	15.12.01近車
8305	8605	8655	8405	15.11.20近車
8306	8606	8656	8406	17.07.03近車
8307	8607	8657	8407	17.07.19近車
8308	8608	8658	8408	18.07.09近車
8309	8609	8659	8409	18.07.25近車

Tc₁ 8700	Mc₃ 8350	新製月日
+ Ⓢ	− VCP +	
8701	8351	16.09.12近車
8702	8352	16.09.12近車
8703	8353	16.09.12近車
8704	8354	16.09.20近車
8705	8355	16.09.20近車
8706	8356	16.09.20近車
8707	8357	17.07.03近車
8708	8358	17.07.19近車
8709	8359	18.07.09近車

2000系　**28両**（ステンレス車体）［密連］　②

Mc₁ 2001	M₂ 2051	弱M₁ 2101	Mc₂ 2151
+ V	− ⓈCP	− V	− ⓈCP +
2001	2051	2101	2151
2002	2052	2102	2152
2003	2053	2103	2153

Mc₁ 2001	Mc₂ 2151	
+ V	− ⓈCP +	
2031	2181	
2032	2182	
2035	2185	24.01.05=ワンマン化
2036	2186	24.03.29=ワンマン化

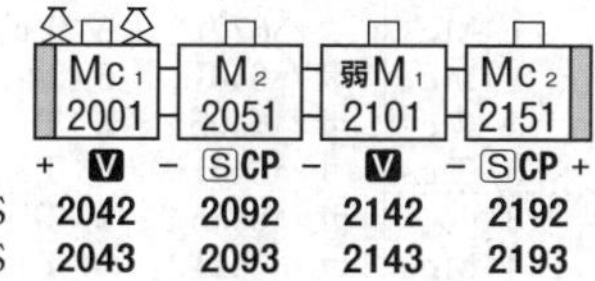

	Mc₁ 2001	M₂ 2051	弱M₁ 2101	Mc₂ 2151
	+ V	− ⓈCP	− V	− ⓈCP +
S	2042	2092	2142	2192
S	2043	2093	2143	2193

2200系　**8両**（ワンマンカー）［密連］　②

Mc₁ 2231	Mc₂ 2281
+ ⓂCP	− R +
2201	2251

Mc₁ 2231	Mc₂ 2281
+ ⓂCP	− R +
2231	2281
2232	2282
2233	2283

3000系　**14両**［密連］　④

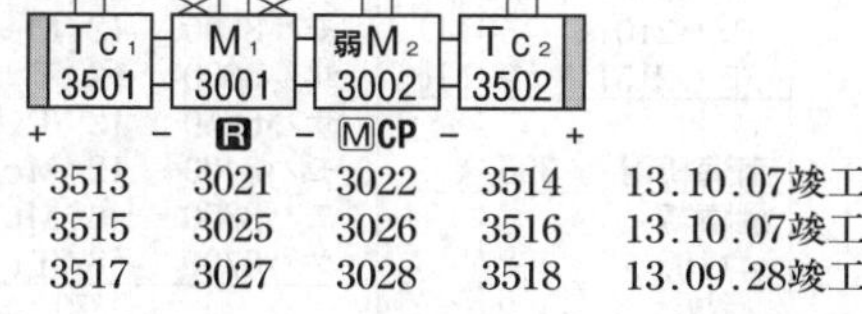

Tc₁ 3501	M₁ 3001	弱M₂ 3002	Tc₂ 3502	
+	− R	− ⓂCP	− +	
3513	3021	3022	3514	13.10.07竣工
3515	3025	3026	3516	13.10.07竣工
3517	3027	3028	3518	13.09.28竣工

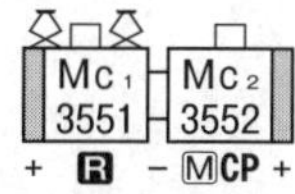

Mc₁ 3551	Mc₂ 3552	
+ R	− ⓂCP +	
3555	3556	13.09.28竣工

▽3000系は元泉北高速鉄道の車両

←難波　　　　　　　　　　　　　　　　　　和歌山市→

7100系　**62両**［小型密着］　④

Mc_1 7101	T_1 7851	弱T_2 7851	Mc_2 7101		Mc_1 7101	Tc 7951
RCP	M	M	RCP		RCP	M
7121	**7869**	**7870**	**7122**		7131	7953
7129	**7873**	**7874**	**7130**		**7135**	**7954**
7137	7877	7878	7138		7143	7956
7153	7885	7886	7154		**7155**	**7959**
7157	**7887**	**7888**	**7158**		**7159**	**7960**
7165	**7891**	**7892**	**7166**	ワ	**7167**	**7962**
7169	**7893**	**7894**	**7170**		**7179**	**7965**
7177	**7897**	**7898**	**7178**	ワ	**7187**	**7967**
7181	**7843**	**7844**	**7182**	ワ	**7191**	**7968**
7189	**7847**	**7848**	**7190**	ワ	**7195**	**7969**
				ワ	**7197**	**7970**

▽ワはワンマンカー
▽7187Fは「めでたいでんしゃ さち」(16.04.29 ～運行)
▽7167Fは「めでたいでんしゃ かい」(17.10.07 ～運行)
▽7197Fは「めでたいでんしゃ なな」(19.03.31 ～運行)
▽7195Fは「めでたいでんしゃ かしら」(21.09.18 ～運行)

9000系　**32両**(ステンレス車体)［密連］　④

Tc_1 9501	M_1 9001	弱M_2 9001	Tc_2 9501	
+ CP	VS	VCP	S +	
9501	9001	9002	9502	19.04.25=更新工事(VVVF)
9503	9003	9004	9504	20.05.01=更新工事(VVVF)
9505	9005	9006	9506	19.11.06=更新工事(VVVF)
9507	9007	9008	9508	20.10.29=更新工事(VVVF)
9509	9009	9010	9510	21.04.22=更新工事(VVVF)

Tc_1 9501	M_3 9001	弱T 9812	M_1 9001	M_2 9001	Tc_2 9501
CP	VS	CP	VS	VCP	S
9511	9011	9816 [9012]	9013	9014	9512
9513	9015	9816 [9016]	9017	9018	9514

▽更新工事(VVVF化)
9511F=23.07.06　9513F=22.07.28

▽ワンマン運転と使用車種

汐見橋線	2200系
高師浜線	2200系
多奈川線	2200系・7100系
加太線	2200系・7100系
高野線 橋本～極楽橋	2300系

形式別両数表

南海線		
50000系	36	
モハ50001	6	M_1
モハ50101	6	M_2
モハ50201	6	M_3
クハ50501	6	Tc_1
クハ50701	6	Tc_2
サハ50601	6	T
10000系	20	
モハ10001	5	Mc
モハ10101	5	M
クハ10901	5	Tc
サハ10801	5	T
12000系	8	
モハ12001	2	Mc_1
モハ12101	2	Mc_2
サハ12801	2	T_1
サハ12851	2	T_2
1000系	76	
モハ1001	16	Mc
モハ1101	10	M_1
モハ1301	10	M_2
クハ1501	10	Tc
クハ1701	6	Tc_2
サハ1601	10	T_1
サハ1801	10	T_2
モハ1051	1	Mc
モハ1151	1	M
クハ1751	1	Tc
サハ1851	1	T
9000系	32	
モハ9001	9	M_1
モハ9001	8	M_2
クハ9501	14	Tc
サハ9812	1	T
8300系	54	
モハ8300	9	Mc_1
サハ8600	9	T_1
サハ8650	9	T_2
モハ8400	9	Mc_2
モハ8350	9	Mc_3
クハ8700	9	Tc_1
8000系	52	
モハ8001	13	Mc_1
サハ8801	13	T_1
サハ8851	13	T_2
モハ8101	13	Mc_2
7100系	62	
モハ7101	21	Mc_1
モハ7101	10	Mc_2
クハ7951	11	Tc
サハ7851	20	T
3000系	14	
モハ3001	3	M_1
モハ3002	3	M_2
モハ3551	1	Mc_1
モハ3552	1	Mc_2
クハ3501	3	Tc_1
クハ3502	3	Tc_2
2200系	8	
モハ2231	4	Mc_1
モハ2281	4	Mc_2
2000系	28	
モハ2001	9	Mc_1
モハ2051	5	M_2
モハ2101	5	M_1
モハ2151	9	Mc_2
南海線計	396	
鋼索線		
コ10	2	
コ20	2	
鋼索線計	4	

高野線		
31000系	4	
モハ31001	1	Mc_1
モハ31002	1	Mc_2
モハ31101	1	M_1
モハ31100	1	M_2
30000系	8	
モハ30001	2	Mc_1
モハ30001	2	Mc_2
モハ30100	2	M_1
モハ30100	2	M_2
11000系	4	
モハ11001	1	Mc_1
モハ11201	1	Mc_2
モハ11101	1	M_1
モハ11301	1	M_2
2000系	40	
モハ2001	16	Mc_1
モハ2051	4	M_2
モハ2101	4	M_1
モハ2151	16	Mc_2
2200系	2	
モハ2231	1	Mc_1
モハ2281	1	Mc_2
2300系	8	
モハ2301	4	Mc_1
モハ2351	4	Mc_2
6000系	20	
モハ6001	4	Mc_1
モハ6001	6	Mc_2
クハ6901	4	Tc_1
クハ6901	2	Tc_2
サハ6601	2	T_1
サハ6601	2	T_2
6200系	76	
モハ6201	14	M_1
モハ6215	4	M_1
モハ6201	14	M_2
モハ6215	4	M_2
クハ6501	14	Tc
クハ6511	4	Tc_1
クハ6511	4	Tc_2
モハ6251	3	M_1
モハ6261	3	M_2
モハ6271	3	M_3
クハ6551	3	Tc_1
クハ6561	3	Tc_2
サハ6851	3	T
6300系	76	
モハ6301	8	Mc_1
モハ6321	10	Mc_1
モハ6351	8	Mc_2
モハ6371	4	Mc_2
モハ6341	4	M_1
モハ6391	4	M_2
クハ6701	6	Tc
サハ6401	6	T_1
サハ6405	6	T_1
サハ6451	6	T_2
サハ6455	6	T_2
サハ6421	3	T_1
サハ6425	1	T_1
サハ6471	3	T_2
サハ6475	1	T_2
8300系	64	
モハ8300	12	Mc_1
サハ8600	12	T_1
サハ8650	12	T_2
モハ8400	12	Mc_2
モハ8350	8	Mc_3
クハ8700	8	Tc_1
高野線計	298	

高野線(小原田検車) 298両

←難波　　　　　　　　　　　　　　　　　　　　　　極楽橋・和泉中央(泉北高速鉄道)→

30000系　8両(特急こうや)[密連]　①

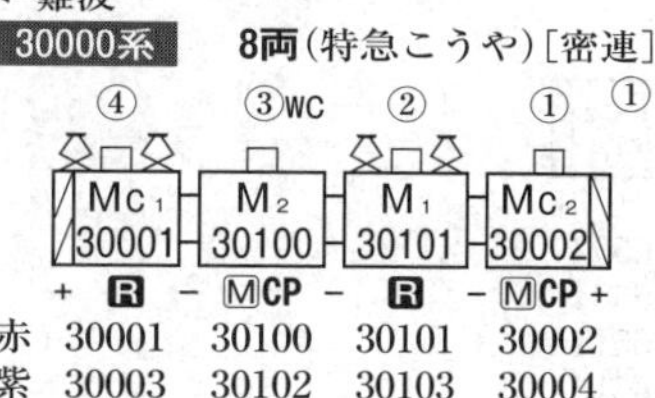

31000系　4両(特急こうや)[密連]　①

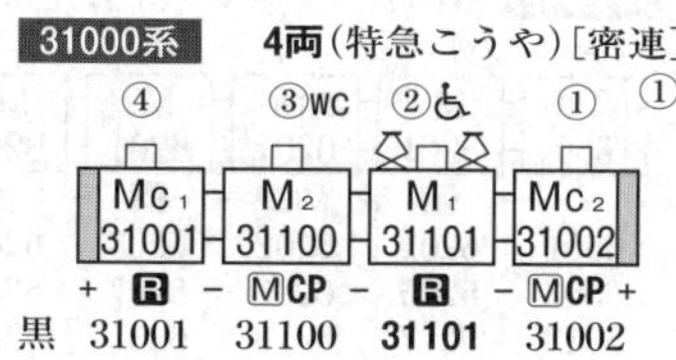

11000系　4両(特急りんかん)[密連]　①

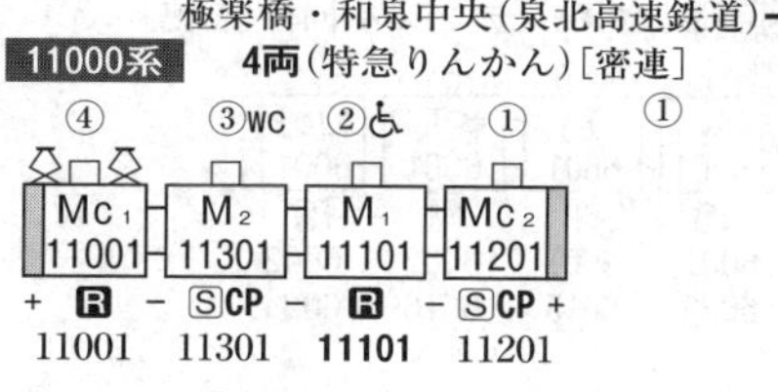

▽車内設備(3系列共通):トイレ・洗面所= 3号車、飲料用自販機= 2号車
▽2011.09.01から全車禁煙
▽2015.12.05から「泉北ライナー」運転開始。11000系、50000系と泉北高速12000系を使用。車両検査時は12000系が入ることもある

6300系　76両(ステンレス車体)[密連]　④

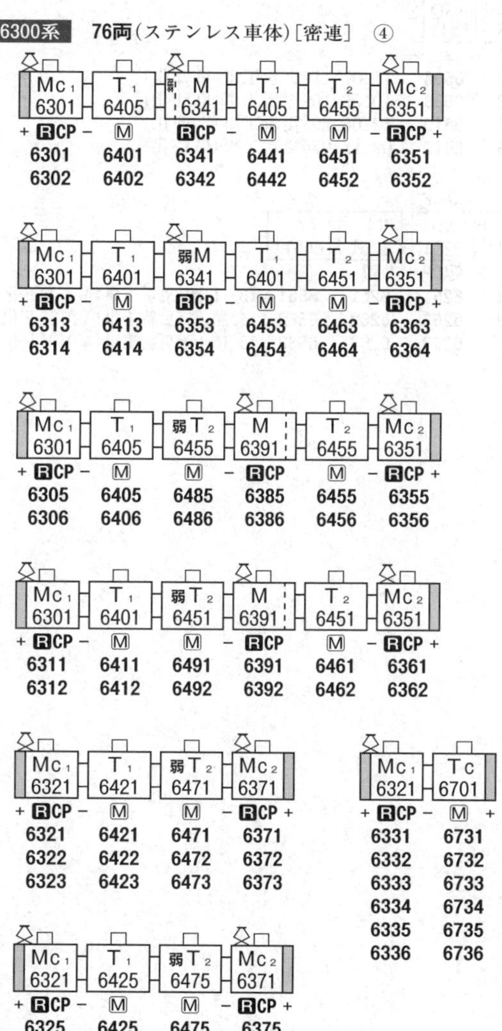

2000系　36両(ステンレス車体)[密連]　②

Mc1 2001 ― M2 2051 ― 弱M1 2101 ― Mc2 2151
+ V − SCP − V − SCP +

	Mc1	M2	弱M1	Mc2
S	2041	2091	2141	2191
S	2044	2094	2144	2194
S	2045	2095	2145	2195
S	2046	2096	2146	2196

Mc1 2001 ― Mc2 2151
+ V − SCP +

	Mc1	Mc2
S	2021	2171
S	2022	2172
S	2023	2173
S	2024	2174
	2033	2183
	2034	2184
S	2037	2187
S	2038	2188
S	2039	2189
S	2040	2190

2300系　8両(ステンレス車体)[密連]　②

2200系　2両[密連]　①

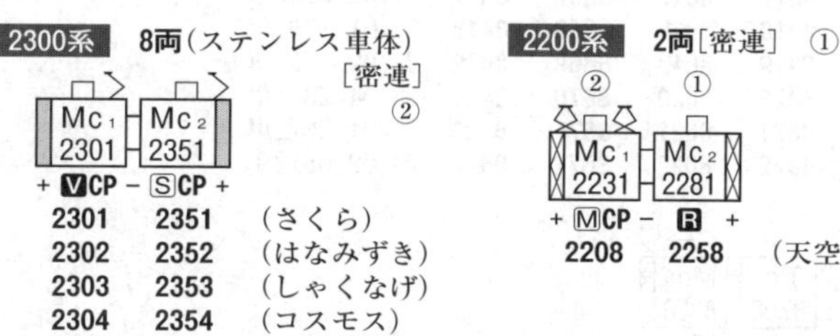

▽2300系はワンマンカー、
扉付近を除いて転換式クロスシート(一部は1人掛け)
▽2000系のSと1000系は連結面がクロスシート
▽2200系(天空)は橋本～極楽橋間で運転される観光列車、
谷側(極楽橋に向かって右側)の窓がワイド化されている
▽2044Fは「真田赤備え列車」(2015.11.01から運行開始)

▽橋本～極楽橋間を運転できる車両は
31000系・30000系・2000系・2200系・2300系に限られる

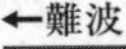

6000系　20両(ステンレス車体)[密連]　④

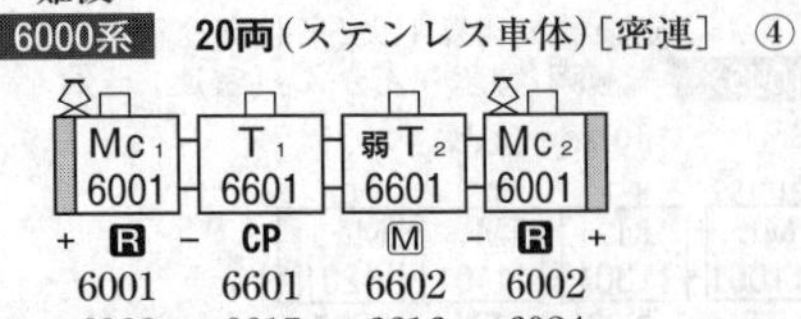

Mc1 6001	T1 6601	弱T2 6601	Mc2 6001
+ R	− CP	M	− R +
6001	6601	6602	6002
6023	6615	6616	6024

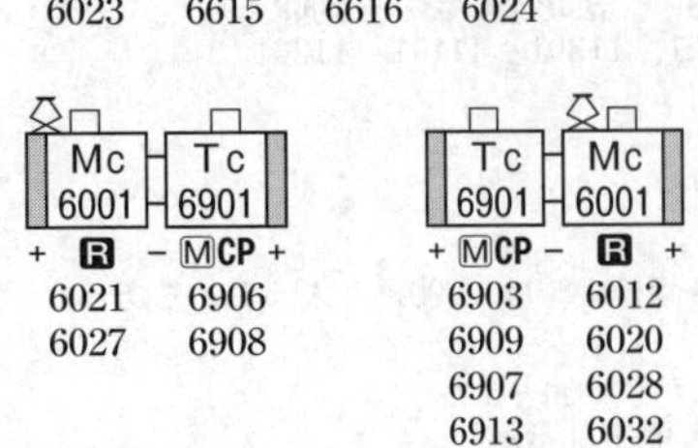

Mc 6001	Tc 6901
+ R	− MCP +
6021	6906
6027	6908

Tc 6901	Mc 6001
+ MCP −	R +
6903	6012
6909	6020
6907	6028
6913	6032

6200系　76両(ステンレス車体)[密連]

Tc1 6501	M1 6201	弱M2 6201	M1 6201	M2 6201	Tc2 6501
+	− R	− MCP	− R	− MCP	− +
6501	6201	6202	6203	6204	6502
6503	6205	6206	6207	6208	6504
6513	6217	6218	6231	6232	6514
6515	6219	6220	6221	6222	6516
6517	6223	6224	6225	6226	6518
6519	6227	6228	6229	6230	6520
6521	6233	6234	6235	6236	6522

Tc1 6511	M1 6215	弱M2 6215	Tc2 6511	
+ CP	− VS	− VCP	− S +	
6505	**6209**	**6210**	**6506**	11.07.11=更新工事(VVVF化)
6507	**6211**	**6212**	**6508**	10.06.16=更新工事(VVVF化)
6509	**6213**	**6214**	**6510**	12.06.29=更新工事(VVVF化)
6511	**6215**	**6216**	**6512**	09.12.07=更新工事(VVVF化)

Tc1 6551	M3 6271	弱T 6851	M1 6251	M2 6261	Tc2 6561	
+ S	− VCP	−	− VCP	− V	S +	
6551	**6271**	**6851**	**6251**	**6261**	**6561**	13.11.29=更新工事(ＶＶＶＦ化)
6552	**6272**	**6852**	**6252**	**6262**	**6562**	14.10.06=更新工事(ＶＶＶＦ化)
6553	**6273**	**6853**	**6253**	**6263**	**6563**	15.10.09=更新工事(ＶＶＶＦ化)

8300系　64両(ステンレス車体)[密連]　④

Mc1 8300	T1 8600	弱T2 8650	Mc2 8400	
+ VS −	CP	S	− VCP +	
8310	**8610**	**8660**	**8410**	19.06.10近車
8311	**8611**	**8661**	**8411**	19.07.02近車
8312	**8612**	**8662**	**8412**	19.11.22近車
8313	**8613**	**8663**	**8413**	19.11.15近車
8314	**8614**	**8664**	**8414**	19.11.29近車
8315	**8615**	**8665**	**8415**	20.01.16近車
8316	**8616**	**8666**	**8416**	20.12.18近車
8317	**8617**	**8667**	**8417**	21.01.28近車
8318	**8618**	**8668**	**8418**	22.01.19近車
8319	**8619**	**8669**	**8419**	22.02.17近車
8320	**8620**	**8670**	**8420**	23.04.28近車
8321	**8621**	**8671**	**8421**	24.01.22近車
8322	**8622**	**8672**	**8422**	24.02.08近車

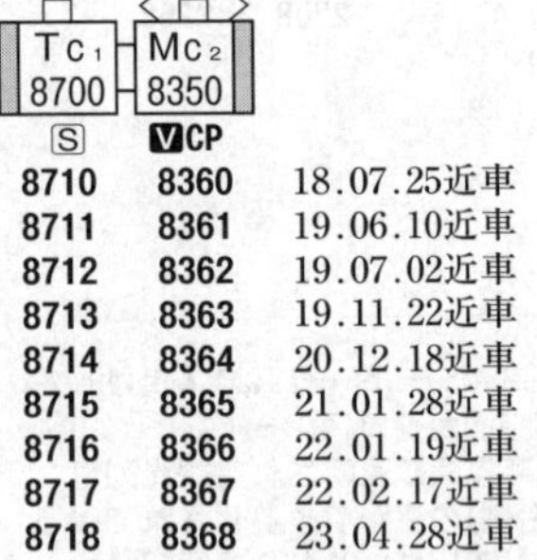

Tc1 8700	Mc2 8350	
S	VCP	
8710	**8360**	18.07.25近車
8711	**8361**	19.06.10近車
8712	**8362**	19.07.02近車
8713	**8363**	19.11.22近車
8714	**8364**	20.12.18近車
8715	**8365**	21.01.28近車
8716	**8366**	22.01.19近車
8717	**8367**	22.02.17近車
8718	**8368**	23.04.28近車

▽「堺ブレイザーズトレイン」(バレーボールチーム)
ラッピング(23.10.05～24.05.31)

鋼索線(高野山鋼索区)　4両

←極楽橋　　鋼索　　高野山→

N10・N20形

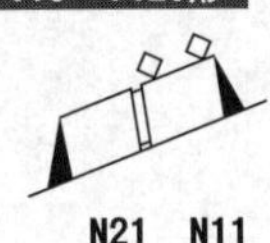

N21　**N11**
N22　**N12**

▽３代目ケーブルカー、18.11.25限りにて運行終了。
19.03.01から新型(４代目)車両、運行開始。車いすスペース、優先席有

▼優先席……特急用を除く全車両に設置
▼車いす対応スペース……太字の車両に設置
▼弱冷房車……編成図に弱を付した車両

泉北高速鉄道 光明池車庫 128両

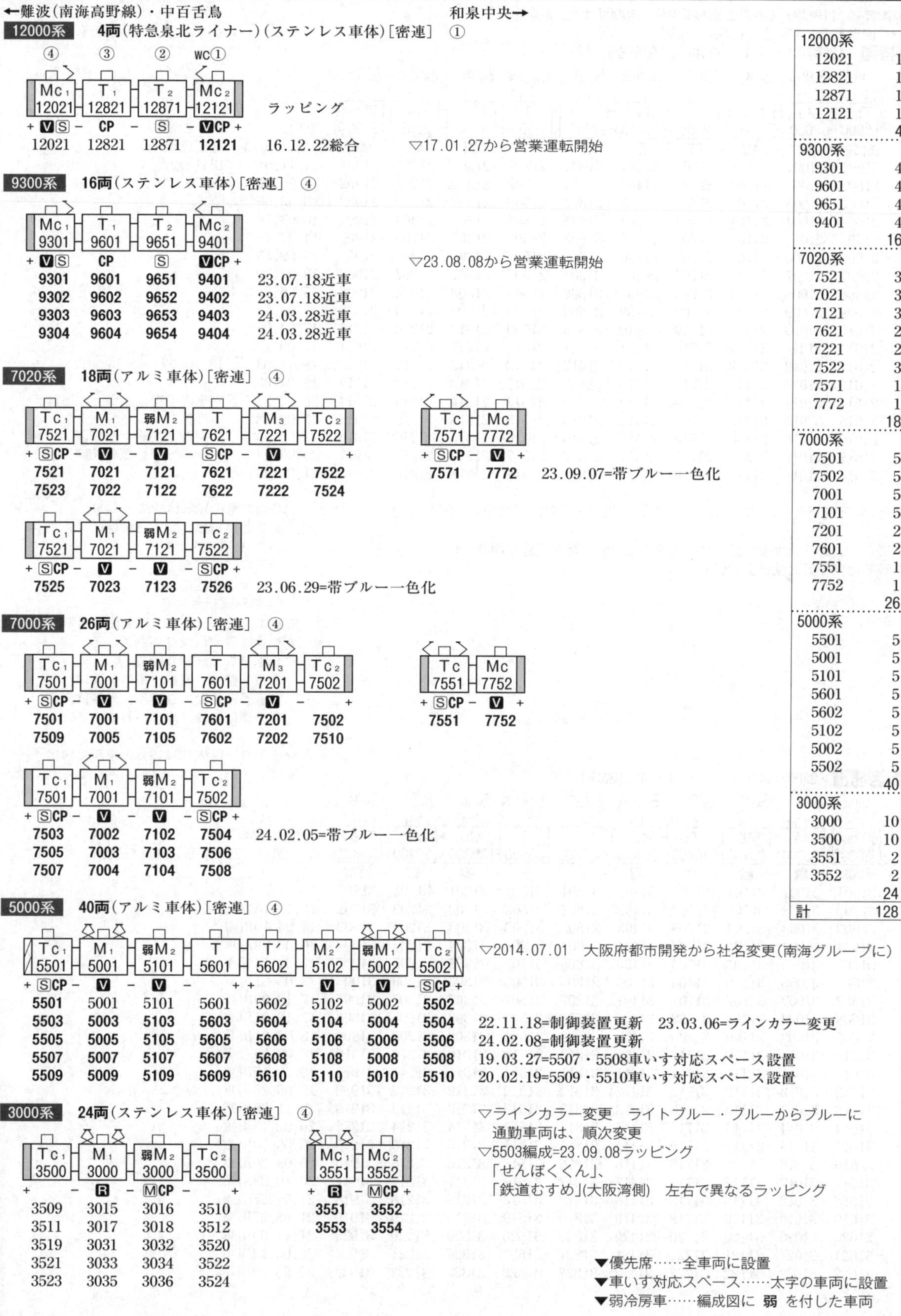

←難波(南海高野線)・中百舌鳥　　和泉中央→

12000系　**4両**(特急泉北ライナー)(ステンレス車体)[密連]　①

④	③	②	WC①	
Mc1	T1	T2	Mc2	
12021	12821	12871	12121	ラッピング
+ V S −	CP	− S	− V CP +	
12021	12821	12871	**12121**	16.12.22総合

▽17.01.27から営業運転開始

9300系　**16両**(ステンレス車体)[密連]　④

Mc1	T1	T2	Mc2	
9301	9601	9651	9401	
+ V S	CP	S	V CP +	
9301	**9601**	**9651**	**9401**	23.07.18近車
9302	**9602**	**9652**	**9402**	23.07.18近車
9303	**9603**	**9653**	**9403**	24.03.28近車
9304	**9604**	**9654**	**9404**	24.03.28近車

▽23.08.08から営業運転開始

7020系　**18両**(アルミ車体)[密連]　④

Tc1	M1	弱M2	T	M3	Tc2
7521	7021	7121	7621	7221	7522
+ S CP −	V	− V	− S CP −	V	− +
7521	**7021**	**7121**	**7621**	**7221**	**7522**
7523	**7022**	**7122**	**7622**	**7222**	**7524**

Tc	Mc	
7571	7772	
+ S CP −	V +	
7571	**7772**	23.09.07=帯ブルー一色化

Tc1	M1	弱M2	Tc2	
7521	7021	7121	7522	
+ S CP −	V	− V	− S CP +	
7525	**7023**	**7123**	**7526**	23.06.29=帯ブルー一色化

7000系　**26両**(アルミ車体)[密連]　④

Tc1	M1	弱M2	T	M3	Tc2
7501	7001	7101	7601	7201	7502
+ S CP −	V	− V	− S CP −	V	− +
7501	**7001**	**7101**	**7601**	**7201**	**7502**
7509	**7005**	**7105**	**7602**	**7202**	**7510**

Tc	Mc
7551	7752
+ S CP −	V +
7551	**7752**

Tc1	M1	弱M2	Tc2	
7501	7001	7101	7502	
+ S CP −	V	− V	− S CP +	
7503	**7002**	**7102**	**7504**	24.02.05=帯ブルー一色化
7505	**7003**	**7103**	**7506**	
7507	**7004**	**7104**	**7508**	

5000系　**40両**(アルミ車体)[密連]　④

Tc1	M1	弱M2	T	T′	M2′	弱M1′	Tc2	
5501	5001	5101	5601	5602	5102	5002	5502	
+ S CP −	V	− V	− +	+	V	− V	− S CP +	
5501	5001	5101	5601	5602	5102	5002	**5502**	
5503	5003	5103	5603	**5604**	5104	5004	**5504**	22.11.18=制御装置更新　23.03.06=ラインカラー変更
5505	5005	5105	5605	**5606**	5106	5006	**5506**	24.02.08=制御装置更新
5507	5007	5107	5607	**5608**	5108	5008	**5508**	19.03.27=5507・5508車いす対応スペース設置
5509	5009	5109	5609	**5610**	5110	5010	**5510**	20.02.19=5509・5510車いす対応スペース設置

▽2014.07.01　大阪府都市開発から社名変更(南海グループに)

3000系　**24両**(ステンレス車体)[密連]　④

Tc1	M1	弱M2	Tc2
3500	3000	3000	3500
+	− R	− M CP	− +
3509	3015	3016	3510
3511	3017	3018	3512
3519	3031	3032	3520
3521	3033	3034	3522
3523	3035	3036	3524

Mc1	Mc2
3551	3552
+ R	− M CP +
3551	**3552**
3553	**3554**

▽ラインカラー変更　ライトブルー・ブルーからブルーに
　通勤車両は、順次変更
▽5503編成=23.09.08ラッピング
「せんぼくくん」、
「鉄道むすめ」(大阪湾側)　左右で異なるラッピング

形式	両数
12000系	
12021	1
12821	1
12871	1
12121	1
	4
9300系	
9301	4
9601	4
9651	4
9401	4
	16
7020系	
7521	3
7021	3
7121	3
7621	2
7221	2
7522	3
7571	1
7772	1
	18
7000系	
7501	5
7502	5
7001	5
7101	5
7201	2
7601	2
7551	1
7752	1
	26
5000系	
5501	5
5001	5
5101	5
5601	5
5602	5
5102	5
5002	5
5502	5
	40
3000系	
3000	10
3500	10
3551	2
3552	2
	24
計	128

▼優先席……全車両に設置
▼車いす対応スペース……太字の車両に設置
▼弱冷房車……編成図に **弱** を付した車両

大阪市高速電気軌道　中百舌鳥・緑木・大日・森之宮・東吹田・南港・鶴見検車場・八尾・今里車庫 1374両

御堂筋線 [1号線] (中百舌鳥検車場)　400両[帯色はレッド]

←箕面萱野(北大阪急行電鉄)・江坂　　　　なかもず→

20系　180両(ステンレス車体)[市交密連]　④

⑩♿	♿⑨	♿⑧	♿⑦	♿⑥女	♿⑤	♿④弱	♿③	♿②	♿①		
Tec1 2600	Ma1 2000	Mb1 2100	Tbp 2700	Ma1′ 2400■	T′ ■2800	T 2500	Mb2 2300	Ma2 2200	Tec2 2900	車内リフレッシュ改造	信号設備の高度化改造
ⓂCP	V	V	CP	V			V	V	ⓂCP		
21601	21001	21101	21701	21401	21801	21501	21301	21201	21901	14.11.04	18.12.27
21602	21002	21102	21702	21402	21802	21502	21302	21202	21902	15.09.29	18.09.26
21603	21003	21103	21703	21403	21803	21503	21303	21203	21903	15.03.06	
21604	21004	21104	21704	21404	21804	21504	21304	21204	21904	16.03.16	
21605	21005	21105	21705	21405	21805	21505	21305	21205	21905	14.07.15	
21606	21006	21106	21706	21406	21806	21506	21306	21206	21906	16.09.15	
21607	21007	21107	21707	21407	21807	21507	21307	21207	21907	13.01.30	
21608	21008	21108	21708	21408	21808	21508	21308	21208	21908	15.06.25	
21609	21009	21109	21709	21409	21809	21509	21309	21209	21909	17.03.21	
21610	21010	21110	21710	21410	21810	21510	21310	21210	21910	17.04.05	
21611	21011	21111	21711	21411	21811	21511	21311	21211	21911	17.09.14	
21612	21012	21112	21712	21412	21812	21512	21312	21212	21912	18.10.03	18.10.03
21613	21013	21113	21713	21413	21813	21513	21313	21213	21913	19.04.08	
21614	21014	21114	21714	21414	21814	21514	21314	21214	21914	20.03.31	
21615	21015	21115	21715	21415	21815	21515	21315	21215	21915	19.09.18	
21616	21016	21116	21716	21416	21816	21516	21316	21216	21916	21.03.19	
21617	21017	21117	21717	21417	21817	21517	21317	21217	21917	20.09.24	
21618	21018	21118	21718	21418	21818	21518	21318	21218	21918	21.09.29	

▽車内リフレッシュ改造は、座席バケットシート化、路線案内表示器設置、縦手すり設置等を施工

▽「大阪万博」ラッピング　31611・31911・31613・31913・31614・31914

▽2024.03.23　北大阪急行電鉄南北線千里中央～箕面萱野間開業に伴い、運転区間を箕面萱野まで延伸

▽車両記号の意味は次のとおり
e=電動発電機・空気圧縮機
p=空気圧縮機付き
a=母線遮断器なし
b=母線遮断器あり
′=簡易運転台付き

▽女は、土休日を除いて女性専用車
車体はラッピングされている

▽Rはリニューアル編成。
内装の整備・改良、車体側面に行先表示器新設などを実施。外観は側面の赤帯に白線が加えられている

▼優先席……先頭車以外の車両に設置
▼車いす対応スペース……♿の車両に設置

30000系　220両(ステンレス車体)[市交密連]　④

⑩♿	♿⑨	♿⑧	♿⑦	♿⑥女	♿⑤	♿④弱	♿③	♿②	♿①	
Tec1 30600	Ma1 30000	Mb1 30100	Te 30700	Mb1′ 30400■	T′ ■30800	T 30500	Mb2 30300	Ma2 30200	Tec2 30900	
ⓈCP	V	V	Ⓢ	V			V	V	ⓈCP	
31601	31001	31101	31701	31401	31801	31501	31301	31201	31901	
31602	31002	31102	31702	31402	31802	31502	31302	31202	31902	13.12.16川重
31603	31003	31103	31703	31403	31803	31503	31303	31203	31903	14.04.10川重
31604	31004	31104	31704	31404	31804	31504	31304	31204	31904	16.06.29近車
31605	31005	31105	31705	31405	31805	31505	31305	31205	31905	17.04.14近車
31606	31006	31106	31706	31406	31806	31506	31306	31206	31906	17.05.31川重
31607	31007	31107	31707	31407	31807	31507	31307	31207	31907	17.10.06川重
31608	31008	31108	31708	31408	31808	31508	31308	31208	31908	17.12.01川重
31609	31009	31109	31709	31409	31809	31509	31309	31209	31909	18.02.21川重
31610	31010	31110	31710	31410	31810	31510	31310	31210	31910	18.07.28近車
31611	31011	31111	31711	31411	31811	31511	31311	31211	31911	19.02.15川重
31612	31012	31112	31712	31412	31812	31512	31312	31212	31912	19.06.29川重
31613	31013	31113	31713	31413	31813	31513	31313	31213	31913	19.11.08川重
31614	31014	31114	31714	31414	31814	31514	31314	31214	31914	20.02.13川重
31615	31015	31115	31715	31415	31815	31515	31315	31215	31915	20.06.30川重
31616	31016	31116	31716	31416	31816	31516	31316	31216	31916	20.08.26川重
31617	31017	31117	31717	31417	31817	31517	31317	31217	31917	20.10.23川重
31618	31018	31118	31718	31418	31818	31518	31318	31218	31918	21.05.27川重
31619	31019	31119	31719	31419	31819	31519	31319	31219	31919	21.08.27川重
31620	31020	31120	31720	31420	31820	31520	31320	31220	31920	21.11.03川車
31621	31021	31121	31721	31421	31821	31521	31321	31221	31921	22.05.12川車
31622	31022	31122	31722	31422	31822	31522	31322	31222	31922	22.06.10川車

▽30000系は
2011.12.10から営業運転開始

谷町線 [2号線](大日検車場・八尾車庫) 252両[帯色はパープル]

←八尾南　　　　　　　　　　　　大日→

①♿ ♿② ♿③女 ♿④ ♿⑤弱 ♿⑥

20系 **174両**(ステンレス車体)[市交密連] ④

Tec1 2600	Mb1′ 2100■	T′ ■2800	Mb2 2300	Ma2 2200	Tec2 2900	車内リフレッシュ改造
ⓂCP	▼		▼	▼	ⓂCP	
22601	22101	22801	22301	22201	22901	15.07.02
22602	22102	22802	22302	22202	22902	16.03.22
22603	22103	22803	22303	22203	22903	
22604	22104	22804	22304	22204	22904	13.06.06
22605	22105	22805	22305	22205	22905	17.02.08
22607	22107	22807	22307	22207	22907	12.07.23
22608	22108	22808	22308	22208	22908	21.04.23
22609	22109	22809	22309	22209	22909	21.12.29
22610	22110	22810	22310	22210	22910	22.05.09
22611	22111	22811	22311	22211	22911	22.09.13
22612	22112	22812	22312	22212	22912	23.08.04
22613	22113	22813	22313	22213	22913	
22614	22114	22814	22314	22214	22914	
22616	22116	22816	22316	22216	22916	
22617	22117	22817	22317	22217	22917	
22618	22118	22818	22318	22218	22918	
22619	22119	22819	22319	22219	22919	
22651	22151	22851	22351	22251	22951	15.04.13
[24601	24101	24801	24301	24201	24901]	23.02.01改番
22652	22152	22852	22352	22252	22952	15.02.21
[24602	24102	24802	24302	24202	24902]	23.04.11改番
22653	22153	22853	22353	22253	22953	
[24603	24103	24803	24303	24203	24903]	23.11.18改番
22654	22154	22854	22354	22254	22954	16.09.09
[24604	24104	24804	24304	24204	24904]	24.03.01改番
22656	22156	22856	22356	22256	22956	
22657	22157	22857	22357	22257	22957	
22658	22158	22858	22358	22258	22958	
22659	22159	22859	22359	22259	22959	
22660	22160	22860	22360	22260	22960	
22661	22161	22861	22361	22261	22961	
22662	22162	22862	22362	22262	22962	
22663	22163	22863	22363	22263	22963	

30000系 **78両**(ステンレス車体)[市交密連] ④

Tec1 30600	Mb1′ 30100■	T′ ■30800	Mb2 30300	Ma2 30200	Tec2 30900	
ⓈCP	▼		▼	▼	ⓈCP	
32601	32101	32801	32301	32201	32901	
32602	32102	32802	32302	32202	32902	
32603	32103	32803	32303	32203	32903	
32604	32104	32804	32304	32204	32904	
32605	32105	32805	32305	32205	32905	
32606	32106	32806	32306	32206	32906	
32607	32107	32807	32307	32207	32907	
32608	32108	32808	32308	32208	32908	12.10.02近車
32609	32109	32809	32309	32209	32909	12.12.14近車
32610	32110	32810	32310	32210	32910	13.02.12近車
32611	32111	32811	32311	32211	32911	13.06.04近車
32612	32112	32812	32312	32212	32912	13.08.12近車
32613	32113	32813	32313	32213	32913	13.09.17近車

中央線 [4号線](森之宮検車場) 132両[帯色は緑色]

←コスモスクエア

長田・学研奈良登美ヶ丘(近鉄けいはんな線)→

⑥♿ ♿⑤ ♿④ ♿③ ♿②弱 ♿①

30000A系 **60両**(ステンレス車体)[市交密連] ④

Tec1 30600	Mb1′ 30100■	T′ ■30800	Mb2 30300	Ma2 30200	Tec2 30900	
ⓈCP	▼		▼	▼	ⓈCP	
32651	32151	32851	32351	32251	32951	22.04.08近車
32652	32152	32852	32352	32252	32952	22.07.28近車
32653	32153	32853	32353	32253	32953	22.08.22近車
32654	32154	32854	32354	32254	32954	22.09.02近車
32655	32155	32855	32355	32255	32955	22.09.26近車
32656	32156	32856	32356	32256	32956	22.10.07近車
32657	32157	32857	32357	32257	32957	22.12.06近車
32658	32158	32858	32358	32258	32958	22.12.16近車
32659	32159	32859	32359	32259	32959	23.01.06近車
32660	32160	32860	32360	32260	32960	23.01.19近車

▽2022.07.22　営業運転開始

400系 **72両**(アルミ車体)[市交密連] ④

Tc1 406	Mb1 401	T2 408	Mb2 403	M3 402	Tc2 409	
ⓈCP	▼		▼	▼	ⓈCP	
406-01	401-01	408-01	403-01	402-01	409-01	22.11.22日立
406-02	401-02	408-02	403-02	402-02	409-02	23.03.09日立
406-03	401-03	408-03	403-03	402-03	409-03	23.04.14日立
406-04	401-04	408-04	403-04	402-04	409-04	23.05.27日立
406-05	401-05	408-05	403-05	402-05	409-05	23.06.23日立
406-06	401-06	408-06	403-06	402-06	409-06	23.07.25日立
406-07	401-07	408-07	403-07	402-07	409-07	23.08.22日立
406-08	401-08	408-08	403-08	402-08	409-08	23.09.22日立
406-09	401-09	408-09	403-09	402-09	409-09	23.11.28日立
406-10	401-10	408-10	403-10	402-10	409-10	23.12.21日立
406-11	401-11	408-11	403-11	402-11	409-11	24.01.26日立
406-12	401-12	408-12	403-12	402-12	409-12	24.02.16日立

▽2023.06.25　営業運転開始

▽可動式ホーム柵対応改造
32603F=23.07.11　32604F=23.12.11　32609F=23.04.07
32610F=23.09.13　32611F=24.03.06

▽全般検査施工個所　(　)内は最寄り駅
緑木検車場(北加賀屋)…1·3号線
森之宮検車場(森之宮)…2·4·5号線
東吹田検車場(阪急京都線相川～正雀間)…6号線
鶴見検車場(鶴見緑地)…7·8号線
南港検車場(中ふ頭)…南港ポートタウン線

▼優先席……先頭車以外の車両に設置
▼車いす対応スペース……♿の車両に設置
▽女は、土休日を除いて女性専用車

▽大阪市高速電気軌道は、2018.04.01、市が株を100%保有する株式会社として、大阪市交通局地下鉄事業を承継。愛称は「Osaka Metro」
大阪市交通局バス事業は、大阪シティバスが事業を引き継いでいる

▽緑木検車場に、100形105、30系3062、ニュートラム101-06を保存
同構内には、大阪市電保存館(公開日限定)があり、3050、1644、528、30、2階建て5、散水車25なども保存

堺筋線［6号線］（東吹田検車場）136両［帯色はマルーン］

←天下茶屋　　天神橋筋六丁目（阪急京都線・千里線）→

66系　**136両**（ステンレス車体）［市交密連］③

①♿　♿②弱　③♿　④♿　♿⑤　♿⑥　♿⑦弱　♿⑧

Tec1 66600	Ma1 66000	Mb1 66100	Tp′ 66700	T′ 66800	Mb2 66300	Ma2 66200	Tec2 66900	車内リフレッシュ改造
ⓈCP	Ⓥ	Ⓥ	CP	–	Ⓥ	Ⓥ	ⓈCP	
66601	66001	66101	66701	66801	66301	66201	66901	15.11.18
66602	66002	66102	66702	66802	66302	66202	66902	13.10.22
66603	66003	66103	66703	66803	66303	66203	66903	14.12.05
66604	66004	66104	66704	66804	66304	66204	66904	16.11.17
66605	66005	66105	66705	66805	66305	66205	66905	13.01.31
66606	66006	66106	66706	66806	66306	66206	66906	17.11.01
66607	66007	66107	66707	66807	66307	66207	66907	18.11.26
66608	66008	66108	66708	66808	66308	66208	66908	19.11.25
66609	66009	66109	66709	66809	66309	66209	66909	21.03.02
66610	66010	66110	66710	66810	66310	66210	66910	22.05.12
66611	66011	66111	66711	66811	66311	66211	66911	23.02.14
66612	66012	66112	66712	66812	66312	66212	66912	24.03.14
66613	66013	66113	66713	66813	66313	66213	66913	
66614	66014	66114	66714	66814	66314	66214	66914	
66615	66015	66115	66715	66815	66315	66215	66915	
66616	66016	66116	66716	66816	66316	66216	66916	
66617	66017	66117	66717	66817	66317	66217	66917	

▽阪急電鉄への乗入れは、京都線高槻市・千里線北千里まで

四つ橋線［3号線］（緑木検車場）138両［帯色はブルー］

←西梅田　　住之江公園→

20系　**138両**（ステンレス車体）［市交密連］④

⑥♿　♿⑤弱　♿④　♿③　♿②　♿①

Tec1 2600	Mb1′ 2100	T′ 2800	Mb2 2300	Ma2 2200	Tec2 2900	車内リフレッシュ改造
ⓂCP	Ⓥ	–	Ⓥ	Ⓥ	ⓂCP	
23601	23101	23801	23301	23201	23901	12.05.11
23602	23102	23802	23302	23202	23902	14.03.25
23603	23103	23803	23303	23203	23903	17.07.14
23604	23104	23804	23304	23204	23904	13.11.18
23605	23105	23805	23305	23205	23905	21.06.24
23606	23106	23806	23306	23206	23906	14.10.02
[24656	24156	24856	24356	24256	24956]	22.12.24改番
23607	23107	23807	23307	23207	23907	18.07.19
23608	23108	23808	23308	23208	23908	18.11.14
23609	23109	23809	23309	23209	23909	23.06.08
23610	23110	23810	23310	23210	23910	22.03.02
23611	23111	23811	23311	23211	23911	22.06.27
23612	23112	23812	23312	23212	23912	22.10.25
23613	23113	23813	23313	23213	23913	
23614	23114	23814	23314	23214	23914	23.10.27
23615	23115	23815	23315	23215	23915	24.03.06
23616	23116	23816	23316	23216	23916	
23617	23117	23817	23317	23217	23917	
23618	23118	23818	23318	23218	23918	
23619	23119	23819	23319	23219	23919	
23620	23120	23820	23320	23220	23920	
23621	23121	23821	23321	23221	23921	
23622	23122	23822	23322	23222	23922	
23656	23156	23856	23356	23256	23956	18.01.17 谷町線から転入
[22606	22106	22806	22306	22206	22906]	[ ]は旧車号

▽可動式ホーム柵対応改造
23601F=23.07.21　23608F=23.04.11　23609F=23.11.06
32610F=23.09.13　32656F=24.02.09

千日前線［5号線］［帯色は紅梅］
（森之宮検車場・今里車庫）68両

←南巽　　野田阪神→

20系　**68両**（ステンレス車体）［市交密連］④

①♿　♿②　♿③　♿④

Tec1 2600	Mb1 2100	Mb2 2300	Tec2 2900	車内リフレッシュ改造
ⓂCP	Ⓥ	Ⓥ	ⓂCP	
25601	25101	25301	25901	14.03.27
25602	25102	25302	25902	14.05.01
25603	25103	25303	25903	
25604	25104	25304	25904	13.12.10
25605	25105	25305	25905	13.11.05
25606	25106	25306	25906	13.04.23
25607	25107	25307	25907	
25608	25108	25308	25908	14.09.08
25609	25109	25309	25909	
25610	25110	25310	25910	13.07.18
25611	25111	25311	25911	
25612	25112	25312	25912	12.05.02
25613	25113	25313	25913	12.08.03
25614	25114	25314	25914	12.11.26
25615	25115	25315	25915	12.09.26
25616	25116	25316	25916	13.03.15
25617	25117	25317	25917	13.08.14

長堀鶴見緑地線［7号線］（鶴見検車場）104両

←大正　　門真南→［帯色は萌黄］

70系　**100両**（アルミ車体）［市交密連］③

④♿　♿③　②♿　♿①

M2c 7100	M1e 7200	M1e 7000	M2c 7100	中間更新
ⓈCP	Ⓥ	Ⓥ	ⓈCP	
7101	7251	7051	7151	17.01.12
7102	7252	7052	7152	14.06.06
7103	7253	7053	7153	15.02.04
7104	7254	7054	7154	14.01.10
7105	7255	7055	7155	15.07.21
7106	7256	7056	7156	16.08.10
7107	7257	7057	7157	12.11.09
7108	7258	7058	7158	16.01.15
7109	7259	7059	7159	13.03.01
7110	7260	7060	7160	13.06.18
7111	7261	7061	7161	
7112	7262	7062	7162	
7113	7263	7063	7163	
7114	7264	7064	7164	17.08.10
7115	7265	7065	7165	17.12.26
7116	7266	7066	7166	18.06.28
7117	7267	7067	7167	19.10.11
7118	7268	7068	7168	20.02.04
7119	7269	7069	7169	20.09.03
7120	7270	7070	7170	21.02.24
7121	7271	7071	7171	21.09.16
7122	7272	7072	7172	22.02.01
7123	7273	7073	7173	22.06.07
7124	7274	7074	7174	22.11.21
7125	7275	7075	7175	23.04.10

80系　**4両**（アルミ車体）［市交密連］③

④♿　③♿　②♿　♿①

M2c 8100	M1e 8200	M1e 8400	M2c 8500	
ⓈCP	Ⓥ	Ⓥ	ⓈCP	
8131	8231	8431	8531	19.02.27=転用改造
[8117	8217	8417	8517]	今里筋線から［ ］旧車号

▽長堀鶴見緑地線は
全列車ワンマン運転
▽鉄輪式リニアモーター方式

▼優先席……先頭車以外の車両に設置
▼車いす対応スペース……♿の車両に設置

今里筋線[8号線](鶴見緑地北車庫)　64両[帯色はオレンジ]

←井高野　今里→

80系　**64両**(アルミ車体)[市交密連]　③

④♿	③♿	②♿	♿①
$M_{2}c$	$M_{1}e$	$M_{1}e$	$M_{2}c$
8100	8200	8400	8500
ⓈCP	V	V	ⓈCP
8101	8201	8401	8501
8102	8202	8402	8502
8103	8203	8403	8503
8104	8204	8404	8504
8105	8205	8405	8505
8106	8206	8406	8506
8107	8207	8407	8507
8108	8208	8408	8508
8109	8209	8409	8509
8110	8210	8410	8510
8111	8211	8411	8511
8112	8212	8412	8512
8113	8213	8413	8513
8114	8214	8414	8514
8115	8215	8415	8515
8116	8216	8416	8516

▼優先席……先頭車以外の車両に設置
▼車いす対応スペース……♿の車両に設置

▽今里筋線は2006.12.24開業。
全列車ワンマン運転で、各駅にはホームドアを備える
▽鉄輪式リニアモーター方式

南港ポートタウン線[ニュートラム](南港検車場)　80両

←コスモスクエア　住之江公園→

200系　**80両**(ステンレス車体)[市交密連]　①

	④♿	③	②	♿①	
	M_{1}	M_{2}	M_{3}	M_{6}	
	201	200	202	205	新製月日
	ⓈCP	V	V	ⓈCP	
01	201-01	200-01	202-01	205-01	15.11.04新潟(ブルー)
02	201-02	200-02	202-02	205-02	16.09.28新潟(イエロー)
03	201-03	200-03	202-03	205-03	16.11.04新潟(ピンク)
04	201-04	200-04	202-04	205-04	16.12.06新潟(グリーン)
05	201-05	200-05	202-05	205-05	17.01.16新潟(オレンジ)
06	201-06	200-06	202-06	205-06	17.02.21新潟(パープル)
07	201-07	200-07	202-07	205-07	17.03.23新潟(レッド)
08	201-08	200-08	202-08	205-08	17.07.07新潟(ブルー)
09	201-09	200-09	202-09	205-09	17.08.10新潟(オレンジ)
10	201-10	200-10	202-10	205-10	17.09.14新潟(ピンク)
11	201-11	200-11	202-11	205-11	17.10.20新潟(グリーン)
12	201-12	200-12	202-12	205-12	17.11.24新潟(レッド)
14	201-14	200-14	202-14	205-14	18.03.23新潟(ゴールド)
15	201-15	200-15	202-15	205-15	18.04.12新潟(ピンク)
16	201-16	200-16	202-16	205-16	18.06.12新潟(イエロー)
17	201-17	200-17	202-17	205-17	18.07.13新潟(ブルー)
18	201-18	200-18	202-18	205-18	18.08.22新潟(ピンク)
19	201-19	200-19	202-19	205-19	18.09.19新潟(パンダ デザイン)
20	201-20	200-20	202-20	205-20	19.02.15新潟(レッサーパンダ デザイン)
21	201-21	200-21	202-21	205-21	19.03.15新潟(虎 デザイン)

▽200系は2016.06.29から営業運転開始

▽三相交流600V、側方案内方式
▽制御装置(位相制御)はM_{2}・M_{3}に、補助電源装置(トランス)はM_{1}・M_{6}に、冷房装置は各車の床下に装備

▽2021.05提供の資料に基づき作成

形式別両数表

形式	両数	形式	両数
30000系		20系	
30000	22	2000	18
30100	35	2100	89
30200	35	2200	72
30300	35	2300	89
30400	22	2400	18
30500	22	2500	18
30600	35	2600	89
30700	22	2700	18
30800	35	2800	72
30900	35	2900	89
	298		560
30000A系		66系	
30100	10	66600	17
30200	10	66000	17
30300	10	66100	17
30600	10	66700	17
30800	10	66800	17
30900	10	66300	17
	60	66200	17
400系		66900	17
401	12		136
402	12	70系	
403	12	7000	25
406	12	7100	50
408	12	7200	25
409	12		100
	72	80系	
		8100	17
		8200	17
		8400	17
		8500	17
			68
			1294
		200系	
		201	20
		200	20
		202	20
		205	20
			80
		新交通	80
		合　計	1374

北大阪急行電鉄 桃山台車庫 100両

南北線(桃山台車庫)

←箕面萱野　　江坂・なかもず(大阪メトロ御堂筋線)→

8000形 **30両**[市交密連]「ポールスター」 ④

⑩♿	♿⑨	♿⑧	♿⑦	♿⑥女	♿⑤	♿④	♿③	♿②	♿①	
Tc1	M0	Te	M1	M2′	Te′	T	M1	M2	Tc2	
8000	8100	8200	8300	8400■	■8500	8600	8700	8800	8900	
CP	V	S	V	V	S	CP	V	V	CP	
8003	8103	8203	8303	8403	8503	8603	8703	8803	8903	LED照明 VVVF更新=12.10.15
8006	8106	8206	8306	8406	8506	8606	8706	8806	8906	LED照明 VVVF更新=15.03.31
8007	8107	8207	8307	8407	8507	8607	8707	8807	8907	LED照明 VVVF更新=14.08.04

9000形 **70両**[市交密連]「ポールスターⅡ」 ④

Mc1	Tp	Te	T1	M2	M1	T2	Te	Tp	Mc2	
9000	9100	9200	9300	9400■	■9500	9600	9700	9800	9900	
V	CP	S		V	V		S	CP	V	
9001	9101	9201	9301	9401	9501	9601	9701	9801	9901	14.04.21近車
9002	9102	9202	9302	9402	9502	9602	9702	9802	9902	15.02.02近車
9003	9103	9203	9303	9403	9503	9603	9703	9803	9903	16.02.26近車
9004	9104	9204	9304	9404	9504	9604	9704	9804	9904	17.04.27近車
9005	9105	9205	9305	9405	9505	9605	9705	9805	9905	23.05.26近車
9006	9106	9206	9306	9406	9506	9606	9706	9806	9906	23.07.14近車
9007	9107	9207	9307	9407	9507	9607	9707	9807	9907	23.08.24近車

形式	両数
8000形	
8000	3
8100	3
8200	3
8300	3
8400	3
8500	3
8600	3
8700	3
8800	3
8900	3
計	30
9000形	
9000	7
9100	7
9200	7
9300	7
9400	7
9500	7
9600	7
9700	7
9800	7
9900	7
計	70

▽竹林ラッピング車両　9003・9004編成
　箕面ラッピングトレイン　9005編成=「ゆずるとモミジーヌ仲良しトレイン」
　9006・9007編成=「箕面四季彩もみじ号」
▽8000系のＶＶＶＦ更新はＧＴＯ→ＩＧＢＴ
▽リニューアル　8003編成=2021.07.09　8006編成=2019.12.03　8007編成=2018.09.07
▽2024.03.23　南北線千里中央～箕面萱野間開業

▼優先席……先頭車以外の車両に設置
▼車いす対応スペース……♿に設置
▽女は、土休日を除いて女性専用車

大阪モノレール 万博車両基地 88両

←大阪空港　　門真市・彩都西→

1000系 **32両**(アルミ車体)[密連] ②

♿①	弱②	③	④♿	
Mc1	M2	M1	Mc2	
1600	1500	1200	1100	
F	S CP	F	S CP	
1601	1501	1201	**1101**	16.05.15更新
1603	1503	1203	**1103**	16.03.06更新
1604	1504	1204	**1104**	16.07.14更新
1621	1521	1221	**1121**	(1) 17.08.04更新
1622	1522	1222	**1122**	17.10.14更新
1623	1523	1223	**1123**	(2) 17.12.15更新
1624	1524	1224	**1124**	(3) 17.02.17更新
1625	1525	1225	**1125**	(3) 21.01.29更新

2000系 **32両**(アルミ車体)[密連] ②

♿①	弱②	③	④♿	
Mc1	M2	M1	Mc2	
2600	2500	2200	2100	
V S CP	V	V	V S CP	
2611	2511	2211	**2111**	(4) 17.07.12更新
2612	2512	2212	**2112**	18.03.02更新
2613	2513	2213	**2113**	(5) 18.08.10更新
2614	2514	2214	**2114**	(6) 18.10.19更新
2615	2515	2215	**2115**	(7) 18.12.21更新
2616	2516	2216	**2116**	(8) 19.03.01更新
2617	2517	2217	**2117**	19.05.11更新
2618	2518	2218	**2118**	(9) 18.05.05更新

3000系 **24両**(アルミ車体)[密連] ②

♿①	弱②	③	④♿	
Mc1	M2	M1	Tc2	
3600	3500	3200	3100	
V	V CP	V CP	S	
3650	3550	3250	**3150**	18.10.21日立
3651	3551	3251	**3151**	20.11.01日立
3652	3552	3252	**3152**	21.08.01日立
3653	3553	3253	**3153**	21.10.12日立
3654	3554	3254	**3154**	22.09.01日立
3655	3555	3255	**3155**	23.02.10日立

形式	両数
1000系	
1100	8
1200	8
1500	8
1600	8
	32
2000系	
2100	8
2200	8
2500	8
2600	8
	32
3000系	
3600	6
3500	6
3200	6
3100	6
	24
計	80

▽2100形・2600形の先頭台車はモーターなし
▽側面行先表示器は全車に装備

▼優先席…全車両に設置
▼車いす対応スペース…♿に設置
▼弱冷房車…編成図に弱を付した車両

▽蛍池で阪急宝塚線、千里中央で北大阪急行線、
　山田で阪急千里線、南茨木で阪急京都線、
　大日で大阪メトロ谷町線、門真市で京阪本線と接続

▽更新工事に合わせて座席配置変更、客室灯ＬＥＤ化実施
▽ラッピング車のスポンサー名
　(1)=京浜急行電鉄　(2)=康心会　(3)=ヤクルト　(4)=イオン　(5)=関西大倉中学校・高等学校
　(6)=自社(EXPO TRAIN 2025)　(7)=自社(大阪万博50周年記念)　(8)=ガンバ大阪　(9)=門真市
▽2020.06.01　社名を大阪モノレールと変更

←妙見口・日生中央　　　　　　　　　　　　　川西能勢口→

6000系 **8両**［密連］ ③

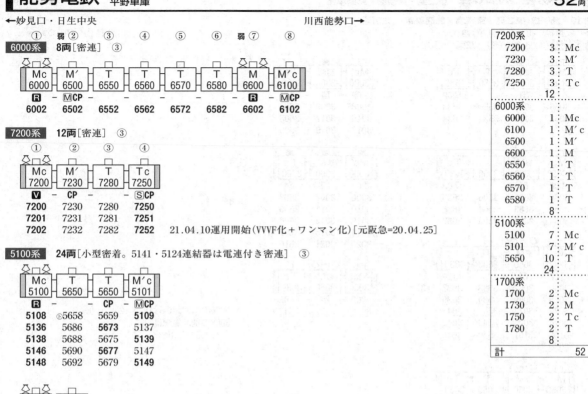

①	弱 ②	③	④	⑤	⑥	弱 ⑦	⑧
Mc 6000	M′ 6500	T 6550	T 6560	T 6570	T 6580	M 6600	M′c 6100
R	– ⓂCP –	–	–	–	–	R	– ⓂCP
6002	**6502**	**6552**	**6562**	**6572**	**6582**	**6602**	**6102**

7200系 **12両**［密連］ ③

①	②	③	④	
Mc 7200	M′ 7230	T 7280	Tc 7250	
V	– CP –	–	ⓈCP	
7200	7230	7280	**7250**	
7201	7231	7281	**7251**	
7202	7232	7282	**7252**	21.04.10運用開始(VVVF化＋ワンマン化)［元阪急=20.04.25］

5100系 **24両**［小型密着。5141・5124連結器は電連付き密連］ ③

Mc 5100	T 5650	T 5650	M′c 5101
R	–	– CP	– ⓂCP
5108	Ⓟ5658	5659	**5109**
5136	5686	**5673**	5137
5138	5688	5675	**5139**
5146	5690	**5677**	5147
5148	5692	5679	**5149**

Mc 5100	M′c 5101
R	– ⓂCP
5142	**5141**
5124	5125

▽5100系 5108・5124は１パン

1700系 **8両**［自連］ ③

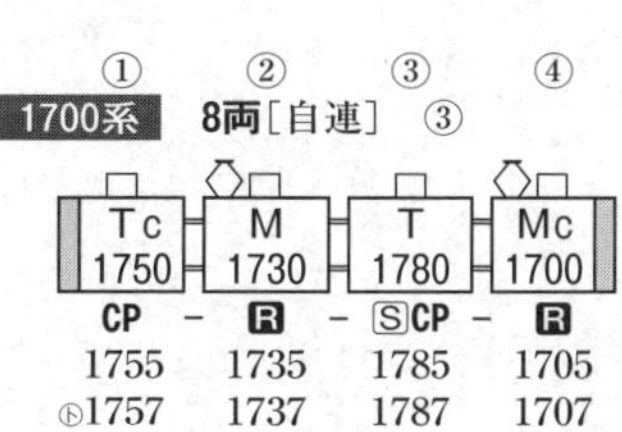

①	②	③	④
Tc 1750	M 1730	T 1780	Mc 1700
CP	– R –	ⓈCP	– R
1755	1735	1785	1705
Ⓟ1757	1737	1787	1707

▼車いす対応スペース……車号太字の車両に配置
▽6000系は、阪急6000系と共通運用。
　特急「日生エクスプレス」(直通特急)にて阪急梅田まで直通運転
▽４両編成は全車ワンマンカー
　(全区間にてワンマン運転)
▽1753･1754･1755はⓂ付き
▽旧形式対照…7200系=阪急電鉄7000系・6000系、
　1700系=阪急電鉄2000系
　5100系=阪急電鉄5100系、6000系=阪急電鉄6000系
▽全車両に優先席設置
▽Ⓟはレール塗油器装置
▽鋼索線は2023.12.03限りにて運行終了(廃止)

形式	両数	種別
7200系		
7200	3	Mc
7230	3	M′
7280	3	T
7250	3	Tc
	12	
6000系		
6000	1	Mc
6100	1	M′c
6500	1	M′
6600	1	M
6550	1	T
6560	1	T
6570	1	T
6580	1	T
	8	
5100系		
5100	7	Mc
5101	7	M′c
5650	10	T
	24	
1700系		
1700	2	Mc
1730	2	M
1750	2	Tc
1780	2	T
	8	
計	52	

山陽電気鉄道　東二見・東須磨・飾磨車庫　207両

本線・網干線(東二見・東須磨・飾磨車庫)　207両

←(阪神線・神戸高速鉄道)西代　　山陽網干・山陽姫路→

3000系 (3000·3050形)　**72両**[小型密着]　③

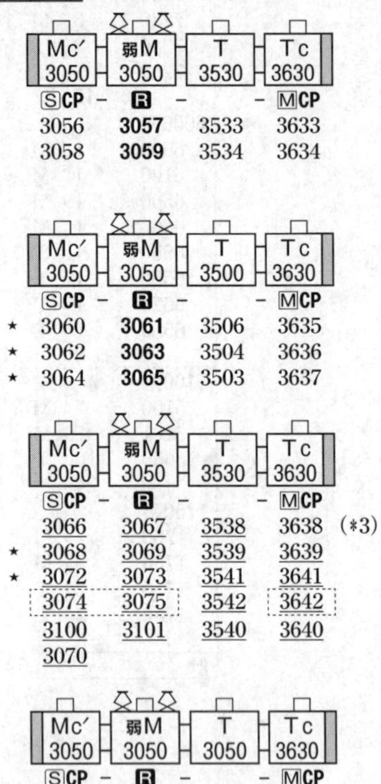

	Mc′ 3050	弱M 3050	T 3530	Tc 3630	
	SCP	R		MCP	
	3056	**3057**	3533	3633	
	3058	**3059**	3534	3634	

	Mc′ 3050	弱M 3050	T 3500	Tc 3630	
	SCP	R		MCP	
★	3060	**3061**	3506	3635	
★	3062	**3063**	3504	3636	
★	3064	**3065**	3503	3637	

	Mc′ 3050	弱M 3050	T 3530	Tc 3630	
	SCP	R		MCP	
	3066	3067	3538	3638	(*3)
★	3068	3069	3539	3639	
★	3072	3073	3541	3641	
	3074	3075	3542	3642	
	3100	3101	3540	3640	
	3070				

	Mc′ 3050	弱M 3050	T 3050	Tc 3630	
	SCP	R		MCP	
	3078	3079	3071	3644	(*5)

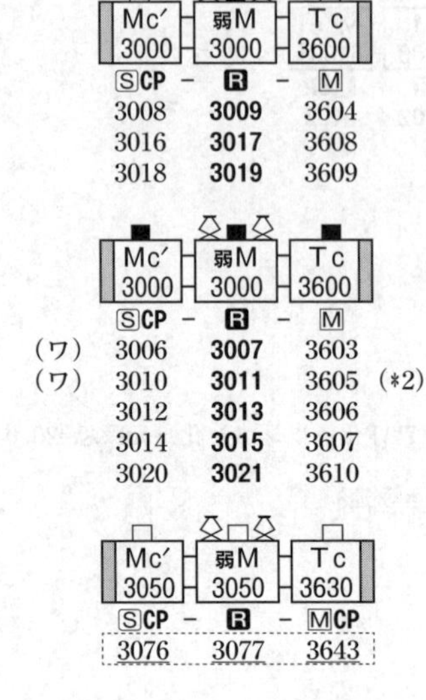

	Mc′ 3000	弱M 3000	Tc 3600	
	SCP	R	M	
	3008	**3009**	3604	
	3016	**3017**	3608	
	3018	**3019**	3609	

	Mc′ 3000	弱M 3000	Tc 3600	
	SCP	R	M	
(ワ)	3006	**3007**	3603	
(ワ)	3010	**3011**	3605	(*2)
	3012	**3013**	3606	
	3014	**3015**	3607	
	3020	**3021**	3610	

Mc′ 3050	弱M 3050	Tc 3630
SCP	R	MCP
3076	3077	3643

▽3066の補助電源は18.04.20=SIV化
3068の補助電源は
17.03.07 SIV化

▽＿＿はアルミ車体
▽5000系·5030系は転換クロスシート(自動転換式)
ただし、斜字の車両はロングシート
▽┆┆内は固定クロスシート
▽(ワ)は網干線用のワンマン運転対応車
網干線は終日ワンマン運転
▽阪神大阪梅田までの直通車両は
5000系·5030系·6000系の6両編成

▼優先席……全車両に設置
▼車いす対応スペース……太字の車両に設置
▼弱冷房車…編成図に **弱** を付した車両

▽全般検査は東二見車両工場(東二見車庫に併設)で実施

(*2)…主電動機を変更。3200形から形式変更(17.10.05)
(*3)…アルミ車は鋼製車に合わせて塗装
(*5)…3071は付随車化改造(22.07.13)
★…リフレッシュ工事車
3060F=2013.02.08、3062F=2016.03.08、3064F=2014.02.05
以上は客室灯ＬＥＤ化も施工
以下の編成はリニューアル施工車
3006F=2005.08.26、3008F=2010.10.19、
3010F=2005.03.25、3012F=2008.10.21、
3014F=2007.09.11、3016F=2006.09.11、
3018F=2006.12.19、3020F=2005.12.05、
3056F=2012.03.09(2019.11.26=室内灯LED化)、
3058F=2008.05.09
3068F=24.03.06　3072F=23.08.21

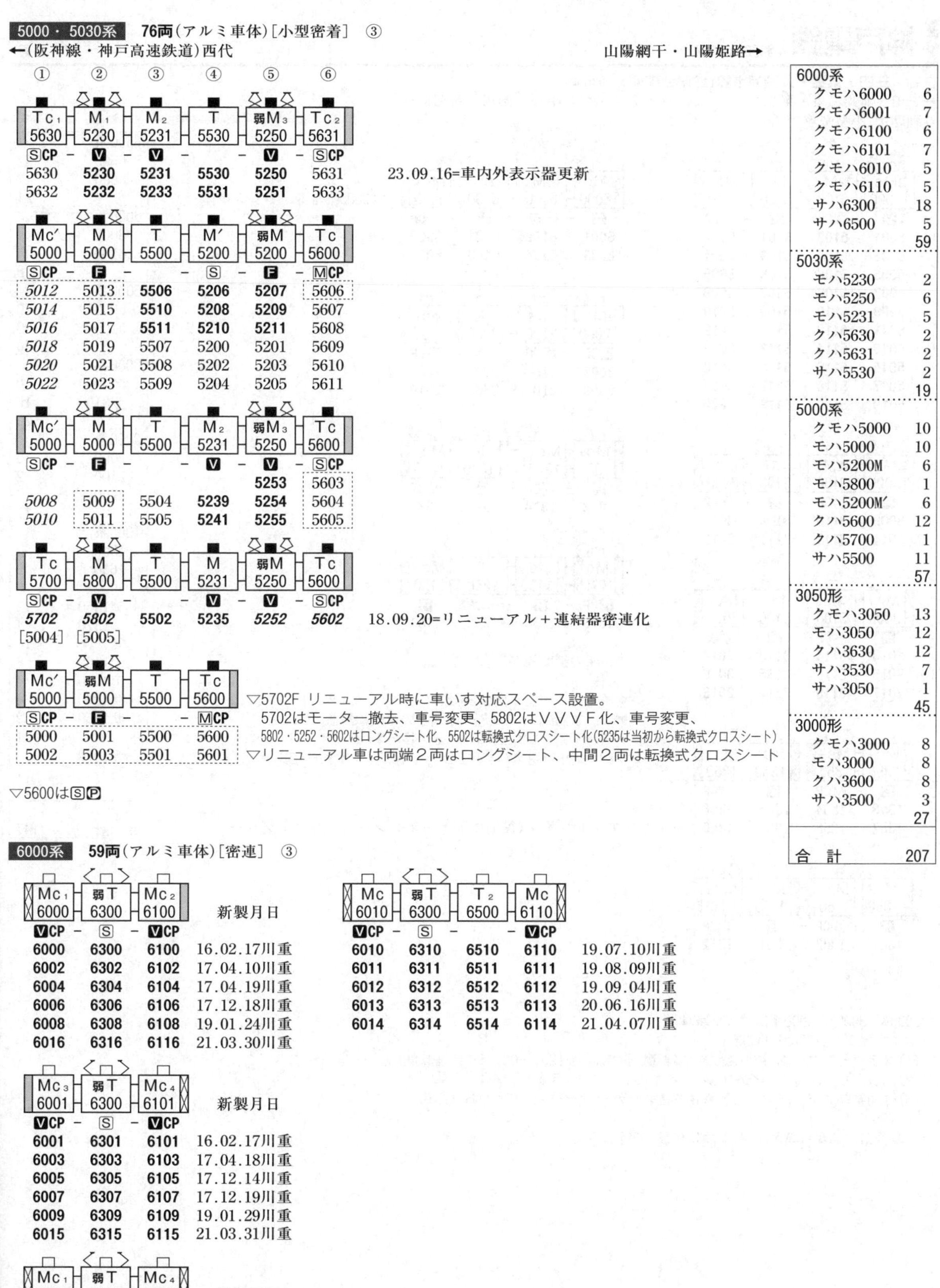

5000・5030系 **76両**（アルミ車体）［小型密着］ ③

←（阪神線・神戸高速鉄道）西代　　　　山陽網干・山陽姫路→

①	②	③	④	⑤	⑥
Tc1 5630	M1 5230	M2 5231	T 5530	弱M3 5250	Tc2 5631
SCP	V	V		V	SCP
5630	**5230**	**5231**	**5530**	**5250**	5631
5632	**5232**	**5233**	**5531**	**5251**	5633

23.09.16=車内外表示器更新

Mc′ 5000	M 5000	T 5500	M′ 5200	弱M 5200	Tc 5600
SCP	F		S	F	MCP
5012	5013	**5506**	**5206**	**5207**	5606
5014	5015	**5510**	**5208**	**5209**	5607
5016	5017	**5511**	**5210**	**5211**	5608
5018	5019	5507	5200	5201	5609
5020	5021	5508	5202	5203	5610
5022	5023	5509	5204	5205	5611

Mc′ 5000	M 5000	T 5500	M2 5231	弱M3 5250	Tc 5600
SCP	F		V	V	SCP
				5253	5603
5008	5009	5504	**5239**	**5254**	5604
5010	5011	5505	**5241**	**5255**	5605

Tc 5700	M 5800	T 5500	M 5231	弱M 5250	Tc 5600
SCP	V		V	V	SCP
5702	***5802***	**5502**	**5235**	***5252***	***5602***
［5004］	［5005］				

18.09.20=リニューアル＋連結器密連化

Mc′ 5000	弱M 5000	T 5500	Tc 5600
SCP	F		MCP
5000	5001	5500	5600
5002	5003	5501	5601

▽5702F リニューアル時に車いす対応スペース設置。
5702はモーター撤去、車号変更、5802はＶＶＶＦ化、車号変更、
5802・5252・5602はロングシート化、5502は転換式クロスシート化（5235は当初から転換式クロスシート）
▽リニューアル車は両端２両はロングシート、中間２両は転換式クロスシート

▽5600はSP

形式	両数
6000系	
クモハ6000	6
クモハ6001	7
クモハ6100	6
クモハ6101	7
クモハ6010	5
クモハ6110	5
サハ6300	18
サハ6500	5
	59
5030系	
モハ5230	2
モハ5250	6
モハ5231	5
クハ5630	2
クハ5631	2
サハ5530	2
	19
5000系	
クモハ5000	10
モハ5000	10
モハ5200M	6
モハ5800	1
モハ5200M′	6
クハ5600	12
クハ5700	1
サハ5500	11
	57
3050形	
クモハ3050	13
モハ3050	12
クハ3630	12
サハ3530	7
サハ3050	1
	45
3000形	
クモハ3000	8
モハ3000	8
クハ3600	8
サハ3500	3
	27
合　計	207

6000系 **59両**（アルミ車体）［密連］ ③

Mc1 6000	弱T 6300	Mc2 6100	新製月日
VCP	S	VCP	
6000	**6300**	**6100**	16.02.17川重
6002	**6302**	**6102**	17.04.10川重
6004	**6304**	**6104**	17.04.19川重
6006	**6306**	**6106**	17.12.18川重
6008	**6308**	**6108**	19.01.24川重
6016	**6316**	**6116**	21.03.30川重

Mc 6010	弱T 6300	T2 6500	Mc 6110	
VCP	S		VCP	
6010	**6310**	**6510**	**6110**	19.07.10川重
6011	**6311**	**6511**	**6111**	19.08.09川重
6012	**6312**	**6512**	**6112**	19.09.04川重
6013	**6313**	**6513**	**6113**	20.06.16川重
6014	**6314**	**6514**	**6114**	21.04.07川重

Mc3 6001	弱T 6300	Mc4 6101	新製月日
VCP	S	VCP	
6001	**6301**	**6101**	16.02.17川重
6003	**6303**	**6103**	17.04.18川重
6005	**6305**	**6105**	17.12.14川重
6007	**6307**	**6107**	17.12.19川重
6009	**6309**	**6109**	19.01.29川重
6015	**6315**	**6115**	21.03.31川重

Mc1 6001	弱T 6300	Mc4 6101	新製月日
VCP	S	VCP	
6017	**6317**	**6117**	22.03.30川車

▽6000系は2016.04.27から営業運転を開始。ワンマン対応
Mc2とMc3を連結することで６両編成でも運用可能。６両編成は直通特急に充当、大阪梅田まで乗入れ

神戸電鉄 鈴蘭台車庫　147両

有馬・三田・粟生・公園都市線(鈴蘭台車庫)　147両

←三田・有馬温泉・粟生　　ウッディタウン中央・湊川・新開地→

4両運用[小型密着]　③

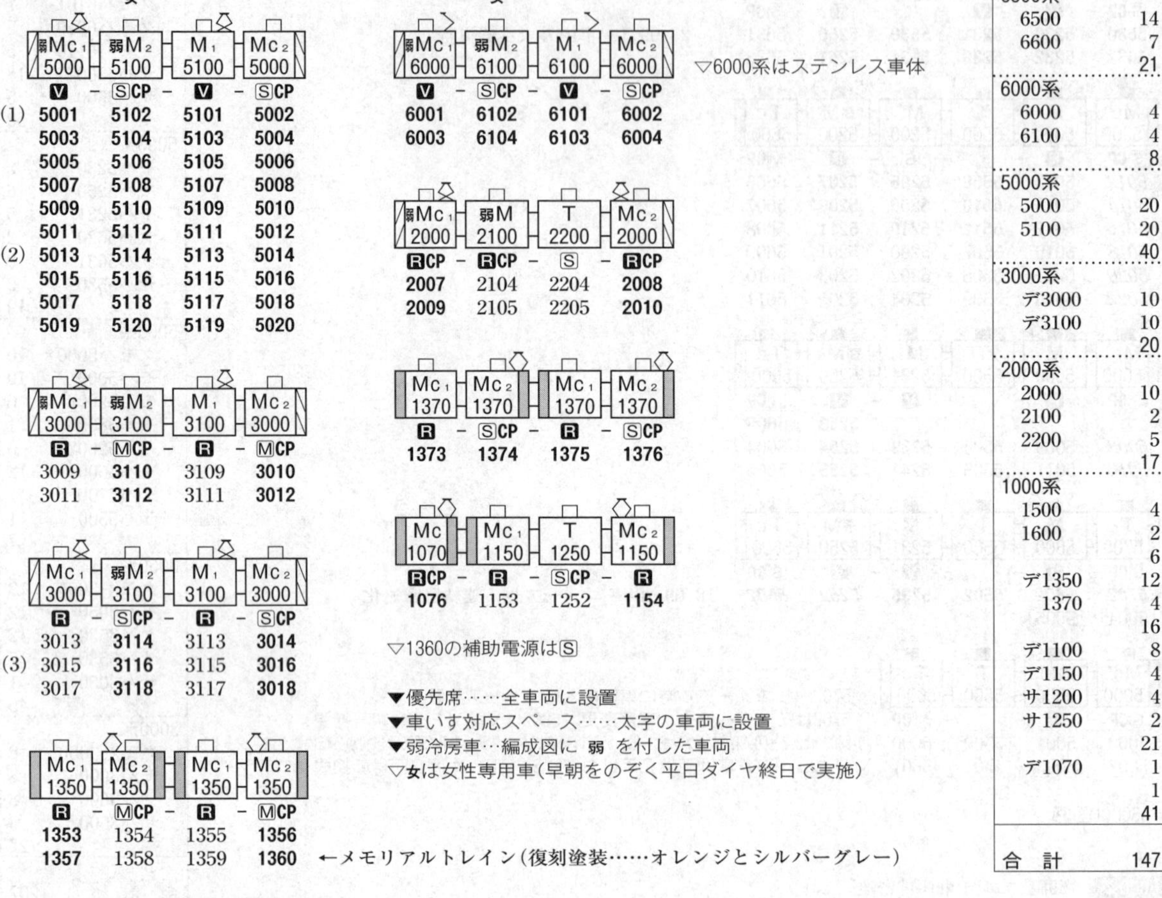

	弱Mc1 5000	弱M2 5100 (女)	M1 5100	Mc2 5000
	V	SCP	V	SCP
(1)	5001	5102	5101	5002
	5003	5104	5103	5004
	5005	5106	5105	5006
	5007	5108	5107	5008
	5009	5110	5109	5010
	5011	5112	5111	5012
(2)	5013	5114	5113	5014
	5015	5116	5115	5016
	5017	5118	5117	5018
	5019	5120	5119	5020

弱Mc1 3000	弱M2 3100	M1 3100	Mc2 3000
R	MCP	R	MCP
3009	3110	3109	3010
3011	3112	3111	3012

	Mc1 3000	弱M2 3100	M1 3100	Mc2 3000
	R	SCP	R	SCP
	3013	3114	3113	3014
(3)	3015	3116	3115	3016
	3017	3118	3117	3018

Mc1 1350	Mc2 1350	Mc1 1350	Mc2 1350
R	MCP	R	MCP
1353	1354	1355	1356
1357	1358	1359	1360

←メモリアルトレイン(復刻塗装……オレンジとシルバーグレー)

Mc1 1350	Mc2 1350	Mc1 1350	Mc2 1350
R	SCP	R	SCP
1361	1362	1351	1352

弱Mc1 6000	弱M2 6100 (女)	M1 6100	Mc2 6000
V	SCP	V	SCP
6001	6102	6101	6002
6003	6104	6103	6004

▽6000系はステンレス車体

弱Mc1 2000	弱M 2100	T 2200	Mc2 2000
RCP	RCP	S	RCP
2007	2104	2204	2008
2009	2105	2205	2010

Mc1 1370	Mc2 1370	Mc1 1370	Mc2 1370
R	SCP	R	SCP
1373	1374	1375	1376

Mc 1070	Mc1 1150	T 1250	Mc2 1150
RCP	R	SCP	R
1076	1153	1252	1154

▽1360の補助電源はS

▼優先席……全車両に設置
▼車いす対応スペース……太字の車両に設置
▼弱冷房車…編成図に 弱 を付した車両
▽女は女性専用車(早朝をのぞく平日ダイヤ終日で実施)

形式	両数
6500系	
6500	14
6600	7
	21
6000系	
6000	4
6100	4
	8
5000系	
5000	20
5100	20
	40
3000系	
デ3000	10
デ3100	10
	20
2000系	
2000	10
2100	2
2200	5
	17
1000系	
1500	4
1600	2
	6
デ1350	12
1370	4
	16
デ1100	8
デ1150	4
サ1200	4
サ1250	2
	21
デ1070	1
	1
	41
合計	**147**

▽2000系・3000系・5000系はアルミ車体
▽ 2 は2扉車。表示なしは3扉車
▽(1)はラッピング車両(神戸電鉄粟生線活性化協議会)[2012.03.25営業運転開始]
　(2)はしんちゃん&てつくんトレイン たのしーずん(ラッピング)
　(3)は開業95周年を記念、3000系復刻塗装(ラッピング)=23.07.29お披露目

▽全般検査は鈴蘭台車両工場(車庫に併設)で行なう

←三田・有馬温泉・粟生　　　　　　　　　　ウッディタウン中央・湊川・新開地→

3両運用［小型密着］　③

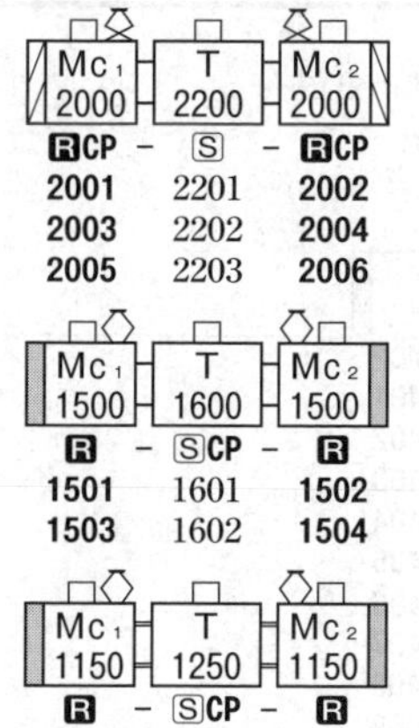

Mc1 2000	T 2200	Mc2 2000
RCP	S	RCP
2001	2201	**2002**
2003	2202	**2004**
2005	2203	**2006**

Mc1 1500	T 1600	Mc2 1500
R	SCP	R
1501	1601	**1502**
1503	1602	**1504**

Mc1 1150	T 1250	Mc2 1150
R	SCP	R
1151	1251	**1152**

Mc1 1100	T 1200	Mc2 1100
R	SCP	R
1103 2	1202 2	**1104** 2
1105 2	1203 2	**1106** 2
1107 2	1204 2	**1108** 2
1109 2	1205 2	**1110** 2

←メモリアルトレイン（復刻塗装……ライトグリーンとシルバーグレー）

6500系　**21両**（ステンレス車体）［小型密着］

Mc1 6500	T 6600	Mc2 6500	新製月日
VCP	S	VCP	
6501	**6601**	**6502**	16.02.29川重
6503	**6602**	**6504**	17.02.01川重
6505	**6603**	**6506**	18.02.01川重
6507	**6604**	**6508**	18.03.12川重
6509	**6605**	**6510**	19.02.15川重
6511	**6606**	**6512**	19.03.05川重
6513	**6607**	**6514**	20.02.27川重

▽6500系は2016.05.21から営業運転を開始

六甲山観光　4両

←六甲ケーブル下　　鋼索　　六甲山上→

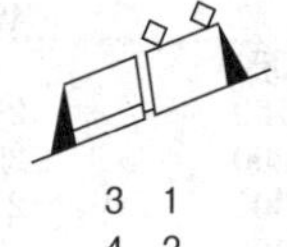

3　1
4　2

▽2013.10.01　六甲摩耶鉄道から社名変更
▽阪神御影・ＪＲ六甲道・阪急六甲から、神戸市営バス六甲ケーブル下行で終点下車
▽麓寄りの車両はオープンカー
▽2024.04.01　第二種鉄道事業者に（第三種鉄道事業者は阪神電気鉄道）

▽1·3は赤色ベースのクラシックタイプ、2·4は緑色ベースのレトロタイプ

こうべ未来都市機構　2両

←摩耶ケーブル　　鋼索　　虹の駅→

1　ゆめあじさい（エンジ）
2　にじあじさい（緑）

▽路線の愛称は「まやビューライン」
▽三ノ宮から神戸市営バス摩耶ケーブル下行で終点下車
▽2013.01.01　神戸市都市整備公社から変更
▽2013.03.30　3代目車両運転開始（2013.03.29新製）
　2代目は2013.01.17廃車
▽3代目車両は、補助電源をリチウムイオン電池に変更して、走行時の架線集電を省略。パンタグラフは駅停車時の充電用に使用
▽2022.05.01　社名を神戸住環境整備公社と変更
　2023.04.01　ケーブルカー事業　こうべ未来都市機構に譲渡

神戸市交通局　名谷車両基地・御崎車両基地　214両

西神線・山手線・北神線(名谷車両基地)　174両

←西神中央　　新神戸・谷上→

6000形　**174両**(アルミ車体)[密連]　③

編成	①♿	♿②	③♿	♿④女	⑤♿	♿⑥	
	Tc1 6100	M1 6200	M2 6300	T 6400	M3 6500	Tc2 6600	
	CP	VS	V		VS	CP	
29	6129	6229	6329	6429	6529	6629	18.11.14川重
30	6130	6230	6330	6430	6530	6630	18.11.15川重
31	6131	6231	6331	6431	6531	6631	19.05.13川重
32	6132	6232	6332	6432	6532	6632	19.07.18川重
33	6133	6233	6333	6433	6533	6633	19.09.03川重
34	6134	6234	6334	6434	6534	6634	19.11.19川重
35	6135	6235	6335	6435	6535	6635	19.12.24川重
36	6136	6236	6336	6436	6536	6636	20.02.21川重
37	6137	6237	6337	6437	6537	6637	20.03.31川重
38	6138	6238	6338	6438	6538	6638	20.05.12川重
39	6139	6239	6339	6439	6539	6639	20.06.05川重
40	6140	6240	6340	6440	6540	6640	20.07.06川重
41	6141	6241	6341	6441	6541	6641	20.08.07川重
42	6142	6242	6342	6442	6542	6642	20.11.30川重
43	6143	6243	6343	6443	6543	6643	21.01.15川重
44	6144	6244	6344	6444	6544	6644	21.04.01川重
45	6145	6245	6345	6445	6545	6645	21.04.28川重
46	6146	6246	6346	6446	6546	6646	21.07.20川重
47	6147	6247	6347	6447	6547	6647	21.09.27川重
48	6148	6248	6348	6448	6548	6648	21.12.13川車
49	6149	6249	6349	6449	6549	6649	22.01.19川車
50	6150	6250	6350	6450	6550	6650	22.02.28川車
51	6151	6251	6351	6451	6551	6651	22.04.25川車
52	6152	6252	6352	6452	6552	6652	22.06.21川車
53	6153	6253	6353	6453	6553	6653	22.08.24川車
54	6154	6254	6354	6454	6554	6654	22.10.07川車
55	6155	6255	6355	6455	6555	6655	22.12.20川車
56	6156	6256	6356	6456	6556	6656	23.03.08川車
57	6157	6257	6357	6457	6557	6657	23.11.01川車

▽1000形、7000系は2023.08.17をもって営業運転終了
▽西神線・山手線・北神線は2023.08.18ダイヤ改正を実施

▽2020.06.01　資産等を神戸市が阪急電鉄グループから譲受、
市営化して神戸市営地下鉄北神線として運行開始

海岸線(御崎車両基地)　40両

←新長田　　三宮・花時計前→

5000形　**40両**(アルミ車体)[密連]　③

編成	①♿	②♿ ♿③		♿④女
	Mc2 5100	M1 5200	M1′ 5300	Mc2′ 5400
	SCP	V	V	SCP
1	5101	5201	5301	5401
2	5102	5202	5302	5402
3	5103	5203	5303	5403
4	5104	5204	5304	5404
5	5105	5205	5305	5405
6	5106	5206	5306	5406
7	5107	5207	5307	5407
8	5108	5208	5308	5408
9	5109	5209	5309	5409
10	5110	5210	5310	5410

▽海岸線は2001.07.07開業鉄輪式リニアモーター方式

5000形	
5100	10
5200	10
5300	10
5400	10
	40
6000形	
6100	29
6200	29
6300	29
6400	29
6500	29
6600	29
	174
計	214

▼優先席……全車両に設置
▼車いす対応スペース……♿(太字)の車両に設置
フリースペース含む
▼女性専用車……　女　の車両(4号車)

▽谷上駅は標高244mに位置する
地下鉄最高所の駅
▽名谷車両基地に、
市電700形705(転換式クロスシートに復元)、
800形808など保存

神戸新交通 中埠頭車両基地・六甲島検車場 162両

ポートアイランド線(中埠頭車両基地) 114両

←三宮・神戸空港

2000形 102両(ステンレス車体)[密連] ①

♿	♿	♿	♿	♿	♿
Mc1 2100	M1 2200	M2 2300	M3 2400	M4 2500	Mc2 2600
CP	V		V	V	CP
2113	2213	2313	2413	2513	2613
2114	2214	2314	2414	2514	2614
2115	2215	2315	2415	2515	2615

①	②	③	④	⑤	⑥	
Mc1 2100A	M1 2200A	M2 2300A	M3 2400A	M4 2500A	Mc2 2600A	出入口スペース
2101	2201	2301	2401	2501	2601	18.04.25
2102	2202	2302	2402	2502	2602	18.06.27
2103	2203	2303	2403	2503	2603	18.04.18
2104	2204	2304	2404	2504	2604	19.02.12
2105	2205	2305	2405	2505	2605	19.05.10
2106	2206	2306	2406	2506	2606	19.01.10
2107	2207	2307	2407	2507	2607	19.04.04
2108	2208	2308	2408	2508	2608	18.07.30
2109	2209	2309	2409	2509	2609	18.10.30
2110	2210	2310	2410	2510	2610	18.09.28
2111	2211	2311	2411	2511	2611	18.05.30
2112	2212	2312	2412	2512	2612	18.08.30
2116	2216	2316	2416	2516	2616	19.06.07
2117	2217	2317	2417	2517	2617	18.12.04

2020形 12両(ステンレス車体)[密連] ①

♿	♿	♿	♿	♿	♿	
Mc1 2120	M1 2220	M2 2320	M3 2420	M4 2520	Mc2 2620	新製月日
CP	V		V	V	CP	
2120	2220	2320	2420	2520	2620	16.03.04川重
2121	2221	2321	2421	2521	2621	16.03.04川重

▽2020形は2016.03.19から営業運転を開始

六甲アイランド線(六甲島検車場) 48両

←マリンパーク　住吉→

1000形 4両(アルミ車体)[密連] ①

①	②	③	♿④
Tc1 1100	M1 1200	M2 1500	Tc2 1600
CP C			CP C
1110	1210	1510	1610

3000形 44両(アルミ車体)[密連] ①

①♿	②♿	③♿	④♿	
Mc1 3100	M1 3200	M2 3500	Mc2 3600	
V	CP	CP	V	
3101	**3201**	**3501**	**3601**	21.06.29川重
3102	**3202**	**3502**	**3602**	19.12.27川重
3103	**3203**	**3503**	**3603**	20.05.18川重
3104	**3204**	**3504**	**3604**	20.11.05川重
3105	**3205**	**3505**	**3605**	21.11.29川車
3106	**3206**	**3506**	**3606**	22.05.17川車
3107	**3207**	**3507**	**3607**	22.09.29川車
3108	**3208**	**3508**	**3608**	23.04.28川車
3109	**3209**	**3509**	**3609**	19.08.30川重
3111	**3211**	**3511**	**3611**	23.06.30川車
3112	**3212**	**3512**	**3612**	18.06.29川重

▽3000形は2018.08.31から営業運転開始

▼優先席……全車両に設置
▼車いす対応スペース……♿の車両に設置

形式	両数
2020形	
2120	2
2220	2
2320	2
2420	2
2520	2
2620	2
	12
2000形	
2100	17
2200	17
2300	17
2400	17
2500	17
2600	17
	102
1000形	
1100	1
1200	1
1500	1
1600	1
	4
3000形	
3100	11
3200	11
3500	11
3600	11
	44
計	162

▽新交通システム(三相交流 600V・側方案内方式)
▽1000形の制御方式はサイリスタ位相制御
▽補助電源装置(トランス)は1000形・3000形=M2、2000形・2000A形・2020形=Mc1・Mc2に搭載
▽冷房装置は各形式とも床下集中式
▽ポートアイランド線は南公園経由の循環運転もあり、車両の向きは一定しない
▽2000A形は2000形側出入口スペース拡幅改修による変更

▽室内灯LED化　2101F=20.02.05　2102F=20.02.07　2103F=16.10.17　2104F=19.09.25　2105F=20.02.04　2106F=17.09.13
2107F=20.02.04　2108F=16.07.26　2109F=17.07.24　2110F=19.09.27　2111F=19.09.26　2112F=20.02.10
2113F=18.12.20　2114F=18.12.18　2115F=18.02.15　2116F=19.09.24　2117F=20.02.06

▽前照灯LED化　2101F=20.02.28　2102F=20.02.27　2103F=19.11.25　2104F=20.02.27　2105F=20.02.28　2106F=19.11.22
2107F=19.11.21　2108F=20.02.28　2109F=20.02.17　2110F=19.08.28　2111F=19.10.10　2112F=20.02.25
2113F=18.12.20　2114F=18.11.01　2115F=18.03.21　2116F=19.07.10　2117F=19.11.20

阪堺電気軌道　我孫子道車庫　35両

軌道線(阪堺線・上町線)　35両

←天王寺駅前・恵美須町　　　　浜寺駅前→

モ161	4
モ351	4
モ501	5
モ601	7
モ701	11
1001	3
1101	1
計	35

モ161形　4両　②

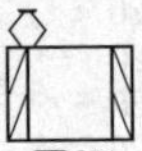

RCP
161
162
164
166

モ351形　4両　②

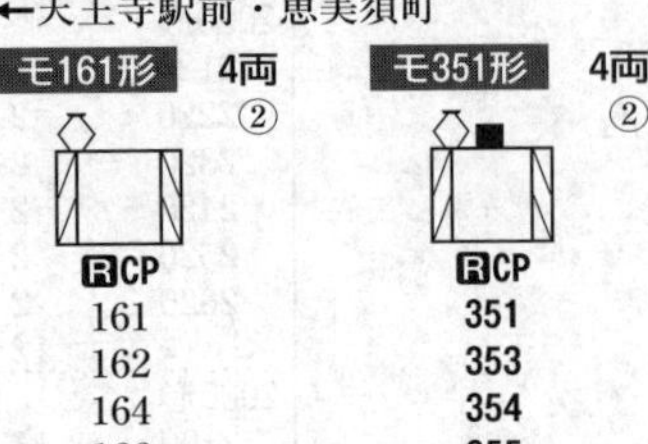

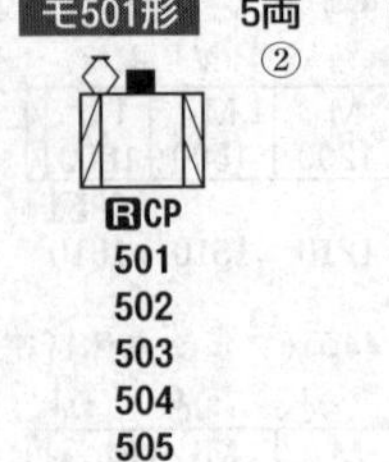

RCP
351
353
354
355

モ501形　5両　②

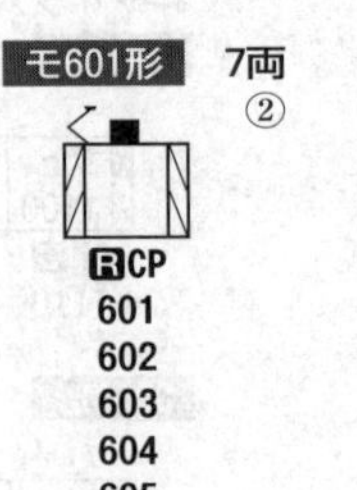

RCP
501
502
503
504
505

モ601形　7両　②

RCP
601
602
603
604
605
606
607

モ701形　11両　②

RCP
701
702
703
704
705
706
707
708
709
710
711

1001形　3両「堺トラム」　②

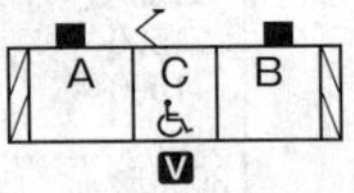

●○　●○

「茶ちゃ」　**1001**　13.02.13アルナ
「紫おん」　**1002**　14.02.10アルナ
「青らん」　**1003**　15.02.10アルナ

1101形　1両　②

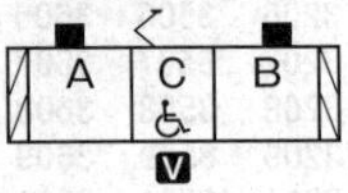

●○　●○

1101　20.02.19アルナ

▽1101形は2020.03.28から営業運転開始。超低床車両「オレンジ」(24.03.14)

▽モ161は内装復元(12.05.20)、車体塗装を旧阪堺色に変更(12.06.03)
▽全面広告車、特殊塗装車

162=筑鉄赤電
164=旧標準色ブラウン
166=旧南海色イエローライン
351=吉川運輸
353=大阪ガスマーケティング
354=ＫＩＥＦＥＬ
355=岡崎屋質店
501=桃山学院大学
502=野村證券
503=岡崎屋質店
504=三井住友トラスト不動産
505=オリエント住宅販売
601=新大阪建設
602=黄金糖
603=三井住友トラスト不動産(24.03.15)
604·605·606=岡崎屋質店
607=恵幸商事
701=アドベンチャーワールド
702=和光住宅販売
703=岡崎屋質店
704=オリエント住宅販売
705=モリタサービス
706=帝塚山学院
707=アポロビル
708=岡崎屋質店
709=新洋海運
710=SPハウジング
711=岡崎屋質店

▽パンタグラフは、シングルアーム式とＺ形は定期検査時等に変更となる場合がある(循環式にて使用のため)
▽1001は2013.08.25から営業運転開始。超低床車両
▽車庫内にてモ256を保存
▽住吉～住吉公園間は、2016.01.30限りにて廃止
▼車いす対応スペース…太字の車両に設置

和歌山電鐵　車庫(伊太祁曽駅構内)　12両

貴志川線

←和歌山　　貴志→

2270系　12両［自連］　③

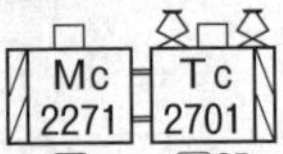

R　－　MCP

2271	2701	(1)
2272	2702	
2273	2703	(4)
2274	2704	
2275	2705	(3)
2276	2706	(2)

▽2006.04.01　南海電気鉄道貴志川線を引継ぎ開業
▽2270系は全車ワンマンカー、優先席、車椅子スペースを備える
▽(1)は「いちご電車」に改装、塗色は白ベースに扉が赤。
　連結面寄りは2271に木製ベンチ、2701にサービスカウンターを備える
▽(2)は「たま電車ミュージアム号」にリニューアル(21.12.04)
▽(3)は「たま電車」、木製ベンチと本棚を設置。白ベースの塗色に「たま」のイラスト
　2009.03.21から営業運転開始。両先頭車頭部屋根に「ねこ耳」取付け(2013.12.10)
▽(4)は「梅星電車」(内外装和風に改造)=16.06.04
▽2012.02.01　電車線電圧を600Ｖから1500Ｖに昇圧

水間鉄道 水間車庫

10両

←貝塚　水間観音→

1000形　8両(ステンレス車体)[小型密着]　③

7000系　2両(ステンレス車体)[小型密着]　③

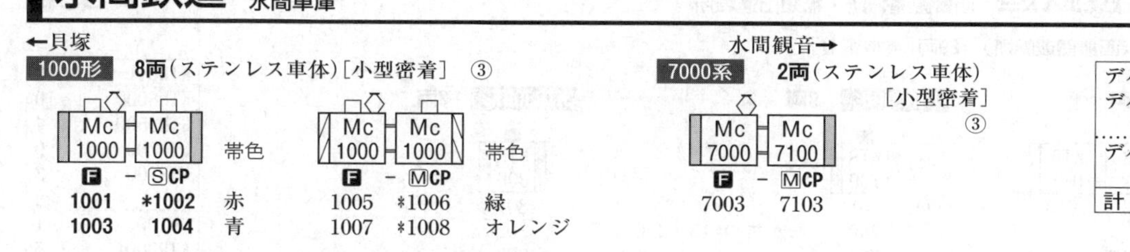

デハ7000	1
デハ7100	1
	2
デハ1000	8
	8
計	10

▽1000形・7000系の旧形式=東京急行電鉄7000系
▽1000形は7000系のリニューアルとATS取付により形式を変更
▽1000形は全車に車椅子スペースあり、1002·1006·1008はⓂⓅ
▽7003-7103は営業運転には使用しない
▽全列車ワンマン運転

紀州鉄道 紀伊御坊車両区

3両

←御坊　西御坊→

キテツ1形　1両[小型密着]　②

KR形　2両[小型密着]　②

KR301　16.01.13=信楽高原鐵道SKR301、2019.12.27=車体塗色変更
KR205　17.04.15=信楽高原鐵道SKR205、2021.03.27=車体塗色変更

キテツ1	1
KR	2
計	3

▽キテツ1形は北条鉄道フラワ1985形を譲受
2は、2010.11.28に床下を灰色塗装に変更。2015.12.29休車

▼車いす対応スペース……太字の車両に設置

北条鉄道 北条町車庫

4両

←粟生　北条町→

フラワ2000形　3両[小型密着]　②

2000-1
2000-2
2000-3

キハ40形　1両[小型密着]

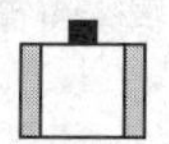

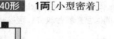

キハ40 535　22.02.18(元JR東日本)

フラワ2000	3
キハ40	1
計	4

▽1985.04.01 国鉄北条線を引継ぎ開業
▽フラワ2000形は全長18.5mのボギー車
▽2000-3の旧形式=旧三木鉄道ミキ300-104
2012.04.17=三木鉄道色からフラワ2000形シリーズに車体塗色変更

▼車いす対応スペース…太字の車両に設置

京都丹後鉄道　西舞鶴運転所・福知山運転所　35両

KTR011	3
KTR8000	10
KTR8500	4
KTR700	9
KTR800	3
	29
MF100	1
KTR300	5
	6
計	35

宮舞線・宮豊線(西舞鶴運転所)　29両[小型密着]

←豊岡　　西舞鶴→

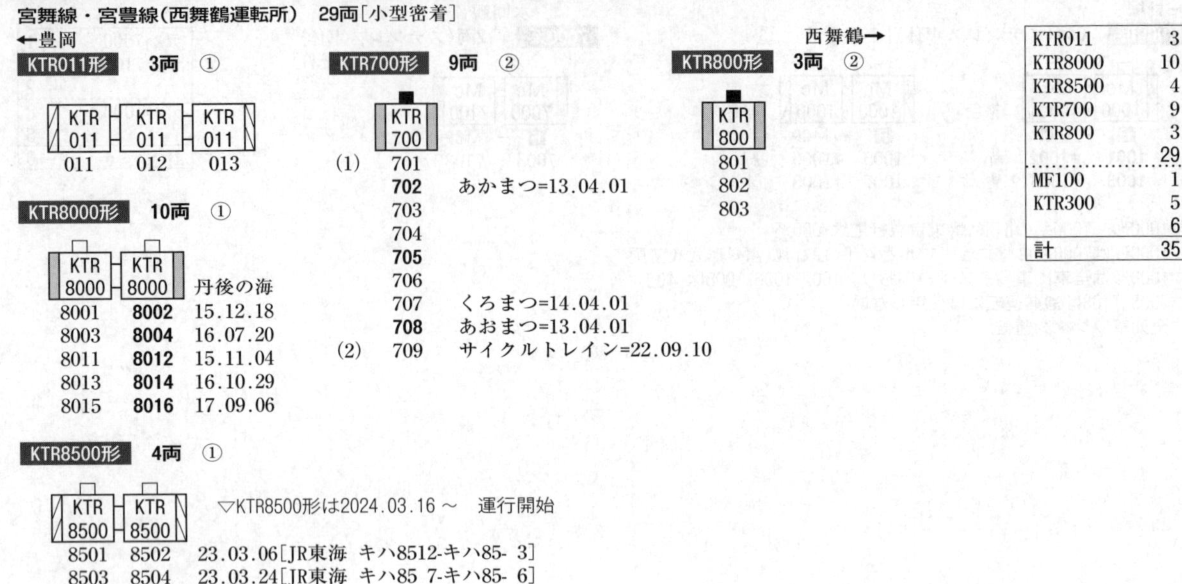

KTR011形　3両　①

011　012　013

KTR8000形　10両　①

丹後の海
8001　**8002**　15.12.18
8003　**8004**　16.07.20
8011　**8012**　15.11.04
8013　**8014**　16.10.29
8015　**8016**　17.09.06

KTR8500形　4両　①

▽KTR8500形は2024.03.16～　運行開始

8501　8502　23.03.06[JR東海　キハ8512-キハ85- 3]
8503　8504　23.03.24[JR東海　キハ85 7-キハ85- 6]

KTR700形　9両　②

(1)　701
702　あかまつ=13.04.01
703
704
705
706
707　くろまつ=14.04.01
708　あおまつ=13.04.01
(2)　709　サイクルトレイン=22.09.10

KTR800形　3両　②

801
802
803

宮福線(福知山運転所)　6両　②

←福知山　　宮津→

MF100形　1両

102

KTR300形　5両

301　19.03.20 新潟トランシス　鳶赤色
302　20.01.31 新潟トランシス　千歳緑(センザイミドリ)
303　21.02.02 新潟トランシス　鳶赤色
304　21.02.02 新潟トランシス　千歳緑
305　22.03.04 新潟トランシス　鳶赤色

▽KTR011形の冷房装置は床下に2基ずつ装備
特急「タンゴリレー」に使用(2011.03.12改正にて、ＪＲ新大阪駅までの乗入れ終了)
2013.03改正から定期運用から外れ、現在はKTR8000形の予備運用
▽KTR8000形は特急「タンゴリレー」(2011.03.12改正にて登場)・「はしだて」(「タンゴ·ディスカバリー」から改称)に使用。
奇数車号にパブリックスペース、偶数車号にトイレ・洗面所を備える
▽KTR700形はトイレ付き、KTR800形はトイレなし
▽(1)=「丹後ゆめ列車」、(2)=「丹後ゆめ列車2号」
▽709はロングシートの多目的車、イベント時には畳敷とする。22.09.10　サイクルトレインラッピング
▽太字は車いす対応スペース付き
▽「あかまつ」「あおまつ」は観光用車両。2013.04.14から営業運転開始
▽「くろまつ」は観光用車両。2014.05.25から営業運転開始
▽KTR8000形は、内外装をリニューアルして「丹後の海」編成に変更
▽海の京都ラッピング　MF102=22.09.06　KTR801=22.11.01

▽2015.04.01　北近畿タンゴ鉄道は第３種鉄道事業者に変更。
第２種鉄道事業者はＷｉＬＬＥＲ ＴＲＡＩＮＳ、鉄道通称名は京都丹後鉄道に変更
合わせて、路線名を西舞鶴～宮津間は宮舞線、宮津～豊岡間は宮豊線と改称。宮福線(福知山～宮津間)は変更なし

丹後海陸交通　2両

←府中　　鋼索　　傘松→

1
2

▽天橋立機橋(京都丹後鉄道宮豊線天橋立駅)から一ノ宮機橋行き天橋立観光船に乗船。
所要約12分、終点下車。徒歩約5分

智頭急行　大原基地(大原駅構内)　44両

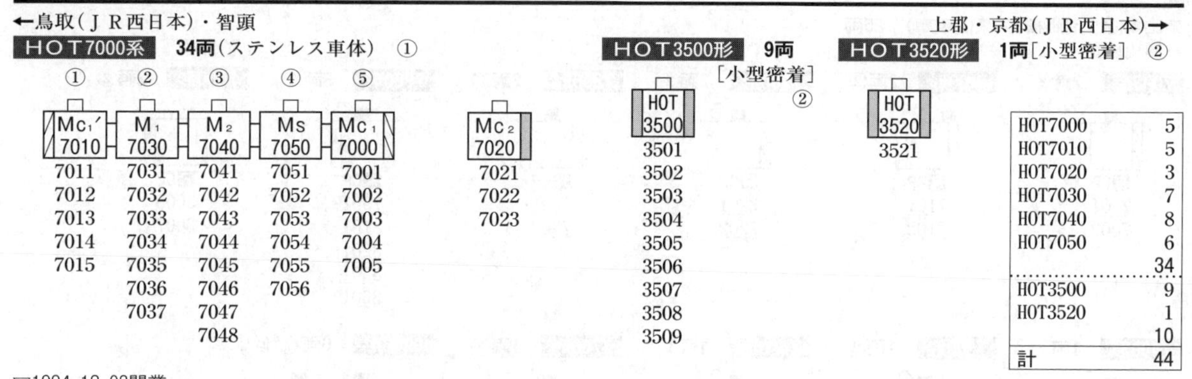

HOT7000	5
HOT7010	5
HOT7020	3
HOT7030	7
HOT7040	8
HOT7050	6
	34
HOT3500	9
HOT3520	1
	10
計	44

▽1994.12.03開業
▽ＨＯＴ7000系は特急「スーパーはくと」(京都～鳥取・倉吉間)に使用、
　ＪＲ西日本後藤総合車両所鳥取支所を基地とする
　2014.12からリニューアル工事を開始。客室にパソコン対応コンセント、トイレの温水洗浄式便座化、荷物置場設置などの実施
　7020形のセミコンパートメントは６席から２席に変更
▽車号は基本編成を示す。連結器は非貫通形は収納。貫通形は電気連結器付密着
▽全車両テレビモニター付き
▽Mc1、Mc2に飲料水自販機、M2に車いす対応設備を備える
▽Mc2とM2は方転可能、Mc2の運転室後の2席はセミコンパートメントタイプ
▽Msは半室グリーン車

▽ＨＯＴ3500形、ＨＯＴ3520形は、智頭～鳥取間でＪＲ因美線に乗入れ
▽ＨＯＴ3520形はＴＶモニターとレーザーカラオケ付きのイベント対応車、通常はＨＯＴ3500形と共通運用
▽ＨＯＴ3500形　車体塗色を側窓周り黒から青に変更　3509=2012.03.26
▽HOT3521 客室内改造=17.03.24、外装ラッピング「あまつぼし」=18.03.18

水島臨海鉄道　機関区(倉敷貨物ターミナル)　12両

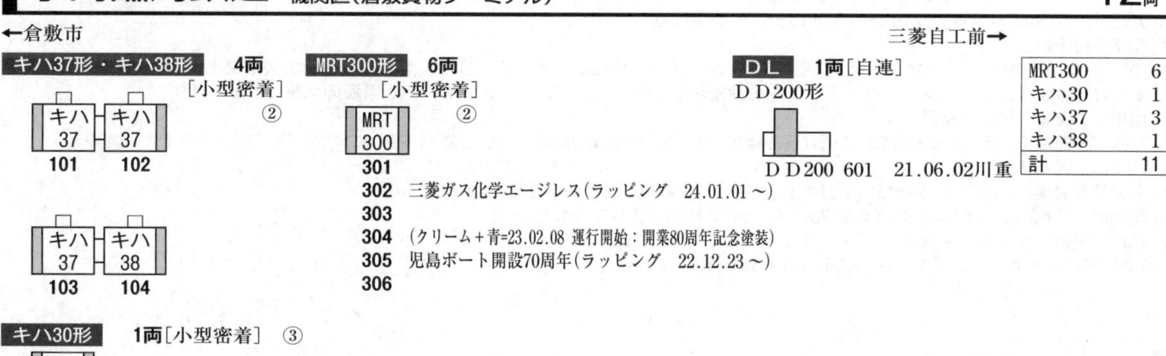

MRT300	6
キハ30	1
キハ37	3
キハ38	1
計	11

▽貨物専用線は、水島～東水島間 3.06km
　倉敷にて山陽本線と接続。
　旅客営業の倉敷市駅は、ＪＲ倉敷駅に隣接

▽MRT300形・キハ37形・キハ38形は冷房車(直結式)
▽冷房車は車号太字、非冷房車は車号細字
▽MRT300形はワンマン運転対応車。電気指令式のため、他形式と連結できない
▽キハ30形・キハ37形・キハ38形は2014.05.12から営業運転開始
▽キハ38形　客用扉は③
▽キハ37101・102=水島臨海鉄道色
　キハ37103=国鉄新首都圏色、キハ38104=八高線色
　キハ30100=国鉄新首都圏色

岡山電気軌道　東山車庫　25両

東山本線・清輝橋線(東山車庫)　25両

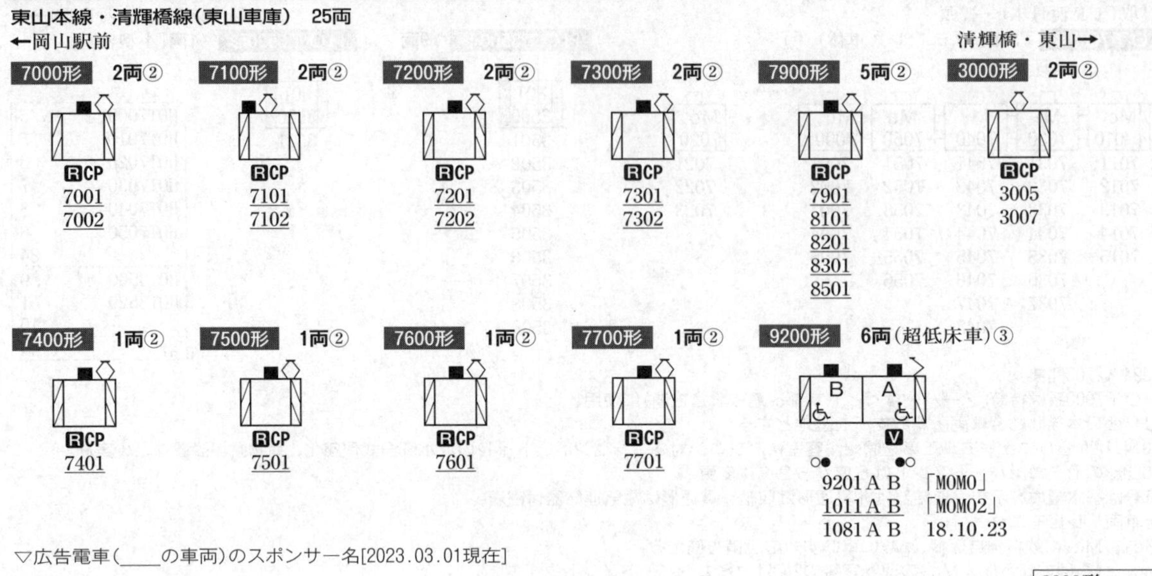

▽広告電車(＿＿の車両)のスポンサー名[2023.03.01現在]

7001=ＴＡＭＡ電車
7002=講談社
7101=ＳＵＥＮＡＧＡ　ＧＲＯＵＰ
7102=ＫＧ情報
7201=ＫＧ情報
7202=ＯＨＫ岡山放送
7301=メタコート工業
7302=岡山県民共済共同組合
7401=エブリイ
7501=オージー技研
7601=大手饅頭
7701=岡山トヨペット
7901=リクルート
8101=アルファプラス
8201=空路利用を促進する会
8301=内山工業
8501=廣栄堂本店
9201AB=桃太郎電鉄(23.03.31まで)
1101AB=おかやま観光コンベンション協会

形式	両数
3000形	2
7000形	2
7100形	2
7200形	2
7300形	2
7400形	1
7500形	1
7600形	1
7700形	1
7900形	5
9200形	6
計	25

▽3007は「竹久夢二生誕140周年記念号」(24.04.08)、
扉開時、車内に「宵待草」のバイオリンメロディーが流れる
▽3005は日光軌道線色
▽7001は、和歌山電鐵の「ＴＡＭＡ電車」と同じデザインに塗装変更(2012.06.25)。その後、「たま電車・わかやま応援館」に変更(2013.03.16)
車内に和歌山紹介のポスター、パンフレットを設置、吊り輪とパンフレット入れを和歌山県産の木製品としたほか、
屋根に、たまの「耳」を設置
▽7101は、2021.02.17　空調装置CU77CH形(三菱電機製)、空調装置電源DA610Y30(三菱電機製)に変更、床材をシータイルに変更。
7102は、2023.12.24施工
▽全車両を対象に、2020.07からコロナ対策として空気触媒(セルフィール)施工実施
▽7000形～7900形の17両は、2010年度(2011.03.30)に補助ステップを設置。
車内段差37cmを、18cm＋19cmの2段として、乗降しやすく改良した
▽1081ABはチャギントン電車。2019.03.16から運行開始

井原鉄道　井原コントロールセンター(早雲の里荏原駅構内)　12両

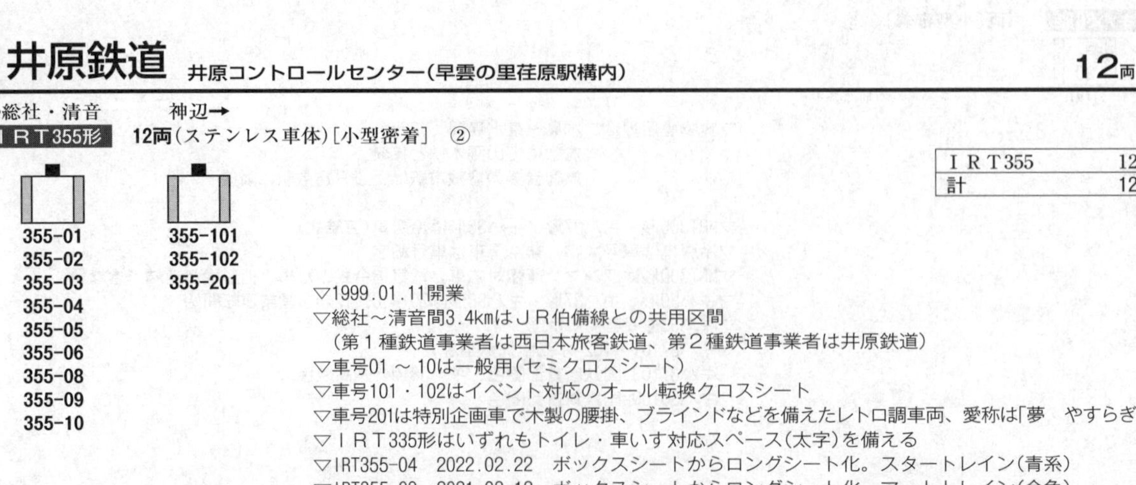

形式	両数
ＩＲＴ355	12
計	12

▽1999.01.11開業
▽総社～清音間3.4kmはＪＲ伯備線との共用区間
(第１種鉄道事業者は西日本旅客鉄道、第２種鉄道事業者は井原鉄道)
▽車号01～10は一般用(セミクロスシート)
▽車号101・102はイベント対応のオール転換クロスシート
▽車号201は特別企画車で木製の腰掛、ブラインドなどを備えたレトロ調車両、愛称は「夢　やすらぎ」
▽ＩＲＴ335形はいずれもトイレ・車いす対応スペース(太字)を備える
▽IRT355-04　2022.02.22　ボックスシートからロングシート化。スタートレイン(青系)
▽IRT355-09　2021.03.12　ボックスシートからロングシート化。アートトレイン(金色)

スカイレールサービス

7両

←みどり中央　　みどり口→

200形　**7両**　①

▽1998.08.28開業
▽2024.04.30　12:00発便をもって運行終了

201
202
203
204
205
206
207

▽800形　電機子チョッパ制御からＶＶＶＦインバータ制御に変更
805=18.03.19　806=19.10.07　807=21.02.16　808=21.03.08　809=23.03.13
▽スカイレールは懸垂式鉄道の一種で、駅間はロープ駆動、
駅の発進・停止はリニアモーターで駆動する。
いずれもコンピューターによる自動運転で、設計上の最小運転間隔は75秒。
▽みどり口駅はＪＲ山陽本線の瀬野駅と連絡

広島高速交通　長楽寺車両基地

156両

←本通、広域公園前

7000系　**114両**［密連］　①

	Tc_1 7100	M_2 7200	T_3 7300	M_4 7400	M_5 7500	Tc_6 7600	
	ⓈCP	Ⓥ		Ⓥ	Ⓥ	ⓈCP	
31	**7131**	**7231**	**7331**	**7431**	**7531**	**7631**	20.03.26三菱重
32	**7132**	**7232**	**7332**	**7432**	**7532**	**7632**	20.04.22三菱重
33	**7133**	**7233**	**7333**	**7433**	**7533**	**7633**	21.03.05三菱重
34	**7134**	**7234**	**7334**	**7434**	**7534**	**7634**	21.04.27三菱重
35	**7135**	**7235**	**7335**	**7435**	**7535**	**7635**	21.07.13三菱重
36	**7136**	**7236**	**7336**	**7436**	**7536**	**7636**	21.08.31三菱重
37	**7137**	**7237**	**7337**	**7437**	**7537**	**7637**	21.11.10三菱重
38	**7138**	**7238**	**7338**	**7438**	**7538**	**7638**	21.12.23三菱重
39	**7139**	**7239**	**7339**	**7439**	**7539**	**7639**	22.03.23三菱重
40	**7140**	**7240**	**7340**	**7440**	**7540**	**7640**	22.05.20三菱重
41	**7141**	**7241**	**7341**	**7441**	**7541**	**7641**	22.07.14三菱重
42	**7142**	**7242**	**7342**	**7442**	**7542**	**7642**	22.08.26三菱重
43	**7143**	**7243**	**7343**	**7443**	**7543**	**7643**	23.12.26三菱重
44	**7144**	**7244**	**7344**	**7444**	**7544**	**7644**	24.03.21三菱重
45	**7145**	**7245**	**7345**	**7445**	**7545**	**7645**	23.03.24三菱重
46	**7146**	**7246**	**7346**	**7446**	**7546**	**7646**	23.05.18三菱重
47	**7147**	**7247**	**7347**	**7447**	**7547**	**7647**	23.07.27三菱重
48	**7148**	**7248**	**7348**	**7448**	**7548**	**7648**	23.10.20三菱重
49	**7149**	**7249**	**7349**	**7449**	**7549**	**7649**	23.12.01三菱重

▽2020.03.26から営業運転開始
▽各車両にフリースペースを設置(7000系)

6000系　**42両**［密連］　①

	Mc 6100	M 6200	M 6300	M 6400	M 6500	Mc 6600
	CP	Ⓒ	Ⓢ	Ⓢ	Ⓒ	CP
03	**6103**	6203	6303	6403	6503	**6603**
04	**6104**	6204	6304	6404	6504	**6604**
05	**6105**	6205	6305	6405	6505	**6605**
06	**6106**	6206	6306	6406	6506	**6606**
07	**6107**	6207	6307	6407	6507	**6607**
11	**6111**	6211	6311	6411	6511	**6611**
18	**6118**	6218	6318	6418	6518	**6618**

▽1994.08.20開業
▽愛称は「アストラムライン」
▽直流750Ｖ、側方案内方式
▽冷房装置は床下に設置
▽車両基地内に三角線があるため、
車両の向きは一定しない

▼優先席……全車両に設置
▼車いす対応スペース
……各先頭車(6000系)に設置(太字)

6000系	
6100	7
6200	7
6300	7
6400	7
6500	7
6600	7
	42
7000系	
7100	19
7200	19
7300	19
7400	19
7500	19
7600	19
	114
計	156

錦川鉄道　車両基地(錦町駅構内)

5両

←岩国(ＪＲ西日本)・川西　　錦町→

ＮＴ-3000形　**4両**
［小型密着］
②

3001　(せせらぎ)
3002　(ひだまり)
3003　(こもれび)
3004　(きらめき)

キハ40形　**1両**
［小型密着］
②

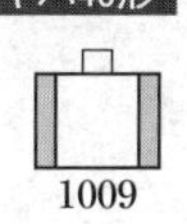

1009

▽1987.07.25　ＪＲ西日本岩日線を引継ぎ開業
全列車、ＪＲ岩徳線川西～岩国間に乗入れ
▽全車両フランジ塗油器取付け

ＮＴ-3000	4
キハ40	1
計	5

▽キハ40　冷房装置は床下エンジン設置
車体塗装はＪＲ東日本烏山線時代のまま
17.07.31　ワンマン・保安装置改造＋大型テーブル設置

▽NT-3000形は転換式クロスシート、車いす対応スペース(太字)、車いす対応トイレを備える
車体のベースカラーは3001=ブルー、3002=ピンク、3003=黄緑、3004=黄

広島電鉄 千田車庫・荒手車庫・江波車庫 292両

単車 72両(71＋1)

800形 14両 ②
CCP
801
802
803
804
805 *VVVF
806 *VVVF
807 *VVVF
808 *VVVF
809 *VVVF
810 *VVVF
811
812
813
814

700形 11両 ②
RCP
701
702
703
704
705
706
707
711
712
713
714

1900形 15両 〔元京都市交〕②
RCP
1901
1913

RCP
1902
1903
1904

RCP
1905
1906
1907
1908
1909
1910
1911
1912
1914
1915

1150形 1両 〔元神戸市交〕②
RCP
1156

形式	両数
100形	1
150形	1
200形	1
350形	1
570形	1
600形	1
650形	3
700形	11
750形	2
800形	14
900形	1
1150形	1
1900形	15
連接車	
1000形	18
計	71

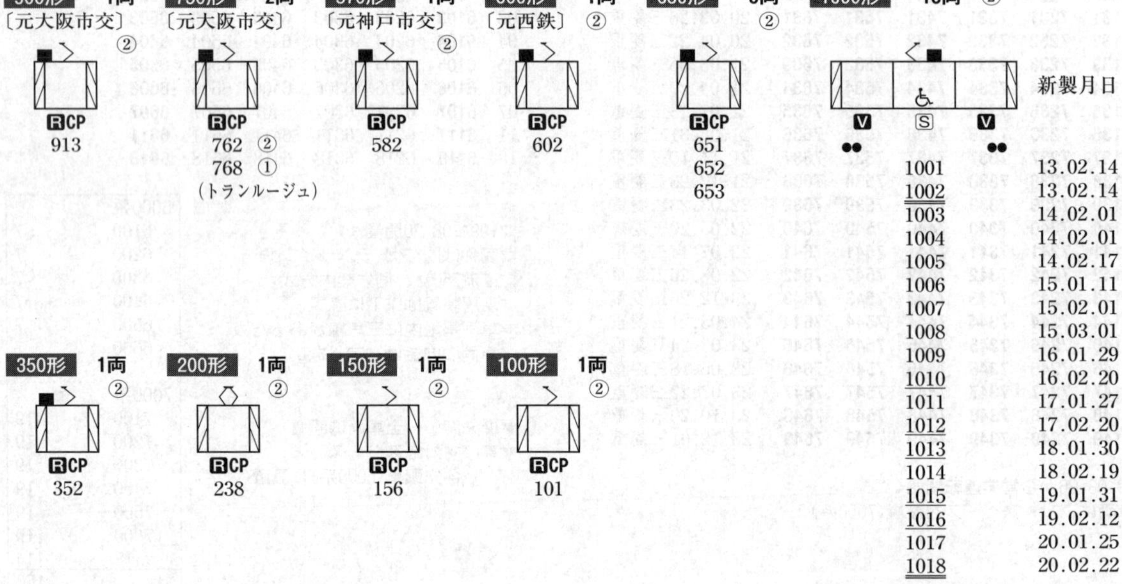

電動貨車 1両
貨50形

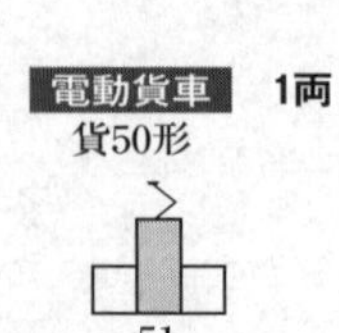

▽1900形は、京都市交通局からの譲受車両ということから、それぞれ京都にちなんだ愛称がつけられている。
1901－東山 1902－桃山 1903－舞妓 1904－かも川
1905－比叡 1906－西陣 1907－銀閣 1908－嵐山
1909－清水 1910－金閣 1911－祇園 1912－大文字
1913－嵯峨野 1914－平安 1915－鞍馬
▽形式には前所有の事業者名を記した
▽1156はハノーバー号
▽貨50形は花電車に使用
▽100形はオープンデッキの単車
▽150形は1925(大正14)年製の単車
▽200形はドイツのハノーバー市から譲受した2軸車、
▽廃車となった654はヌマジ交通ミュージアムに展示
▽＿＿は部分ラッピング、＿＿はフルラッピング
▽1000形は、2013.02.15から営業運転開始。製造所は近畿車輛・三菱重工業・東洋電機製造
1001は、車体半分に広電バスの塗装
▽768 はイベント電車「トランルージュ」に改造=16.06.30
▽800形 電機子チョッパ制御からＶＶＶＦインバータ制御に変更
805=18.03.19 806=19.10.07 807=21.02.16 808=21.03.08 809=23.03.13 810=24.02.15

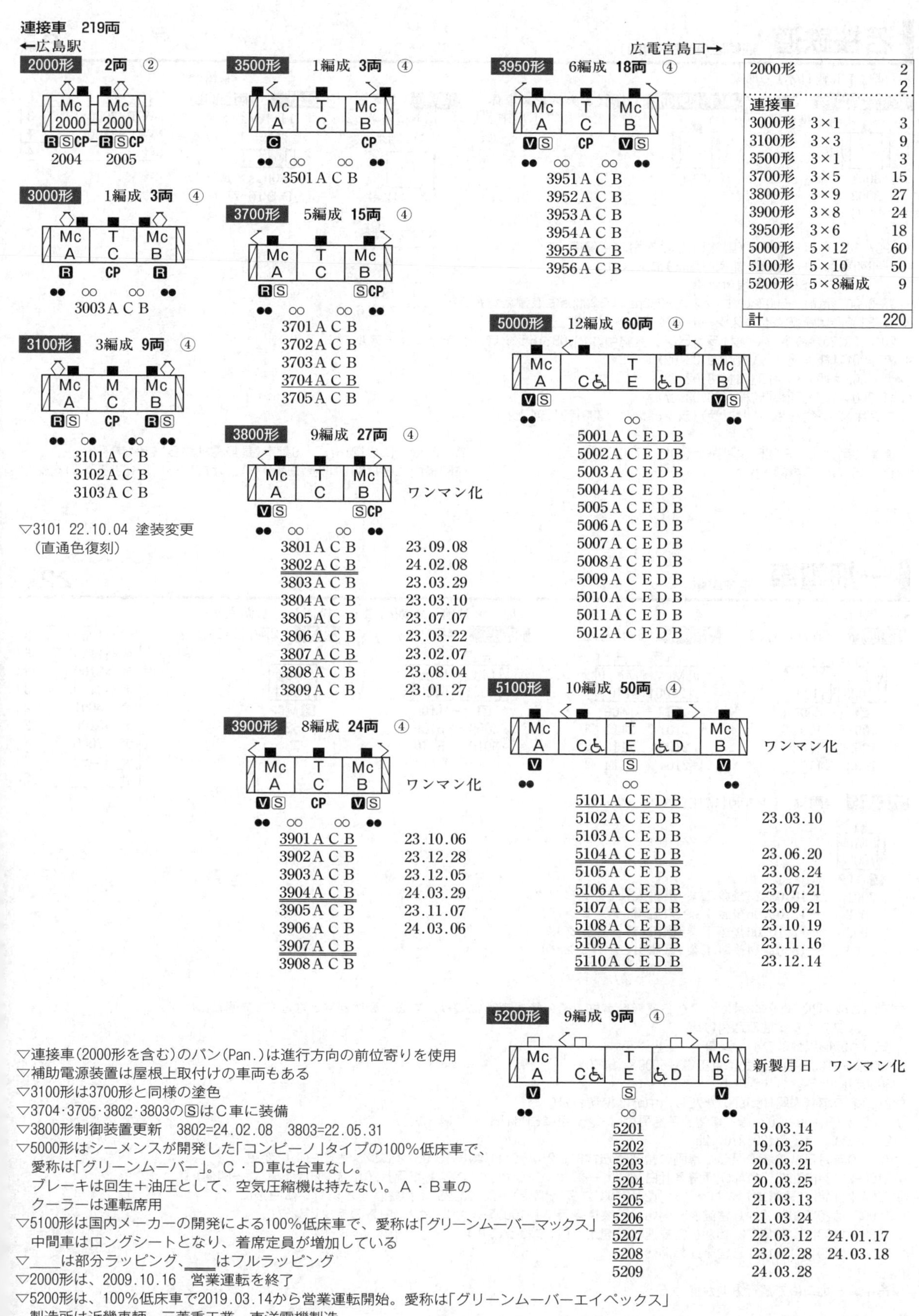

連接車　219両

←広島駅　　　　　　　　　　　　　　　　　　　　　　　　広電宮島口→

2000形　**2両**　②

Mc 2000 - Mc 2000

RSCP-RSCP

2004　2005

3000形　1編成　**3両**　④

Mc A　T C　Mc B

R　CP　R

3003 A C B

3100形　3編成　**9両**　④

Mc A　M C　Mc B

RS　CP　RS

3101 A C B
3102 A C B
3103 A C B

▽3101 22.10.04 塗装変更（直通色復刻）

3500形　1編成　**3両**　④

Mc A　T C　Mc B

C　CP

3501 A C B

3700形　5編成　**15両**　④

Mc A　T C　Mc B

RS　SCP

3701 A C B
3702 A C B
3703 A C B
3704 A C B
3705 A C B

3800形　9編成　**27両**　④

Mc A　T C　Mc B

VS　SCP

	ワンマン化
3801 A C B	23.09.08
3802 A C B	24.02.08
3803 A C B	23.03.29
3804 A C B	23.03.10
3805 A C B	23.07.07
3806 A C B	23.03.22
3807 A C B	23.02.07
3808 A C B	23.08.04
3809 A C B	23.01.27

3900形　8編成　**24両**　④

Mc A　T C　Mc B

VS　CP　VS

	ワンマン化
3901 A C B	23.10.06
3902 A C B	23.12.28
3903 A C B	23.12.05
3904 A C B	24.03.29
3905 A C B	23.11.07
3906 A C B	24.03.06
3907 A C B	
3908 A C B	

3950形　6編成　**18両**　④

Mc A　T C　Mc B

VS　CP　VS

3951 A C B
3952 A C B
3953 A C B
3954 A C B
3955 A C B
3956 A C B

2000形		2
		2
連接車		
3000形	3×1	3
3100形	3×3	9
3500形	3×1	3
3700形	3×5	15
3800形	3×9	27
3900形	3×8	24
3950形	3×6	18
5000形	5×12	60
5100形	5×10	50
5200形	5×8編成	9
計		220

5000形　12編成　**60両**　④

Mc A　C♿　T E　♿D　Mc B

VS　VS

5001 A C E D B
5002 A C E D B
5003 A C E D B
5004 A C E D B
5005 A C E D B
5006 A C E D B
5007 A C E D B
5008 A C E D B
5009 A C E D B
5010 A C E D B
5011 A C E D B
5012 A C E D B

5100形　10編成　**50両**　④

Mc A　C♿　T E　♿D　Mc B

V　S　V

	ワンマン化
5101 A C E D B	
5102 A C E D B	23.03.10
5103 A C E D B	
5104 A C E D B	23.06.20
5105 A C E D B	23.08.24
5106 A C E D B	23.07.21
5107 A C E D B	23.09.21
5108 A C E D B	23.10.19
5109 A C E D B	23.11.16
5110 A C E D B	23.12.14

5200形　9編成　**9両**　④

Mc A　C♿　T E　♿D　Mc B

V　S　V

	新製月日	ワンマン化
5201	19.03.14	
5202	19.03.25	
5203	20.03.21	
5204	20.03.25	
5205	21.03.13	
5206	21.03.24	
5207	22.03.12	24.01.17
5208	23.02.28	24.03.18
5209	24.03.28	

▽連接車(2000形を含む)のパン(Pan.)は進行方向の前位寄りを使用
▽補助電源装置は屋根上取付けの車両もある
▽3100形は3700形と同様の塗色
▽3704·3705·3802·3803のSはC車に装備
▽3800形制御装置更新　3802=24.02.08　3803=22.05.31
▽5000形はシーメンスが開発した「コンビーノ」タイプの100%低床車で、愛称は「グリーンムーバー」。C・D車は台車なし。ブレーキは回生＋油圧として、空気圧縮機は持たない。A・B車のクーラーは運転席用
▽5100形は国内メーカーの開発による100%低床車で、愛称は「グリーンムーバーマックス」中間車はロングシートとなり、着席定員が増加している
▽＿＿は部分ラッピング、＿＿はフルラッピング
▽2000形は、2009.10.16　営業運転を終了
▽5200形は、100%低床車で2019.03.14から営業運転開始。愛称は「グリーンムーバーエイペックス」製造所は近畿車輛、三菱重工業、東洋電機製造

若桜鉄道 運輸区(若桜駅構内) 8両

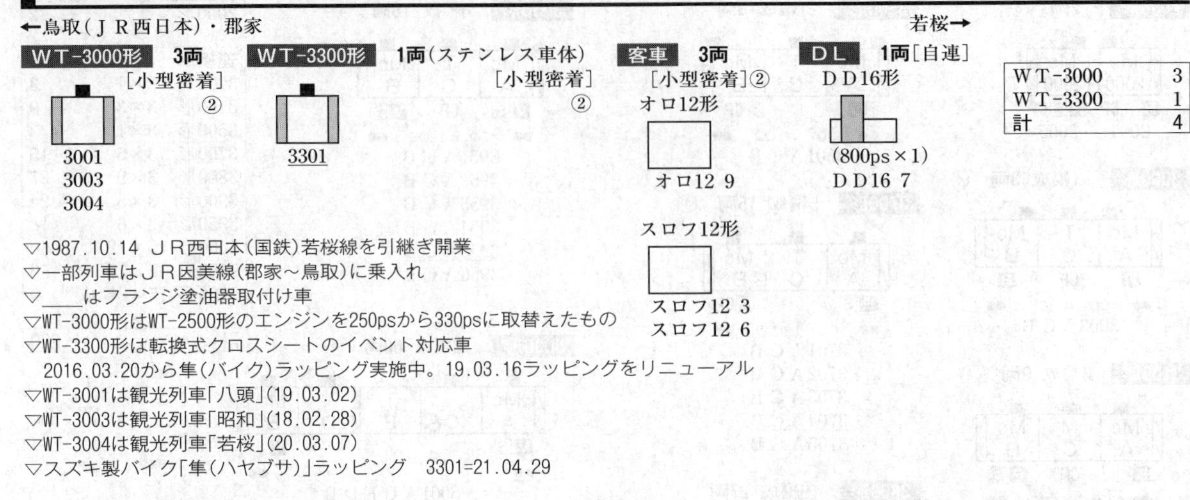

WT-3000	3
WT-3300	1
計	4

▽1987.10.14 ＪＲ西日本(国鉄)若桜線を引継ぎ開業
▽一部列車はＪＲ因美線(郡家～鳥取)に乗入れ
▽____はフランジ塗油器取付け車
▽WT-3000形はWT-2500形のエンジンを250psから330psに取替えたもの
▽WT-3300形は転換式クロスシートのイベント対応車
2016.03.20から隼(バイク)ラッピング実施中。19.03.16ラッピングをリニューアル
▽WT-3001は観光列車「八頭」(19.03.02)
▽WT-3003は観光列車「昭和」(18.02.28)
▽WT-3004は観光列車「若桜」(20.03.07)
▽スズキ製バイク「隼(ハヤブサ)」ラッピング　3301=21.04.29

▽客車 3両は、ＪＲ四国より譲受(2011.07.03)
▽ＤＤ16 7は、若桜駅構内

▽若桜駅構内にＣ12167、ト6貨車(長野電鉄から)を保存
隼駅構内にＥＤ301(北陸鉄道から)、オロ12 6(ＪＲ四国から)を保存

一畑電車 平田車庫 22両

←一畑口　　出雲大社前・電鉄出雲市、松江しんじ湖温泉→

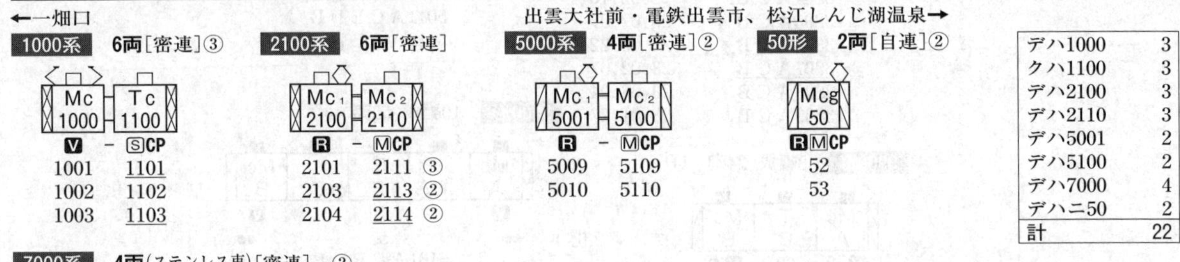

デハ1000	3
クハ1100	3
デハ2100	3
デハ2110	3
デハ5001	2
デハ5100	2
デハ7000	4
デハニ50	2
計	22

7000系 4両(ステンレス車)[密連] ②

cMc 7000
VSCP

7001 ←16.08.23後藤工業=出雲大社(ラッピング)
7002 ←17.02.06後藤工業=宍道湖(ラッピング)
7003 ←17.10.06後藤工業=棚田(ラッピング)
7004 ←18.02.14後藤工業=三瓶山(ラッピング)

▽デハニ52·53は2009年3月にさよなら運転を実施。その後も車籍は残り、当面は動態保存となる(営業運転は終了)
▽____はフランジ塗油器取付け車
▽デハニ50形以外はワンマン車
▽5000系·2100系の旧形式は京王電鉄5000系·5100系
▽5000系はセミクロスシート
▽2100系の車号末尾1は3扉。ただし、中扉は締切り扱い
▽5009-5109　2021.03.15　車体塗色変更(オレンジ色に白帯[旧=青・黒・白])
▽2101-2111=京王色(2012.07.28)
( )の年月日は塗装変更した車両の営業運転初日。2101-2111は18.12.06=オレンジ色に白帯に変更
▽2103-2113=「IZUMO BATADEN楯縫号」[白基調で一部オレンジ色。イベント車両](2013.10.20セレモニー開催)
▽2104-2114=「ご縁電車しまねっこ号」(2013.09.21運行開始)→20.03.25 車体塗装をオレンジに白帯に
▽1000系は2015.02.08から営業運転開始。元東京急行電鉄1000系、オレンジに白帯のラッピング
1003＋1103は、2015.12.10から営業運転を開始。「しまねっこⅡ」
▽7000系は2016.12.11から営業運転開始

▽途中、一畑口にて進行方向が変わる

▽2006.04.03　鉄道部門の分社化により一畑電車㈱設立(一畑電気鉄道㈱は持株会社に移行)

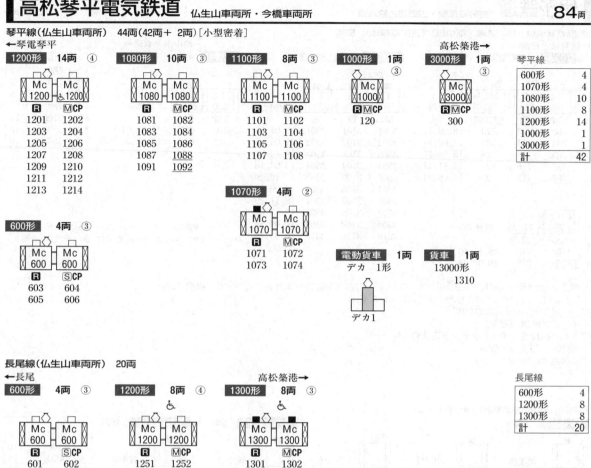

高松琴平電気鉄道　仏生山車両所・今橋車両所　84両

琴平線(仏生山車両所)　44両(42両＋ 2両)［小型密着］

←琴電琴平　　高松築港→

1200形　14両　④

Mc 1200 (R) ｜ Mc 1200 ♿ (ⓂCP)

R	ⓂCP
1201	1202
1203	1204
1205	1206
1207	1208
1209	1210
1211	1212
1213	1214

1080形　10両　③

Mc 1080 ｜ Mc 1080

R	ⓂCP
1081	1082
1083	1084
1085	1086
1087	1088
1091	1092

1100形　8両　③

Mc 1100 ｜ Mc 1100

R	ⓂCP
1101	1102
1103	1104
1105	1106
1107	1108

1070形　4両　②

Mc 1070 ｜ Mc 1070

R	ⓂCP
1071	1072
1073	1074

1000形　1両　③

Mc 1000　RⓂCP

120

3000形　1両　③

Mc 3000　RⓂCP

300

600形　4両　③

Mc 600 ｜ Mc 600

R	ⓈCP
603	604
605	606

電動貨車　1両

デカ　1形

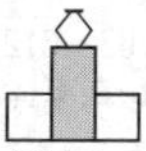

デカ1

貨車　1両

13000形

1310

琴平線

600形	4
1070形	4
1080形	10
1100形	8
1200形	14
1000形	1
3000形	1
計	42

長尾線(仏生山車両所)　20両

←長尾　　高松築港→

600形　4両　③

Mc 600 ｜ Mc 600

R	ⓈCP
601	602
613	614

1200形　8両　④　♿

Mc 1200 ｜ Mc 1200

R	ⓂCP
1251	1252
1253	1254
1255	1256
1215	1216

1300形　8両　③　♿

Mc 1300 ｜ Mc 1300

R	ⓂCP
1301	1302
1303	1304
1305	1306
1307	1308

▽長尾線は2023.03.18からワンマン運転開始

長尾線

600形	4
1200形	8
1300形	8
計	20

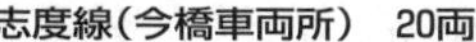

志度線(今橋車両所)　20両

←瓦町　　志度→

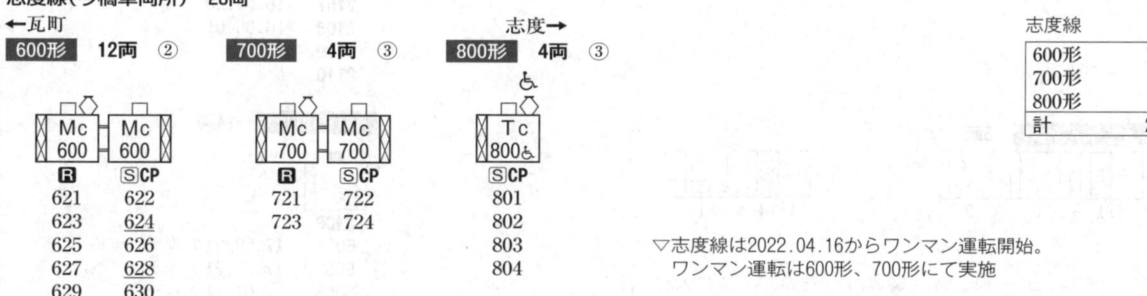

600形　12両　②

Mc 600 ｜ Mc 600

R	ⓈCP
621	622
623	624
625	626
627	628
629	630
631	632

700形　4両　③

Mc 700 ｜ Mc 700

R	ⓈCP
721	722
723	724

800形　4両　③　♿

Tc 800♿　ⓈCP

801
802
803
804

▽志度線は2022.04.16からワンマン運転開始。
ワンマン運転は600形、700形にて実施

志度線

600形	12
700形	4
800形	4
計	20

▽﹏﹏はフランジ塗油器取付け車
▽1200形は連結面寄りの台車がモーター付き
▽旧形式対照(車体基準)
700形=名古屋市交通局300·1200形、
600形・800形=名古屋市交通局250形·750形·1600形·1800形·1900形、
1070形=京浜急行電鉄デハ600形、1080形·1300形=京浜急行電鉄デハ1000形、
1100形=京王電鉄5000系、1200形=京浜急行電鉄デハ700形
▽車体塗色は路線別に色分けしている(イベント用車両を除く)
上半=クリーム、下半は琴平線=黄、長尾線=緑、志度線=赤、
▽1000形、3000形=通常の営業運転には使用しない
▽♿ は車いす対応スペース付き

伊予鉄道 古町電車庫・古町市内線車庫 96両

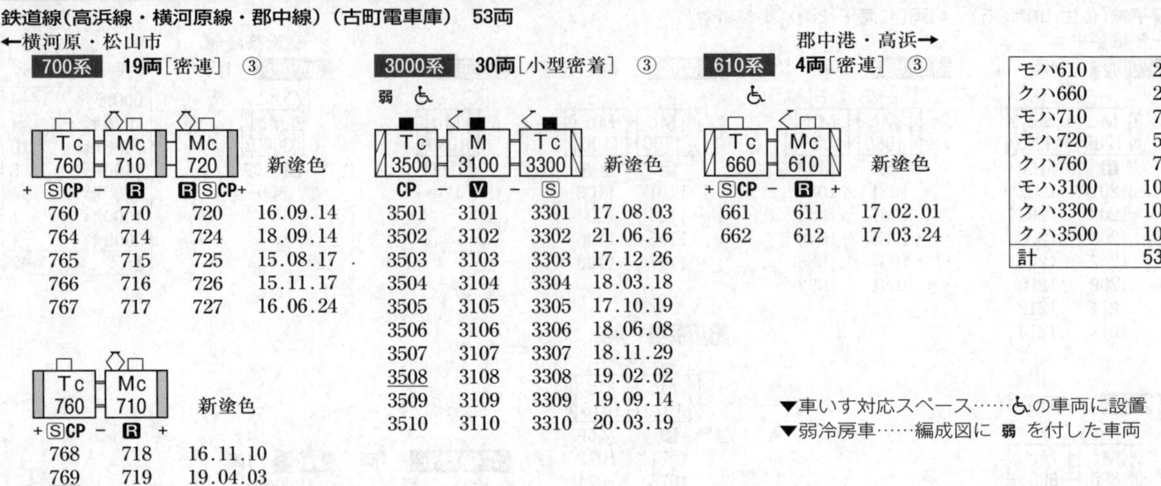

鉄道線（高浜線・横河原線・郡中線）（古町電車庫） 53両

←横河原・松山市　　郡中港・高浜→

700系 19両［密連］③

Tc 760	Mc 710	Mc 720	新塗色
+ ⓈCP −	Ⓡ	ⓇⓈCP+	
760	710	720	16.09.14
764	714	724	18.09.14
765	715	725	15.08.17
766	716	726	15.11.17
767	717	727	16.06.24

Tc 760	Mc 710	新塗色
+ⓈCP −	Ⓡ +	
768	718	16.11.10
769	719	19.04.03

3000系 30両［小型密着］③ 弱 ♿

Tc 3500	M 3100	Tc 3300	新塗色
CP −	Ⓥ −	Ⓢ	
3501	3101	3301	17.08.03
3502	3102	3302	21.06.16
3503	3103	3303	17.12.26
3504	3104	3304	18.03.18
3505	3105	3305	17.10.19
3506	3106	3306	18.06.08
3507	3107	3307	18.11.29
3508	3108	3308	19.02.02
3509	3109	3309	19.09.14
3510	3110	3310	20.03.19

610系 4両［密連］③ ♿

Tc 660	Mc 610	新塗色
+ⓈCP −	Ⓡ +	
661	611	17.02.01
662	612	17.03.24

形式	両数
モハ610	2
クハ660	2
モハ710	7
モハ720	5
クハ760	7
モハ3100	10
クハ3300	10
クハ3500	10
計	53

▼車いす対応スペース……♿の車両に設置
▼弱冷房車……編成図に 弱 を付した車両

▽朝ラッシュ時は768-718＋769-719と661-611＋662-612の4両編成を2本組み、古町～横河原間で運転
▽モハ610形・クハ660形および3000系はステンレス車体
▽＿＿はフランジ塗油器取付車
▽旧形式対照（車体基準）
モハ710·720形、クハ760形=京王電鉄5000系
3000系=京王電鉄3000系
▽新塗色は朱色（みかん色）

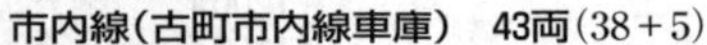

市内線（古町市内線車庫） 43両（38＋5）

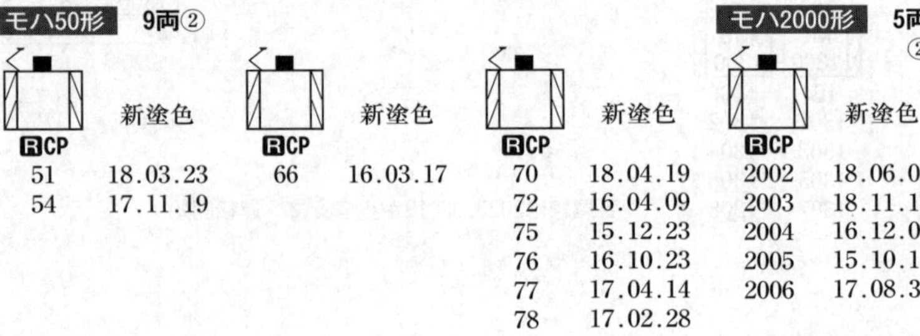

モハ50形 9両②

車号	新塗色
ⓇCP	
51	18.03.23
54	17.11.19

車号	新塗色
ⓇCP	
66	16.03.17

車号	新塗色
ⓇCP	
70	18.04.19
72	16.04.09
75	15.12.23
76	16.10.23
77	17.04.14
78	17.02.28

モハ2000形 5両②

車号	新塗色
ⓇCP	
2002	18.06.03
2003	18.11.19
2004	16.12.01
2005	15.10.18
2006	17.08.31

モハ2100形 10両②

車号	新塗色
ⓋCP	
2101	15.05.26
2102	15.06.23
2103	17.04.22
2104	
2105	
2106	
2107	16.04.20
2108	16.06.01
2109	
2110	

形式	両数
モハ50	9
モハ2000	5
モハ2100	10
モハ5000	14
計	38

坊っちゃん列車 5両②

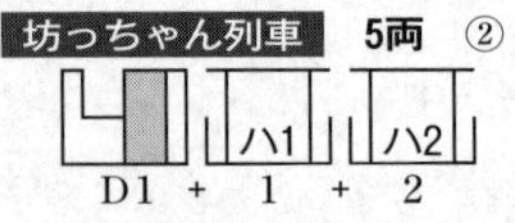

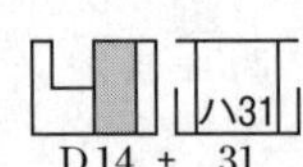

モハ5000形 14両②

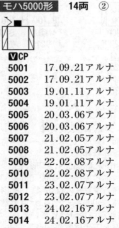

車号	
ⓋCP	
5001	17.09.21アルナ
5002	17.09.21アルナ
5003	19.01.11アルナ
5004	19.01.11アルナ
5005	20.03.06アルナ
5006	20.03.06アルナ
5007	21.02.05アルナ
5008	21.02.05アルナ
5009	22.02.08アルナ
5010	22.02.08アルナ
5011	23.02.07アルナ
5012	23.02.07アルナ
5013	24.02.16アルナ
5014	24.02.16アルナ

▽2017.09.21から営業運転開始

▽モハ50形は、51～61、66～69、70～78の3タイプに大別できる
▽モハ2000形の旧形式は京都市電2000形
▽モハ2100形・モハ5000形は超低床車。車いす対応スペース設置（太字表示）
▽市内線車両の補助電源はⓈ

▽「坊っちゃん列車」の機関車（ＤＬ）の動力はディーゼルエンジン、自動転回装置付き
客車　前後に１枚ずつ合計２枚の客用扉。ハ１・ハ２は開き戸、ハ31は引き戸
▽「坊っちゃん列車」は土曜・休日に運行。運行ダイヤ等詳細は伊予鉄ホームページ参照

とさでん交通 桟橋車庫 61両

伊野線・後免線・駅前線・桟橋線　61両(60両＋1)

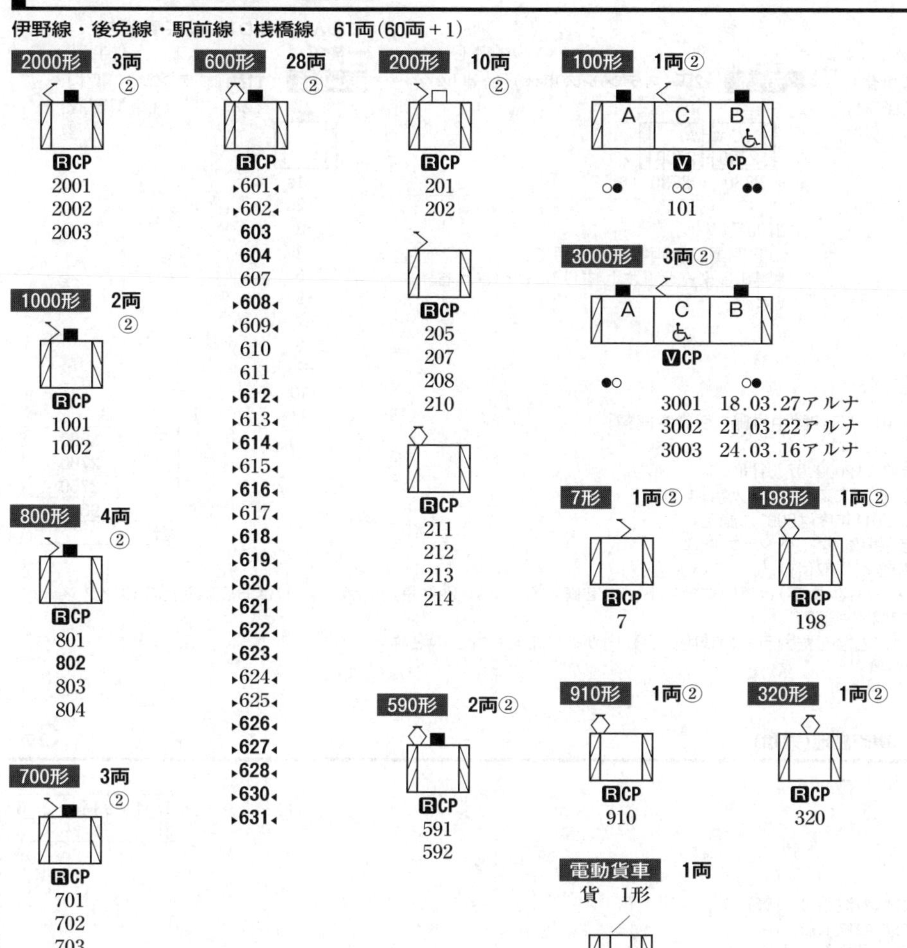

7形	1
198形	1
100形	1
200形	10
320形	1
590形	2
600形	28
700形	3
800形	4
910形	1
1000形	2
2000形	3
3000形	3
計	62

▽802は車内にテーブルとカラオケを備えた団体用車(通称:おきゃく電車)[2015.06]
　通常はテーブルを取外し、一般営業に使用する
▽7形はオープンデッキの2軸車
▽198形はオスロ市(ノルウェー)から購入したボギー車
▽320形はグラーツ市(オーストリア)から購入した2軸車
▽910形はリスボン市(ポルトガル)から購入したボギー車
▽7形と外国型車両はイベント、貸切専用
▽▸◂印の車両は連結器付き(ジャンパ栓、エアホースは撤去)
▽600形の▸◂印は間接制御車
▽太字は全面広告車
▽100形は超低床車、愛称は「ハートラム」、C車とA車の先頭寄り車軸はモーターなし
▽700形･800形=元山陽電気軌道700形･800形、590形=元名古屋鉄道モ590形
▽590形は名鉄色(赤)
▽207は、旧塗色の「金太郎」塗り
▽3000形(ハートラムⅡ)は、2018.03.27から運行開始。超低床車

▽2009.01.25からICカードを使用開始。これに伴い7形と外国型車両はイベント、貸切専用となった
▽2016.02.01　土休日ダイヤの高知駅前～枡形間直通便の運休にともない外国型車両運休に

▽2014.10.01　土佐電氣鐵道は、とさでん交通と社名変更

土佐くろしお鉄道 運転区(中村駅・安芸駅構内) 21両

中村線・宿毛線(中村駅構内)
←(ＪＲ四国)窪川　宿毛→

TKT-8000形 8両(ステンレス車体)[小型密着]②

8001 (三原村)
8002 (大月町)
8003 (四万十市)
8004 (宿毛市)
8005 (黒潮町)
8011 (四万十町)
8012 (土佐清水市)
8021 (だるま夕日)

2700系 2両(ステンレス車体)[密連]②

w w
2750 - 2700
\+ 2780　2730 +

▽2700系は
ＪＲ四国の車両と共通運用で、
特急「しまんと」「あしずり」に使用される。
wはwc

ごめん・なはり線(安芸駅構内)
←後免　奈半利→

9640形 11両(ステンレス車体)[小型密着]②

-1s
-2s
-3
-4
-5
-6
-7
-8
-9
-10
-11

▽中村線(窪川～中村)は1988.04.01 ＪＲ四国中村線を引継ぎ開業。
宿毛線(中村～宿毛)は1997.10.01開業
▽ごめん・なはり線(後免～奈半利)は2002.07.01開業
▽TKT-8000形はトイレ設備。車いす対応スペース(太字)あり
▽更新工事を、2010年度は8005、2011年度は8001に施工
▽8021はロングシートで畳敷に変更可能なイベント対応車
▽フランジ塗油器はTKT-8000形の全車に取付け
▽9640形は各車両に車いす対応スペース(太字)と車いす対応トイレを備える。-1s･-2sは特別仕様車、-11はお座敷対応のロングシート
ＪＲ四国土讃線土佐山田～高知間でも運転
▽TKT-8000形は、地元市町村などにちなんだカラーの車両。( )内がその市町村などの名称

形式	両数
ＴＫＴ-8000	8
2700	1
2750	1
9640	11
計	21

阿佐海岸鉄道 車両基地(宍喰) 3両

←阿波海南　甲浦→

DMV93系 3両

DMV 93

931	21.12.13	「未来への波乗り」(青)
932	21.12.22	「すだちの風」(緑)
933	21.12.21	「阿佐海岸維新」(朱)

形式	両数
ＤＭＶ93系	3
計	3

▽1992.03.26開業、2019.03.16改正にてＪＲ牟岐線への乗入れ終了
▽2020(R02).11.01　ＪＲ四国から牟岐線阿波海南～海部間(1.5㎞)の経営を承継
▽2020(R02).11.30にてＤＣ(ASA-100形、ASA-300形)による運行終了。12.01、廃車
▽2020(R02).12.01　阿波海南～海部～甲浦間にてバス代行輸送開始
▽2021(R03).12.25　ＤＭＶ運行開始。阿波海南～甲浦間は鉄道モードにて軌道走行。
阿波海南～阿波海南文化村間、甲浦～海の駅宍喰温泉・海の駅とろむ間はバスモードにて道路を走行

四国ケーブル 2両

←八栗登山口　鋼索　八栗山上→
コ-1形

1　ＹＡＫＵＲＩ(朱色)
2　ＹＡＫＵＲＩ(緑色)

▽四国霊場第85番札所、五剣山観自在院 八栗寺への参拝者の足
▽高松琴平電気鉄道志度線八栗駅から約 1.5㎞(徒歩約30分)
駅前からタクシー利用もできる

岡本製作所 2両

←ラクテンチ下　鋼索　ラクテンチ上→

№１　メモリー号
№２　ドリーム号

▽別府駅(東口)から15番(ラクテンチ経由鉄輪行)亀の井バスに乗車。ラクテンチ下車。別府ラクテンチ施設内
▽メモリー号は猫、ドリーム号は犬がモチーフの顔

福岡市交通局 姪浜車両基地・橋本車両基地 228両

空港線・箱崎線〔1号線・2号線〕(姪浜車両基地) 144両

←筑前深江(ＪＲ筑肥線)・姪浜　　貝塚・福岡空港→

1000N系 108両(ステンレス車体)[密連] ④

	①♿	②♿	③♿	弱④♿	⑤♿	♿⑥
	Tc	M_1	M'_1	M_2	M'_2	Tc′
	1500N	1000N	1100N	1000N	1100N	1500N
		V	MCP	V	MCP	
01	1501	1001	1101	1002	1102	1502
02	1503	1003	1103	1004	1104	1504
03	1505	1005	1105	1006	1106	1506
04	1507	1007	1107	1008	1108	1508
05	1509	1009	1109	1010	1110	1510
06	1511	1011	1111	1012	1112	1512
07	1513	1013	1113	1014	1114	1514
08	1515	1015	1115	1016	1116	1516
09	1517	1017	1117	1018	1118	1518
10	1519	1019	1119	1020	1120	1520
11	1521	1021	1121	1022	1122	1522
12	1523	1023	1123	1024	1124	1524
13	1525	1025	1125	1026	1126	1526
14	1527	1027	1127	1028	1128	1528
15	1529	1029	1129	1030	1130	1530
16	1531	1031	1131	1032	1132	1532
17	1533	1033	1133	1034	1134	1534
18	1535	1035	1135	1036	1136	1536

2000N系 36両(ステンレス車体)[密連] ④

	①♿	②♿	③♿	♿④弱	♿⑤	♿⑥	
	Tc	M_1	M'_1	M_2	M'_2	Tc′	
	2500N	2000N	2100N	2000N	2100N	2500N	リニューアル
		V	SCP	V	SCP		
19	2501	2001	2101	2002	2102	2502	21.07.02
20	2503	2003	2103	2004	2104	2504	22.01.07
21	2505	2005	2105	2006	2106	2506	22.07.08
22	2507	2007	2107	2008	2108	2508	21.01.07
23	2509	2009	2109	2010	2110	2510	23.01.14
24	2511	2011	2111	2012	2112	2512	23.07.14

七隈線〔3号線〕(橋本車両基地) 84両

←橋本　　博多→

3000系 68両(アルミ車体)[密連]③

	①	②♿	♿③弱	④
	M_1c	M_1	M_3	M_3c
	3100	3200	3500	3600
	SCP	V	V	SCP
01	3101	3201	3501	3601
02	3102	3202	3502	3602
03	3103	3203	3503	3603
04	3104	3204	3504	3604
05	3105	3205	3505	3605
06	3106	3206	3506	3606
07	3107	3207	3507	3607
08	3108	3208	3508	3608
09	3109	3209	3509	3609
10	3110	3210	3510	3610
11	3111	3211	3511	3611
12	3112	3212	3512	3612
13	3113	3213	3513	3613
14	3114	3214	3514	3614
15	3115	3215	3515	3615
16	3116	3216	3516	3616
17	3117	3217	3517	3617

3000A系 16両(アルミ車体)[密連]③

	①♿	②♿	♿③弱	♿④	
	M_1c	M_1	M_3	M_3c	
	3100A	3200A	3500A	3600A	運転開始日
	SCP	V	V	SCP	
18	3118	3218	3518	3618	22.02.09
19	3119	3219	3519	3619	22.03.14
20	3120	3220	3520	3620	22.07.13
21	3121	3221	3521	3621	22.07.25

▽3000A系は、全車両に車いすスペース設置
　全側扉上に液晶式車内案内表示装置を設置
▽3号線は2005.02.03 開業、鉄輪式リニアモーター方式で各駅にホームドアを備え、ワンマン運転を行なう
▽車内表示器(ＬＣＤ)への更新は17.06.26にて全編成完了
▽2023.03.27　天神南～博多間(1.6km)開業

系列	形式	両数
1000N系	1000N	36
	1100N	36
	1500N	36
		108
2000N系	2000N	12
	2100N	12
	2500N	12
		36
3000系	3100	17
	3200	17
	3500	17
	3600	17
		68
3000A系	3100A	4
	3200A	4
	3500A	4
	3600A	4
		16
計		228

▽____は噴射式自動軌条塗油装置取付け

▼優先席……全車両に設置
▼車椅子対応スペース……♿の車両に設置
▼弱冷房車……編成図に 弱 を付した車両

▽1000N系は制御装置の変更のほか、正面ガラス、座席のモケット取替え、転落防止用外幌、車内案内表示器の新設と行先表示装置のＬＥＤ化などを実施。1000系から改造。正式の形式は「N」付して区別、実車の車号に合わせて車号は「N」を省略して表示
▽編成の頭に付した番号は、先頭車前面に表示の編成番号を表示
▽行先表示器更新により、マルチカラーＬＥＤ化
▽2000N系は制御装置の変更のほか、車体内外装の改修、主回路・補助電源装置・換気扇インバータの更新を実施。2000系からの改造。形式は「N」を付して区別。実車の車号は「N」を省略して表示

皿倉登山鉄道 2両

←山麓　　鋼索　　山上→

1形

1　かなた
2　はるか

▽車体塗色は、かなた=青、はるか=黄

▽2001.06.30　スイス製車両に変更
▽2012.09.30　第２種鉄道事業者に(第３種鉄道事業者は北九州市)
▽2015.04.01　帆柱ケーブルは、皿倉登山鉄道と社名変更

▽ＪＲ八幡駅、小倉駅から無料シャトルバス運行。詳細は皿倉山登山鉄道ホームページ参照
　ＪＲ八幡駅から徒歩約25分、タクシー５分

西日本鉄道　筑紫車庫・柳川車庫・多々良車庫　301両

天神大牟田線・太宰府線・甘木線(筑紫車庫・柳川車庫)　285両(282両+3)

←大牟田　　　　　　　　　　　　　　　　　　西鉄福岡(天神)→

6000形　33両[密連]　④

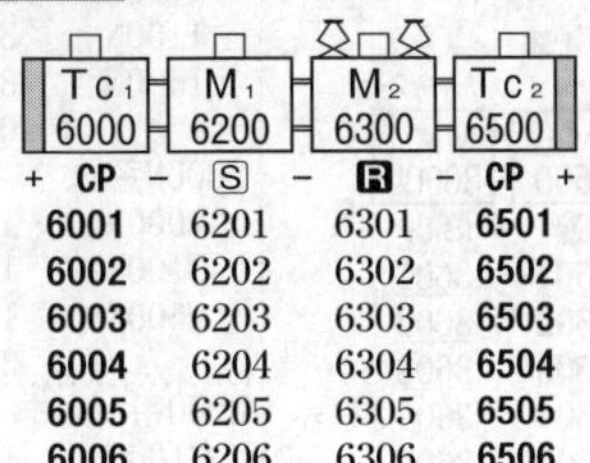

Tc₁ 6000	M₁ 6200	M₂ 6300	Tc₂ 6500
+ CP −	S −	R −	CP +
6001	6201	6301	**6501**
6002	6202	6302	**6502**
6003	6203	6303	**6503**
6004	6204	6304	**6504**
6005	6205	6305	**6505**
6006	6206	6306	**6506**

Mc₁ 6700	T 6900	Mc₂ 6800
+ S −	CP −	R +
6701	6901	**6801**
6702	6902	**6802**
6703	6903	**6803**

6050形　25両[密連]　④

Tc₁ 6050	M₁ 6250	M₂ 6350	Tc₂ 6550	
+ CP −	S −	V −	CP +	
6051	6251	6351	**6551**	18.02.19機器変更
6052	6252	6352	**6552**	19.08.16機器変更
6054	6254	6354	**6554**	17.03.22機器変更
6055	6255	6355	**6555**	17.08.10機器変更

Tc₁ 6050	M 6350	Tc₂ 6550	
+ −	SV −	CP +	
6053	6353	**6553**	19.02.05機器変更
6156	6356	**6556**	16.08.15機器変更
6157	6357	**6557**	16.03.30機器変更

▽機器変更
　6356・6357は制御装置変更＋補助電源取付
　6156・6157は制御車化＋補助電源撤去
▽主電動機３個→４個に(2015年度以降)
　6351=18.02.09、6352=19.08.16、6354=17.03.22、6355=17.08.10
▽制御装置変更(2015年度以降)
　6351=18.02.09、6352=19.08.16、6354=17.03.22、6355=17.08.10
▽補助電源装置変更(2015年度以降)
　6251=18.02.09、6352=19.08.16、6354=17.03.22、6255=17.08.10
▽電動空気圧縮機変更(2015年度以降)
　6556=15.06.23
▽車いすスペース設置(2015年度以降)
　6004=15.09.15、6052=19.08.16、6051=18.02.09、6054=17.03.22、6055=17.08.10、6156=16.08.15、6157=16.03.30

▽6053Fは更新修繕、リニューアルに合わせて、観光列車「THE RAIL KITCHEN CHIKUGO」に改造。2019.03.23から運行開始

5000形　88両[密連]　③

Mc 5000	M 5300	Tc 5500
+ CP −	R −	M +
5113	5313	**5513**
5115	5315	**5515**
5116	5316	**5516**
5117	5317	**5517**
5118	5318	**5518**
5119	5319	**5519**
5120	5320	**5520**
5121	5321	**5521**

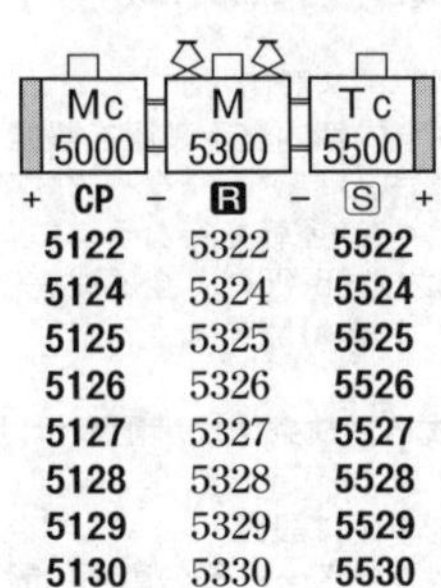

Mc 5000	M 5300	Tc 5500
CP −	R −	S +
5122	5322	**5522**
5124	5324	**5524**
5125	5325	**5525**
5126	5326	**5526**
5127	5327	**5527**
5128	5328	**5528**
5129	5329	**5529**
5130	5330	**5530**

Tc₁ 5000	M₁ 5200	M₂ 5300	Tc₂ 5500
+ CP −	−	R −	S +
5032	5232	5332	**5532**
5033	5233	5333	**5533**
5034	5234	5334	**5534**
5035	5235	5335	**5535**

Mc 5000	M 5300	T 5400	Tc 5500
+ CP −	R −	CP −	S +
5131	5331	5431	**5531**
5136	5336	5436	**5536**
5137	5337	5437	**5537**
5138	5338	5438	**5538**
5139	5339	5439	**5539**
5140	5340	5440	**5540**

3000形　60両(ステンレス車体)[密連]　③

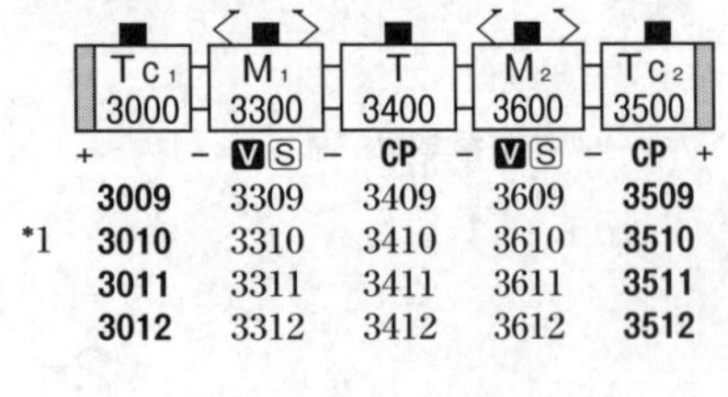

	Tc₁ 3000	M₁ 3300	T 3400	M₂ 3600	Tc₂ 3500
	+ −	VS −	CP −	VS −	CP +
	3009	3309	3409	3609	**3509**
*1	**3010**	3310	3410	3610	**3510**
	3011	3311	3411	3611	**3511**
	3012	3312	3412	3612	**3512**

	Tc₁ 3000	M 3300	Tc₂ 3500	新製月日
	+ −	VS −	CP +	
	3001	3301	**3501**	
	3002	3302	**3502**	
	3006	3306	**3506**	
	3007	3307	**3507**	
	3015	3315	**3515**	15.03.17川重
	3016	3316	**3516**	15.03.19川重
*2	**3017**	3317	**3517**	16.03.02川重
*2	**3018**	3318	**3518**	16.03.12川重

Mc 3100	Tc 3500	新製月日
+ VS −	CP +	
3103	**3503**	
3104	**3504**	
3105	**3505**	
3108	**3508**	
3113	**3513**	
3114	**3514**	15.03.03川重
3119	**3519**	16.03.24川重
3120	**3520**	16.03.26川重

▽ラッピング車両
　*1=3010F 大宰府観光列車「旅人」
　*2=3017F 柳川観光列車「水都」
　　3018F 柳川観光列車「水都」

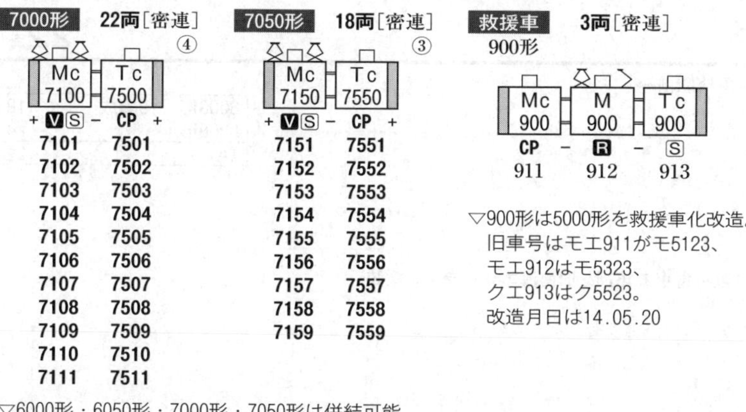

7000形 22両［密連］ ④

Mc 7100	Tc 7500
+ V S –	CP +
7101	7501
7102	7502
7103	7503
7104	7504
7105	7505
7106	7506
7107	7507
7108	7508
7109	7509
7110	7510
7111	7511

7050形 18両［密連］ ③

Mc 7150	Tc 7550
+ V S –	CP +
7151	7551
7152	7552
7153	7553
7154	7554
7155	7555
7156	7556
7157	7557
7158	7558
7159	7559

救援車 3両［密連］

900形

Mc 900	M 900	Tc 900
CP –	R –	S
911	912	913

▽900形は5000形を救援車化改造。
旧車号はモエ911がモ5123、
モエ912はモ5323、
クエ913はク5523。
改造月日は14.05.20

形式	両数	区分
7050形		
モ7150	9	Mc
ク7550	9	Tc
	18	
7000形		
モ7100	11	Mc
ク7500	11	Tc
	22	
6050形		
モ6250	4	M
モ6350	7	M
ク6050	7	Tc
ク6550	7	Tc
	25	
6000形		
モ6700	3	Mc
モ6800	3	Mc
モ6200	6	M
モ6300	6	M
ク6000	6	Tc
ク6500	6	Tc
サ6900	3	T
	33	

形式	両数	区分
5000形		
モ5000	22	Mc
モ5200	4	M
モ5300	26	M
ク5000	4	Tc
ク5500	26	Tc
サ5400	6	T
	88	
3000形		
ク3000	12	Tc
モ3100	8	Mc
モ3300	12	M
サ3400	4	T
モ3600	4	M
ク3500	20	Tc
	60	
9000形		
ク9000	6	Tc
モ9100	9	Mc
モ9300	6	M
ク9500	15	Tc
	36	
計	282	

▽6000形・6050形・7000形・7050形は併結可能
▽7000形・7050形・3000形のMcは3個モーター車
▽主電動機3個→4個、車両制御装置[VVVF装置、SIV装置]変更
7102=20.09.23　7104=21.09.14　7105=22.06.30
7106=23.03.09　7107=23.02.28　7108=23.11.29
7109=23.07.24　7110=24.03.28
ク7500形を含めて同編成は2名座席撤去→車いすスペース拡幅
▽7000形と7050形はワンマン運転対応車
▽3000形は扉間が転換式クロスシート

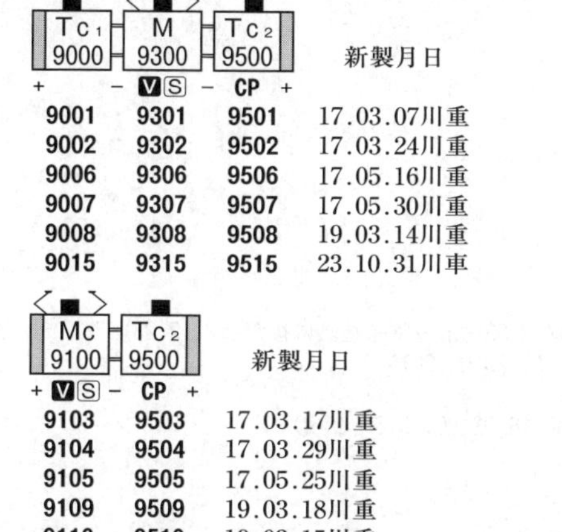

9000形 36両（ステンレス車体）［密連］ ③

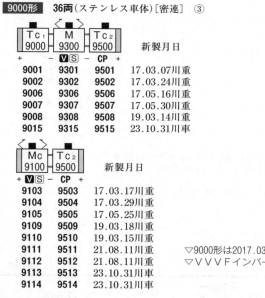

Tc1 9000	M 9300	Tc2 9500	新製月日
+	– V S –	CP +	
9001	9301	9501	17.03.07川重
9002	9302	9502	17.03.24川重
9006	9306	9506	17.05.16川重
9007	9307	9507	17.05.30川重
9008	9308	9508	19.03.14川重
9015	9315	9515	23.10.31川車

Mc 9100	Tc2 9500	新製月日
+ V S –	CP +	
9103	9503	17.03.17川重
9104	9504	17.03.29川重
9105	9505	17.05.25川重
9109	9509	19.03.18川重
9110	9510	19.03.15川重
9111	9511	21.08.11川重
9112	9512	21.08.11川重
9113	9513	23.10.31川車
9114	9514	23.10.31川車

▽9000形は2017.03.20から営業運転開始
▽ＶＶＶＦインバータはSiC素子採用。室内灯はＬＥＤ

貝塚線（多々良車庫） 16両
←西鉄新宮　　貝塚→

600形 16両［自連］ ③

Mc 600	Tc 650	車椅子スペース
R –	M CP	
601	651	17.03.08
602	652	16.03.31
604	654	17.05.08
606	656	16.09.01
608	659	15.05.30
614	664	15.01.17
616	666	17.11.09
619	669	14.03.31

形式	両数	区分
600形		
モ600	8	Mc
ク650	8	Tc
	16	
計	16	

▽600形の台車はFS-342
▽602·619のパンタグラフは◇
▽モ614-ク664は2015.01.17、モエ901-クエ902から改造。ワンマン化工事併工

▽貝塚線（全線）、甘木線（全線）は終日、天神大牟田線（宮の陣～大牟田）はラッシュ時を除きワンマン運転
▽全般検査は天神大牟田線が筑紫工場（筑紫車庫に併設）、
貝塚線が多々良工場（多々良車庫に併設）で行なう

▼優先席……全車両に設置　▼車いす対応スペース……太字の車両に設置

筑豊電気鉄道 楠橋車庫 22両

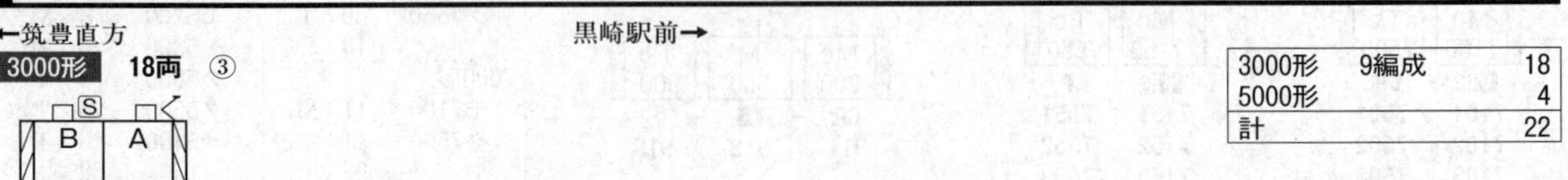

←筑豊直方　　　　黒崎駅前→

3000形	9編成	18
5000形		4
計		22

3000形 **18両** ③

B A
CP R

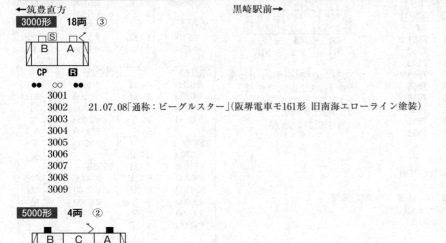

3001
3002 21.07.08「通称：ビーグルスター」(阪堺電車モ161形 旧南海エローライン塗装)
3003
3004
3005
3006
3007
3008
3009

5000形 **4両** ②

B C A
V

5001 15.02.26アルナ(15.03.14運行開始)
5002 16.02.18アルナ(16.03.01運行開始)
5003 17.02.09アルナ(17.02.13運行開始)
5004 17.12.07アルナ(17.12.18運行開始)

▽3009ABは引退した2000形カラーリング復刻した車体塗色、「黄電(きなでん)」
▽ラッピング車両
3001AB=北九州銀行(22.08.26 再度ラッピング)=イエロー
3005AB=ギラヴァンツ号[サッカークラブ ４代目](20.12.04)=イエロー
3006AB=けんけつちゃん号[献血推進マスコット３代目](21.11.29)
3007AB=ＯＮＯホールディングス「bizdco」[２代目](20.09.17)
3008AB=日の丸「太陽会館」(23.09.04)=カエル絵柄
▽西鉄グループ創立110周年特別企画として、
3004AB=西鉄5000形・6000形・7000形・7050形の車体塗色と同じアイスグリーン色(18.08.02)→従来塗装に復帰(22.12.23)
▽3003AB 西鉄北九州線の全廃から20年を迎え、当時の車両カラーの通称「赤電」塗装に(20.05.30)
▽補助電源を25kVAから40kVAに、電動空気圧縮機取替
3001AB=20.02.21、3002AB=19.03.05、3003AB=21.01.20、3004AB=16.08.12、3007AB=18.02.20(2016年度～)

▽5000形は３車体２台車の超低床車。車いす対応スペース設置

北九州高速鉄道 企救丘車両基地 36両

←小倉　　　　企救丘→

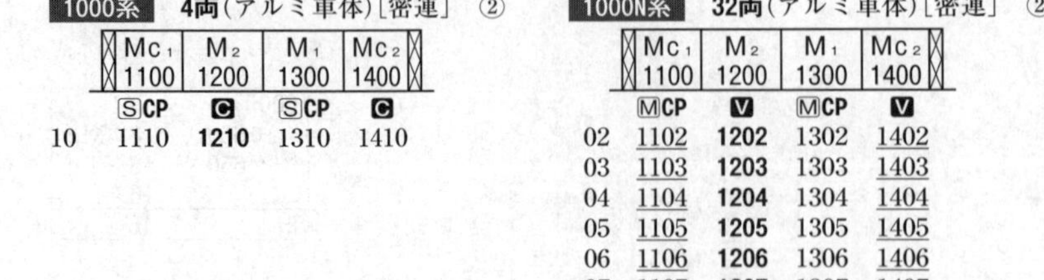

1000系 **4両**(アルミ車体)[密連] ②

	Mc1	M2	M1	Mc2
	1100	1200	1300	1400
	SCP	C	SCP	C
10	1110	**1210**	1310	1410

1000N系 **32両**(アルミ車体)[密連] ②

	Mc1	M2	M1	Mc2
	1100	1200	1300	1400
	MCP	V	MCP	V
02	1102	**1202**	1302	1402
03	1103	**1203**	1303	1403
04	1104	**1204**	1304	1404
05	1105	**1205**	1305	1405
06	1106	**1206**	1306	1406
07	1107	**1207**	1307	1407
08	1108	**1208**	1308	1408
09	1109	**1209**	1309	1409

1000系	
1100	1
1200	1
1300	1
1400	1
	4
1000N系	
1100N	8
1200N	8
1300N	8
1400N	8
	32
計	36

▽アルウェーグ式、直流1500V
▽全車両冷房装置装備
▽太字の車両は車いす対応スペースを設置
▽____の先頭寄り台車はモーターなし

平成筑豊鉄道 検修庫（金田駅構内） 13両

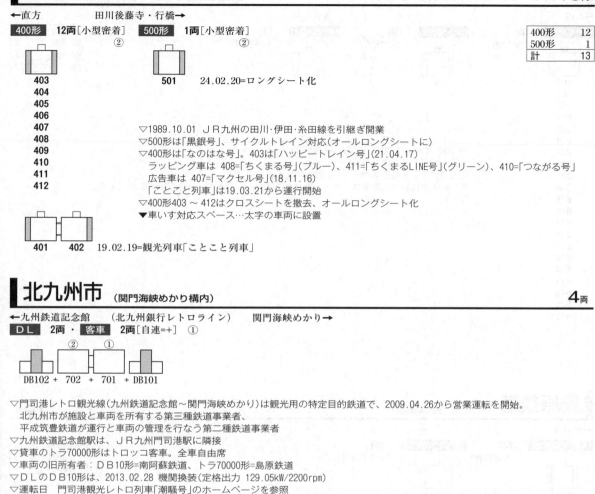

←直方　田川後藤寺・行橋→

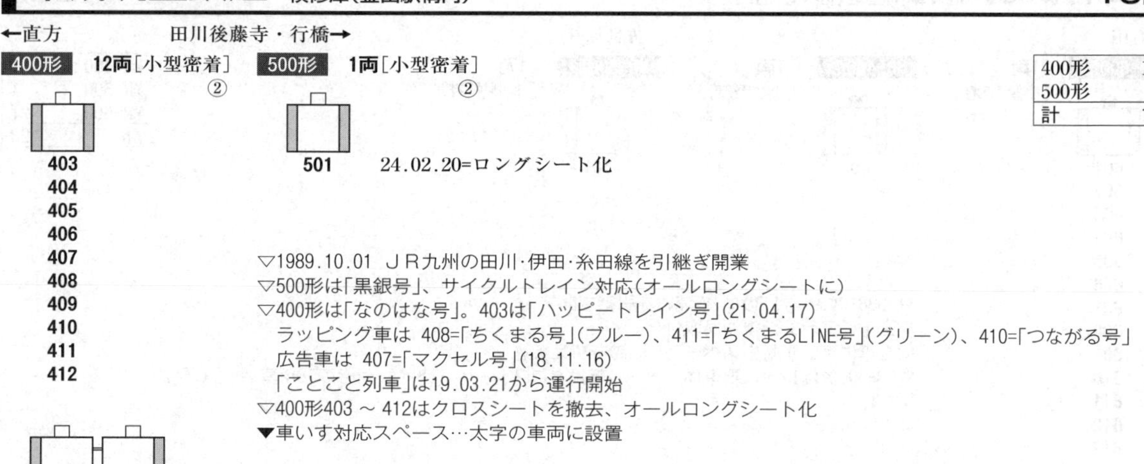

400形 12両［小型密着］ ②　500形 1両［小型密着］ ②

形式	両数
400形	12
500形	1
計	13

403
404
405
406
407
408
409
410
411
412

501　24.02.20=ロングシート化

▽1989.10.01 ＪＲ九州の田川・伊田・糸田線を引継ぎ開業
▽500形は「黒銀号」、サイクルトレイン対応（オールロングシートに）
▽400形は「なのはな号」。403は「ハッピートレイン号」（21.04.17）
　ラッピング車は 408=「ちくまる号」（ブルー）、411=「ちくまるLINE号」（グリーン）、410=「つながる号」
　広告車は 407=「マクセル号」（18.11.16）
　「ことこと列車」は19.03.21から運行開始
▽400形403 ～ 412はクロスシートを撤去、オールロングシート化
▼車いす対応スペース…太字の車両に設置

401　**402**　19.02.19=観光列車「ことこと列車」

北九州市 （関門海峡めかり構内） 4両

←九州鉄道記念館　（北九州銀行レトロライン）　関門海峡めかり→

ＤＬ 2両・客車 2両［自連=+］ ①

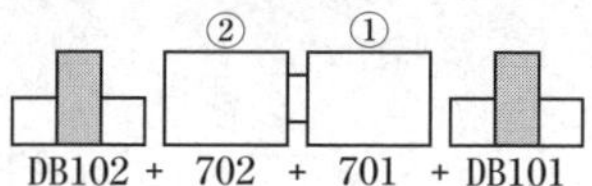

DB102 + 702 + 701 + DB101

▽門司港レトロ観光線（九州鉄道記念館～関門海峡めかり）は観光用の特定目的鉄道で、2009.04.26から営業運転を開始。
　北九州市が施設と車両を所有する第三種鉄道事業者、
　平成筑豊鉄道が運行と車両の管理を行なう第二種鉄道事業者
▽九州鉄道記念館駅は、ＪＲ九州門司港駅に隣接
▽貨車のトラ70000形はトロッコ客車。全車自由席
▽車両の旧所有者：ＤＢ10形=南阿蘇鉄道、トラ70000形=島原鉄道
▽ＤＬのＤＢ10形は、2013.02.28 機関換装（定格出力 129.05kW/2200rpm）
▽運転日　門司港観光レトロ列車「潮騒号」のホームページを参照

甘木鉄道 甘木検修庫（甘木駅構内） 8両

←基山　甘木→

ＡＲ-300形 7両［小型密着］ ②　ＡＲ-400形 1両［小型密着］ ②

形式	両数
ＡＲ-300	7
ＡＲ-400	1
計	8

301
302
303
304
305
306
307

401

▽1986.04.01　国鉄甘木線を引継ぎ開業
▽AR-300形はセミクロス、AR-400形は固定クロス（2015.12.26）
▽液体変速機換装　305=23.02.24　306=24.02.29
▽302は新塗色（ブルーベース）（2010.07）
　303は国鉄ローカル用ツートンカラーに準拠した塗装（2011.07.20）
　304は緑と黄緑のツートンカラー（2013.01.15）
　305は国鉄急行色に準拠したツートンカラー（2013.12.20）
　306はピンク色（2015.10.25）
　307は濃紺と濃赤のツートンカラーで銀色帯（2023.02.24）
　401は沿線自治体のキャラクターを車体側面にならべて表記（2016.11.17）
▼車いす対応スペース……太字の車両に設置

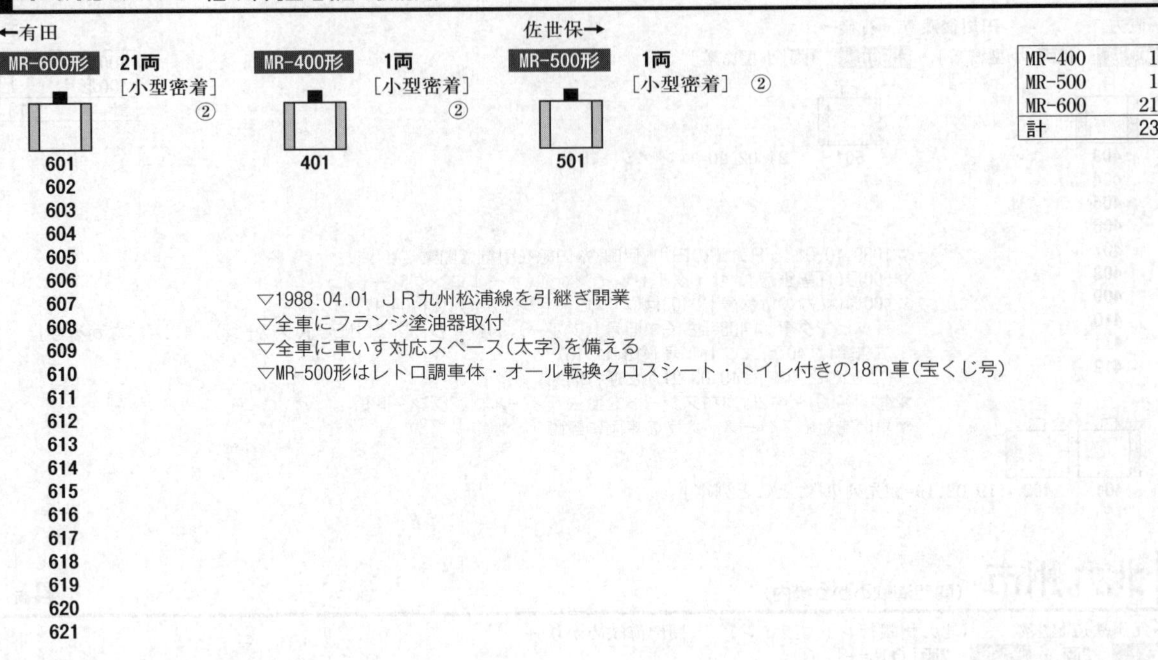

松浦鉄道　佐々車両基地(佐々駅構内)　23両

←有田　　佐世保→

MR-600形　21両　[小型密着]　②

601
602
603
604
605
606
607
608
609
610
611
612
613
614
615
616
617
618
619
620
621

MR-400形　1両　[小型密着]　②

401

MR-500形　1両　[小型密着]　②

501

MR-400	1
MR-500	1
MR-600	21
計	23

▽1988.04.01 ＪＲ九州松浦線を引継ぎ開業
▽全車にフランジ塗油器取付
▽全車に車いす対応スペース(太字)を備える
▽MR-500形はレトロ調車体・オール転換クロスシート・トイレ付きの18m車(宝くじ号)

島原鉄道　車両工場(島原船津駅)　15両

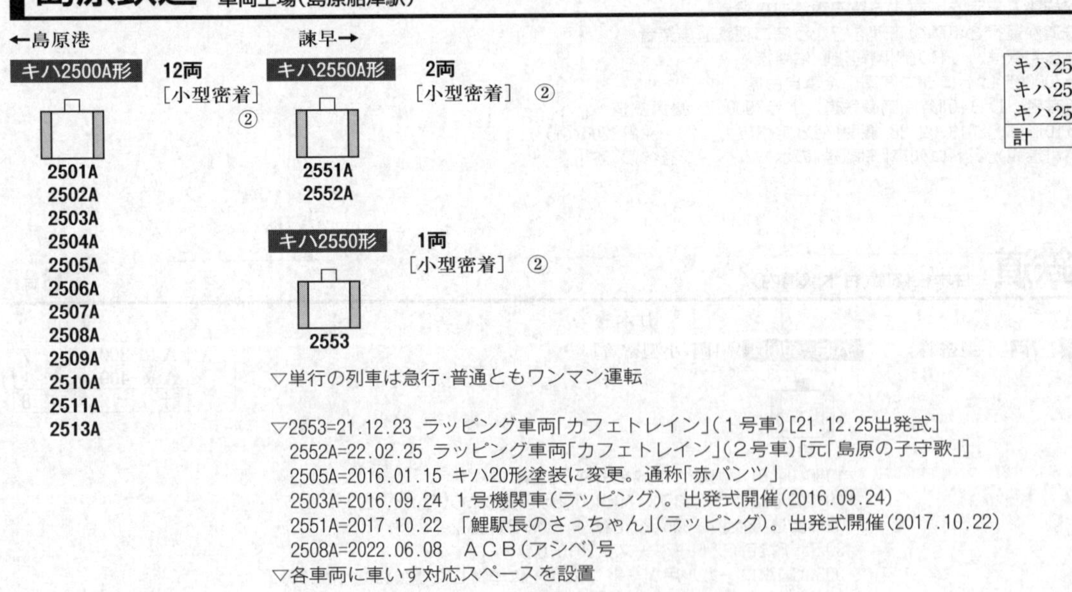

←島原港　　諫早→

キハ2500A形　12両　[小型密着]　②

2501A
2502A
2503A
2504A
2505A
2506A
2507A
2508A
2509A
2510A
2511A
2513A

キハ2550A形　2両　[小型密着]　②

2551A
2552A

キハ2550形　1両　[小型密着]　②

2553

キハ2500A	12
キハ2550A	2
キハ2550	1
計	15

▽単行の列車は急行･普通ともワンマン運転

▽2553=21.12.23 ラッピング車両｢カフェトレイン｣(１号車)[21.12.25出発式]
2552A=22.02.25 ラッピング車両｢カフェトレイン｣(２号車)[元｢島原の子守歌｣]
2505A=2016.01.15 キハ20形塗装に変更。通称｢赤パンツ｣
2503A=2016.09.24 １号機関車(ラッピング)。出発式開催(2016.09.24)
2551A=2017.10.22 ｢鯉駅長のさっちゃん｣(ラッピング)。出発式開催(2017.10.22)
2508A=2022.06.08 ＡＣＢ(アシベ)号
▽各車両に車いす対応スペースを設置

▽南島原駅 2019.10.01 島原船津駅と改称

長崎電気軌道 浦上車庫 72両

本線・桜町支線・大浦支線・蛍茶屋支線　72両(71両＋1両)

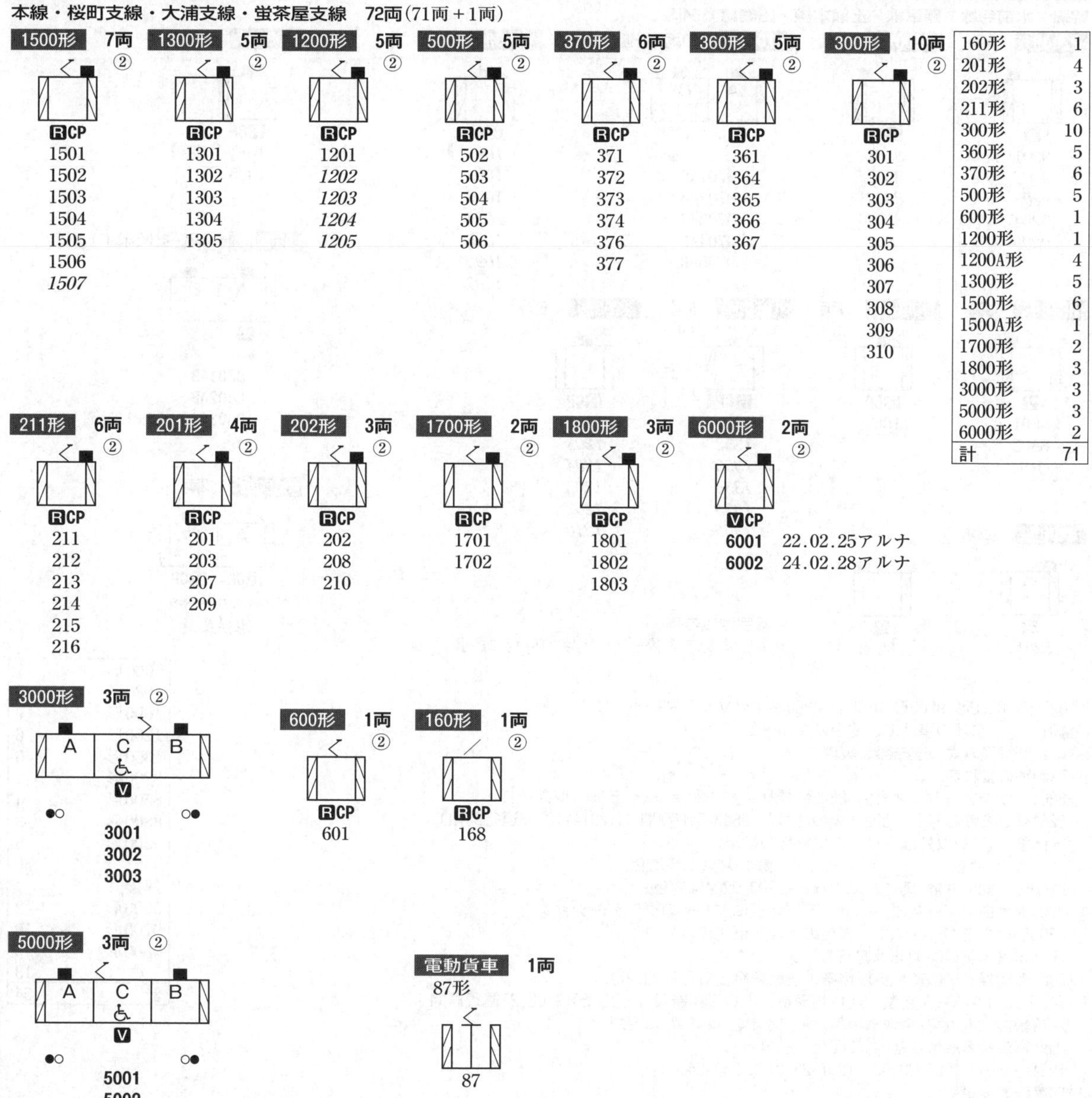

1500形 7両 ②
RCP
1501
1502
1503
1504
1505
1506
1507

1300形 5両 ②
RCP
1301
1302
1303
1304
1305

1200形 5両 ②
RCP
1201
1202
1203
1204
1205

500形 5両 ②
RCP
502
503
504
505
506

370形 6両 ②
RCP
371
372
373
374
376
377

360形 5両 ②
RCP
361
364
365
366
367

300形 10両 ②
RCP
301
302
303
304
305
306
307
308
309
310

形式	両数
160形	1
201形	4
202形	3
211形	6
300形	10
360形	5
370形	6
500形	5
600形	1
1200形	1
1200A形	4
1300形	5
1500形	6
1500A形	1
1700形	2
1800形	3
3000形	3
5000形	3
6000形	2
計	71

211形 6両 ②
RCP
211
212
213
214
215
216

201形 4両 ②
RCP
201
203
207
209

202形 3両 ②
RCP
202
208
210

1700形 2両 ②
RCP
1701
1702

1800形 3両 ②
RCP
1801
1802
1803

6000形 2両 ②
VCP
6001　22.02.25アルナ
6002　24.02.28アルナ

3000形 3両 ②
A C B
V
●○ ○●
3001
3002
3003

600形 1両 ②
RCP
601

160形 1両 ②
RCP
168

5000形 3両 ②
A C B
V
●○ ○●
5001
5002
5003　19.03.13

電動貨車 1両
87形
87

▽1200形・1500形　車号斜字の車両は、1200A形・1500A形
▽1800形と1200A形、1500A形は間接式、
　3000形、5000形はVVVF制御、そのほかの形式は直接制御
▽1700形は700形の車体更新車(台車・制御装置などを再利用)
▽3000形は超低床車、C車は台車なし。アルナ車両が開発したリトルダンサーUタイプ
▽601は熊本市交通局、168は西日本鉄道のオリジナルカラー
▽168はダブルルーフの木造ボギー車(イベント用)
▽冷房車の電源Ⓢは屋根上に取付け
▽5000形は超低床車。C車は台車なし(アルナ車両が開発した「リトルダンサー Ua」タイプ)。5001は2011.02.15から営業運転開始
▽6000形は世界初の単車型全低床車。2022.03.24から営業運転開始
▽3車体連接車は1編成1両として計上
▽300形310は2017.03.31リニューアル工事施工。定員変更
▽87形87は202形204から改造(2015.02.13)
▼車いす対応スペース…太字の車両に設置

熊本市交通局 上熊本車両基地・大江車庫 54両

幹線・水前寺線・健軍線・上熊本線・田崎線　54両

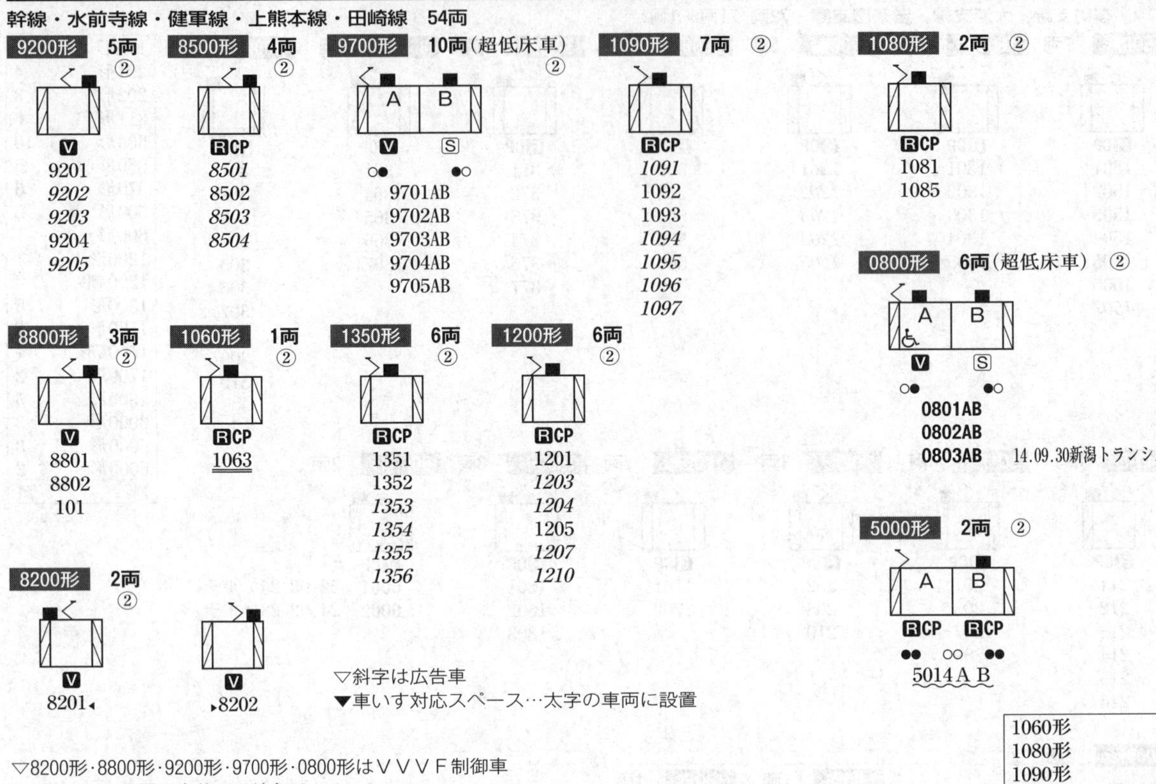

1060形	1
1080形	2
1090形	7
1200形	6
1350形	6
8200形	2
8500形	4
8800形	3
9200形	5
	36
連接	
5000形	2
9700形	10
0800形	6
	18
計	54

▽8200形･8800形･9200形･9700形･0800形はＶＶＶＦ制御車
101はレトロ調の車体で、塗色はマルーン
▽▸ ◂ は折畳み式の連結器を装備
▽車両別の愛称名
8801=「サンアントニオ号」、8802=「桂林号」、9201=「ハイデルベルク号」、
8201=「しらかわ号」、8202=「火の国号」、0803AB=「COCORO」(2014.10.03運行開始)
▽車体塗色(下記以外はクリームに緑帯の標準色)
～～=旧西鉄色　＝=ベージュに濃紺の帯(旧標準色)
9200形・8800形は1両ごとに異なる(9203･9204は同色)
9700形は白をベースに、9701のみ車体裾にブルーのグラデーション
0800形は白をベースにエンジ色の帯。超低床車
2014年度増備の0803ABは濃茶のメタリック色
▽5000形5014ＡＢは車体更新修繕、座席配置変更(17.03.27)
(DC・DCコンバータ新製、運賃箱更新、ＩＣ機器新設など)。2017.03.27運行再開
▽冷房装置　直流型(東洋電機製)から交流型(東芝製)に更新
補助電源装置取付、室内灯LED化、窓枠更新
1201=24.01　1205=23.03　1207=23.01　1356=24.03
▽座席配置変更
8501=22.06　8502=22.06　8504=22.06
▽1949 ～ 1972年に運用していた車体色に復刻(開業100周年記念)
1205=23.03

熊本電気鉄道　北熊本車両工場　16両

←御代志　上熊本・藤崎宮前→

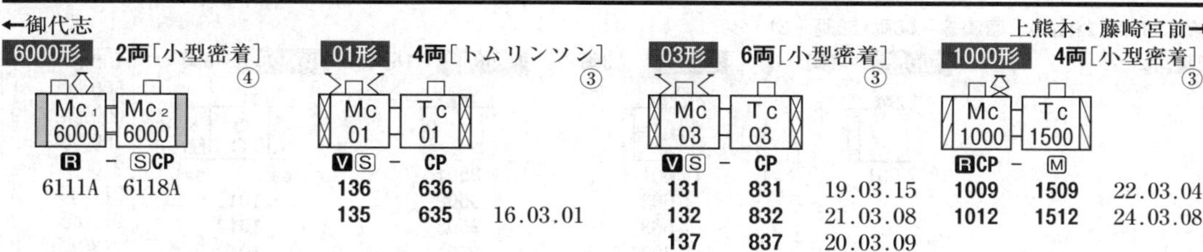

▽旧型式：01形は東京地下鉄01系(アルミ車体)、
03形は東京地下鉄03系(アルミ車体)、6000形は東京都交通局6000系。
03形は2019.04.04から運行開始。01形は上熊本～北熊本間にておもに運行
▽1000形は元静岡鉄道1000系(ステンレス車)。譲受時に車いすスペース設置等改造工事施工
▽01形の台車はefWING台車KW206
▽ワンマン運転実施。ＡＴＳ装備(この装備に合わせて6000形は車号にＡを追加)
▼車いす対応スペース……太字の車両に設置
▽車両工場にてモハ71、モハ5101Aを保存

1000形	4
6000形	2
01形	4
03形	6
計	16

南阿蘇鉄道　高森検修庫(高森駅構内)　10両

←立野　高森→

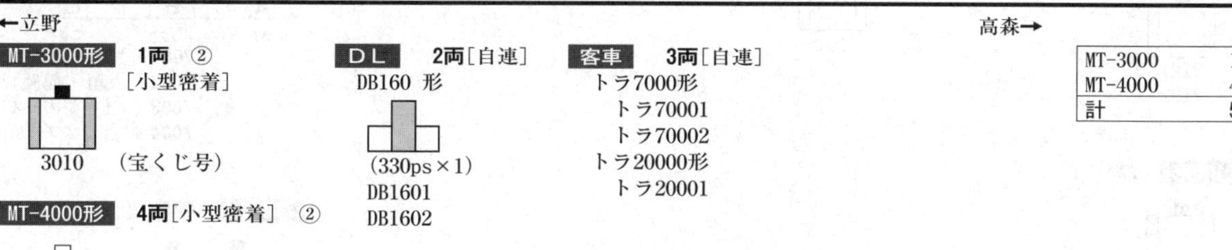

MT-3000	1
MT-4000	4
計	5

MT-4000形　4両[小型密着]　②

4001　22.12.28新潟トランシス
4002　22.12.28新潟トランシス
4003　24.03.11新潟トランシス
4004　24.03.11新潟トランシス

▽1986.04.01 国鉄高森線を引継ぎ開業
▽2016.04に発生した熊本地震にて立野～中松間は被災、中松～高森間にて現在運転中。2023.07.15　全線運転再開予定
▽トロッコ列車「ゆうすげ号」はＤＬ＋トラ＋トラ＋トラ＋ＤＬの編成で運転
運転期間などの詳細は南阿蘇鉄道のホームページを参照
▽MT-3000形(3001)はイベント兼用車、塗色は上半=シルバーホワイト、下半=イエロー、裾に黒帯、イエロー部分にルリ蝶のステッカー
3010はレトロ調車体、カラオケ設置可能、車いすスペース付き
▽MT-2000A形は足回りを2軸駆動の空気ばね台車に取替えたもの
▽2023.04.01　鉄道事業再構築実施計画認定により、南阿蘇鉄道は第二種鉄道事業者に。
第三種鉄道事業者は一般社団法人 南阿蘇管理機構

くま川鉄道　検修庫(人吉駅構内)　5両

←人吉　湯前→

KT-500形　5両[小型密着]　②

KT-500形	5
計	5

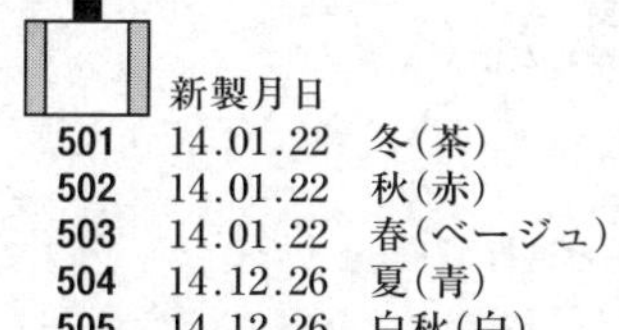

新製月日
501　14.01.22　冬(茶)
502　14.01.22　秋(赤)
503　14.01.22　春(ベージュ)
504　14.12.26　夏(青)
505　14.12.26　白秋(白)

▽1989.10.01 ＪＲ九州湯前線を引継ぎ開業
▽KT-500形は「田園シンフォニー」。2014.03.15から営業運転開始(KT-501 ～ 503)。
2014年度増備のKT-504・505は2014.12.28から営業運転開始
１両ごとに愛称があり、( )内は車体塗色。各車両に車いすスペース設置
▽KT103・KT203は2016.06.30にて営業運転終了(あさぎり駅留置)
▽KT102は新潟トランシス工場にて保存、展示
▼車いす対応スペース……太字の車両に設置
▽2019年度　8月に、各車座席配置の変更を実施
▽2021(R03)11.28　肥後西村～湯前間運転再開

鹿児島市交通局　神田（交通局前）車庫　58両

第一期線・第二期線・谷山線・唐湊線　58両（56両＋2）

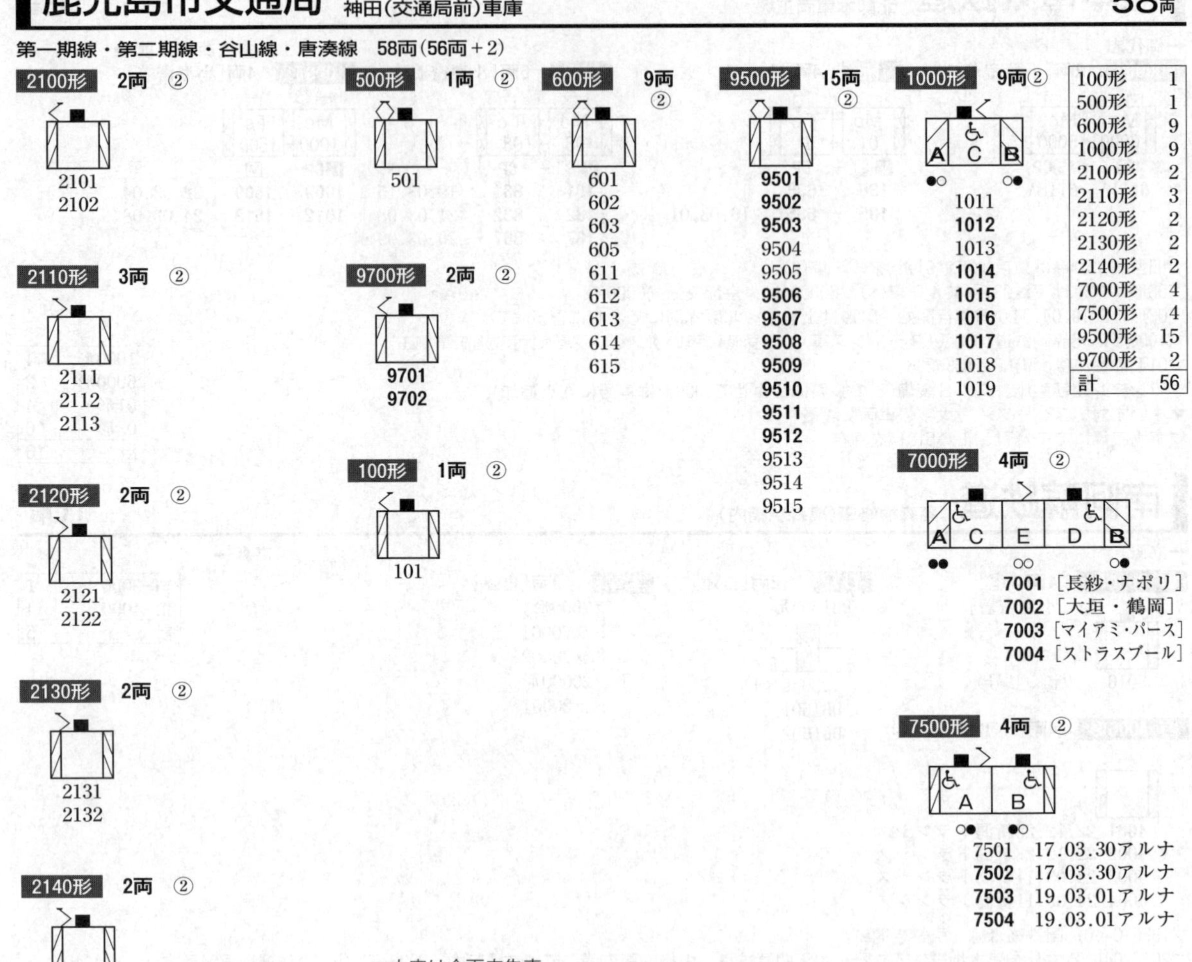

2100形　2両　②
2101
2102

2110形　3両　②
2111
2112
2113

2120形　2両　②
2121
2122

2130形　2両　②
2131
2132

2140形　2両　②
2141
2143

500形　1両　②
501

9700形　2両　②
9701
9702

100形　1両　②
101

600形　9両　②
601
602
603
605
611
612
613
614
615

9500形　15両　②
9501
9502
9503
9504
9505
9506
9507
9508
9509
9510
9511
9512
9513
9514
9515

1000形　9両②
A C B
1011
1012
1013
1014
1015
1016
1017
1018
1019

形式	両数
100形	1
500形	1
600形	9
1000形	9
2100形	2
2110形	3
2120形	2
2130形	2
2140形	2
7000形	4
7500形	4
9500形	15
9700形	2
計	56

7000形　4両　②
A C E D B
7001［長紗・ナポリ］
7002［大垣・鶴岡］
7003［マイアミ・パース］
7004［ストラスブール］

7500形　4両　②
A B
7501　17.03.30アルナ
7502　17.03.30アルナ
7503　19.03.01アルナ
7504　19.03.01アルナ

電動貨車　2両
20形
花 3

500形
512

▽太字は全面広告車
▽100形は、鹿児島市電100周年を記念した観光レトロ市電「かごでん」。
2012.12.01から営業運転を開始。616の車体更新により誕生（2012.10.29）
▽7000形の愛称は鹿児島市の姉妹・友好都市名にちなんだもの
▽ＶＶＶＦ制御装置更新（主電動機含む）
2112=22.12.22　2113=22.09.14　2121=23.03.27　2122=23.09.28
2131=23.12.27　2132=24.03.21
▽1000形は超低床車、Ａ・Ｂ車は台車と運転室でＣ車のみが客室となる。
Ａ車にV、Ｂ車にSを装備する（いずれも屋根上）、愛称は「ユートラム」
1017 ～ 1019は扉位置が一部変更されている。1011、24.02.29ブレーキ装置空利化
▽7000形は超低床車、Ａ・Ｂ車は台車と運転室のみで、モーターはＡ車に2個、
Ｂ車に1個搭載。「ユートラムⅡ」
▽7500形（「ユートラムⅢ」）は2017.03.30から運行開始。超低床車
▽車いす対応スペースを1000形・7000形・7500形に設置
▽9500形9513 19.03.29=車内改造（定員変更・座席配置変更）
▽605は「イベント用貸切電車」で、通常の営業運転には使用しない
▽512は散水や芝刈（専用台車を牽引）に使用する
芝生は、2004.03.13の九州新幹線開業に伴い、
電停名を西鹿児島駅前から鹿児島中央駅前に改称する際に、
軌道敷に植えたのが最初で、以降、軌道敷緑化事業のもと進行。
512は軌道敷内の芝刈り用として2010年度から稼働
▽花３は、504を２軸ボギー貨物電車に改造（21.02.17）。この導入にて21.03.14 花２を廃車

▽2015.05.01　上荒田町（最寄電停は神田）に新交通局舎、電車施設完成。使用開始
電停名変更（以下の4電停）
交通局前→二中通、市立病院前→甲東中学校前、
神田→神田（交通局前）、たばこ産業前→市立病院前

肥薩おれんじ鉄道 出水車両基地(出水駅構内) 19両

←八代　　　　　　　　　　　　　　　　　　　　　　　　　　　　川内→

HSOR-100A形 **17両**[小型密着] ②

101A　23.11.03　ノーマル
102A　くまもんラッピング３号
103A　かぞくいろ(車内のみ)
104A
105A
106A
107A　くまもんラッピング２号
108A
109A
110A
111A　くまもんラッピング１号
112A
113A
114A　おれんじ食堂１号車
115A　23.09.07　ノーマル
116A　おれんじ食堂２号車
117A　ディーゼルガールズ[24.03.10]

HSOR-150A形 **2両**[小型密着] ②

151A

152A　台湾鉄路

▽2004.03.13 ＪＲ九州鹿児島本線の一部を引継ぎ開業
▽各車両に車いす対応スペース、ドア開閉予告ブザーを装備
▽太字はイベント対応車(転換クロス・テーブル・カラオケ装備)、2両とも塗色が異なり、キャラクターのイラスト付き
▽「おれんじ食堂」は、2013.03.24から営業運転開始
▽保安装置をＡＴＳ-ＤＫ形に変更したため、各形式・車号に「Ａ」を付けた

沖縄都市モノレール 運営基地(那覇空港駅隣接) 45両

←那覇空港　　首里・てだこ浦西→

1000形 **45両**(アルミ車体)[密連] ②

1000形	
1100	21
1200	21
1300	3
計	45

Mc1 1100 V | Mc2 1200 VSCP

02 **1102** 1202
04 **1104** 1204
05 **1105** 1205
06 **1106** 1206
07 **1107** 1207
08 **1108** 1208
09 **1109** 1209
11 **1111** 1211
12 **1112** 1212
13 **1113** 1213
14 **1114** 1214 16.04.27日立
15 **1115** 1215 17.10.05日立
16 **1116** 1216 17.10.13日立
17 **1117** 1217 17.10.13日立
18 **1118** 1218 18.04.18日立
19 **1119** 1219 18.09.26日立
20 **1120** 1220 20.10.01日立
21 **1121** 1221 20.10.01日立

▽2003.08.10開業
▽2019.10.01　首里～てだこ浦西間開業
▽アルウェーグ式、直流1500Ｖ
▽優先席は各車、車いす対応スペースは太字の車両に設置
▽Mc2の先頭台車はモーターなし
▽04編成は「京急」(ラッピング車両)[18.02.08～]
12編成は「おきぎん　キキ＆ララ」(ラッピング車両)[16.07.04～]
13編成は三和金属 アル美＆テリー(ラッピング車両)[22.09.07～]
16編成は「そらとぶピカチュウ」(ラッピング車両)(21.06.21～)
車内も21.12.21からラッピング施工
17編成は「ＯＦＧおきなわフィナンシャルグループ」(ラッピング車両)(21.10.04～)
18編成は「ＤＭＭかりゆし水族館」(ラッピング車両)「ＤＭＭ動物大集合B」(19.08.01～)
19編成は「ＤＭＭかりゆし水族館」(ラッピング車両)「ＤＭＭチンアナ号」(19.08.29～)
20編成は三和金属 アル美＆テリー(ラッピング車両)[22.09.07～]
▽14編成以降、これまでの車両と比べて車内が広くなったほか、車内表示器をマップ式からＬＣＤ表示器に変更
▽西嶺駅は、東経127度39分38秒、北緯26度11分36秒に位置する日本最南端の駅
那覇空港駅は、東経127度39分08秒、北緯26度12分23秒に位置する日本最西端の駅

Mc1 1100 V | M3 1300 VCP | Mc2 1200 VSCP

31 1131 1331 1231 23.05.23日立
32 1132 1332 1232 23.06.15日立
33 1133 1333 1233 24.03.26日立

▽３両編成は2023.08.10から営業運転開始

ロープウェイ(普通索道)

2024.04.01 現在

「ＪＲ時刻表」などに掲載の路線を基本に掲載(スキーシーズンのみの限定運行を含む)

事業者名	府県	区間	キロ程 m	所要 分	運輸開始 年月日	両数	1両 定員	車両製造 年月日	愛称名	備　　考
札幌振興公社 (もいわ山ロープウェイ)	北海道	藻岩山山麓～中腹展望台 (山元町地内)	1197	5	1958.07.05	2	66	2011.12	はるにれ こぶし	市電ロープウェイ入口 下車 徒歩10分 ＊2011.12.23 改装工事完成、営業開始
札幌リゾート開発公社 (スカイキャビン８)	〃	定山渓高原 (札幌国際スキー場)	2037	6～9	1978.12.18	85	8	1978.12		札幌駅から北海道中央バス 85分 紅葉～スキーシーズンに運行
札幌リゾート開発公社 (スカイキャビン６)	〃	定山渓高原 (札幌国際スキー場)	1700	5～7	1984.12.20	75	6	1984.12		札幌駅から北海道中央バス 85分 スキーシーズンに運行
ワカサリゾート (大雪山旭岳ロープウェイ)	〃	東川町ピウケナイ(旭岳～姿見) (大雪山旭岳スキー場)	2361	9	2000.06.26	2	101	2000.05		最初の開業は1967.12.01 と 1968.10.05(２基)
登別温泉ケーブル	〃	登別温泉～くま山	1260	5	1973.07.29	28	6	1990.04		登別駅から道南バス 13分、登別温泉ターミナル 下車徒歩5分 ＊1990. 4.26 1基化
函館山ロープウェイ	〃	函館山(山麓～山頂)	835	3	1958.11.15	2	125	1988.04		函館市電 十字街電停から徒歩5分 ＊車両の大型化は1988.4.20 実施
りんゆう観光 (黒岳ロープウェイ)	〃	層雲峡～黒岳 (大雪山層雲峡･黒岳ロープウェイ)	1650	7	1967.06.29	2	101	1986.02	1.こまくさ 2.うすゆき	旭川駅から道北バス 1時間50分 上川駅から層雲峡行 道北バス 35分
中央バス観光開発 (小樽天狗山ロープウェイ)	〃	天狗山(山麓～山頂) (天狗山スキー場)	735	4	1979.12.20	2	30	1979.10	天狗山１ 天狗山２	小樽駅から北海道中央バス 20分
中央バス観光開発 (ニセコアンヌプリゴンドラ)	〃	ニセコアンヌプリ国際スキー場	2274	10	1985.12.18	63	6	1985.12		ニセコ駅からニセコバス 10分
ワカサリゾート (有珠山ロープウェイ)	〃	昭和新山～有珠岳	1370	6	1965.04.16	2	106	1988.04	ＵＳＵ１ ＵＳＵ２	洞爺駅から昭和新山行 道南バス 30分
ザ･ウィンザー･ホテルズ インターナショナル	〃	ウィンザースノービレッジ (ザ･ウィンザーホテル洞爺)	1502	5	1993.06.19	62	6	1993.05	サミットキャビン	洞爺駅からスキーバス 30分 (経営主体変更等で休止期間を経て再開)
八甲田ロープウェー	青森	八甲田山 (八甲田山麓～八甲田山頂公園)	2460	9	1968.10.01	2	101	2003.05	1.しゃくなげ 2.あすなろ	青森駅から酸ヶ湯温泉行 ＪＲバス 72分 ロープウェイ駅前下車
オニコウベ (テレキャビン)	宮城	秀岳(鬼首) (リゾートパークオニコウベ)	1886	9	1982.12.18	82	4	1982.12		鳴子温泉駅から大崎市営バス 40分
宮城蔵王観光	〃	えぼし高原(ゴンドラ高原～ゴンドラ石子) (みやぎ蔵王えぼしスキー場)	1980	13	1987.12.01	78	6	1987.11.27		白石蔵王駅から遠刈田まで宮城交通 60分 遠刈田からタクシー約10分
蔵王観光開発 [蔵王中央ロープウェイ]	山形	蔵王温泉～鳥兜山頂	1787	7	1973.01.08	2	101	1993.11	1 2	山形駅から蔵王温泉行 山交バス 45分
蔵王ロープウェイ (山麓線)	〃	蔵王温泉～地蔵岳中腹 (山麓～樹氷高原)	1734	7	1962.09.29	2	56	1979.05	1.こまくさ 2.べにばな	山形駅から蔵王温泉行 山交バス 45分
蔵王ロープウェイ (山頂線)	〃	地蔵岳中腹～地蔵岳山頂 (樹氷高原～蔵王地蔵山頂)	1872	7	2003.12.06	18	16	2003.11		山形駅から蔵王温泉行 山交バス 45分 ＊最初の開業は1963.12. 7
蔵王観光開発 (蔵王スカイケーブル)	〃	蔵王温泉～どっこ沼 (上の台～中央高原)	1636	7	1956.08.18	82	4	1982.10		山形駅から蔵王温泉行 山交バス 45分
天元台 (天元台ロープウェイ)	〃	湯元～天元台高原	990	5	1963.12.28	2	46	1963.12	あづま 1号 2号	米沢駅から白布湯元 山交バス 54分
富士急行 (あだたらエクスプレス)	〃	あだたら高原スキー場 (山麓～薬師岳山頂)	1505	6	1989.12.22	60	8	1989.12		郡山駅からシャトルバス 二本松駅からタクシー 30分
弥彦観光索道 (弥彦山ロープウェイ)	新潟	弥彦山麓～弥彦山頂 (弥彦神社～弥彦山頂)	985	5	1958.04.18	2	31	1966.08	1.うみひこ 2.やまひこ	弥彦駅から徒歩 ＊2008.12 搬器リニューアル
ハイランドパーク (湯沢高原ロープウェイ)	〃	湯沢温泉～大峰山頂 (湯沢高原スキー場)	1515	6	1991.12.22	2	166	1991.12	1.ホワイトシュプール 2.アルペンフローラ	越後湯沢駅から徒歩 6分 ＊最初の開業は1959.12.13
プリンスホテル (苗場第１ゴンドラ)	〃	苗場スキー場(第１ゴンドラ)	2221	7	1985.12.13	90	6	1985.11.30		越後湯沢駅から越後交通 45分 ＊宿泊者専用のエクスプレスバスは無料
プリンスホテル (苗場第２ゴンドラ)	〃	苗場スキー場(第２ゴンドラ)	1753	5.5	1995.12.09	75	8	1995.11		越後湯沢駅から越後交通 45分 ＊宿泊者専用のエクスプレスバスは無料
プリンスホテル (田代ロープウェイ)	〃	かぐらスキー場	2174	5	1983.12.10	2	101	1983.12		越後湯沢駅から越後交通 35分
プリンスホテル (ドラゴンドラ)	〃	苗場スキー場 (苗場･田代ゴンドラ)	5481	15	2001.12.22	107	8	2001.11		越後湯沢駅から越後交通 45分 ＊2001.12.21から営業開始

事業者名	府県	区間	キロ程 m	所要 分	運輸開始 年月日	両数	1両 定員	車両製造 年月日	愛称名	備　　考
プリンスホテル (八海山ロープウェー)	新潟	六日町八海山スキー場	2217	5	2001.12.14	2	81	2001.11		六日町駅から越後交通 30分 ＊最初の架設は1983.11.19
ガーラ湯沢 (ディリジャンス)	〃	ガーラ湯沢スキー場	1539	6	1990.12.20	68	8	1990.12		ガーラ湯沢駅直結
志賀高原リゾート開発 (東舘山ゴンドラ)	長野	発哺温泉山麓～東舘山頂	1384	6	1976.11.20	73	4	1976.11		長野電鉄湯田中駅から長電バス 59分
ジェイ・マウンテンズ・セントラル (富士見台高原ロープウェイ)	〃	ヘブンスそのはら スキー場	2549	10	1996.08.08	63	12	1996.07	ヘブンスそのはら	飯田駅から昼神温泉郷行信南交通バス等
中央アルプス観光 (駒ヶ岳ロープウェイ)	〃	しらび平～千畳敷	2333	7.3	1967.07.01	2	61	1998.11.01	1.くろゆり 2.すずらん	駒ヶ根BCからしらび平行 中央アルプス観光　50分
北八ヶ岳リゾート (北八ヶ岳ロープウェイ)	〃	横岳山麓～坪庭(横岳ロープウェイ) (ピラタス蓼科スキー場)	2147	約7	1992.01.01	2	101	1990.12	ピラタス 1号 2号	茅野駅から北八ヶ岳ロープウェイ行 アルピコ交通　約60分 ＊最初の開業は1967.07.09
富士見町開発公社 (富士見パノラマリゾート)	〃	富士見パノラマスキー場(山麓～山頂)	2516	9	1992.12.18	101	8	1992.12	流星	富士見駅から送迎バス10分
立科町 (蓼科牧場ゴンドラ)	〃	蓼科牧場 (白樺高原国際スキー場)	1250	5	1985.07.01	50	6	1985.06	シャトルビーナス	小諸駅から千曲バス 60分 茅野駅からアルピコ交通 60分
白馬観光開発 (八方尾根スキー場)	〃	八方尾根スキー場 (八方[白馬山麓]～兎平[八方尾根ゴンドラ])	2063	約8	1958.12.23	82	6	1983.12	アダム	白馬駅からアルピコ交通 6分
白馬観光開発 (白馬岩岳)	〃	白馬岩岳スキー場	2182	8	1986.11.15	72	6	1986.11	ノア	白馬駅からアルピコ交通 10分
白馬フォーティセブン	〃	白馬47スキー場 (第1ゴンドラ)	1455	5	1990.12.01	64	8	1990.12		白馬駅から送迎バス
栂池ゴンドラリフト (栂池ゴンドラ)	〃	栂池高原スキー場(白樺高原～栂の森) 「栂池パノラマウェイ」	4120	20	1982.11.29	162	6	1982.11	イブ	白馬駅からアルピコ交通　約30分
栂池ゴンドラリフト (栂池ロープウェイ)	〃	栂大門～自然園 「栂池パノラマウェイ」	1200	約7	1994.07.20	2	71	1994.06		栂大門は栂の森(上段参照)から徒歩 5分
アスモグループ [御岳ロープウェイ]	〃	鹿ノ瀬～飯森	2330	8	1989.12.13	80	6	1989.12		木曽福島駅からおんたけ交通 76分
昇仙峡ロープウェイ	山梨	仙我ヶ滝～御岳パノラマ (パノラマ台)	1015	4.3	1964.11.01	2	46	1988.06	1.おおるり 2.やまばと	甲府駅から昇仙峡滝上行 山梨交通 58分 終点ロープウェイ下車徒歩 1分
富士急行 (富士山パノラマロープウェイ)	〃	河口湖畔～天上山富士見台 (天上山公園カチカチ山ロープウェイ)	460	3	1959.07.11	2	36	1981.06	1.みさか 2.ふよう	富士急行河口湖駅か 富士急山梨バス3分 駅から徒歩では15～16分
身延登山鉄道 (身延山ロープウェイ)	〃	久遠寺境内～奥の院	1665	7	1963.08.23	2	45	1981.02	1 2	身延駅から身延山行 山梨交通　約15分 終点より徒歩15分
プリンスホテル箱根園 (駒ヶ岳ロープウェー)	神奈川	箱根園～駒ヶ岳頂上	1783	7	1962.04.27	2	101	1962.04	1.芦ノ湖 2.駒ヶ岳	小田原駅から箱根園行 伊豆箱根バス80分 2016.02.01 伊豆箱根鉄道から変更
小田急箱根	〃	早雲山～大涌谷	1512	8	2002.06.01	19	18	2002.05		フニテル式。箱根登山鉄道早雲山駅(ケーブル)に接続 ＊最初の開業は1959.12. 6 2022.04.01 箱根ロープウェイ、箱根登山鉄道と合併 2024.04.01 箱根登山鉄道から社名変更
小田急箱根	〃	大涌谷～桃源台	2516	20	2007.06.01	31	18	2007.05		フニテル式。大涌谷に接続 ＊最初の開業は1960.09.07 これにより全線開業 2022.04.01 箱根ロープウェイ、箱根登山鉄道と合併 2024.04.01 箱根登山鉄道から社名変更
よみうりランド (スカイシャトル)	〃	京王ロステイション～山頂ステイション	882	3	1999.03.21	28	8	1999.02		京王電鉄相模原線京王よみうりランド駅 (従来のスカイロードの代替)
鋸山ロープウェー	千葉	鋸山山麓～鋸山山頂	680	4	1962.12.12	2	40	2012.12	1.かもめ 2.ちどり	浜金谷駅から徒歩 10分 2012.12.21、新型ゴンドラに
宝登興業 (宝登山ロープウェイ)	埼玉	宝登山麓～宝登山頂	832	5	1961.11.05	2	50	1961.08	1.ばんび 2.もんきー	秩父鉄道長瀞駅から徒歩15分
谷川岳ロープウェー	群馬	谷川土合口～ロープウェイ天神平	2400	15	2005.09.13	14	22	2005.08		フニテル式。水上駅から谷川岳ロープウェイ行 関越交通バス約25分 ＊最初の開業は1960.12.12
渋川市 (伊香保ロープウェイ)	〃	ほととぎす(伊香保温泉)～見晴台	499	4	1962.07.14	2	21	1962.07	1.もみじ 2.つつじ	渋川駅から伊香保温泉行 関越交通 27分
草津観光公社 (白根火山ロープウェイ)	〃	白根山麓～白根山頂 (殺生河原～白根火山逢の峰)	2401	約8	1977.12.17	94	6	1988.11		草津温泉から殺生河原行 ＪＲバス 20分 ＊1960.03.19 つるべ式で開業 2018.01.23 本白根山噴火にて運休(廃止の方向)

事業者名	府県	区間	キロ程 m	所要 分	運輸開始 年月日	両数	1両 定員	車両製造 年月日	愛称名	備　考
谷川岳ロープウェー (榛名山ロープウェイ)	群馬	榛名高原～榛名富士山頂	527	約3	1958.07.15	4 (2×2)	15	1996.04 2両連結に		渋川駅から伊香保温泉行関越交通 27分、 終点から群馬バスに乗換えて 20分
尾瀬岩鞍リゾート	〃	ホワイトワールド尾瀬岩鞍スキー場ゴンドラリフト (岩鞍ゴンドラスーパーウェイ)	1961	6	1989.12.23	84	6	1989.12		上毛高原駅・沼田駅から岩鞍まで直行バス
日本製紙総合開発 (日光白根山ロープウェイ)	〃	丸沼高原スキー場 (丸沼高原ゴンドラ)	2500	15	1999.01.01	69	8	1998.11		沼田駅から関越交通バス 90分
鬼怒高原開発 (鬼怒川温泉ロープウェイ)	栃木	鬼怒川温泉(温泉山麓) ～丸山山頂	621	3.3	1959.10.15	2	30	2005.07	KINUGAWA 1 KINUGAWA 2	東武鬼怒川公園駅からタクシー約 5分
日光交通 (明智平ロープウェイ)	栃木	明智平～展望台	300	3	1950.10.05	2	16	2001	1.レインボー 2.ドリーム	日光駅、東武日光駅から中禅寺温泉行 東武バス日光 40分明智平下車
関東自動車 (那須ロープウェイ)	〃	那須岳山麓～那須岳山頂	812	4	1962.10.20	2	111	2002.04	1.りんどう 2.かっこう	黒磯駅前から那須岳山麓行 関東自動車 60分
筑波観光鉄道 (筑波山ロープウェイ)	茨城	つつじヶ丘～女体山	1296	6	1965.08.11	2	70	2004.03	1.ナンタイ 2.ニョタイ	つくばエクスプレスつくば駅等からシャトルバス
泉陽興業 (YOKOHAMA AIR CABIN)	神奈川	桜木町～運河パーク	635	約5	2021.04.22	36	8	2021.04		桜木町駅東口徒歩1分
アタミ・ロープウェイ	静岡	熱海市和田磯～八幡山 (錦ガ浦～八幡山) [熱海後楽園]	286	2.4	1958.05.16	2	31	1982.07.24		熱海駅前から熱海後楽園行　バス約15分
下田ロープウェイ	〃	下田～寝姿山 (寝姿山ロープウエィ)	540	3.3	1961.11.01	2	39	1985.04	1.ねすがた 2.あいぜん	伊豆急行伊豆急下田駅から徒歩 2分 2019.08.01 搬器リニューフル
大日 (伊豆の国パノラマ)	〃	葛城山麓～山頂(長岡温泉～かつらぎ山頂展望公園) (かつらぎ山パノラマパーク)	1800	約7	1962.05.03	40	6	1992.10		伊豆箱根鉄道伊豆長岡駅前から沼津行などの バス約15分。伊豆の国市役所前下車
静岡鉄道 (日本平ロープウェイ)	〃	日本平～久能山	1075	5	1957.05.31	2	55	1990.12.27	1.あおい 2.たちばな	静岡駅前から日本平行しずおかジャストライン
遠州鉄道 (舘山寺ロープウェイ)	〃	舘山寺～大草山 (舘山寺遊園地～大草山展望台)	723	4	1960.12.15	2	49	1999.04.24	1.かんざんじ 2.おおくさ	浜松駅から舘山寺温泉行 遠州鉄道 約40分
奥飛観光開発 (新穂高ロープウェイ)	岐阜	新穂高温泉～鍋平高原 (第一ロープウェイ)	573	約5	1970.07.15	2	45	1970.07	やまゆり りんどう	高山駅から新穂高温泉行 濃飛乗合自動車 1時間30分
奥飛観光開発 (新穂高ロープウェイ)	〃	しらかば平～西穂高口 (第二ロープウェイ)	2598	約7	1998.07.03	2	121 (2層式)	1998.06	ウエストン ばんりゅう	鍋平高原から徒歩 1分 ＊最初の開業は1970.07.15。 2020.07.15搬器リニューアル
岐阜観光索道 (金華山ロープウェイ)	〃	千畳敷～金華山頂	599	3	1955.04.12	2	45	1992.03	金華山 長良川	岐阜駅前から岐阜バス岐阜公園下車徒歩 5分 ＊1992.03.14 改修
御在所ロープウェイ	三重	湯の山温泉～御在所岳山頂	2157	15	1959.04.29	28 10	10 8	1989.07 2018.07		近鉄湯の山温泉駅から三交湯の山温泉行 三重交通。下車徒歩10分
立山黒部貫光 (立山ロープウェイ)	富山	大観峰～黒部平	1710	7	1970.07.25	2	81	1970.07		立山黒部アルペンルート
大山観光開発 (立山山麓ゴンドラ)	〃	山麓～山頂 (らいちょうバレースキー場)	1832	8	1977.01.15	80	4	1977.01		富山地鉄立山駅から徒歩30分
医王アローザ (ＩＯＸ-ＡＲＯＳＡ)	〃	ＩＯＸ-ＡＲＯＳＡスキー場 (ゴンドラ山麓～ゴンドラ山頂)	1649	10	1991.12.21	70	6	1991.11		福光駅からタクシー 15分
白山市地域振興公社 (スカイ獅子吼)	石川	八幡(加賀一の宮) ～獅子吼山頂 (スカイ獅子吼スキー場ゴンドラ)	1073	5	1996.06.28	26	4	1996.05		北陸鉄道加賀一の宮駅から徒歩10分 ＊最初の開業は1959.12.21
近江鉄道 (八幡山ロープウェイ)	滋賀	公園前～八幡城跡	543	5	1962.11.23	2	21	1984.12	村雲 1号 村雲 2号	近江八幡駅から長命寺行バス 7分, 大杉町下車徒歩 5分
マックアース (箱館山ゴンドラ)	〃	箱館山登山口～見晴台 (スキー場)	1323	4.3	1999.11.20	29	8	1999.10		近江今津駅から箱館山行 近江鉄道 20分 ＊最初の開業は1962.01.17
ハイランドパーク [びわ湖バレイ]	〃	柿ノ木～山頂(びわ湖アルプスゴ ンドラ山麓～びわ湖バレイ山頂)	1783	約3.5	1975.10.31	2	121	2008.02		志賀駅からびわ湖バレイ前行 江若交通約10分 ＊2008.02 ゴンドラリフトから変更
京福電気鉄道 (叡山ロープウェイ)	京都	ケーブル比叡～西塔橋 (ロープウェー比叡～比叡山頂)	486	3	1956.07.05	2	30	1998		ケーブル比叡に接続(50m)

事業者名	府県	区間	キロ程 m	所要分	運輸開始年月日	両数	1両定員	車両製造年月日	愛称名	備考
神戸未来都市機構	兵庫	西の駅～星の駅	856	5	1955.07.12	2	29	2001.02	1.ひこぼし	まやビューライン(摩耶ケーブル)に接続
(摩耶ロープウェー)									2.おりひめ	(2001.03.17 運転再開)
神戸未来都市機構	〃	六甲山頂～有馬温泉	2764	12	1970.07.27	2	42	2020.03	5.もみじ	六甲ケーブル六甲山頂から六甲山上バス
(六甲有馬ロープウェー)									6.こぶし	約20分。神戸電鉄有馬温泉駅徒歩20分
										＊裏六甲線。表六甲線は2004.12 営業休止
										2代目搬器は2020.01.13をもって運行終了
										2020.03.20から新ゴンドラ運行開始
神戸リゾートサービス	〃	北野1丁目～風ノ丘～布引ハーブ園	1471	10	1991.10.23	69	6	1991.01		新神戸駅から徒歩5分
(神戸布引ロープウェー)		(神戸夢風船)								＊2010.04.01 神戸市都市整備公社から変更
山陽電気鉄道	〃	須磨浦公園～鉢伏山上	464	3.15	1957.09.18	2	30	2007.03.02	1.やまひこ	山陽電鉄須磨浦公園駅下車
(須磨浦ロープウェイ)									2.うみひこ	
神姫バス	〃	書写～書写山上	781	約4	1992.10.01	2	70	2018.03.18		姫路駅から書写山ロープウェイ行
(書写山ロープウェー)										神姫バス 28分。＊2018.03 4代目竣工
城崎観光	〃	城崎温泉(山麓) ～温泉寺～大師山頂(山頂)	676	約7	1963.05.26	2	31	2001.06	1.ジョーくん	城崎駅から徒歩 15分
(城崎ロープウェー)									2.サキちゃん	＊2001.06 搬器取替え
加森観光	兵庫	姫路セントラルパーク	312	約3	2003.07.18	6	12	2003.07.18		姫路駅から姫路セントラルパーク行
(スカイサファリ)										神姫バス約25分
近畿日本鉄道	奈良	登山口～葛城山上	1421	6	1967.03.26	2	51	1999.06.26	はるかぜ	近鉄御所駅から奈良交通 15分
(葛城山ロープウェー)									すずかぜ	
吉野大峯ケーブル自動車	〃	吉野千本口～吉野山	349	5	1929.03.12	2	28	1966.03	1.さくら	近鉄吉野駅から徒歩 3分
(吉野ロープウェー)									2.かえで	
おのみちバス	広島	千光寺山麓～山頂	362	3	1957.03.25	2	31	1981.03	1.さくら	尾道駅から おのみちバス 5分
(千光寺山ロープウェー)		(長江口[山麓] ～千光寺[山頂])							2.かもめ	
広島観光開発	〃	宮島弥山(紅葉谷～榧谷)	1135	10	1959.04.01	22	8	1972.07		宮島駅から徒歩 26分。
(宮島ロープウェー)		(紅葉谷線)						(ＦＲＰ製)		厳島神社近くから無料送迎バスあり
広島観光開発	〃	宮島弥山(榧谷～獅子岩)	521	3.3	1959.04.01	2	30	2008.03		榧谷で接続
(宮島ロープウェー)		(獅子岩線)						(アルミ製)		
岩国市	山口	吉香公園～城山	412	3	1963.03.18	2	31	2010.12	1.錦帯	岩国駅から岩国市営バス 20分
(岩国城ロープウェー)									2.錦城	新岩国駅から岩国市営バス 15分
下関市	〃	火の山(壇之浦～火の山)	439	2.4	1958.04.01	2	30	1958.03	1.まんじゅ	下関駅からサンデン交通 20分
(下関火の山ロープウェイ)									2.かんじゅ	2024.11.10をもって一旦営業終了
小豆島総合開発	香川	小豆島寒霞渓紅雲亭～山頂	917	約5	1963.04.03	2	41	1985.12	1.AOBA	小豆島草壁港から乗合タクシー
(寒霞渓ロープウェイ)		(紅雲亭～寒霞渓山頂)							2.MOMIJI	
四国ケーブル	〃	大野原～雲辺寺	2594	約7	1986.03.28	2	101	1987.03.22	1	観音寺駅から約10㎞ (タクシー 20分)
(雲辺寺ロープウェイ)									2	四国霊場第66番札所 雲辺寺
徳島市観光協会	徳島	眉山山麓～眉山山頂	787	約6	1957.12.01	4	15	1999.07	ひょうたんビュー	徳島駅から徒歩10分
(眉山ロープウェイ)						(2×2)		2両連結		＊1999.07.31 搬器取替え(単線固定交走式)
箸蔵山ロープウェイ	〃	藤ノ井～蔵谷	947	約4	1999.04.01	2	31	1999.03		箸蔵駅から徒歩 7～8分
										＊最初の開業は1971.04.01と1977.04.20(2基)
四国ケーブル	〃	和食郷～龍山	2775	約10	1992.07.20	2	101	1992.07		桑野駅からタクシー
(太龍寺ロープウェイ)										
石鎚登山ロープウェイ	愛媛	山麓下谷～山頂成就	1814	7.3	1968.08.01	2	51	1983.06	1.いしづち	伊予西条駅から石鎚ロープウェイ前行
		(石鎚ロープウェイ前)							2.まえがみ	瀬戸内運輸 約60分
松山市	〃	松山城内	330	約3	1955.08.07	2	51	1974.09.03	1.しらさぎ	松山市駅から道後温泉行 伊予鉄道
(松山城山ロープウェイ)		(山麓[東雲口] ～山頂[長者ノ平])							2.松風	市内線で大街道下車，徒歩 5分
										＊松山城関連施設管理者は伊予鉄道
別府ロープウェイ	大分	別府高原～鶴見山上	1816	9	1962.12.21	2	101	1986.12.20	1.つるみ	別府駅から由布院方面行 大分交通,
(近鉄別府ロープウェイ)									2.ゆふ	亀の井バス約30分，別府高原で下車
雲仙ロープウェイ	長崎	仁田峠～妙見岳	474	約3	1957.07.15	2	36	1993	1.きんせい	雲仙公園から仁田峠行 乗合タクシー 25分
									2.ぎんが	
長崎市	〃	ロープウェイ淵神社～ロープウェイ稲佐岳	1097	約5	1959.10.04	2	41	2011.11	1	長崎駅前から3・4番系統バスにて
(長崎ロープウェイ)									2	ロープウェイ前下車，徒歩 2分
										＊指定管理者は長崎ロープウェイ・水族館
九州産交ツーリズム	熊本	阿蘇山西～火口西	858	4	1958.04.10	2	91	2009.09.17	1.ぎんが	阿蘇駅から阿蘇山西行 産交バス40分
(阿蘇山ロープウェー)									2.すいせい	2016.04 熊本地震にて被災

新製車両　2023年度

企業体名	形式・車号	製造	落成月日
札幌市交通局	1100形 1110	アルナ	23.09.27
函館市企業局	9600形 9605	アルナ	23.07.07
岩手開発鉄道	DD56形 DD5602	新潟	23.07.27
阿武隈急行	AB900-6	総合	24.03.15
	AB901-6	〃	〃
	AB900-7	総合	24.03.15
	AB901-7	〃	〃
千葉都市モノレール	01形 017	三菱重	24.02.23
	18	〃	〃
舞浜リゾートライン	100形 151	日立	24.01.01
	152	〃	〃
	153	〃	〃
	154	〃	〃
	155	〃	〃
	156	〃	〃
新京成電鉄	80000形 80046	日車	23.11.01
	80045	〃	〃
	80044	〃	〃
	80043	〃	〃
	80042	〃	〃
	80041	〃	〃
	80056	日車	24.04.01
	80055	〃	〃
	80054	〃	〃
	80053	〃	〃
	80052	〃	〃
	80051	〃	〃
京成電鉄	3100形		
	3157-1	総合	23.06.13
	3157-2	〃	〃
	3157-3	〃	〃
	3157-4	〃	〃
	3157-5	〃	〃
	3157-6	〃	〃
	3157-7	〃	〃
	3157-8	〃	〃
京浜急行電鉄	1000形 1501-1	川車	23.08.04
	1501-2	〃	〃
	1501-3	〃	〃
	1501-4	〃	〃
	1501-5	〃	〃
	1501-6	〃	〃
	1701-1	総合	23.11.02
	1701-2	〃	〃
	1701-3	〃	〃
	1701-4	〃	〃
	1701-5	〃	〃
	1701-6	〃	〃
	1701-7	〃	〃
	1701-8	〃	〃
東武鉄道	N100系 N101-1	日立	23.05.25
	N101-2	〃	〃
	N101-3	〃	〃
	N101-4	〃	〃
	N101-5	〃	〃
	N101-6	〃	〃
	N102-1	日立	23.05.26
	N102-2	〃	〃
	N102-3	〃	〃
	N102-4	〃	〃
	N102-5	〃	〃
	N102-6	〃	〃
	N103-1	日立	24.02.28
	N103-2	〃	〃
	N103-3	〃	〃
	N103-4	〃	〃
	N103-5	〃	〃
	N103-6	〃	〃
	N104-1	日立	24.03.02
	N104-2	〃	〃
	N104-3	〃	〃
	N104-4	〃	〃
	N104-5	〃	〃
	N104-6	〃	〃
西武鉄道	40000系 40161	川車	23.07.14
	40261	〃	〃
	40361	〃	〃
	40461	〃	〃
	40561	〃	〃
	40661	〃	〃
	40761	〃	〃
	40861	〃	〃
	40961	〃	〃
	40061	〃	〃

企業体名	形式・車号	製造	落成月日
西武鉄道	40000系 40162	川車	23.08.04
	40262	〃	〃
	40362	〃	〃
	40462	〃	〃
	40562	〃	〃
	40662	〃	〃
	40762	〃	〃
	40862	〃	〃
	40962	〃	〃
	40062	〃	〃
	40163	川車	23.11.17
	40263	〃	〃
	40363	〃	〃
	40463	〃	〃
	40563	〃	〃
	40663	〃	〃
	40763	〃	〃
	40863	〃	〃
	40963	〃	〃
	40063	〃	〃
	40164	川車	23.12.08
	40264	〃	〃
	40364	〃	〃
	40464	〃	〃
	40564	〃	〃
	40664	〃	〃
	40764	〃	〃
	40864	〃	〃
	40964	〃	〃
	40064	〃	〃
京王電鉄	5000系 5738	総合	24.03.01
	5038	〃	〃
	5088	〃	〃
	5538	〃	〃
	5138	〃	〃
	5188	〃	〃
	5588	〃	〃
	5238	〃	〃
	5288	〃	〃
	5788	〃	〃
東京地下鉄	2000系 2139	日車	24.02.27
	2239	〃	〃
	2339	〃	〃
	2439	〃	〃
	2539	〃	〃
	2039	〃	〃
	2140	日車	24.01.27
	2240	〃	〃
	2340	〃	〃
	2440	〃	〃
	2540	〃	〃
	2040	〃	〃
	2141	日車	24.01.05
	2241	〃	〃
	2341	〃	〃
	2441	〃	〃
	2541	〃	〃
	2041	〃	〃
	2142	日車	23.11.28
	2242	〃	〃
	2342	〃	〃
	2442	〃	〃
	2542	〃	〃
	2042	〃	〃
	2143	日車	23.04.25
	2243	〃	〃
	2343	〃	〃
	2443	〃	〃
	2543	〃	〃
	2043	〃	〃
	2144	日車	23.05.16
	2244	〃	〃
	2344	〃	〃
	2444	〃	〃
	2544	〃	〃
	2044	〃	〃
	2145	日車	23.06.06
	2245	〃	〃
	2345	〃	〃
	2445	〃	〃
	2545	〃	〃
	2045	〃	〃
	2146	日車	23.06.27
	2246	〃	〃
	2346	〃	〃
	2446	〃	〃
	2546	〃	〃
	2046	〃	〃

企業体名	形式・車号	製造	落成月日
東京地下鉄	2147	日車	23.07.18
	2247	〃	〃
	2347	〃	〃
	2447	〃	〃
	2547	〃	〃
	2047	〃	〃
	2148	日車	23.08.08
	2248	〃	〃
	2348	〃	〃
	2448	〃	〃
	2548	〃	〃
	2048	〃	〃
	2149	日車	23.08.29
	2249	〃	〃
	2349	〃	〃
	2449	〃	〃
	2549	〃	〃
	2049	〃	〃
	2150	日車	23.09.19
	2250	〃	〃
	2350	〃	〃
	2450	〃	〃
	2550	〃	〃
	2050	〃	〃
	2151	日車	23.10.10
	2251	〃	〃
	2351	〃	〃
	2451	〃	〃
	2551	〃	〃
	2051	〃	〃
	2152	日車	23.10.31
	2252	〃	〃
	2352	〃	〃
	2452	〃	〃
	2552	〃	〃
	2052	〃	〃
	9000系 9409	川車	23.11.18
	9509	〃	〃
東京都交通局	12-600形		
	12-841	川車	23.05.28
	12-842	〃	〃
	12-843	〃	〃
	12-844	〃	〃
	12-845	〃	〃
	12-846	〃	〃
	12-847	〃	〃
	12-848	〃	〃
	12-851	川車	23.09.09
	12-852	〃	〃
	12-853	〃	〃
	12-854	〃	〃
	12-855	〃	〃
	12-856	〃	〃
	12-857	〃	〃
	12-858	〃	〃
	12-861	川車	23.10.07
	12-862	〃	〃
	12-863	〃	〃
	12-864	〃	〃
	12-865	〃	〃
	12-866	〃	〃
	12-867	〃	〃
	12-868	〃	〃
	12-871	川車	23.11.04
	12-872	〃	〃
	12-873	〃	〃
	12-874	〃	〃
	12-875	〃	〃
	12-876	〃	〃
	12-877	〃	〃
	12-878	〃	〃
	12-881	川車	23.12.17
	12-882	〃	〃
	12-883	〃	〃
	12-884	〃	〃
	12-885	〃	〃
	12-886	〃	〃
	12-887	〃	〃
	12-888	〃	〃
	12-891	川車	24.02.18
	12-892	〃	〃
	12-893	〃	〃
	12-894	〃	〃
	12-895	〃	〃
	12-896	〃	〃
	12-897	〃	〃
	12-898	〃	〃
	330形 338-1	三菱重	23.03.26
	338-2	〃	〃
	338-3	〃	〃
	338-4	〃	〃

企業体名	形式・車号	製造	落成月日
東京都交通局	339-1	三菱重	23.06.27
	339-2	〃	〃
	339-3	〃	〃
	339-4	〃	〃
	339-5	〃	〃
	340-1	三菱重	23.09.26
	340-2	〃	〃
	340-3	〃	〃
	340-4	〃	〃
	340-5	〃	〃
	341-1	三菱重	23.12.26
	341-2	〃	〃
	341-3	〃	〃
	341-4	〃	〃
	341-5	〃	〃
横浜市交通局	4000形 4671	川車	23.06.21
	4672	〃	〃
	4673	〃	〃
	4674	〃	〃
	4675	〃	〃
	4676	〃	〃
	4681	川車	24.01.31
	4682	〃	〃
	4683	〃	〃
	4684	〃	〃
	4685	〃	〃
	4686	〃	〃
	4691	川車	24.03.20
	4692	〃	〃
	4693	〃	〃
	4694	〃	〃
	4695	〃	〃
	4696	〃	〃
	10000形 10083	川車	23.07.28
	10084	〃	〃
	10103	川車	23.11.22
	10104	〃	〃
	10133	川車	24.03.22
	10134	〃	〃
相模鉄道	21000系 21108	日立	23.04.04
	21208	〃	〃
	21308	〃	〃
	21408	〃	〃
	21508	〃	〃
	21608	〃	〃
	21708	〃	〃
	21808	〃	〃
	21109	日立	23.05.09
	21209	〃	〃
	21309	〃	〃
	21409	〃	〃
	21509	〃	〃
	21609	〃	〃
	21709	〃	〃
	21809	〃	〃
しなの鉄道	ＳＲ１系		
	SR111-307	総合	24.02.16
	308	〃	24.02.16
	309	〃	24.02.16
	SR112-307	総合	24.02.16
	308	〃	24.02.16
	309	〃	24.02.16
静岡鉄道	3000系 A3012	総合	24.02.23
	A3512	〃	〃
名古屋鉄道	9500系 9513	日車	23.06.22
	9563	〃	〃
	9663	〃	〃
	9613	〃	〃
	9514	日車	23.06.22
	9564	〃	〃
	9664	〃	〃
	9614	〃	〃
	9515	日車	23.08.01
	9565	〃	〃
	9665	〃	〃
	9615	〃	〃
	9100系 9108	日車	23.08.01
	9208	〃	〃
	9109	日車	23.09.14
	9209	〃	〃
	9110	日車	23.09.14
	9210	〃	〃
長良川鉄道	ナガラ600形		
	602	新潟	24.03.06
えちぜん鉄道	SR形 SR01	阪神車両	24.03.22
福井鉄道	F2000形 F2001	アルナ	23.03.27
京都市交通局	20系 2134	近車	23.09.01
	2234	〃	〃
	2334	〃	〃
	2634	〃	〃
	2734	〃	〃
	2834	〃	〃

企業体名	形式・車号	製造	落成月日
京都市交通局	20系 2135	近車	24.01.01
	2235	〃	〃
	2335	〃	〃
	2635	〃	〃
	2735	〃	〃
	2835	〃	〃
阪神電気鉄道	5700系 5723	近車	23.11.28
	5823	〃	〃
	5824	〃	〃
	5724	〃	〃
	5725	近車	23.12.28
	5825	〃	〃
	5826	〃	〃
	5726	〃	〃
南海電気鉄道	8300系 8320	近車	23.04.28
	8620	〃	〃
	8670	〃	〃
	8420	〃	〃
	8321	近車	24.01.22
	8621	〃	〃
	8721	〃	〃
	8421	〃	〃
	8322	近車	24.02.08
	8622	〃	〃
	8722	〃	〃
	8422	〃	〃
	8718	近車	23.04.28
	8368	〃	〃
泉北高速鉄道	9300系 9301	近車	23.07.18
	9601	〃	〃
	9651	〃	〃
	9401	〃	〃
	9302	近車	23.07.18
	9602	〃	〃
	9652	〃	〃
	9402	〃	〃
	9303	近車	24.03.28
	9603	〃	〃
	9653	〃	〃
	9403	〃	〃
	9304	近車	24.03.28
	9604	〃	〃
	9654	〃	〃
	9404	〃	〃
大阪市高速電気軌道	400系 406-3	日立	23.04.14
	401-3	〃	〃
	408-3	〃	〃
	403-3	〃	〃
	402-3	〃	〃
	409-3	〃	〃
	406-4	日立	23.05.27
	401-4	〃	〃
	408-4	〃	〃
	403-4	〃	〃
	402-4	〃	〃
	409-4	〃	〃
	406-5	日立	23.06.23
	401-5	〃	〃
	408-5	〃	〃
	403-5	〃	〃
	402-5	〃	〃
	409-5	〃	〃
	406-6	日立	23.07.25
	401-6	〃	〃
	408-6	〃	〃
	403-6	〃	〃
	402-6	〃	〃
	409-6	〃	〃
	406-7	日立	23.08.22
	401-7	〃	〃
	408-7	〃	〃
	403-7	〃	〃
	402-7	〃	〃
	409-7	〃	〃
	406-8	日立	23.09.22
	401-8	〃	〃
	408-8	〃	〃
	403-8	〃	〃
	402-8	〃	〃
	409-8	〃	〃
	406-9	日立	23.11.28
	401-9	〃	〃
	408-9	〃	〃
	403-9	〃	〃
	402-9	〃	〃
	409-9	〃	〃
	406-10	日立	23.12.21
	401-10	〃	〃
	408-10	〃	〃
	403-10	〃	〃
	402-10	〃	〃
	409-10	〃	〃

企業体名	形式・車号	製造	落成月日
大阪市高速電気軌道	400系 406-11	日立	24.01.26
	401-11	〃	〃
	408-11	〃	〃
	403-11	〃	〃
	402-11	〃	〃
	409-11	〃	〃
	406-12	日立	24.02.16
	401-12	〃	〃
	408-12	〃	〃
	403-12	〃	〃
	402-12	〃	〃
	409-12	〃	〃
北大阪急行電鉄	9000系 9005	近車	23.05.26
	9105	〃	〃
	9205	〃	〃
	9305	〃	〃
	9405	〃	〃
	9505	〃	〃
	9605	〃	〃
	9705	〃	〃
	9805	〃	〃
	9905	〃	〃
	9006	近車	23.07.14
	9106	〃	〃
	9206	〃	〃
	9306	〃	〃
	9406	〃	〃
	9506	〃	〃
	9606	〃	〃
	9706	〃	〃
	9806	〃	〃
	9906	〃	〃
	9007	近車	23.08.24
	9107	〃	〃
	9207	〃	〃
	9307	〃	〃
	9407	〃	〃
	9507	〃	〃
	9607	〃	〃
	9707	〃	〃
	9807	〃	〃
	9907	〃	〃
神戸市交通局	6000形 6157	川車	23.11.01
	6257	〃	〃
	6357	〃	〃
	6457	〃	〃
	6557	〃	〃
	6657	〃	〃
神戸新交通	3000形 3108	川車	23.04.28
	3208	〃	〃
	3508	〃	〃
	3608	〃	〃
	3111	川車	23.06.30
	3211	〃	〃
	3511	〃	〃
	3611	〃	〃
広島高速交通	7000系 7143	三菱重	23.12.26
	7243	〃	〃
	7343	〃	〃
	7443	〃	〃
	7543	〃	〃
	7643	〃	〃
	7144	三菱重	24.03.21
	7244	〃	〃
	7344	〃	〃
	7444	〃	〃
	7544	〃	〃
	7644	〃	〃
	7146	三菱重	23.05.18
	7246	〃	〃
	7346	〃	〃
	7446	〃	〃
	7546	〃	〃
	7646	〃	〃
	7147	三菱重	23.07.27
	7247	〃	〃
	7347	〃	〃
	7447	〃	〃
	7547	〃	〃
	7647	〃	〃
	7148	三菱重	23.10.20
	7248	〃	〃
	7348	〃	〃
	7448	〃	〃
	7548	〃	〃
	7648	〃	〃
	7149	三菱重	23.12.01
	7249	〃	〃
	7349	〃	〃
	7449	〃	〃
	7549	〃	〃
	7649	〃	〃

企業体名	形式・車号	製造	落成月日
広島電鉄	5200形 5209	※	24.03.28
伊予鉄道	モハ5000形		
	5013	アルナ	24.02.16
	5014	〃	〃
西日本鉄道	9000形 9015	川車	23.10.31
	9315	〃	〃
	9515	〃	〃
	9113	川車	23.10.31
	8513	〃	〃
	9114	川車	23.10.31
	9514	〃	〃
長崎電気軌道	6000形 6002	アルナ	24.02.28
南阿蘇鉄道	MT-4000形		
	4003	新潟	24.03.11
	4004	〃	〃
沖縄都市モノレール	1000形 1131	日立	23.05.23
	1331	〃	〃
	1231	〃	〃
	1132	日立	23.06.15
	1332	〃	〃
	1232	〃	〃
	1133	日立	24.03.26
	1333	〃	〃
	1233	〃	〃
過年度分			
宇都宮	HU300形		
ライトレール	HU301ACB	新潟	21.05.28
	HU302ACB	〃	21.08.04
	HU303ACB	〃	21.08.05
	HU304ACB	〃	21.10.01
	HU305ACB	〃	21.11.01
	HU306ACB	〃	21.11.01
	HU307ACB	〃	22.01.27
	HU308ACB	〃	22.01.27
	HU309ACB	〃	22.02.16
	HU310ACB	〃	22.02.16
	HU311ACB	〃	22.03.24
	HU312ACB	〃	22.04.27
	HU313ACB	〃	22.05.31
	HU314ACB	〃	22.05.31
	HU315ACB	〃	22.07.28
	HU316ACB	〃	22.07.28
	HU317ACB	〃	22.07.28

▽新潟=新潟トランシス
阪神車両=阪神車両メンテナンス
▽※印は、近畿車輛、三菱重工業、東洋電機製造製

車両数の比較

■総車両数

( )内は2022年度両数と丸中数字は順位

①東京地下鉄 2724 (2722 ①)
②近畿日本鉄道 1895 (1895 ②)
③東武鉄道 1795 (1837 ③)
④大阪市高速電気軌道 1374 (1374 ④)
⑤東京都交通局 1353 (1353 ⑤)
⑥東急電鉄 1307 (1308 ⑥)
⑦阪急電鉄 1251 (1295 ⑦)
⑧西武鉄道 1221 (1227 ⑧)
⑨名古屋鉄道 1076 (1088 ⑨)
⑩小田急電鉄 1039 (1063 ⑩)

■電気機関車

①黒部峡谷鉄道 23
②秩父鉄道 17
③三岐鉄道 12
④大井川鐵道 9

■ディーゼル機関車

①神奈川臨海鉄道 7
①京葉臨海鉄道 7
③名古屋臨海鉄道 6
③大井川鐵道 6
⑤仙台臨海鉄道 5

■蒸気機関車

①大井川鐵道 5
②東武鉄道 2
③真岡鐵道 1
③秩父鉄道 1

■路面電車(非営業車を除く)

①広島電鉄 292
②長崎電気軌道 72
③とさでん交通 61
④鹿児島市交通局 58
⑤熊本市交通局 54

■気動車

①関東鉄道 55
②智頭急行 44
③京都丹後鉄道 35
④三陸鉄道 26
⑤松浦鉄道 23

■モノレール

①東京モノレール 120
②大阪モノレール 88
③多摩都市モノレール 64
④沖縄都市モノレール 54
⑤舞浜リゾートライン 42

■新交通

①神戸新交通 162
②ゆりかもめ 156
②広島高速鉄道 156
④東京都交通局 100
⑤横浜シーサイドライン 90

■客車

①黒部峡谷鉄道 116
②大井川鐵道 47
③東武鉄道 8
④津軽鉄道 5
④嵯峨野観光鉄道 5

■貨車

①黒部峡谷鉄道 145
②秩父鉄道 134
③岩手開発鉄道 45
④大井川鐵道 20
⑤名古屋鉄道 10

廃車車両 2023年度

企業体名	形式・車号	廃車月日	譲渡先
札幌市交通局	8500形 8501	23.10.27	
函館市企業局	710形 718	23.07.06	
八戸臨海鉄道	ホキ800形1734	24.03.31	
	1738	〃	
	1758	〃	
	1759	〃	
福島交通	7000系 7101	19年度	
	7202	〃	
阿武隈急行	8100系 8107	24.01.01	
	8108	〃	
	8109	24.01.01	
	8110	〃	
銚子電気鉄道	2000系 2001	24.03.15	
	2501	〃	
小湊鐵道	キハ200形 202	22.03.31	
	203	〃	
	209	〃	
新京成電鉄	8800形 8804-6	23.11.02	
	8804-5	〃	
	8804-4	〃	
	8804-3	〃	
	8804-2	〃	
	8804-1	〃	
	8805-6	24.03.24	
	8805-5	〃	
	8805-4	〃	
	8805-3	〃	
	8805-2	〃	
	8805-1	〃	
京成電鉄	3400形 3431	23.06.18	
	3432	〃	
	3433	〃	
	3434	〃	
	3435	〃	
	3436	〃	
	3437	〃	
	3438	〃	
京浜急行電鉄	1500形 1521	23.12.29	
	1522	〃	
	1523	〃	
	1524	〃	
	1525	23.12.29	
	1526	〃	
	1527	〃	
	1528	〃	
	1561	23.09.17	
	1562	〃	
	1925	〃	
	1926	〃	
	1563	〃	
	1564	〃	
東武鉄道	8000系 8150	23.12.08	
	8250	〃	
	8350	〃	
	8750	〃	
	8850	〃	
	8450	〃	
	8561	24.03.14	
	8661	〃	
	8562	24.03.22	
	8662	〃	
	8568	24.03.27	
	8668	〃	
	9000系 9101	23.11.14	
	9201	〃	
	9301	〃	
	9401	〃	
	9501	〃	
	9601	〃	
	9701	〃	
	9801	〃	
	9901	〃	
	9001	〃	
	10000系 11006	23.07.21	
	12006	〃	
	13006	〃	
	14006	〃	
	15006	〃	
	16006	〃	
	11609	23.09.12	
	12609	〃	
	13609	〃	
	14609	〃	
	15609	〃	
	16609	〃	
	11666	23.06.16	
	12666	〃	
	13666	〃	
	14666	〃	
	15666	〃	
	16666	〃	

企業体名	形式・車号	廃車月日	譲渡先
東武鉄道	11668	23.08.21	
	12668	〃	
	13668	〃	
	14668	〃	
	15668	〃	
	16668	〃	
	11452	24.02.13	
	12452	〃	
	13452	〃	
	14452	〃	
	11456	24.01.22	
	12456	〃	
	13456	〃	
	14456	〃	
	11457	23.12.28	
	12457	〃	
	13457	〃	
	14457	〃	
	11461	24.01.27	
	12461	〃	
	13461	〃	
	14461	〃	
	11480	24.03.18	
	12480	〃	
	13480	〃	
	14480	〃	
西武鉄道	2000系 2031	23.10.06	
	2131	〃	
	2132	〃	
	2231	〃	
	2232	〃	
	2032	〃	
	2045	24.02.22	
	2145	〃	
	2146	〃	
	2245	〃	
	2246	〃	
	2046	〃	
	2067	24.03.20	
	2167	〃	
	2168	〃	
	2267	〃	
	2268	〃	
	2367	〃	
	2368	〃	
	2068	〃	
	2277	23.08.08	
	2278	〃	
	2281	23.12.14	
	2282	〃	
	2409	24.01.31	
	2410	〃	
	2509	23.06.09	
	2510	〃	
	2609	〃	
	2610	〃	
	2513	23.07.12	
	2514	〃	
	2613	〃	
	2614	〃	
	2517	24.01.31	
	2518	〃	
	2617	〃	
	2618	〃	
	2529	23.11.22	
	2530	〃	
	2629	〃	
	2630	〃	
	4000系 4015	24.01.12	
	4115	〃	
	4116	〃	
	4016	〃	
京王電鉄	7000系 7705	23.07.24	
	7005	〃	
	7555	〃	
	7105	〃	
	7155	〃	
	7755	〃	
	7806	23.09.25	
	7206	〃	
	7256	〃	
	7856	〃	
	7709	24.02.13	
	7009	〃	
	7059	〃	
	7109	〃	
	7159	〃	
	7759	〃	
小田急電鉄	8000系 8052	23.06.05	
	8002	〃	
	8102	〃	
	8152	〃	

企業体名	形式・車号	廃車月日	譲渡先
小田急電鉄	8060	23.05.08	
	8010	〃	
	8110	〃	
	8160	〃	
	8061	23.12.04	
	8011	〃	
	8111	〃	
	8161	〃	
	8254	23.10.02	
	8204	〃	
	8304	〃	
	8454	〃	
	8504	〃	
	8554	〃	
	8256	23.10.30	
	8206	〃	
	8306	〃	
	8456	〃	
	8506	〃	
	8556	〃	
東急電鉄	8000系 8530	23.04.26	
東京地下鉄	02系 02-102	23.10.09	
	02-202	〃	
	02-302	〃	
	02-402	〃	
	02-502	〃	
	02-602	〃	
	02-103	23.11.20	
	02-203	〃	
	02-303	〃	
	02-403	〃	
	02-503	〃	
	02-603	〃	
	02-104	23.08.28	
	02-204	〃	
	02-304	〃	
	02-404	〃	
	02-504	〃	
	02-604	〃	
	02-106	23.06.05	
	02-206	〃	
	02-306	〃	
	02-406	〃	
	02-506	〃	
	02-606	〃	
	02-107	23.05.15	
	02-207	〃	
	02-307	〃	
	02-407	〃	
	02-507	〃	
	02-607	〃	
	02-108	23.07.17	
	02-208	〃	
	02-308	〃	
	02-408	〃	
	02-508	〃	
	02-608	〃	
	02-109	23.09.18	
	02-209	〃	
	02-309	〃	
	02-409	〃	
	02-509	〃	
	02-609	〃	
	02-110	23.10.30	
	02-210	〃	
	02-310	〃	
	02-410	〃	
	02-510	〃	
	02-610	〃	
	02-111	23.12.25	
	02-211	〃	
	02-311	〃	
	02-411	〃	
	02-511	〃	
	02-611	〃	
	02-112	23.08.07	
	02-212	〃	
	02-312	〃	
	02-412	〃	
	02-512	〃	
	02-612	〃	
	02-113	24.02.19	
	02-213	〃	
	02-313	〃	
	02-413	〃	
	02-513	〃	
	02-613	〃	
	02-114	24.01.29	
	02-214	〃	
	02-314	〃	
	02-414	〃	
	02-514	〃	

企業体名	形式・車号	廃車月日	譲渡先
東京地下鉄	02-614	24.01.29	
	02-115	24.03.18	
	02-215	〃	
	02-315	〃	
	02-415	〃	
	02-515	〃	
	02-615	〃	
	02-119	23.04.24	
	02-219	〃	
	02-319	〃	
	02-419	〃	
	02-519	〃	
	02-619	〃	
東京都交通局	12-000形		
	12-071	23.06.19	
	12-072	〃	
	12-073	〃	
	12-074	〃	
	12-075	〃	
	12-076	〃	
	12-077	〃	
	12-078	〃	
	12-111	23.08.21	
	12-112	〃	
	12-113	〃	
	12-114	〃	
	12-115	〃	
	12-116	〃	
	12-117	〃	
	12-118	〃	
	12-191	24.01.29	
	12-192	〃	
	12-193	〃	
	12-194	〃	
	12-195	〃	
	12-196	〃	
	12-197	〃	
	12-198	〃	
	12-201	23.11.27	
	12-202	〃	
	12-203	〃	
	12-204	〃	
	12-205	〃	
	12-206	〃	
	12-207	〃	
	12-208	〃	
	12-221	23.10.16	
	12-222	〃	
	12-223	〃	
	12-224	〃	
	12-225	〃	
	12-226	〃	
	12-227	〃	
	12-228	〃	
	12-231	23.11.06	
	12-232	〃	
	12-233	〃	
	12-234	〃	
	12-235	〃	
	12-236	〃	
	12-237	〃	
	12-238	〃	
	300形 301-1	23.10.20	
	301-2	〃	
	301-3	〃	
	301-4	〃	
	301-5	〃	
	307-1	24.01.23	
	307-2	〃	
	307-3	〃	
	307-4	〃	
	307-5	〃	
	311-1	23.05.12	
	311-2	〃	
	311-3	〃	
	311-4	〃	
	311-5	〃	
	312-1	23.07.19	
	312-2	〃	
	312-3	〃	
	312-4	〃	
	312-5	〃	
横浜市交通局	3000A形 3281	24.02.06	
	3282	〃	
	3283	〃	
	3284	〃	
	3285	〃	
	3286	〃	

企業体名	形式・車号	廃車月日	譲渡先
横浜市交通局	3291	23.06.24	
	3292	〃	
	3293	〃	
	3294	〃	
	3295	〃	
	3296	〃	
	3571	23.03.20	
	3572	〃	
	3573	〃	
	3574	〃	
	3575	〃	
	3576	〃	
伊豆急行	100形 103	22.03.11	
アルピコ交通	3000形 3007	24.03.11	
	3008	〃	
しなの鉄道	115系		
	クモハ115-1012	24.03.29	
	モハ114-1017	〃	
	クハ115-1011	〃	
	クモハ115-1010	24.03.29	
	モハ114-1015	〃	
	クハ115-1010	〃	
静岡鉄道	1000形 1011	24.02.23	
	1511	〃	
名古屋鉄道	6000系 6001	24.01.19	
	6301	〃	
	6101	〃	
	6201	〃	
	6008	23.06.21	
	6308	〃	
	6108	〃	
	6208	〃	
	6016	23.12.22	
	6316	〃	
	6116	〃	
	9216	〃	
	6017	24.01.19	
	6317	〃	
	6117	〃	
	6217	〃	
	6052	23.06.21	
	6252	〃	
	6500系 6405	23.06.09	
	6455	〃	
	6555	〃	
	6505	〃	
	6407	23.04.07	
	6457	〃	
	6557	〃	
	6507	〃	
	6800系 6801	23.04.07	
	6901	〃	
	6802	23.06.09	
	6902	〃	
長良川鉄道	ナガラ3形 303	24.02.26	
黒部峡谷鉄道	ＥＤ形 9	23.09.29	
	1000形 1081	23.07.27	
	1082	〃	
	1083	〃	
	1084	〃	
	1085	〃	
	1086	〃	
	1087	〃	
	2800形 2801	23.08.03	
	2802	〃	
	2803	〃	
	2804	〃	
	2805	〃	
	2806	〃	
富山地方鉄道	DL-13形ＤＬ13	24.02.06	
あいの風	ＤＥ15形		
とやま鉄道	ＤＥ15 1518	23.04.06	
北陸鉄道	8900形 8902	23.07.17	
	8912	〃	
えちぜん鉄道	ML521形		
	521	24.03.08	
	522	24.03.08	
京都市交通局	10系 1103	23.12.31	
	1203	〃	
	1303	〃	
	1603	〃	
	1703	〃	
	1803	〃	
	1104	23.08.31	
	1204	〃	
	1304	〃	
	1604	〃	
	1704	〃	
	1804	〃	

企業体名	形式・車号	廃車月日	譲渡先
京阪電気鉄道	2200系 2210	23.08.21	
	2304	〃	
	2354	〃	
	2378	〃	
	2336	〃	
	2325	〃	
	2264	〃	
	2217	23.09.11	
	2307	〃	
	2375	〃	
	2357	〃	
	2338	〃	
	2322	〃	
	2263	〃	
	2600系 2624	23.11.08	
	2924	〃	
	2614	〃	
	2914	〃	
	2603	〃	
	2703	〃	
	2803	〃	
	2718	23.12.05	
	2818	〃	
	2619	〃	
	2819	〃	
阪急電鉄	3300系 3305	23.04.06	
	3805	〃	
	3341	〃	
	3817	〃	
	3355	〃	
	3306	〃	
	3806	〃	
	3391	〃	
	3330	23.07.28	
	3406	〃	
	3316	〃	
	3416	〃	
	3340	〃	
	3816	〃	
	3366	〃	
	5000系 5012	23.06.29	
	5512	〃	
	5562	〃	
	5533	〃	
	5513	〃	
	5062	〃	
	5100系 5100	23.06.01	
	5650	〃	
	5651	〃	
	5101	〃	
	5114	〃	
	5761	〃	
	5794	〃	
	5115	〃	
	5300系 5809	23.07.28	
	6000系 6578	23.06.29	
	6588	〃	
	6300系 6354	23.11.16	
	6804	〃	
	6904	〃	
	6814	〃	
	6914	〃	
	6454	〃	
	7000系 7036	24.02.13	
	7156	〃	
	7037	〃	
	7157	〃	
	救援車 4052	23.11.16	
	4053	〃	
阪神電気鉄道	5000系 5001	24.01.11	
	5002	〃	
	5003	〃	
	5004	〃	
	5013	24.02.13	
	5014	〃	
	5015	〃	
	5016	〃	
	5017	24.03.22	
	5018	〃	
	5019	〃	
	5020	〃	
南海電気鉄道	6000系 6005	23.08.26	
	6605	〃	
	6606	〃	
	6006	〃	
	6019	24.03.15	
	6910	〃	
	6031	23.08.26	
	6912	〃	
	6033	24.03.15	
	6914	〃	

企業体名	形式・車号	廃車月日	譲渡先
南海電気鉄道	2200系 2202	23.08.15	銚子電鉄
	2252	〃	〃
大阪市高速	20系 2604	23.09.27	
電気軌道	2104	〃	
	2804	〃	
	2304	〃	
	2204	〃	
	2904	〃	
	2605	23.12.26	
	2105	〃	
	2805	〃	
	2305	〃	
	2205	〃	
	2905	〃	
	2606	24.03.13	
	2106	〃	
	2806	〃	
	2306	〃	
	2206	〃	
	2906	〃	
	2632	24.03.21	
	2132	〃	
	2832	〃	
	2332	〃	
	2232	〃	
	2932	〃	
	2633	24.02.13	
	2133	〃	
	2833	〃	
	2333	〃	
	2233	〃	
	2933	〃	
	2637	23.07.26	
	2137	〃	
	2837	〃	
	2337	〃	
	2237	〃	
	2937	〃	
	2638	23.06.01	
	2138	〃	
	2838	〃	
	2338	〃	
	2238	〃	
	2938	〃	
	2639	23.09.19	
	2139	〃	
	2839	〃	
	2339	〃	
	2239	〃	
	2939	〃	
	22615	24.01.19	
	22115	〃	
	22815	〃	
	22315	〃	
	22215	〃	
	22915	〃	
	22655	23.08.22	
	22155	〃	
	22855	〃	
	22355	〃	
	22255	〃	
	22955	〃	
大阪モノレール	1000形 1605	23.12.06	
	1505	〃	
	1205	〃	
	1105	〃	
能勢電鉄	C形 1	23.12.03	
	2	〃	
神戸市交通局	1000-02形		
	1113-02	23.12.22	
	1213-02	〃	
	1313-02	〃	
	1413-02	〃	
	1513-02	〃	
	1613-02	〃	
	1117-02	23.12.22	
	1217-02	〃	
	1317-02	〃	
	1417-02	〃	
	1517-02	〃	
	1617-02	〃	
	1118-02	24.03.26	
	1218-02	〃	
	1318-02	〃	
	1418-02	〃	
	1518-02	〃	
	1618-02	〃	

企業体名	形式・車号	廃車月日	譲渡先
神戸市交通局	7000系 7051	23.12.22	
	7501	〃	
	7601	〃	
	7551	〃	
	7511	〃	
	7151	〃	
	7052	23.12.22	
	7502	〃	
	7602	〃	
	7552	〃	
	7512	〃	
	7152	〃	
	7053	24.02.22	
	7503	〃	
	7603	〃	
	7553	〃	
	7513	〃	
	7153	〃	
	7054	24.02.22	
	7504	〃	
	7604	〃	
	7554	〃	
	7514	〃	
	7154	〃	
	7055	24.02.22	
	7505	〃	
	7605	〃	
	7555	〃	
	7515	〃	
	7155	〃	
神戸新交通	1000形 1107	23.07.21	
	1207	〃	
	1507	〃	
	1607	〃	
	1108	23.05.17	
	1208	〃	
	1508	〃	
	1608	〃	
水島臨海鉄道	DD500形		
	DD506	23.02.28	
広島高速交通	6000系 6101	23.10.27	
	6201	〃	
	6301	〃	
	6401	〃	
	6501	〃	
	6601	〃	
	6120	23.04.07	
	6220	〃	
	6320	〃	
	6420	〃	
	6520	〃	
	6620	〃	
	6121	23.06.09	
	6221	〃	
	6321	〃	
	6421	〃	
	6521	〃	
	6621	〃	
	6122	23.08.03	
	6222	〃	
	6322	〃	
	6422	〃	
	6522	〃	
	6622	〃	
伊予鉄道	モハ50形 52	23.11.17	
	69	〃	
西日本鉄道	5000形 5104	23.04.01	
	5304	〃	
	5504	23.04.24	
	5111	23.11.09	
	5311	24.01.11	
	5511	24.02.10	
筑豊電気鉄道	2000形		
	2003ACB	23.04.03	汽車倶楽部
長崎電気軌道	360形		
	363	24.03.31	
熊本電気鉄道	6000形 6211A	24.02.12	
	6218A	〃	
南阿蘇鉄道	MT-2000形		
	2001A	22.12	
	2002A	22.12	
	2003A	24.02.16	
	MT-3000形		
	3001	24.02.16	
沖縄都市	1000形 1101	23.12	
モノレール	1201	〃	
	1103	23.12	
	1203	〃	
	1110	23.11	
	1210	〃	

譲受車両

企業体名	形式・車号	入籍月日	前所有者(旧車号)
上毛電気鉄道	800形　811	24.02.21	東京メトロ(03-135)
	821	〃	東京メトロ(03-835)
銚子電気鉄道	22000形　22007	24.03.09	南海(2202)
	22008	〃	南海(2252)
小湊鐵道	キハ40　5	22.10.02	ＪＲ東日本(キハ401006)
アルピコ交通	20100形　20105	24.02.23	東武(25855)
	20106	〃	東武(24804)
IRいしかわ鉄道	521系		
	クモハ521-19	24.03.16	ＪＲ西日本(クモハ521-19)
	クモハ521-20	〃	ＪＲ西日本(クモハ521-20)
	クモハ521-22	〃	ＪＲ西日本(クモハ521-22)
	クモハ521-26	〃	ＪＲ西日本(クモハ521-26)
	クモハ521-28	〃	ＪＲ西日本(クモハ521-28)
	クモハ521-34	〃	ＪＲ西日本(クモハ521-34)
	クモハ521-37	〃	ＪＲ西日本(クモハ521-37)
	クモハ521-39	〃	ＪＲ西日本(クモハ521-39)
	クモハ521-40	〃	ＪＲ西日本(クモハ521-40)
	クモハ521-41	〃	ＪＲ西日本(クモハ521-41)
	クモハ521-42	〃	ＪＲ西日本(クモハ521-42)
	クモハ521-43	〃	ＪＲ西日本(クモハ521-43)
	クモハ521-52	〃	ＪＲ西日本(クモハ521-52)
	クモハ521-53	〃	ＪＲ西日本(クモハ521-53)
	クモハ521-54	〃	ＪＲ西日本(クモハ521-54)
	クモハ521-57	〃	ＪＲ西日本(クモハ521-57)
	クハ520-19	24.03.16	ＪＲ西日本(クハ520-19)
	クハ520-20	〃	ＪＲ西日本(クハ520-20)
	クハ520-22	〃	ＪＲ西日本(クハ520-22)
	クハ520-26	〃	ＪＲ西日本(クハ520-26)
	クハ520-28	〃	ＪＲ西日本(クハ520-28)
	クハ520-34	〃	ＪＲ西日本(クハ520-34)
	クハ520-37	〃	ＪＲ西日本(クハ520-37)
	クハ520-39	〃	ＪＲ西日本(クハ520-39)
	クハ520-40	〃	ＪＲ西日本(クハ520-40)
	クハ520-41	〃	ＪＲ西日本(クハ520-41)
	クハ520-42	〃	ＪＲ西日本(クハ520-42)
	クハ520-43	〃	ＪＲ西日本(クハ520-43)
	クハ520-52	〃	ＪＲ西日本(クハ520-52)
	クハ520-53	〃	ＪＲ西日本(クハ520-53)
	クハ520-54	〃	ＪＲ西日本(クハ520-54)
	クハ520-57	〃	ＪＲ西日本(クハ520-57)
	キヤ143形		
	キヤ143-5	24.03.16	ＪＲ西日本(キヤ143-5)

企業体名	形式・車号	入籍月日	前所有者(旧車号)
ハピラインふくい	521系		
	クモハ521-25	24.03.16	ＪＲ西日本(クモハ521-25)
	クモハ521-27	〃	ＪＲ西日本(クモハ521-27)
	クモハ521-29	〃	ＪＲ西日本(クモハ521-29)
	クモハ521-33	〃	ＪＲ西日本(クモハ521-33)
	クモハ521-35	〃	ＪＲ西日本(クモハ521-35)
	クモハ521-36	〃	ＪＲ西日本(クモハ521-36)
	クモハ521-38	〃	ＪＲ西日本(クモハ521-38)
	クモハ521-44	〃	ＪＲ西日本(クモハ521-44)
	クモハ521-45	〃	ＪＲ西日本(クモハ521-45)
	クモハ521-46	〃	ＪＲ西日本(クモハ521-46)
	クモハ521-47	〃	ＪＲ西日本(クモハ521-47)
	クモハ521-48	〃	ＪＲ西日本(クモハ521-48)
	クモハ521-49	〃	ＪＲ西日本(クモハ521-49)
	クモハ521-50	〃	ＪＲ西日本(クモハ521-50)
	クモハ521-51	〃	ＪＲ西日本(クモハ521-51)
	クモハ521-58	〃	ＪＲ西日本(クモハ521-58)
	クハ520-25	24.03.16	ＪＲ西日本(クハ520-25)
	クハ520-27	〃	ＪＲ西日本(クハ520-27)
	クハ520-29	〃	ＪＲ西日本(クハ520-29)
	クハ520-33	〃	ＪＲ西日本(クハ520-33)
	クハ520-35	〃	ＪＲ西日本(クハ520-35)
	クハ520-36	〃	ＪＲ西日本(クハ520-36)
	クハ520-38	〃	ＪＲ西日本(クハ520-38)
	クハ520-44	〃	ＪＲ西日本(クハ520-44)
	クハ520-45	〃	ＪＲ西日本(クハ520-45)
	クハ520-46	〃	ＪＲ西日本(クハ520-46)
	クハ520-47	〃	ＪＲ西日本(クハ520-47)
	クハ520-48	〃	ＪＲ西日本(クハ520-48)
	クハ520-49	〃	ＪＲ西日本(クハ520-49)
	クハ520-50	〃	ＪＲ西日本(クハ520-50)
	クハ520-51	〃	ＪＲ西日本(クハ520-51)
	クハ520-58	〃	ＪＲ西日本(クハ520-58)
	キヤ143形		
	キヤ143-9	24.03.16	ＪＲ西日本(キヤ143-9)
北陸鉄道	03系　140	23.12.20	東京メトロ(03-140)
	840	〃	東京メトロ(03-840)
熊本電気鉄道	1000形　1012	24.03.08	静岡鉄道(1012)
	1512	〃	静岡鉄道(1512)

車両の移動　2023年度

企業体名	形式・編成	移動月日	新区 ← 旧区
京浜急行電鉄	1000形 1401×4	24.01.01	新町←金沢
	1405×4	24.01.01	〃
	1409×4	24.01.01	〃
	1413×4	24.01.01	〃
	1441×4	24.01.01	〃
	1445×4	24.01.01	〃
	1465×4	24.01.01	金沢←新町
	1481×4	24.01.01	〃
	1485×4	24.01.01	〃
	1489×4	24.01.01	〃
	1001×8	24.01.01	久里浜←金沢
東武鉄道	8000系 8111×6	22.12.25	七光台←春日部
西武鉄道	101系 1247×4	23.06.04	玉川上水←小手指
	1249×4	23.06.04	小手指←玉川上水
	1245×4	23.09.10	玉川上水←小手指
	1251×4	23.09.10	小手指←玉川上水
	1241×4	23.12.17	小手指←玉川上水
	1249×4	23.12.17	玉川上水←小手指
	1241×4	24.03.03	玉川上水←小手指
	1253×4	24.03.03	小手指←玉川上水
	6000系		
	6104×10	23.07.14	玉川上水←小手指
	6105×10	24.03.12	〃
	6106×10	23.12.08	〃
神奈川臨海鉄道	ＤＤ60 1	23.06	川崎貨物→横浜本牧
	ＤＤ5519	23.06	横浜本牧→川崎貨物
近畿日本鉄道	2430系		
	2435F×3	23年度	明星←高安
	2440F×3	〃	〃
	2444系		
	2444F×3	23年度	富吉←明星
	2445F×3	〃	〃
	2610系		
	2617F×4	23年度	富吉←明星
	2800系		
	2817F×4	23年度	明星←富吉
阪急電鉄	1000系		
	1010F×8	23.06.23	宝塚線←神戸線
	1010F×8	23.06.27	神戸線←宝塚線
	1012F×8	24.01.15	神戸線←宝塚線
	1012F×8	24.03.25	宝塚線←神戸線
南海電気鉄道	50000系		
	50503F×6	23.10.03	南海線←高野線
	8300系		
	8311F×4	23.07.15	高野線←南海線
	8710F×2	23.07.15	〃
	2000系		
	2035F×2	24.01.05	高野線←南海線
	2036F×2	24.03.29	〃
	1000系		
	1051F×4	24.03.16	高野線←南海線

改造車両　2023年度

企業体名	形式・車号	改造月日	改造内容
函館市企業局	8000形 8007	24.03.14	車体改良(補助電源取替)
道南いさりび鉄道	キハ40形 1814	23.10.14	濃赤色(元 山吹色)
野岩鉄道	6050系 62103	23.04.19	トイレ洋式化
	6050系 61103	23.10.05	座席畳化(掘りごたつ仕様2箇所)
	62103	23.10.05	自転車スペース、フリースペース設置
上信電鉄	250形 251	23.07.20	Pan.シングルアーム化
関東鉄道	キハ2400形 2106	24.02.19	車両更新、機関換装(新潟→コマツ)
新京成電鉄	8800形 8814-6	22.12.05	車内リニューアル＋主幹制御器更新
	8814-5	〃	表示器更新＋
	8814-4	〃	＋パンダグラフシングルアーム化
	8814-3	〃	〃
	8814-2	〃	〃
	8814-1	〃	〃
	8807F×6	23.01.25	京成千葉線乗入れ対応
	8810F×6	23.02.09	〃
	8815F×6	22.12.05	〃
	8807F×6	24.03.14	パンダグラフシングルアーム化
	N800形 N821F×6	23.04.03	常用ブレーキ７段化＋塗油器新設
東葉高速鉄道	2000系		
	2103F×10	23.04.18	デジタル空間波無線対応、
	2104F×10	23.07.17	ＡＴＣ改造、ＡＴＯ化準備
	2105F×10	23.10.16	
	2106F×10	24.01.22	〃
京浜急行電鉄	1000形 1401F×4	23.10.03	車体更新
	1405F×4	23.03.15	〃
	1025F×8	23.12.19	〃
東武鉄道	10000系		
	11257F×2	24.03.22	ＯＭ化
	11258F×2	23.09.15	〃
	11261F×2	23.12.28	〃
	11263F×2	23.11.17	〃
	11266F×2	24.02.09	〃
西武鉄道	20000系		
	20106F×10	23.10.17	ＶＶＶＦ更新
	20107F×10	23.12.22	〃
	20108F×10	24.02.07	〃
	20157F×10	23.08.25	〃
	20158F×10	23.08.04	〃
	6000系		
	6101F×10	23.06.30	主回路装置更新
	6101F×10	23.06.30	ＬＥＤ表示器更新
	30000系	〃	〃
	38114F×8	23.12.28	情報配信装置更新
	6000系		
	6114F×10	24.02.02	情報配信装置更新
	6115F×10	24.02.20	〃
京王電鉄	5000系		
	5731F×10	23.09.29	新バリアフリー法対応改修・外幌交換
	5732F×10	23.11.17	〃
	5733F×10	23.12.13	〃
	5734F×10	23.12.28	〃
	5735F×10	24.01.26	〃
	5736F×10	24.02.09	〃
	8000系 8705	23.07.07	車体修理・車いすスペース設置
	8005	〃	車体修理・ＶＶＶＦ更新
	8055	〃	車体修理・車いすスペース設置
	8105	〃	車体修理・ＶＶＶＦ更新
	8155	〃	車体修理・車いすスペース設置
	8505	〃	車体修理
	8555	〃	車体修理
	8205	〃	車体修理・ＶＶＶＦ更新・車いすスペース設置
	8255	〃	車体修理
	8755	〃	車体修理・車いすスペース設置
	8728	24.03.29	車体修理・車いすスペース設置
	8028	〃	車体修理
	8078	〃	車体修理・ＳＩＶ更新・車いすスペース設置
	8528	〃	車体修理・車いすスペース設置
	8578	〃	車体修理・車いすスペース設置
	8128	〃	車体修理・車いすスペース設置
	8178	〃	車体修理・ＳＩＶ更新・パンタグラフ設置
	8778	〃	車体修理・車いすスペース設置
	8729	23.08.16	車体修理・車いすスペース設置
	8029	〃	車体修理
	8079	〃	車体修理・ＳＩＶ更新・車いすスペース設置
	8529	〃	車体修理・車いすスペース設置
	8579	〃	車体修理・車いすスペース設置
	8129	〃	車体修理・車いすスペース設置
	8179	〃	車体修理・ＳＩＶ更新・パンタグラフ設置
	8779	〃	車体修理・車いすスペース設置

企業体名	形式・車号	改造月日	改造内容
京王電鉄	8000系　8731	23.11.07	車体修理・車いすスペース設置
	8031	〃	車体修理
	8081	〃	車体修理・ＳＩＶ更新・車いすスペース設置
	8531	〃	車体修理・車いすスペース設置
	8581	〃	車体修理・車いすスペース設置
	8131	〃	車体修理・車いすスペース設置
	8181	〃	車体修理・ＳＩＶ更新・パンタグラフ設置
	8781	〃	車体修理・車いすスペース設置
	7000系　7875	23.11.21	ＳＩＶ更新
小田急電鉄	3000形		
	3263F×6	23.11.27	車体更新＋制御装置Sic適用VVVF
	3264F×6	24.04.02	〃
	3267F×6	23.07.27	〃
東急電鉄	5000系　4113	23.04.11	東横線10両化に伴う車号変更(5167)
	4213	〃	〃　(5267)
	4313	〃	〃　(5367)
	4613	〃	〃　(5467)
	4713	〃	〃　(5567)
	4813	〃	〃　(5667)
	4913	〃	〃　(5767)
	4013	〃	〃　(5867)
	4114	23.05.02	〃　(5168)
	4214	〃	〃　(5268)
	4314	〃	〃　(5368)
	4614	〃	〃　(5468)
	4714	〃	〃　(5568)
	4814	〃	〃　(5668)
	4914	〃	〃　(5768)
	4014	〃	〃　(5868)
			リニューアル工事(VVVF更新、室内更新)　実施
東京地下鉄	05系		
	05-122F×10	23.08.14	永久磁石同期電動機(全閉)に
	05-123F×10	24.01.26	〃
	9000系		
	9109F×8	23.11.18	三相かご形誘導電動機(高効率・全閉)
横浜市交通局	3000N形		
	3351F×6	24.03.11	ATC/O・VVVF・SIV・ブレーキ装置・空調装置・モニタ装置・室内表示器更新
相模鉄道	10000系		
	10704F×10	23.04.25	VVVF ST-SC60A→ST-SC113-G1(M1) STV ST-SC61A→SVH210S3A CP ST-MH3119-C1600S1→VV180-T更新
	10704F×10	23.04.25	前照灯移設、前面・側面表示器更新
	8000系		
	8711F×10	23.06.20	前照灯移設、前面表示器更新等
	8712F×10	23.08.10	〃
	8713F×10	23.10.10	〃
	11000系		
	11002F×10	23.08.03	棒連結化工事(3・4号車、7・8号車間)
	11003F×10	23.11.06	〃
	11005F×10	23.07.28	〃
	20000系		
	20103F×10	23.10.11	棒連結化工事(4・5号車、6・7号車間)
江ノ島電鉄	500形　502	24.01.15	安全性向上
	552	〃	〃
豊橋鉄道	3500形　3503	24.03.01	車体更新＋制御装置Sic適用VVVF
	780形　781	24.03.21	VVVF更新(SiCハイブリッド素子)
	785	〃	〃
名古屋鉄道	3500系　3529F×4	23.08.04	制御装置更新＋室内灯ＬＥＤ化等
	3527F×4	23.12.07	中間車に車いすスペース設置
	3531F×4	24.01.04	〃
	3534F×4	23.08.18	〃
	3529F×4	23.08.04	ワンマン化
	6500系　6417F×4	24.02.03	内装更新、ロングシート化、ＬＣＤ車内案内表示器新設、ワンマン化
	6423F×4	23.11.21	〃
	6424F×4	24.04.04	〃
	9100系　9101F×2	23.05.16	ワンマン化
	9102F×2	23.09.25	〃
	9103F×2	23.10.02	〃
	9104F×2	23.10.12	〃
	9105F×2	23.10.27	〃
	9106F×2	23.12.25	〃
	9107F×2	23.12.07	〃
	9500系　9512F×4	23.09.25	ワンマン化
	9513F×4	23.07.12	〃
	9514F×4	23.07.07	〃
	9515F×4	23.08.18	〃
	2000系　2002F×4	24.03.18	ＬＥＤ化
	2200系		
	2204・2254・2304	24.01.15	ＬＥＤ化
	2205・2255・2305	24.03.27	〃
	2210・2260・2310	24.02.28	〃
名古屋鉄道	2200系		
	2212・2262・2312	23.05.19	〃
	2234・2284・2334	23.07.27	〃
	3300系　3305F×4	23.10.27	ＬＥＤ化
	3307F×4	23.06.30	〃
	3308F×4	23.08.19	〃
	4000系　4001F×4	23.07.13	ＬＥＤ化
	3500系　3629	23.08.04	非常用梯子設置
	3627	23.12.07	〃
	3631	24.01.04	〃
	6500系　6523	23.11.21	〃
	6524	24.04.04	〃
	2000系　2102	24.03.18	〃
	2110	23.05.24	〃
	2111	23.07.03	〃
	2200系　2204	24.01.15	〃
	2309	23.11.25	〃
	3100系　3216	23.09.05	〃
	3217	23.01.25	〃
	3219	23.10.25	〃
	3150系　3252	23.03.01	〃
	3253	23.10.24	〃
	3257	23.12.25	〃
	3258	23.12.08	〃
	3259	23.03.19	〃
	3268	23.09.15	〃
	3300系　3401	23.06.01	〃
	3402	23.03.01	〃
	3403	23.02.20	〃
	3407	23.06.30	〃
	3500系　3604	23.06.21	〃
	3605	23.09.18	〃
	3606	23.01.16	〃
	3607	23.05.09	〃
	3608	23.01.14	〃
	3609	23.02.08	〃
	3625	23.04.19	〃
	3700系　3801	23.11.06	〃
	1800系　1903	23.02.15	〃
	1905	23.11.28	〃
	1906	23.06.27	〃
	1907	23.08.14	〃
	5000系　5104	23.10.11	〃
	5105	23.05.05	〃
	6000系　6212	23.10.04	〃
	6500系　6504	23.03.04	〃
	6800系　6936	23.09.14	〃
富山地方鉄道	10030形　10031	23.12.11	主電動機ＭＴ54、台車ＤＴ32へ交換
	10032	〃	〃
近江鉄道	100形　102	22.12.21	スノープラウ取付
	103	22.12.24	〃
叡山電鉄	デオ710形　711	23.11.01	改修工事(車体修繕、車いすスペース設置、車内灯ＬＥＤ化等)、塗色変更
	デオ730形　731	24.02.22	〃
京福電気鉄道	モボ631形　632	23.05.11	車体塗色　京紫色化
	モボ501形　502	23.05.31	〃
近畿日本鉄道	9000系　9108×2	23.06.20	内装新デザイン
	1220系　1221×2	23.08.17	〃　1220形に車いす対応設備
	1222×2	23.09.07	〃
	1223×2	24.02.19	〃
	1230系　1231×2	23.12.07	〃　1230形に車いす対応設備
	1232×2	23.08.17	〃
	1233系　1234×2	23.09.29	〃　1333形に車いす対応設備
	1236×2	23.11.15	〃
	1237×2	24.03.29	〃
	1242×2	23.10.02	〃　1233形に車いす対応設備
	1240系　1240×2	24.02.27	〃　1240形に車いす対応設備
	1422系　1422×2	23.09.07	〃　1422形に車いす対応設備
	1423×2	23.10.26	〃
	1424×2	24.02.02	〃
	1425×2	23.12.28	〃
	1426×2	23.12.27	〃
	1620系　1623×4	23.07.20	〃　中間車に車いす対応設備
	2050系　2151×3	23.04.21	〃
	2152×3	23.05.26	〃
	6400系　6403×2	23.11.07	〃　6400形に車いす対応設備
	6404×2	23.12.11	〃
	6405×2	24.02.07	〃
	6406×2	24.03.15	〃
	5200系　5151	23.10.13	補助電源SIV化
	5102・5152	23.12.27	〃

企業体名	形式・車号	改造月日	改造内容
京阪電気鉄道	6000系		
	6012Ｆ×8	23.04.14	改修工事
	6014Ｆ×8	23.06.14	〃
	13000系　13871	23.06.19	3000系を13000系に改造(3751)
	13873	23.07.04	〃　(3753)
	13874	23.07.10	〃　(3754)
	13875	23.07.12	〃　(3755)
	13876	23.07.24	〃　(3756)
	13877	23.08.08	〃　(3752)
	8000系		
	8009Ｆ×8	23.10.30	床下改修工事
	7000系		
	7002Ｆ×7	23.12.20	改修工事
阪急電鉄	7300系　7955	24.02.21	車両番号及び形式変更(7455→7955)
	8000系		
	8004Ｆ×8	23.07.28	客室内装改良・ＶＶＶＦ化 8504=座席ロングシート化
	8300系		
	8301Ｆ×8	23.07.20	客室内装改良・ＶＶＶＦ化
	7325Ｆ×8	24.02.21	〃
	6000系		
	6001Ｆ×4	23.06.08	乗務員室改良他
	6004Ｆ×4	24.02.15	〃
	6012Ｆ×4	23.10.10	〃
	6024Ｆ×4	23.11.15	〃
南海電気鉄道	9000系		
	9511Ｆ×6	23.07.06	更新工事 モハ9001(9012)→サハ9812(9812)
	2000系		
	2035Ｆ×2	24.01.05	ワンマン化工事
	2036Ｆ×2	24.03.29	〃
泉北高速鉄道	5000系		
	5505Ｆ×8	24.02.08	制御装置の更新
	7020系		
	7525Ｆ×4	23.06.29	帯色ブルーのみの一色化
	7571Ｆ×2	23.09.07	〃
	7000系		
	7503Ｆ×4	24.02.05	帯色ブルーのみの一色化
大阪市高速電気軌道	20系　22652	23.04.11	谷町線 転用改造(24602)
	22152	〃	〃　(24102)
	22852	〃	〃　(24802)
	22352	〃	〃　(24302)
	22252	〃	〃　(24202)
	22952	〃	〃　(24902)
	22653	23.11.18	谷町線 転用改造(24603)
	22153	〃	〃　(24103)
	22853	〃	〃　(24803)
	22353	〃	〃　(24303)
	22253	〃	〃　(24203)
	22953	〃	〃　(24903)
	22654	24.03.01	谷町線 転用改造(24604)
	22154	〃	〃　(24104)
	22854	〃	〃　(24804)
	22354	〃	〃　(24304)
	22254	〃	〃　(24204)
	22954	〃	〃　(24904)
	20系		
	22612Ｆ×6	23.08.04	中間更新・車内リフレッシュ化・LED化
	23613Ｆ×6	23.06.08	中間更新・車内リフレッシュ化・LED化
	23614Ｆ×6	23.10.27	〃
	23615Ｆ×6	24.03.06	〃
	66系		
	66612Ｆ×8	24.03.12	中間更新・車内リフレッシュ化・LED化
	70系		
	7125Ｆ×4	23.04.10	中間更新・車内リフレッシュ化・LED化
	30000系		
	32603Ｆ×6	23.07.11	可動式ホーム柵対応改造
	32604Ｆ×6	23.12.11	〃
	32609Ｆ×6	23.04.07	〃
	32610Ｆ×6	23.09.13	〃
	32611Ｆ×6	24.03.06	〃
	20系		
	23601Ｆ×6	23.07.21	可動式ホーム柵対応改造
	23608Ｆ×6	23.04.11	〃
	23609Ｆ×6	23.11.06	〃
	23656Ｆ×6	24.02.09	〃
山陽電気鉄道	3000系		
	3068Ｆ×4	24.03.06	リフレッシュ工事
	3072Ｆ×4	23.08.21	〃
	5000系		
	5630Ｆ×6	23.09.16	車内外表示器更新

企業体名	形式・車号	改造月日	改造内容
広島電鉄	800形　810	24.02.15	制御装置更新(VVVF化改造)
	3800形　3802ACB	24.02.08	制御装置更新
	3802ACB	24.02.08	ワンマン化
	3805ACB	23.07.07	〃
	3808ACB	23.08.04	〃
	3801ACB	23.09.08	〃
	3800形　3901ACB	23.10.06	ワンマン化
	3902ACB	23.12.28	〃
	3903ACB	23.12.05	〃
	3904ACB	24.03.29	〃
	3905ACB	23.11.07	〃
	3906ACB	24.03.06	〃
	5100形		
	5104ACEDB	23.06.20	ワンマン化
	5105ACEDB	23.08.24	〃
	5106ACEDB	23.07.21	〃
	5107ACEDB	23.09.21	〃
	5108ACEDB	23.10.19	〃
	5109ACEDB	23.11.16	〃
	5110ACEDB	23.12.14	〃
福岡市交通局	2000N系		
	2511F×6	23.07.14	車両大規模改修(車内リニューアル) 2000系→2000N系に
西日本鉄道	7000形　7109	23.07.24	制御装置(VVVF装置)変更
	7108	23.11.29	〃
	7110	24.03.28	〃
	7109	23.07.24	主電動機　3個→4個に
	7108	23.11.29	〃
	7110	24.03.28	〃
	7109	23.07.24	ＳＩＶ装置変更
	7108	23.11.29	〃
	7110	24.03.28	〃
	7109	23.07.24	2名座席撤去→車いすスペース拡幅
	7509	〃	〃
	7108	23.11.29	〃
	7508	〃	〃
	7110	24.03.28	〃
	7510	〃	〃
甘木鉄道	ＡＲ300形　306	24.02.29	液体変速機換装
島原鉄道	キハ2550A形		
	2552A	24.01.31	トイレ洋式化(真空式)＋客用扉 位置を車体中心側に、引戸へ変更
熊本市交通局	1200形　1201	24.01	冷房装置更新(交流化)、
	1350形　1356	24.03	補助電源装置取付
	1200形　1201	24.01	室内灯ＬＥＤ化、窓枠更新
	1350形　1356	24.03	〃
鹿児島市交通局	2120形　2122	23.09.28	VVVF制御装置更新 (主電動機含む)
	2130形　2131	23.12.27	〃
	2132	24.03.21	〃
	1000形　1011	24.02.29	ブレーキ装置空制化、 (電動空気圧縮機取付含む)

▽過年度分　追加を含む

東武鉄道特急ロマンスカー運用図表

不定期は休日運転　ただし1部最多客時

1978.10.01現在

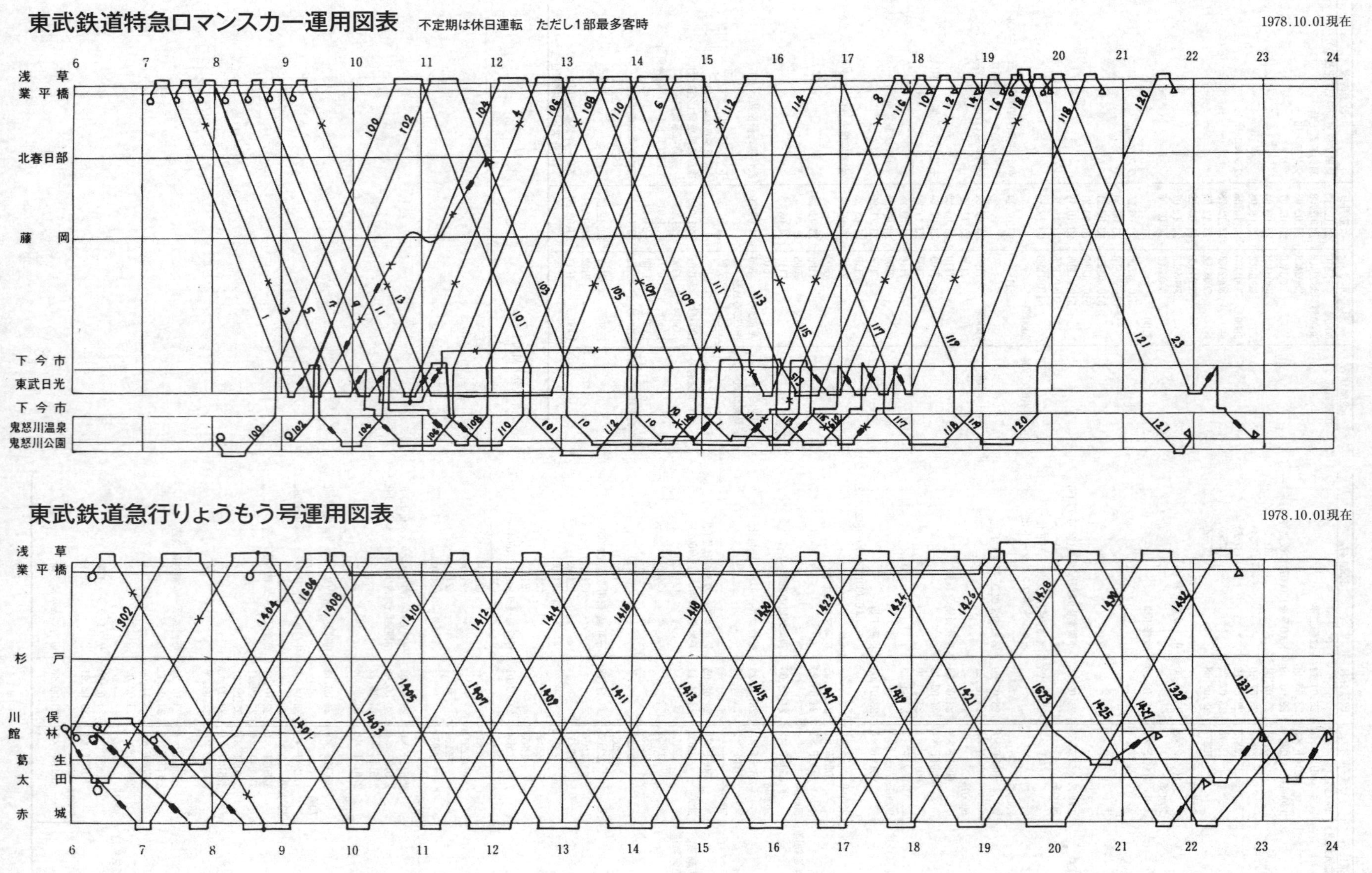

東武鉄道急行りょうもう号運用図表

1978.10.01現在

小田急電鉄ロマンスカー運用図表（上段平日下段休日）

1978.10.01現在

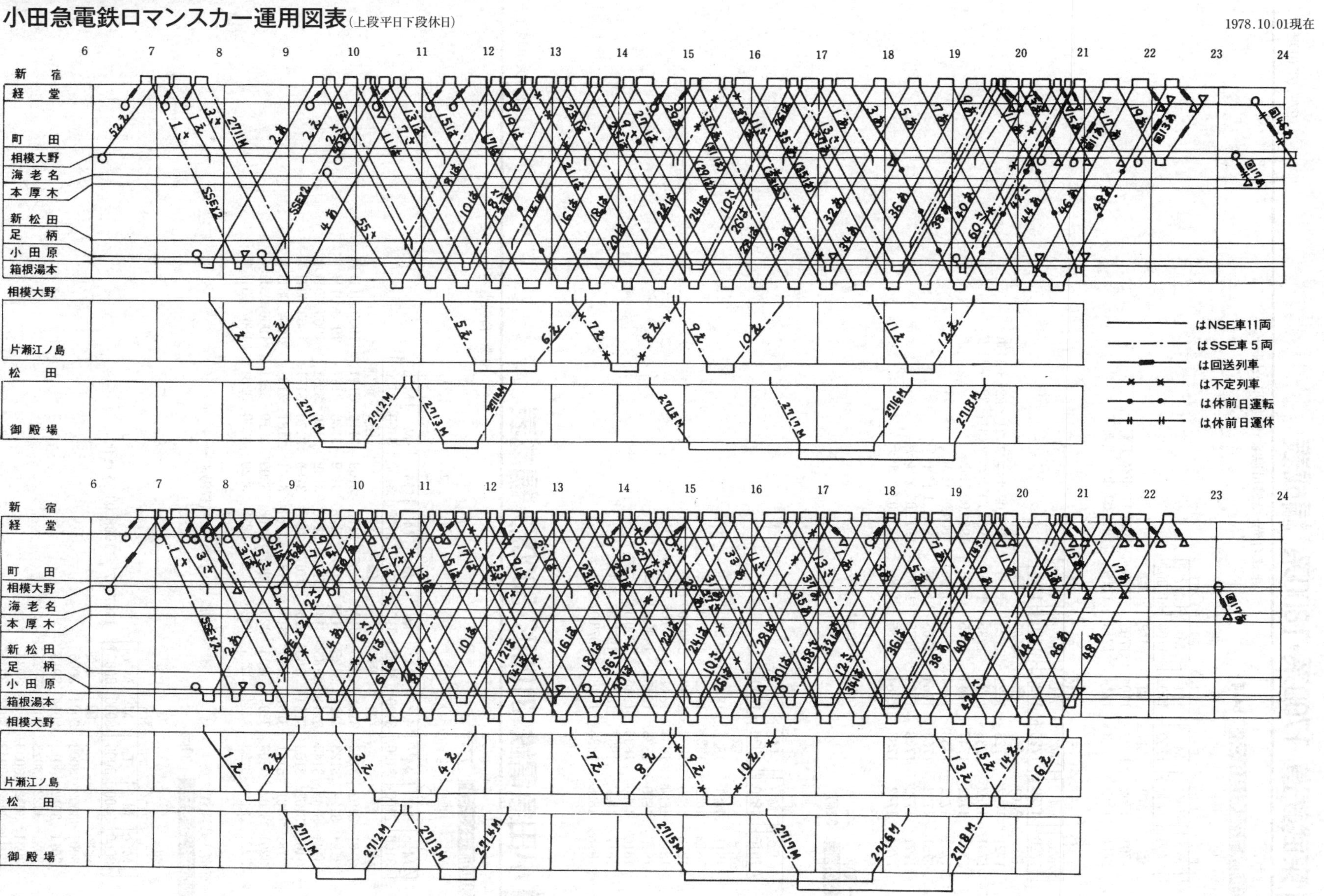

東武鉄道 1700系・1800系 編成表

1978.10.01現在

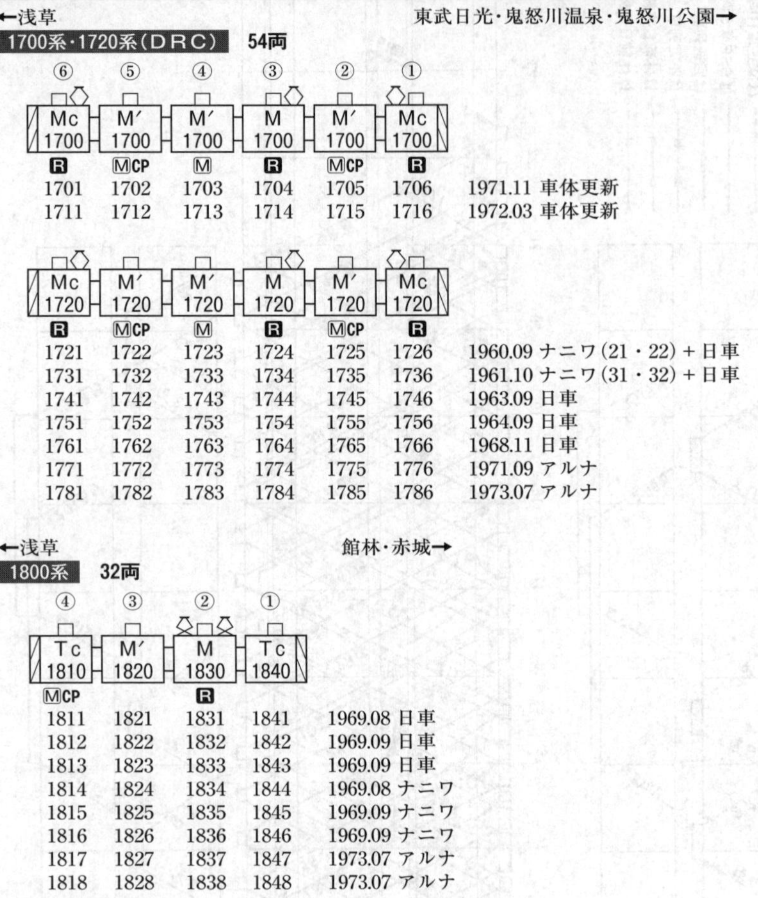

←浅草　　東武日光・鬼怒川温泉・鬼怒川公園→

1700系・1720系（DRC）　54両

⑥	⑤	④	③	②	①	
Mc 1700	M′ 1700	M′ 1700	M 1700	M′ 1700	Mc 1700	
R	MCP	M	R	MCP	R	
1701	1702	1703	1704	1705	1706	1971.11 車体更新
1711	1712	1713	1714	1715	1716	1972.03 車体更新

⑥	⑤	④	③	②	①	
Mc 1720	M′ 1720	M′ 1720	M 1720	M′ 1720	Mc 1720	
R	MCP	M	R	MCP	R	
1721	1722	1723	1724	1725	1726	1960.09 ナニワ（21・22）＋日車
1731	1732	1733	1734	1735	1736	1961.10 ナニワ（31・32）＋日車
1741	1742	1743	1744	1745	1746	1963.09 日車
1751	1752	1753	1754	1755	1756	1964.09 日車
1761	1762	1763	1764	1765	1766	1968.11 日車
1771	1772	1773	1774	1775	1776	1971.09 アルナ
1781	1782	1783	1784	1785	1786	1973.07 アルナ

←浅草　　館林・赤城→

1800系　32両

④	③	②	①	
Tc 1810	M′ 1820	M 1830	Tc 1840	
MCP		R		
1811	1821	1831	1841	1969.08 日車
1812	1822	1832	1842	1969.09 日車
1813	1823	1833	1843	1969.09 日車
1814	1824	1834	1844	1969.08 ナニワ
1815	1825	1835	1845	1969.09 ナニワ
1816	1826	1836	1846	1969.09 ナニワ
1817	1827	1837	1847	1973.07 アルナ
1818	1828	1838	1848	1973.07 アルナ

小田急電鉄 3100形・3000形 編成表

1978.10.01現在

←新宿　　小田原・箱根湯本→

3100形（NSE）　77両

⑪	⑩	⑨	⑧	⑦	⑥	⑤	④	③	②	①	
M′c 3100	M′ 3100	M′ 3100	M′ 3100	M 3100	M′ 3100	M 3100	M′ 3100	M′ 3100	M′ 3100	M′c 3100	
MCP	M		CP	R		R	CP		M	MCP	
3101	3102	3103	3104	3105	3106	3107	3108	3109	3110	3111	1963.01日車
3121	3122	3123	3124	3125	3126	3127	3128	3129	3130	3131	1963.01日車
3141	3142	3143	3144	3145	3146	3147	3148	3149	3150	3151	1963.09日車
3161	3162	3163	3164	3165	3166	3167	3168	3169	3170	3171	1963.09日車
3181	3181	3181	3181	3181	3181	3181	3181	3181	3181	3181	1966.03日車
3201	3202	3203	3204	3205	3206	3207	3208	3209	3210	3211	1966.03日車
3221	3222	3223	3224	3225	3226	3227	3228	3229	3230	3231	1967.03日車

←新宿、片瀬江ノ島　　藤沢・御殿場・小田原・箱根湯本→

3000形（SSE）　30両

⑤	④	③	②	①	
M′c 3000	M′ 3000	T 3000	M 3000	M′c 3000	1967.07 ～ 1968.03　5連化
MCP			R	MCP	
3001	3002	3003	3004	3005	
3011	3012	3013	3014	3015	
3021	3022	3023	3024	3025	
3031	3032	3033	3034	3035	
3041	3042	3043	3044	3045	
3051	3052	3053	3054	3055	

M′は制御装置搭載なしの電動車

私鉄年表　２０２３(令和５)年度

2022年度

23.03.25　**神戸電鉄**
花山駅、大池駅、再整備工事が竣工、駅前広場供用開始

23.03.31　**江ノ島電鉄**
江ノ島駅、アクアポニック施設「Aqua Garden Lab(アクアガーデンラボ)」、本稼働開始

2023年度

23.04.01　**京成電鉄**
千葉県内の太陽光発電など再生可能エネルギー100%でCO_2排出量実質ゼロのスカイライナー運行へ

23.04.01　**山万**
ダイヤ改正

23.04.01　**西武鉄道**
乗車ポイントサービス「SEIBU Smile POINT」スタート。同一運転区間を月に複数回乗車にてポイントが貯まる「リピートプラス」も開始
西武多摩川線サイクルトレインにおいて、多磨駅での乗降可能に

23.04.01　**小田急電鉄**
「ふじさん号」、ＪＲ御殿場線内を含むシーズン別特別急行料金廃止。通年、繁忙期加算、閑散期減額がなくなり通年通常料金に変更。
組織改正。デジタルイノベーション部をデジタル変革推進部に、デジタル事業創造部を新設、広報・環境部を広報部と改称
ドラマ「silent」(フジテレビ系)の印象的なシーンを振り返りロケ地を巡る「silentロケ地マップ」を小田急線全70駅等で配布

23.04.01　**東京地下鉄**
駅構内で提供 Wi-Fiサービス、提供事業者との契約満了に伴い、サービスを提供する駅等を変更

23.04.01　**東京都交通局**
新たなポイントサービス「ＴｏＫｏＰｏステップアップボーナス」開始。乗れば乗るほどポイント付与率がアップする
訪日外国人向け無料Wi-Fiサービスの変更(Open Roaming対応に)

23.04.01　**伊豆箱根鉄道**
駿豆線、運賃改定。0～8km区間は一律20円加算

23.04.01　**静岡鉄道**
旅客運賃改定。初乗り140円を160円に

23.04.01　**大井川鐵道**
ＳＬ急行券取扱箇所を新金谷駅前ＳＬセンター、家山、千頭駅の３か所に。新金谷駅の営業時間を06:45～19:15に

23.04.01　**しなの鉄道**
「千曲川回数券」を「千曲川きっぷ(６枚つづり)」に変更。
ＪＲ東日本との間で実施の乗継割引廃止に伴い、一部区間の運賃変更。
戸倉駅、千曲市へ駅業務委託

23.04.01　**あいの風とやま鉄道**
旅客運賃改定。運賃改定届出は2022.12.12。
観光列車「一万三千尺物語」、食事やサービスをリニューアル

23.04.01　**京都市交通局**
「京都地下鉄・バスＩＣポイントサービス」開始。各種割引乗車券及び割引サービスを終了

23.04.01　**京都市交通局**
烏丸線、今出川駅(南改札口)、竹田駅(南改札口)、有人改札のリモート化

23.04.01　**京阪電気鉄道・叡山電鉄**
京阪線祇園四条～神宮丸太町間と叡山電車元田中～修学院間の乗継割引廃止

23.04.01　**近畿日本鉄道**
旅客運賃改定。初乗り160円が180円に。精神障がい者割引導入

23.04.01　**叡山電鉄**
旅客運賃改定。茶山駅を茶山・京都芸術大学駅に改称。
「駅名変更記念乗車券・記念入場券セット」発売

23.04.01　**京福電気鉄道**
嵐山線、旅客運賃改定。均一制220円が250円に

23.04.01　**阪急電鉄**
鉄道駅バリアフリー料金収受開始に伴う運賃改定。
ＩＣＯＣＡによる「阪急電車ポイント還元サービス」開始

23.04.01　**阪神電気鉄道**
鉄道駅バリアフリー料金収受開始に伴う運賃改定

23.04.01　**能勢電鉄**
ＩＣＯＣＡによる「能勢電車ポイント還元サービス」開始

23.04.01　**熊本市電**
タッチ決済本格導入

23.04.03　**宇都宮ライトレール**
平石～グリースタジアム前間5.3kmにおいて、習熟運転開始

23.04.04　**近畿日本鉄道**
観光特急「しまかぜ」運行開始10周年を記念、記念乗車券、祈念入場券セット発売

23.04.06　**小田急電鉄**
小田急線車内で「温もりを通わせる子育て応援車」を展開

23.04.08　**えちごトキめき鉄道**
直江津Ｄ51パークにてＤＥ15形ラッセル車、展示開始

23.04.12　**東急電鉄**
鉄道設備の状態モニタリング、リスクスコアの可視化を行う「状態保全(CBM:Condition Maintenance支援システム」運用開始

23.04.13　**東急電鉄**
世田谷線、全駅の運行情報表示器リニューアル。４月末までに順次設置

23.04.13　**能勢電鉄**
開業110周年を迎える。テーマロゴ制定。開業110周年記念号(1757編成)の運行と記念ヘッドマーク掲出

23.04.15　**京王電鉄**
「京王線開業110周年記念乗車券」発売

23.04.15　**富山地方鉄道**
鉄道線、ダイヤ改正。特急列車の運行を一部再開。電鉄富山～寺田間を概ね20分間隔に、新幹線最終列車と電鉄富山駅での最終列車との接続改善等

23.04.18　**相模鉄道**
「ゆめが丘大規模集客施設」(2024夏開業予定)のオープンに向けて、いずみ野線ゆめが丘駅をリニューアルと発表。大規模集客施設側に新改札口設置、トイレの全面改修等実施

23.04.20　**相模鉄道**
横浜駅、相鉄口交番の外装を「そうにゃん」で装飾

23.04.21　**東急電鉄**
「東急100年史」、書籍の申込み受付開始

23.04.21　**京王電鉄**
井の頭線下北沢駅高架下施設「ミカン下北」のブランド・ロゴデザインが世界三大デザイン賞のひとつ「iF DESIGN AWARD 2023」のCommunication部門において、「iF デザインアワード」受賞

23.04.21　**京浜急行電鉄**
リアルタイム確認可能な車内防犯カメラ、2026年度末までに全車両に導入と発表

23.04.21　**京阪電気鉄道**
くずはモール「SANZEN-HIROBA」、5000系車両の半両分と2600系の先頭部分をデビュー当時の姿に復刻、リニューアルオープン

23.04.22　**京成電鉄・新京成電鉄・北総鉄道**
デジタル方式の列車無線工事完了、完全移行

23.04.23　**相模鉄道**
「10代目そうにゃんトレインデビュー記念入場券」発売

23.04.24　**名古屋鉄道**
貨客混載輸送の実証実験、西可児～犬山間にて28日迄実施。西可児駅近郊で生産のいちご、「ウィングいちご」を輸送

23.04.24　**近畿日本鉄道**
観光特急「しまかぜ」運行開始10周年を記念、記念腕時計発売

23.04.25　**西武鉄道**
豊島園駅、新駅舎使用開始。池袋駅リニューアル完成。豊島園駅の駅サインに「スタジオツアー東京」のロゴ掲載。トモニー池袋駅１階改札内店が英国調に装いを変更、リニューアルオープン

23.04.25　**東京地下鉄**
丸ノ内線でＱＲコードを利用したデジタル乗車サービスの実証実験。06.25迄

23.04.25　**熊本市電**
ＱＲコード決済を導入

23.04.26　**東急電鉄**
田園都市線8500系先頭車8530、社会福祉法人新樹会「東京さつきホスピタル」に販売決定、長津田車両工場から車体工事を行う工場に搬出。
「東京さつきホスピタル」(調布市東つつじが丘２丁目)での設置工事完了。10.09に一般公開

23.04.26　**相模鉄道**
星川～天王町間高架下複合施設「星天qlay(クレイ)」、第二期ゾーン開業

23.04.27　**岡山電気軌道**
西大寺町電停、西大寺町・岡山芸術創造劇場ハノハレ前電停に改称

23.04.28　**京成電鉄**
「令和５年５月５日記念乗車券」発売

23.04.28　**京王電鉄**
映画「銀河鉄道の父」公開を記念、「銀河鉄道の父」トレイン運行。05.15迄

23.04.29　**京王電鉄**
「令和５年５月５日ＧＯ！ＧＯ！5000系記念入場券」発売

23.04.29　**東京地下鉄**
銀座線、列車増発(昼間帯５分間隔を４分間隔に)。ダイヤ改正

23.04.29　**北陸鉄道**
京王井の頭線カラーに復刻した浅野川線8801編成「お披露目撮影会」開催。
浅野川線8801編成、営業運転に復帰

23.04.29　**近畿日本鉄道**
観光特急「あをによし」運行開始１周年記念キャンペーン開催

23.04.29　**南海電気鉄道**
特急「こうや」、通常運転に(車両修繕、検査のため一部運休)

23.04.30　**阪急電鉄**
回数券および往復乗車券の発売終了

23.04.30　**能勢電鉄**
回数券および往復乗車券の発売終了

23.05.01　**埼玉高速鉄道**
戸塚安行駅、副駅名「建物の総合プロデュース」一級建築士ジム所 デザインラ

イフ 最寄駅」を導入

23.05.01 **東武鉄道**
「ＳＬ大樹」ヘッドマーク、「ニッコウキスゲカラー」の新色等５種が加わる

23.05.01 **阪急電鉄**
喫煙ルーム閉鎖。大阪梅田、十三、塚口、西宮北口、夙川、豊中、川西能勢口、茨木市、高槻市、桂、北千里駅の11駅

23.05.05 **新京成電鉄**
「令和五年五月五日ゾロ目記念乗車券」発売

23.05.05 **相模鉄道**
「令和５年５月５日記念入場券」発売

23.05.05 **えちごトキめき鉄道**
「５並びの日記念入場券・急行券セット」発売

23.05.05 **叡山電鉄**
「５並び記念硬券入場券セット」発売。
観光列車「ひえい」を出町柳発鞍馬行列車番号「555列車」に充当

23.05.08 **東京都交通局**
大江戸線、1・8号車の優先席、ＣＢＴＣ関係機器類設置に伴い位置を変更

23.05.09 **京王電鉄**
京王電鉄とＦＣ東京が包括連携協定締結

23.05.09 **箱根登山鉄道**
箱根登山電車コレクション缶バッジ「箱缶」販売開始

23.05.15 **小田急電鉄**
ホームページ「箱根旅行の予約システム」一新

23.05.15 **東急電鉄**
田園都市線地下区間のリニューアルプロジェクト「Green UNDER GROUND」第２弾、桜新町駅、工事に着工。2026夏竣工予定

23.05.15 **近畿日本鉄道**
ＩＣカード利用促進等に伴い、磁気定期券のみで発売している伊賀鉄道、養老鉄道、三岐鉄道、奈良交通との連絡定期券等の発売を終了

23.05.16 **東武鉄道**
栃木市、國學院大學等と「持続可能な観光まちづくり」に関する協定締結

23.05.16 **西武鉄道**
フルラッピング電車「スタジオツアー東京エクスプレス」運行開始。
池袋駅１番線ホームに「キングス・クロス駅と同じ時計」登場

23.05.17 **名古屋鉄道**
東岡崎駅、南口直結の商業施設工事に着手

23.05.20 **大阪市高速電気軌道(Osaka Metro)**
御堂筋線開業90周年「御堂筋線開業90周年記念１日乗車券セット」発売

23.05.22 **秋田臨海鉄道**
会社解散

23.05.25 **京都市交通局**
烏丸線新型車両20系、鉄道友の会「2023年ローレル賞」受賞

23.05.25 **北大阪急行電鉄**
南北線延伸線(千里中央～箕面萱野間)、2023年度末の開業に向けたＰＲ開始。「千里中央からつながる ひとつ先の駅へ、ひとつ上の未来へ。」がコンセプト

23.05.26 **小田急電鉄**
町田市と2023年度から鶴川駅南北自由通路整備事業及び駅改良工事に協働で着手と発表。６月に着手、2027年度末使用開始予定

23.05.26 **名古屋鉄道**
鉄軌道旅客運賃の改定を申請

23.05.26 **阪急電鉄・阪神電気鉄道・阪急阪神不動産**
曽根崎２丁目計画(梅田ＯＳビル、大阪日興ビル、梅田セントラルビルの共同建替計画)に関する基本協定締結

23.05.27 **京阪電気鉄道**
八幡市で開催の「背割堤のチャリサイ！ 2023」開催に合わせて、中之島～石清水八幡宮間にて「サイクルトレイン」運行

23.05.27 **阪神電気鉄道**
大阪梅田駅、新３番線の供用開始(現３番線は廃止)

23.05.28 **函館市企業局**
「HIGHCOMMUNICATIONS TOURS2023 -The Ghost of GLAY-」函館公演の開催を記念、「ＧＬＡＹ１日乗車券」発売

23.05.30 **東急電鉄**
渋谷２丁目１７地区市街地再開発事業、ビル名称を「渋谷アクシュ(SHIBUYA AXSH)」に決定と発表。開業は2024年度上期

23.05.30 **京福電気鉄道**
新型車両「KYOTORAM(きょうとらむ)」、７両を導入と発表。投入によりモボ101形６両、モボ301形１両が廃車に。投入は2024～2028年度

23.05.30 **伊予鉄道**
鉄道事業・軌道事業、旅客運賃上限変更認可申請

23.05.31 **阪急電鉄**
阪急神戸三宮駅周辺地区、令和5年度 都市景観大賞「都市空間部門」の特別賞を受賞

23.06.01 **黒部峡谷鉄道**
「宇奈月温泉開湯100周年記念きっぷ」発売

23.06.01 **熊本市交通局**
運賃改定。170円均一を180円均一に。
モバイル回数券、モバイル24時間乗車券販売、利用開始

23.06.02 **ＰＡＳＭＯ協議会**
無記名式「ＰＡＳＭＯ」の発売、一時的中止に。ＩＣチップの入手困難なため

23.06.02 **北大阪急行電鉄**
南北線延伸線の運賃認可申請

23.06.03 **京成電鉄**
小岩菖蒲園最寄駅、江戸川駅、「ハナショウブ」のイラストの駅名板に

23.06.03 **西武鉄道**
「西武・電車フェスタ2023in武蔵丘車両検修場」開催

23.06.03 **養老鉄道**
「ラビットカー」の愛称で親しまれたD06編成、竣工60周年を記念、イベント列車「ラビットカー還暦記念列車」運転

23.06.05 **京浜急行電鉄**
横浜Ｆ・マリノス一色にラッピングした「Ｆ・マリノススポーツパーク号」、運行開始。08.06迄

23.06.05 **福岡市交通局**
赤坂駅、「長浜屋台街」の装飾実施。１番出口付近

23.06.08 **流鉄**
鉄道旅客運賃の改定申請

23.06.10 **宇都宮ライトレール**
「路面電車の日」に車両見学会等のイベント開催

23.06.10 **東武鉄道**
06.15に栃木県誕生150周年を迎えることを記念、東武宇都宮線の愛称を１年間限定で「いちご王国」ラインに。各駅駅名版を「いちご王国」仕様に変更。また当日は東武宇都宮線全線無料に
下今市駅構内ＳＬ機関庫前でＣ11207、Ｃ11325、Ｃ11123の３機が並ぶＳＬ撮影会開催
クラブツーリズム主催「ＴＪライナー運行開始15周年記念ツアー」開催。森林公園検修区にて撮影会実施

23.06.10 **近畿日本鉄道**
長野線喜志～富田林間、下り線高架化完成。事業延長約0.9㎞

23.06.12 **静岡鉄道**
1000形運行開始50周年記念、1000形1011編成に記念ヘッドマーク掲出

23.06.13 **関東鉄道**
「さよなら、キハ310形！」、07.02迄最後の定期運行。
キハ315・316の２両編成。運行区間は取手～水海道間。
07.04～07.12、第２弾運行

23.06.14 **近畿日本鉄道**
葛城山ロープウェイ、定期点検のため06.30迄運休

23.06.15 **京成電鉄・新京成電鉄・北総鉄道・小湊鐵道・芝山鉄道**
「千葉県誕生50周年記念 鉄道５社共通１日乗車券」発売(1500円)

23.06.15 **東武鉄道**
新たなチケットレスサービス開始。特急券の購入可能期間を発車５分前から３分前に変更など

23.06.15 **京浜急行電鉄**
三崎口駅前に小型ＥＶ・電動キックボードのマルチモビリティステーションを設置、三浦半島地域で「小型モビリティ体験キャンペーン」開催。2024.02.29迄

23.06.15 **南海電気鉄道**
通勤車両における車内防犯カメラの運用開始

23.06.16 **ＩＧＲいわて銀河鉄道・青い森鉄道**
盛岡～青森間共同企画乗車券発売。利用期間は11.30迄

23.06.16 **東京モノレール**
鉄道旅客運賃の改定申請、認可

23.06.17 **多摩都市モノレール**
「多摩モノレール車両基地見学ツアー 2023」開催。有料

23.06.18 **京成電鉄**
3100形新造車、3157編成、営業運転開始

23.06.18 **京王電鉄**
京王線開業110周年記念「『京王線車両大集合』車両撮影会」、若葉台車両基地にて開催

23.06.18 **相模鉄道**
「相鉄線ミステリートレイン Re」、かしわ台駅から運行

23.06.19 **大井川鐵道**
2023.09の台風15号に伴う集中豪雨による土砂流入等で不通となっている家山～千頭間に鉄道・運輸機構、鉄道災害調査隊を派遣。20日迄

23.06.20 **大井川鐵道**
期間限定で普通列車の一部を「客車普通列車」として運転。金谷～家山間等。電気機関車２両にて客車を挟むプッシュプル運転。22日迄と27～30日

23.06.20 **大阪市高速電気軌道(Osaka Metro)**
中央線延伸部工事(北港テクノポート線)のシールドマシンが夢咲トンネル部に到達。シールド到達式挙行

23.06.21 **相模鉄道**
星川駅にセブン銀行ＡＴＭ設置。各駅に順次設置

23.06.21 **大阪市高速電気軌道(Osaka Metro)**
大阪・関西万博を契機に中央線の列車接近メロディと発車メロディを制作と発表。メロディ変更時期は2024年度下期

23.06.23 **京王電鉄**
鉄道旅客運賃の改定認可

23.06.23 **伊豆箱根鉄道**
「ラブライブ！サンシャイン‼」シリーズ第４弾「幻日のヨハネ-SUNSHINE in the MIRROR-」の全面ラッピング電車「YOHANE TRAIN」運行開始。7102編成

23.06.23 **能勢電鉄**
鋼索線、索道線(妙見の森リフト)、2024.06.24の営業廃止届提出。妙見山で

展開する「妙見の森関連事業」終了

23.06.24 **山万**

2023夏、おしぼり＆うちわ配布開始(車内冷房装置がないため)

23.06.24 **京浜急行電鉄**

京急 楽・宴ツアー第18弾「初運行！８両幌付き LE Cielで行く『1000形大集合』撮影会！」開催。撮影場所は久里浜工場

23.06.24 **阪神電気鉄道**

2023.09頃から順次、車内防犯カメラ取付。2025.04までに全車両に取付

23.06.25 **名古屋鉄道**

3500系デビュー30周年記念「特別編成による貸切列車の旅」(旅行商品)実施。ミュースカイ2000系と併結、通常は入場しない車両基地「茶所検査支区」へ乗入れ、洗車機体験を行うツアー

23.06.25 **大阪市高速電気軌道(Osaka Metro)**

中央線新型車両400系、営業運転開始。出発式は06.24に実施

「中央線新型車両400系登場記念１日乗車券セット」発売

23.06.27 **東京都交通局**

大江戸線勝どき駅、新島橋方面新改札、供用開始

23.06.30 **西武鉄道**

2025年度末までに全車両に車内防犯カメラを設置と発表

23.06.30 **東京地下鉄**

東西線行徳駅高架下に商業施設「M'av(マーブ)行徳」開業。新店舗６店も開業

23.06.30 **名古屋市交通局**

東山線上社、本郷、藤が丘駅、名古屋・高畑方面行きホーム、冷房付きの待合室を整備完了

23.06.30 **福井鉄道**

鉄軌道事業の旅客運賃上限変更認可申請

23.07.01 **仙台市交通局**

地下鉄南北線・東西線ダイヤ改正。ラッシュ時間帯以外の運行本数削減

23.07.01 **流鉄**

ダイヤ改正。運行本数削減(平日８往復、土休日５往復)

23.07.01 **東武鉄道**

聴覚に障がいのある方向けの遠隔手話サービス「どこでも☆手話」の駅窓口における実証実験開始。08.31迄。北千住、池袋、ときわ台駅にて。

ＴＪライナー、運行開始15周年記念、スタンプラリー、26日迄実施

23.07.01 **京王電鉄**

「京王の電車・バス開業110周年 オリジナル・フレーム切手セット」販売。

小学生向けプログラミングスクール「KEIO eSPORTS LAB.SASATSUKA」開設

23.07.01 **相模鉄道**

弥生台駅、副駅名称「国際親善総合病院」を設定

23.07.01 **横浜市交通局**

センター南北間高架下の新スポット「YU-TEN YOKUCHI(融点沃地)」、グランドオープン

23.07.01 **樽見鉄道**

ハイモ295-315、国鉄時代の気動車首都圏色にリバイバル、運行開始

23.07.01 **水島臨海鉄道**

専用鉄道開業80周年記念ヘッドマーク取付車両運行開始

23.07.03 **名古屋鉄道**

電車や駅での忘れ物がいつでもチャットにて検索できる忘れ物検索サービス開始(スマートフォンやパソコンから)

23.07.03 **京阪電気鉄道**

門真市駅高架下に、山のジビエと海のジビエ専門店「THREE WAVE」開店

23.07.03 **山陽電気鉄道**

兵庫デスティネーションキャンペーン特別企画！東二見車庫見学ツアー開催

23.07.03 **西日本鉄道**

福岡PayPayドームで開催する「鷹の祭典2023」に合わせて特別ラッピング電車「勝つぞ！電車」運行。07.30迄。6000形４両編成２本

23.07.05 **近畿日本鉄道**

近鉄名古屋駅周辺店舗で販売する赤福餅、近鉄「アーバンライナー」で運ぶ貨客混載輸送開始。積込駅は五十鈴川駅

23.07.07 **函館市企業局**

9600形５両目となる9605新製、お披露目運転実施

23.07.07 **宇都宮ライトレール**

運賃認可申請(宇都宮駅東口～芳賀・高根沢工業団地間)

23.07.07 **京王電鉄**

「京王線 車両基地＆鉄道施設潜入ツアー」開催。07.14、08.04も実施

23.07.07 **福岡市交通局**

タッチ決済による地下鉄乗車の実証実験、１日乗車券を買わずに、１日乗車(１日最大640円)できる新サービス実施。2024.03.31迄

23.07.09 **銚子電気鉄道**

銚子電鉄開業100周年記念「銚電まつり」開催。当日は乗車無料

23.07.09 **水島臨海鉄道**

「ＭＲＴ300形、運転体験」開催。30日も実施

23.07.10 **西武鉄道**

西武新宿駅、駅窓口での会話を自動翻訳してくれるディスプレー、実証実験開始。実証実験は09.30迄実施

23.07.14 **名古屋鉄道**

緊急時における非常用設備使用方法に関する表示変更、新造車から順次開始

23.07.15 **東武鉄道**

「スペーシア Ｘ」運行開始(浅草～東武日光・鬼怒川温泉間)。

浅草駅、東武日光駅、駅舎リニューアル。

ＳＬ大樹に「スペーシア Ｘ」オリジナルヘッドマーク掲出。17日迄

23.07.15 **東京地下鉄**

虎ノ門ヒルズ駅、拡張工事完成、虎ノ門ヒルズ ステーションタワーとつながり、「駅まち一体」となった新たな駅に。新設される地下２階コンコースに新たにパブリックアートを設置

23.07.15 **えちぜん鉄道**

観光列車「恐竜列車」、運行開始

23.07.15 **近畿日本鉄道**

特定経路の定期乗車券発売終了。発駅と着駅が同じ定期券。発駅から着駅までの経路上(両端を除く)に発駅または着駅を含む定期券等

23.07.15 **能勢電鉄**

「ありがとう復刻塗装車引退撮影会」開催。5124編成、5142編成が並ぶ

23.07.15 **南阿蘇鉄道**

立野～中松間、運転再開。全線復旧。

ダイヤ改正。ＪＲ豊肥本線肥後大津に朝時間帯上下各２本乗入れ。

"熊本観光型MaaS"実証実験、鉄道とバスが連携したデジタルチケット「あそ旅のレールパス、みなみあそ旅のレールバス」発売

23.07.15 **肥薩おれんじ鉄道**

八代～日奈久温泉間開業100周年・肥後高田駅開業90周年記念硬券セット発売

23.07.16 **静岡鉄道**

1000形1011編成、ラストラン。07.01～16、ヘッドマーク掲出。イベント開催

23.07.18 **西武鉄道**

新宿線入曽駅、東西自由通路・橋上駅舎整備工事実施。2025年度末完了予定

23.07.18 **神戸市交通局**

兵庫デスティネーションキャンペーン特別企画！名谷車両基地見学ツアー開催

23.07.20 **会津鉄道**

ＡＴ-500形、創業時のリバイバルカラーに復刻、運用開始

23.07.20 **長良川鉄道**

JCB/American Expressのタッチ決済、取扱い開始

23.07.21 **東京都交通局**

2019.11から運行休止中の上野懸垂線(上野動物園モノレール)、鉄道事業廃止届提出。廃止日は12.27

23.07.21 **三岐鉄道**

北勢線20周年スタンプラリー開催。08.31迄

23.07.22 **西武鉄道**

よみがえれ！往年の姿！「新101系×旧2000系リバイバル撮影会」、武蔵丘車両基地にて開催。有料

23.07.22 **京王電鉄**

夏休み期間の土・休日期間限定で「こどもといっしょ割座席指定券」販売

23.07.22 **京浜急行電鉄**

金沢文庫駅、４番線ホームドア設置、使用開始。３番線は07.29

23.07.22 **伊豆急行**

リゾート21「黒船電車」、運行再開

23.07.22 **上田電鉄**

1963年に全線廃線となった西丸子線、廃線60周年１日フリーきっぷ発売

23.07.22 **泉北高速鉄道**

新型通勤車両9300系、運転体験イベント、光明池車庫で開催

23.07.22 **肥薩おれんじ鉄道**

日奈久温泉駅開業100周年記念企画「入場券」発売

23.07.23 **伊豆急行**

無人駅活用による地域活性化、今井浜海岸駅、ポップアップストア開店。08.27迄

23.07.24 **ゆりかもめ**

「乗車10億人達成記念」ゆりかもめ一日乗車券、発売。

「乗車10億人達成記念」ヘッドマーク掲出列車運行開始。09.30迄

23.07.24 **近畿日本鉄道**

「金魚と文鳥のまち やとみの日記念入場券」発売

23.07.24 **南阿蘇鉄道**

人気漫画「ONE PIECE」の主人公が乗る海賊船をイメージした「サニー号トレイン」が運行開始。立野駅にて出航式開催

23.07.24 **広島電鉄**

宮島線、市内線ダイヤ改正。７号線、３号線の路線再編。３号線は朝・夕ラッシュ時間帯のみの運行に。１号線運行車両の大型化等

Ｇ７ 2023 広島サミット記念乗車券「広島たびパス(２ＤＡＹ)」発売

23.07.25 **近畿日本鉄道**

車内防犯カメラ、順次取付開始。2028年度までには全車両完了

23.07.25 **福岡市交通局**

博多駅博多口、ドトールコーヒーショップ開店

23.07.26 **宇都宮ライトレール**

運行ダイヤ発表。所要時間は48分

23.07.26 **西日本鉄道**

天神大牟田線試験場前駅、2024.03に聖マリア病院前駅に改称と発表

23.07.27 **伊豆箱根鉄道**

鉄道むすめ「塚原いさみ」８月５日誕生日記念。5504編成に記念ヘッドマーク掲出。誕生日記念ホログラム缶バッジ、大雄山駅で販売

23.07.28 **西武鉄道**

「大泉学園駅ゆかりの植物学者 牧野富太郎博士記念乗車券」発売

23.07.28 **横浜高速鉄道**

「ポケモンワールドチャンピオンシップ2023」横浜開催記念、オリジナルデザインみなとみらい線一日乗車券発売

23.07.29 **北総鉄道**
「夜間撮影ツアー」開催(矢切→印旛車両基地→新鎌ヶ谷間)

23.07.29 **東京地下鉄**
銀座線、隅田川花火大会開催に合わせて臨時列車を増発

23.07.29 **神戸電鉄**
2023.11.28に開業95周年を記念、メモリアルトレイン3000系(復刻塗装)[3015編成]のお披露目イベント、谷上駅2番線にて開催

23.07.30 **函館市企業局**
路面電車開業110周年記念、路面電車感謝祭、駒場車庫にて開催。花電車展示

23.07.30 **大阪市高速電気軌道(Osaka Metro)**
中央線新型車両400系、デビュー記念有料撮影会、森之宮検査場で開催。08.27も

23.08.01 **札幌市交通局**
240形243、リバイバルカラーとなって運行開始

23.08.01 **東武鉄道**
一部特急列車の運転両数変更、一部列車の列車名変更を実施

23.08.01 **京王電鉄**
「井の頭線開業90周年 記念乗車券」発売

23.08.01 **遠州鉄道・天竜浜名湖鉄道**
エバンゲリオンデザイン、共通フリーきっぷ第3弾発売

23.08.01 **豊橋鉄道**
鉄道事業及び軌道事業に係る旅客運賃上限変更認可

23.08.01 **北大阪急行電鉄**
南北線延伸用増備車両9000系、「箕面ラッピングトレイン」として運行開始

23.08.01 **福岡市交通局**
「屋台列車」運行(屋台の"のれん"をイメージした中吊り等)。08.21迄

23.08.02 **京王電鉄**
新宿駅西南地区開発計画及び京王線新宿駅改良工事、事業推進と発表。新宿駅は地下2階ホームを北側に移動、ホーム北側端部に改札口を新設、地下2階ホーム階から東京メトロ丸ノ内線への乗換え可能な動線等整備。2023年度より工事に着手

23.08.02 **小田急電鉄・小田急箱根ホールディングス等**
箱根エリアの交通網に国際ブランドのタッチ決済&QR認証導入

23.08.03 **京成電鉄**
千葉県経営者協会主催「家族で行こう!京成車両基地」に協力、宗吾車両基地、動力車操縦者養成所にて実施

23.08.04 **阪急電鉄**
「ちいかわ×阪急電車 ラッピング列車」、神戸線、宝塚線、京都線で運行開始。神戸線は「ハチワレ号」、宝塚線は「ちいかわ号」、京都線は「うさぎ号」で2024.03.28迄運行

23.08.05 **京王電鉄**
京王線開業110周年・井の頭線開業90周年記念「歴史を感じるトレインカードラリー」実施。トレインカード配布駅は、新宿、桜上水、調布、京王多摩センター、渋谷、吉祥寺駅。09.24迄

23.08.05 **ゆりかもめ**
新橋駅にて、乗車10億人達成「記念イベント」開催

23.08.05 **泉北高速鉄道**
新型通勤車両9300系試乗会、和泉中央~中百舌鳥間にて開催

23.08.05 **神戸電鉄**
兵庫デスティネーションキャンペーン特別企画!鈴蘭台車両基地見学&車両撮影ツアー開催。26日も実施

23.08.06 **弘南鉄道**
大鰐線大鰐~宿川原間にて脱線。大鰐~弘前中央間にて運転見合せ。10日からバス代行輸送実施。運転再開は23日

23.08.07 **函館市企業局**
800形812、1923年に建設された笹流ダムが100周年を迎えることを記念、車内にて「笹流ダム100周年展」開催。09.30迄

23.08.07 **小田急電鉄**
ロマンスカー「SE車(3000形)」、日本機械学会「機械遺産」に認定

23.08.07 **多摩都市モノレール**
夜景観光コンベンション・ビューロー「日本夜景遺産」に、「施設型夜景遺産」の部門にて認定。多磨地域で唯一の日本夜景遺産地に認定

23.08.07 **横浜高速鉄道**
みなとみらい駅、中央改札の一部自動改札機、「ピカチュウ」の鳴き声がする特別仕様に。パシフィコ横浜にて「ポケモンワールドチャンピオンシップ2023」横浜開催に合わせて。14日迄

23.08.07 **相模鉄道**
案内システムの導入駅、西横浜、天王町東口、相模大塚、希望ケ丘、さがみ野駅に拡大、運用開始。導入は天王町駅東口が08.14、希望ケ丘駅は08.17

23.08.08 **宇都宮ライトレール**
運賃認可。宇都宮駅東口~芳賀・高根沢工業団地間は400円

23.08.08 **泉北高速鉄道**
新型通勤車両9300系、営業運転開始

23.08.09 **北大阪急行電鉄**
南北線延伸線の運賃認可(基本運賃及び加算運賃[60円])。江坂~箕面萱野間は、適用区数5区+加算運賃にて240円

23.08.10 **東急電鉄**
東横線で有料座席指定サービス「Q SEAT」開始。平日、渋谷発元町・中華街行急行19:35~21:35迄30分間隔にて5本

23.08.10 **沖縄都市モノレール**
3両編成、運行開始。

開業20周年記念乗車券発売

23.08.11 **天竜浜名湖鉄道**
ラッピング列車「キャタライナー」のデザインをリニューアル、「シン・キャタライナー」(TH2100形2103)、お披露目式(出発式)開催

23.08.12 **静岡鉄道**
長沼車庫で「1000形車両の展示・撮影会」開催

23.08.12 **名古屋鉄道**
名鉄犬山線×地下鉄鶴舞線相互直通運転30周年記念、記念乗車券発売、記念系統板掲出

23.08.13 **沖縄都市モノレール**
ダイヤ改正。那覇空港行き始発列車の時刻繰上げ。3両編成運行

23.08.14 **えちごトキめき鉄道**
直江津~富山間にて455系・413系による急行「立山」運転

23.08.14 **近畿日本鉄道**
松阪~賢島間サイクルトレイン1周年記念入場券発売

23.08.14 **一畑電車**
列車運行の安全性向上のため、保護メガネ(偏向サングラス)着用開始

23.08.15 **銚子電気鉄道**
南海から2200系(2202-2252編成)を譲受。走行に必要な改造工事を施工後に運行開始。「なんかいいちょうしに」のキャッチ

23.08.17 **名古屋鉄道**
運転士用タブレット端末、使用開始。運転士用時刻表の電子化等

23.08.17 **阪急電鉄**
「ちいかわ×阪急電車」、阪急全線1日乗車券発売。11.13迄

23.08.18 **南海電気鉄道**
ネットワークを利用した「社内内回り方式」によるタッチ決済を7月に実現、通信品質向上、やセキュリティ強化を実現するとともに、駅遠隔制御システムの連携を目指す

23.08.18 **神戸市交通局**
西神・山手線・北神線、ダイヤ改正。新型6000形に車両統一。1000形・7000系定期運行終了(定期運行は08/17迄)

23.08.19 **泉北高速鉄道**
「3000系 運転体験イベント」、光明池車庫にて開催(有料)

23.08.19 **山陽電気鉄道**
明石~姫路間、開業100周年を迎える。これを記念、「こども100円きっぷ」発売(100円、20日も)、記念ヘッドマークと記念ステッカー掲出、記念乗車券発売等を実施

23.08.19 **阪堺電気軌道・筑豊電気鉄道**
新幹線・フェリーで行く1泊2日の旅をコラボツアー。車庫で撮影会

23.08.19 **福岡市交通局**
七隈線、ダイヤ改正。朝時間帯に2往復増便等

23.08.20 **名古屋鉄道**
瀬戸線、栄町駅乗入れ45周年、大曽根駅高架化40周年、4000系デビュー15周年を記念、記念ファイル付き乗車券セット発売

23.08.21 **小田急電鉄**
新宿本社、新宿区西新宿2丁目7-1 小田急第一生命ビル6階に移転。新宿本社に残っていた広報部等移転(完了08.28)。都営地下鉄都庁前駅徒歩2分

23.08.21 **東急電鉄**
東横線自由が丘駅、平日7:20~08:50頃、5・6番線(渋谷方面)、一部列車の発着番線変更。朝ラッシュ時の遅延抑制対策

23.08.23 **北大阪急行電鉄**
南北線延伸線(千里中央~箕面萱野間)開業プロモーション第2弾開始。当社駅・車内等、大阪梅田駅周辺でのデジタルサイネージやポスター掲出。特設ホームページの開設等

23.08.24 **京王電鉄**
京王新線新宿駅、新都心口に個室ブース型シェアオフィス「STATION BOOTH」設置

23.08.24 **東京地下鉄**
東京メトロ「列車運行情報データ」×「Yahoo!乗換案内」「Yahoo!マップ」連携、列車ごとの運行状況がリアルタイムで確認可能に

23.08.24 **南海電気鉄道**
「泉ケ丘駅前活性化計画」の新築建設工事延期及び事業計画見直しを発表。昨今の世界情勢や急激な物価上昇に伴う工事費高騰のため

23.08.24 **神戸市交通局**
三宮駅、東口、リニューアル工事に着手。9月下旬迄

23.08.25 **秩父鉄道**
大麻生駅、補充券特別販売開催。26日は武州荒木駅にて実施

23.08.25 **名古屋鉄道**
名鉄名古屋駅、メタバース上に出現、「バーチャル名鉄名古屋ステーション」を期間限定でオープン。9.03、24:00迄

23.08.25 **名古屋鉄道**
東岡崎駅、北口地区第一種市街地再開発事業の認可。地上9階建て、延べ床面積約14,000㎡のバスターミナル、公益施設、商業・事務所等のビル

23.08.25 **大阪市高速電気軌道(Osaka Metro)**
北港テクノポート線(コスモスクエア~夢州間 3.2㎞)、第二種鉄道事業許可申請。第三種鉄道事業者は大阪港トランスポートシステム。開業目標は2024年度末頃

23.08.25 **神戸新交通**
駅スタンプアプリ「エキタグ」[ジェイアール東日本企画]導入

23.08.26 **宇都宮ライトレール**
宇都宮芳賀ライトレール線宇都宮駅東口~芳賀・高根沢工業団地間14.5㎞

開業。宇都宮駅東口停留場にて発車式開催。事業方式は公設型上下分離方式(第三種事業者は宇都宮市、芳賀町)

23.08.26 **東急電鉄**
田園都市線駒沢大学駅、リニューアル工事に伴い改札窓口、きっぷ売り場の位置を変更

23.08.26 **東京モノレール**
モノレール浜松町駅、大門通り側、北口入口閉鎖に

23.08.26 **叡山電鉄**
ダイヤ改正。平日夜時間帯の運行見直し等

23.08.26 **京福電気鉄道**
嵐山本線、北野線、ダイヤ改正

23.08.26 **近畿日本鉄道**
鉄道のまち・王寺、「鉄バスフェスティバル2023」開催。記念乗車券等発売。開催は27日も

23.08.26 **京阪電気鉄道**
京阪線全線ダイヤ改正。全車両座席指定「ライナー」列車増発。一部の「ライナー」列車、香里園、寝屋川市新規停車等

23.08.27 **小田急電鉄・東京地下鉄**
小田急線・千代田線相互直通45周年記念ツアー実施。ライトコースは唐木田〜千代田線綾瀬〜喜多見電車基地〜海老名間、ＭＳＥにて巡る

23.08.28 **札幌市交通事業振興公社**
路面電車運転士の「保護メガネ」着用試験、09.10迄実施。視認性向上や目の疲労軽減等の効果を確認するため

23.08.28 **岡山電気軌道**
ダイヤ改正。日中(9〜15時)の運行間隔を６分から８分間隔に変更

23.08.28 **広島電鉄**
１号線、広電本社前〜広島港間において、一部の連接車両でワンマン運転開始。広島駅〜広電本社前間は従来通り運転士と車掌のツーマン運行

23.08.29 **京浜急行電鉄**
品川駅街区地区における再開発計画、概要発表。港区高輪３丁目、港南２丁目各地内、敷地面積約33,500㎡、延べ床面積約374,300㎡、28階建てビル２棟、９階建てビル１棟にて構成。工期完成予定は2036年度。ＪＲ東日本と

23.08.29 **名古屋鉄道**
神宮前駅西街区開発計画の概要発表。木造平屋建３棟(敷地面積約7,000㎡、延べ床面積約1,100㎡)建設。開業予定は2024秋頃から順次

23.08.29 **南海電気鉄道**
「係員付き自動運転(GOA2.5)実現に向けて、和歌山港線にて自動運転走行試験を開始。試験車両は8300系

23.08.30 **東急電鉄**
「クレジットカードのタッチ機能」「ＱＲコード」を活用した乗車サービスの実証実験、田園都市線全駅にて開始。2024春までには、一部駅を除く東急線全線への対象改札機の設置予定。当初は事前に「企画乗車券」購入が必要

23.08.30 **ハピラインふくい**
開業日、2024.03.16と決定と発表

23.08.30 **近畿日本鉄道**
桑名駅、新駅舎開業３周年記念入場券発売

23.08.30 **神戸市交通局**
西神・山手線、北神線にて車内防犯カメラの試験設置を実施。当面の期間

23.08.31 **京王電鉄**
回数券の発売終了

23.08.31 **東京都交通局**
大江戸線勝どき駅、グランマリーナ東京方面、Ａ５出入口、供用開始

23.08.31 **阪急電鉄**
阪急バスとの連絡定期券、発売終了

23.08.31 **大阪モノレール**
クレジットカード等のタッチ決済による乗車、2024春導入と発表

23.08.30 **ハピラインふくい**
車両デザイン、駅名標デザイン決定。ロゴのピンクとグリーンを使用

23.09.01 **埼玉新都市交通**
ニューシャトル開業40周年記念乗車券、発売。12.01までに４種を発売

23.09.01 **万葉線**
西新湊駅を第一イン新湊クロスベイ前駅と改称

23.09.01 **名古屋鉄道**
鉄軌道旅客運賃の改定申請、認可

23.09.01 **京阪電気鉄道**
京阪電車・歴史街道推進協議会 連携企画第３弾、京阪電車×リアル謎解きゲーム巡り2023」開催。2024.05.31迄

23.09.01 **南海電気鉄道・福岡市交通局**
「大阪・福岡タッチ決済キャンペーン(20%割引)」、11.30迄実施。関西空港と福岡空港を経由して、南海、福岡市地下鉄をそれぞれタッチ決済にて利用

23.09.02 **小田急電鉄**
鉄道施設のモニタリングのための列車前方カメラ映像の活用開始

23.09.02 **名古屋鉄道**
一部列車ダイヤ変更。新造車両投入及び知立駅付近連続立体交差事業の進捗に伴い

23.09.03 **東京地下鉄**
「有楽町線全線開業35周年×副都市線全線開業15周年」記念撮影会を新木場車両基地にて開催。10000系、17000系、7000系を並べて展示

23.09.03 **相模鉄道**
星川駅、２・３番線可動式ホームドア使用開始。１・４番線は09.24から

23.09.03 **名古屋鉄道**
常滑線全線開通110周年記念イベント実施。記念乗車券発売

23.09.03 **筑豊電気鉄道・北九州高速鉄道**
北九州市地域公共交通市内１日無料デー開催。西鉄バス、市営バス、関門汽船を含む公共交通が利用できる。10.08、11.05も実施

23.09.04 **舞浜リゾートライン**
ディズニーシー開園22周年記念フリーきっぷ発売

23.09.05 **京王電鉄**
京王線、井の頭線全駅に傘シェアリングサービス「アイカサ」、レンタルスポット設置完了

23.09.06 **近畿日本鉄道**
桑名駅、「ごくろうさま」の日記念、ポストカード５枚セット発売

23.09.07 **流鉄**
鉄道旅客運賃の変更認可。2024.04.01、旅客運賃改定

23.09.08 **いすみ鉄道**
台風13号に伴う豪雨にて大多喜〜上総中野間被災。運転再開は12.25

23.09.08 **泉北高速鉄道**
「せんぼくん」「和泉こうみ」をはじめとする「鉄道むすめ」(左右で異なる)で装飾の新ラッピング車両、運行開始

23.09.09 **西武鉄道**
記念乗車券「Ketsumeishi-ケツメイシ-記念切符2023」、企画乗車券「ケツメイシライブ １日おでかけきっぷ」発売

23.09.09 **名古屋鉄道**
西尾市制70周年を記念、6000系２両１編成を復刻塗装に変更、運行開始。復刻塗装は、元5500系をイメージしたクリームと茶色のツートンカラー

23.09.09 **近畿日本鉄道**
菖蒲池開業100周年。記念入場券、大和西大寺駅にて 09.01から発売。
青の交響曲(シンフォニー)運行開始７周年記念入場券、吉野駅にて発売。10日も。09.11〜12.30は下市口駅窓口

23.09.09 **南海電気鉄道**
6000系復活デザイン(ステンレス無塗装に復活)、車両撮影会、千代田工場にて開催(有料)

23.09.10 **ゆりかもめ**
「乗車10億人達成記念」親子で楽しもう‼車両撮影会、車両基地にて開催

23.09.10 **近畿日本鉄道**
布施駅、2023年 布施まつり開催記念、記念入場券発売

23.09.11 **南海電気鉄道**
6000系復活デザイン、運行開始(難波〜橋本・和泉中央間)

23.09.12 **小田急電鉄**
MaaSアプリ「EMot」、デジタルチケット購入サイト「EMotオンラインチケット」での「PayPay」決済スタート

23.09.15 **京成電鉄**
鉄道駅バリアフリー料金制度に基づく料金設定及び整備・徴収計画を定め、国土交通省関東運輸局に届出

23.09.15 **東急電鉄・相模鉄道・鉄道建設・運輸施設整備支援機構**
「新横浜線開業！つながる！相鉄線・東急線〜総延長約250kmにおよぶ広域鉄道ネットワークの形成〜」に第22回 日本鉄道大賞

23.09.15 **東京地下鉄**
「世界の鉄道関係者向けオンライン講座『Tokyo Metro Academy』開講〜鉄道運営のノウハウと経験を世界に紹介！〜」に日本鉄道賞「鉄道先進国・日本！を広く海外に紹介・貢献」特別賞
ＮＦＴトレーディングカード帝都高速度交通営団バージョン発売。８種

23.09.15 **阪神電気鉄道**
阪神タイガース、セントラルリーグ優勝を記念、記念入場券セット発売。ヘッドマーク掲出列車も運転開始(10.17迄)

23.09.16 **西武鉄道**
安全・安定輸送を担う運行管理システム=SEMTRAC:セムトラック(SEIBU MULTIPLE TRAFFIC CONTROL SYSTEM)更新

23.09.16 **静岡鉄道**
長沼車庫にて「しずてつ電車まつり」、４年ぶりに開催。17日も(有料)

23.09.16 **名古屋市交通局**
桜通線、ダイヤ改正

23.09.16 **阪堺電気軌道**
「モ161形車撮影会ツアー」、我孫子道車庫にて開催。天王寺駅前集合。17日も

23.09.19 **芝山鉄道**
鉄道旅客運賃変更及び企画乗車券運賃変更届出

23.09.19 **箱根登山鉄道**
モハ１形106、復刻青塗装から標準塗装(オレンジ色)に変更。11月中旬入場

23.09.19 **名古屋鉄道**
クレジットカード等のタッチ決済による乗車の実証実験、2024春から開始と発表。実証実験は一部駅。愛知県にて最初の導入

23.09.20 **阪急電鉄**
9300系(9300編成)、「9300系誕生20周年」ヘッドマーク掲出、京都線運行開始

23.09.21 **東武鉄道**
東武スカイツリーライン谷塚駅、高架下に商業施設「ＥＱＵＩＡ(エキア)谷塚」開業。店舗数11

23.09.21 **阪急電鉄**
西宮北口駅、南東エリアの「阪急西宮ガーデンズ本館」西側に、複合施設「阪急西宮ガーデンズ プラス館」開業

23.09.22 **小湊鐵道**
里見～上総中野間に、鉄道・運輸機構「鉄道被害調査隊」が入る

23.09.22 **阪急電鉄**
宝塚線池田駅、高架下商業施設、名称を「マルシェ池田」と変更、グランドオープン。店舗数は今回開業の6店舗を合わせて30店舗

23.06.22 **能勢電鉄**
鋼索線、索道線(妙見の森リフト)、廃止日を12.04に繰上げる旨の廃止届提出

23.09.23 **東葉高速鉄道**
「乗車券販売会2023」、船橋日大前駅にて開催

23.09.23 **東武鉄道**
「ＤＬ大樹」、ＪＲ会津若松駅初乗入れ。会津若松駅発は24日(団体専用列車)

23.09.23 **豊橋鉄道**
市内線3203、オリジナル仕様の青帯となって、10.01迄運行

23.09.23 **京都市交通局**
烏丸線新型車両20系、「2023年ローレル賞」授賞式開催。受賞記念乗車券、記念グッズ等発売

23.09.23 **京阪電気鉄道**
特別列車「サイクルトレイン」(中之島～宇治間)運行

23.09.23 **阪急電鉄**
更新工事完了8000系(8004編成)、「Memorial8000」列車として宝塚線運行開始

23.09.24 **小田急電鉄**
ロマンスカーＶＳＥ 50000形50002編成、この日限り引退。最終は特別企画「ありがとう50002編成～ＶＳＥ２編成最後のラストランデブーミステリーツアー」。車庫内にて50000形２編成並べての撮影会実施

23.09.25 **弘南鉄道**
線路補修のため弘南線、大鰐線運転見合せ。運転再開は弘前～田んぼアート間が10.26、田んぼアート～黒石間は11.07、大鰐線は中央弘前～津軽大沢間が11.20、残る津軽大沢～大鰐間は12.08

23.09.26 **東京地下鉄**
溜池山王駅、駅ナカ初！完全無人書店「ほんたす ためいけ 溜池山王メトロピア店」開業

23.09.26 **西武鉄道・東急電鉄・小田急電鉄**
東急9000系、小田急8000形、西武へ「西武サステナ車両」として譲渡と発表。2030年度までにこの車両導入にて西武車両の100％がＶＶＶＦ化

23.09.27 **西武鉄道**
西武鉄道×ＴＶアニメ「ゴールデンカムイ」コラボレーション記念乗車券 西武線１日おでかけきっぷ、発売。10.31迄

23.09.27 **京王電鉄**
2023冬、相模原線多摩境駅前に倉庫機能を備えた複合施設「京王多摩境駅前ビル」開業と発表

23.09.30 **西武鉄道**
上石神井車両基地にて「新宿線の黄色い電車を撮影しよう」開催(有料)。2031編成

23.09.30 **小田急電鉄**
企画乗車券「日帰り温泉 箱根湯寮クーポン」発売終了

23.09.30 **東京モノレール**
福岡空港等、各空港に設置の自動券売機、発売終了

23.09.30 **近畿日本鉄道・南海電気鉄道**
西信貴ケーブル高安山駅を発着とする南海との連絡定期券、発売終了

23.09.30 **南海電気鉄道・水間鉄道**
連絡乗車券、発売終了
50000系(ラピート車両)による「泉北ライナー」、この日限り終了

23.09.30 **阪急電鉄**
ラガールカード・レールウェイカード、券売機での普通券等との切換え及び精算機での乗越し精算扱い、この日限り終了

23.10.01 **新京成電鉄**
鉄道旅客運賃改定。認可日は06.02。初乗り150円は170円に

23.10.01 **西武鉄道**
西武有楽町線開通40周年記念車両、6000系黄色帯ラッピング車両(6017編成)運行開始

23.10.01 **京王電鉄**
鉄道旅客運賃改定。初乗り運賃130円を140円に。相模原線京王多摩川～橋本間の乗車キロに応じて設定の加算運賃の廃止。精神障がい者割引導入。通勤定期券「どっちーも」運賃改定。
京王線・井の頭線、鉄道乗車ポイントサービス開始。会員登録、ＰＡＳＭＯで乗車で乗車いただくと。
京王れーるランド開業10周年記念企画、順次開始。オリジナルヘッドマーク付き列車の運行等

23.10.01 **小田急電鉄**
海老名駅、改札内でオリジナルピンズ・アクリルスタンドを発売

23.10.01 **東急電鉄**
精神障がい者割引制度導入。対象は普通乗車券(きっぷ)

23.10.01 **京浜急行電鉄・東京都交通局・京成電鉄**
「空港連絡特殊割引」廃止。羽田空港第１・第２ターミナル、羽田空港第３ターミナルから都営地下鉄、京成線各駅間相互間で適用していた

23.10.01 **京浜急行電鉄**
運賃改定実施。認可日は04.21。初乗り運賃は150円に。小児ＩＣ運賃を全区間75円均一に

23.10.01 **横浜シーサイドライン**
全駅に、「多言語対応インターフォン」システム、導入

23.10.01 **岳南電車**
旅客運賃改定。初乗り150円は170円に

23.10.01 **大井川鐵道**
大井川本線家山～川根温泉笹間渡間運転再開。これで2022.09、台風15号により被災、不通区間は川根温泉笹間渡～千頭間に。運転再開に合わせて、「ＳＬ急行 南アルプス号」新設。夕刻～夜時間帯に「ナイトＳＬ」も運転

23.10.01 **北越急行**
鉄道旅客運賃改定。初乗り170円は210円に

23.10.01 **ＩＲいしかわ鉄道**
森本駅、東広場にて「秋の鉄道フェスタ2023」開催。
公式マスコットキャラクター愛称を「あいまるくん」に決定とともにデビュー

23.10.01 **京都市交通局**
「京都地下鉄・バスＩＣポイントサービス」、「地下鉄・バスＩＣチケット」導入

23.10.01 **南海電気鉄道**
旅客運賃改定。一部企画乗車券の発売価格見直しと発売終了。初乗り160円は180円に

23.10.01 **泉北高速鉄道**
旅客運賃改定。精神障がい者運賃割引制度を導入

23.10.01 **神戸市交通局**
旧北神車両7000系、さよならイベント谷上車庫にて開催

23.10.01 **神戸電鉄**
鈴蘭台車庫にて「神鉄トレインフェスティバル2023」開催

23.10.01 **京都丹後鉄道**
ダイヤ改正。ＪＲ不定期特急列車への接続性向上。朝通勤帯ダイヤ一部変更

23.10.01 **水島臨海鉄道**
旅客運賃改定。認可日は05.31

23.10.01 **伊予鉄道**
鉄道事業・軌道事業、旅客運賃改定

23.10.01 **熊本市交通局**
運賃改定(初乗り160円→180円)。モバイル定期券販売、利用開始

23.10.02 **ＩＲいしかわ鉄道**
2024.03.16、北陸新幹線金沢～敦賀間開業に伴い、ＪＲ西日本から経営分離となる金沢～大聖寺間の旅客運賃の上限設定申請

23.10.02 **近畿日本鉄道**
大阪上本町駅、バスターミナル・駅等の整備発表。大阪・関西万博会場へのアクセス向上を図るため

23.10.03 **名古屋鉄道**
「ＣｅｎｔＸ」が「EXサービス」との連携開始とともに、マイ駅・マイバス停機能のさらなる拡充

23.10.04 **西武鉄道**
小手指車両基地にて「ありがとう2031編成を撮影会」開催(有料)

23.10.05 **東武鉄道**
新型特急車両Ｎ100系「SPACIA X」、「2023年度 グッドデザイン賞」受賞

23.10.05 **宇都宮ライトレール**
「2023年度 グッドデザイン賞[地域社会デザイン]」受賞

23.10.05 **西武鉄道**
「さよなら2031編成ラストラン乗車ツアー to横瀬車両基地」開催(有料)。小手指駅発横瀬車両基地解散のツアー。2031編成、これにて引退

23.10.05 **南海電気鉄道**
8300系、「2023年度 グッドデザイン賞」受賞

23.10.05 **泉北高速鉄道**
9300系、「2023年度 グッドデザイン賞」受賞

23.10.06 **阪急電鉄**
金沢文庫駅、３・４番線、ホームドア運用開始

23.10.07 **由利高原鉄道**
新型車両2300系・2000系を2024夏から導入と発表。2300系は京都線用で、４号車に座席指定サービスを導入。2000系は神戸線・宝塚線用車両

23.10.07 **新京成電鉄**
「8900形デビュー 30周年記念乗車券」発売

23.10.07 **東武鉄道**
毎週土曜日の「SPACIA X」１号にて、TOBU RAILWAY X COFFEE PROJECT開始

23.10.07 **西武鉄道**
白糸台駅・車両基地にて「多摩川線新101系夜間撮影会」開催(有料)。
「西武鉄道スタンプ帳」発売

23.10.07 **京浜急行電鉄**
金沢文庫駅、３・４番線、ホームドア運用開始

23.10.07 **しなの鉄道**
信濃追分駅、駅開業・駅舎建築100年記念イベント！開催

23.10.07 **名古屋鉄道**
名鉄公式トレーディングカード「めいてつトレインズ！」発売開始

23.10.08 **福島交通**
桜水車両基地で「いい電車両基地一般公開イベント」開催

23.10.08 **西武鉄道**
「多摩川線 新100系夜間撮影会」開催(有料)

23.10.08 **近畿日本鉄道**
近鉄四日市駅高架切替50周年(10.11)記念入場券、記念キーホルダー発売

23.10.10 **札幌市交通局**
「札幌市電240形243号車復刻塗装記念乗車券」発売

23.10.10 **智頭急行**
2024.03.16購入分から、特急料金改定と発表。300円値上げ

23.10.10 **くま川鉄道**
2020.07豪雨にて被災した人吉温泉～肥後西村間に、鉄道災害調査隊が入る。11日迄

23.10.11 **大阪市高速電気軌道(Osaka Metro)**
四つ橋線および中央線全駅に可動式ホーム柵、2025.03迄に設置と発表

23.10.11 **島原鉄道**
大正駅、全焼

23.10.12 **東京都交通局・東京地下鉄**
都市公園制度設定150周年！「都営地下鉄・東京メトロで行く都市公園150周年記念 歴史めぐりスタンプラリー」実施。11.05迄

23.10.14 **三陸鉄道**
「宮古車両基地まつり」開催

23.10.14 **東京地下鉄**
銀座線渋谷駅、上野検車区渋谷分室間の線路切替え工事15日迄実施。２番線ホームは終日使用停止に

23.10.14 **福井鉄道**
ダイヤ改正。昼間時間帯の急行列車の運行取止め。通列車30分間隔の運行。昼間から夕方のえちぜん鉄道直通列車は福井駅経由の普通列車に。始発列車の時刻繰下げ、最終列車の時刻繰上げ 等

23.10.14 **近畿日本鉄道**
観光特急「しまかぜ」３編成大集合！ IN 賢島、開催[事前応募・抽選]。賢島駅ホームに３編成が並ぶ

23.10.14 **伊予鉄道**
市内線50形52・69、運行終了。古町車庫駅構内にて「さよならイベント」開催

23.10.15 **東急電鉄**
長津田車両工場にて「東急電車まつり」開催(事前応募、抽選)

23.10.15 **一畑電車**
「一畑電鉄創立111周年記念感謝祭」開催。開催に合わせ「特別１日乗車券」発売

23.10.15 **西日本鉄道**
第28回「筑紫車両基地開放 にしてつ電車まつり」開催

23.10.15 **肥薩おれんじ鉄道**
野田郷～米ノ津間開業100周年記念式典、出水駅にて開催

23.10.15 **国土交通省**
新造する列車内への防犯カメラ設置義務付けのため、鉄道運輸規程の一部改正。新幹線車両や１キロ当たりの１日平均乗客数(輸送密度)が10万人以上の路線を走行する車両が対象

23.10.16 **東武鉄道**
草加駅、定期券うりば、営業終了

23.10.16 **東急電鉄・相模鉄道・ 鉄道・運輸機構**
相鉄・東急直通線、第22回 日本鉄道賞「大賞」受賞

23.10.16 **京阪電気鉄道**
3000系営業運転開始15周年を記念、3000系全編成に11.26迄、記念ヘッドマーク掲出。中之島線開業15周年記念イベント等も開催

23.10.18 **京成電鉄・東京都交通局**
押上駅、４番線、可動式ホームドア使用開始。３番線が12.02、２番線は12.28、１番線は2024.02.20から使用開始

23.10.19 **東京地下鉄**
東西線南砂町駅線路・ホーム増設へ向けた線路切替工事のため、2024.05.11～12の２日間、東陽町～西葛西間運休と発表

23.10.19 **近畿日本鉄道**
大阪上本町駅、構内での無料Wi-Fiサービス終了

23.10.20 **新京成電鉄**
ラッピング電車「千葉ジェッツトレイン」運行開始。2024.04末まで

23.10.20 **東京地下鉄**
100円で東京メトロ線全線乗り放題！「東京探検！24時間こどもきっぷ」発売。11.30迄

23.10.21 **千葉都市モノレール**
車両基地(動物公園下車徒歩５分)で「ちばモノレール祭り2023」開催

23.10.21 **えちぜん鉄道**
本社(福井口駅)で「えちぜん鉄道開業20周年記念イベント」開催

23.10.21 **近畿日本鉄道**
五位堂検修車庫にて「きんてつ鉄道まつり2023in五位堂」開催。22日も

23.10.21 **南海電気鉄道**
南海線ダイヤ修正。特急「ラピート」増便(１時間２本に)等、コロナ禍前の水準まで輸送力を強化

23.10.21 **若桜鉄道**
「ピンクＳＬ」お披露目＆走行、若桜駅にて開催

23.10.22 **函館市企業局**
110周年記念、路面電車運転体験会、駒場車庫にて開催

23.10.22 **東京都交通局**
10.01の「荒川線の日」を記念、荒川線感謝祭を荒川電車営業所で開催

23.10.22 **相模鉄道**
天王町駅、可動式ホームドア供用開始(上・下ホーム)

23.10.22 **福井鉄道**
福井鉄道北府駅で「福井鉄道福武線開業100周年記念イベント」開催

23.10.22 **京阪電気鉄道**
寝屋川車両基地で「ファミリーレールフェア2023」開催

23.10.22 **阪急電鉄**
「秋の阪急レールウェイフェスティバルin正雀工場2023」開催

23.10.22 **神戸市交通局**
「交通フェスティバル2023in名谷車両基地」開催

23.10.22 **神戸新交通**
六甲ライナー検車場にて「六甲ライナーフェスティバル2023」開催

23.10.22 **福岡市交通局**
七隈線橋本車両基地にて「地下鉄フェスタ2023」開催

23.10.22 **熊本電鉄**
6211Ａ・6218Ａ、引退に伴うイベント開催(有料)。引退日は27日。28日には運転体験実施(有料)。25日から引退記念ヘッドマーク掲出

23.10.23 **宇都宮ライトレール**
ダイヤ改正。平日朝通勤・通学時間帯のホーム混雑緩和を図るため

23.10.23 **広島電鉄**
新たな乗車券サービスの名称、「BOBIRY DAYS(モビリーデイス)」と決定と発表。スマートフォンのＱＲコード、専用ＩＣカードで利用可能。サービス開始は2024.09を予定

23.10.24 **東京地下鉄**
丸ノ内線02系座席シートを活用したアップサイクル商品発売開始

23.10.24 **大井川鐵道**
期間限定で普通列車の一部を「客車普通列車」として再度運転

23.10.24 **阪急電鉄**
伊丹駅、トイレをリニューアル

23.10.26 **阪急電鉄**
逆瀬川駅、トイレをリニューアル

23.10.27 **仙台市交通局**
南北線用新型車両3000系、富沢車両基地にて報道公開

23.10.28 **上信電鉄**
「上信電鉄感謝フェア2023」、本社および車両検修場にて開催

23.10.28 **東武鉄道**
東武アーバンパークライン清水公園～梅郷間、高架化工事進捗に伴う清水公園駅付近、線路切換工事のため23:30頃～終列車まで七光台～野田市間運休

23.10.28 **京成電鉄**
「京成電鉄 宗吾車両基地キッズフェスタ」開催(小学生以下を含む４名迄)。京成立石駅、仮改札口供用開始。下り線改札口は地下仮駅舎内に、上り線は上りホーム東側地上部に設置

23.10.28 **京王電鉄**
高尾山口駅、駅前広場と駅前ホテル「タカオカ」等で「高尾山の市"野市"」開催

23.10.28 **えちぜん鉄道**
「開業20周年記念企画第４弾 車庫見学＆撮影会ツアー」開催

23.10.28 **叡山電鉄**
「第16回えいでんまつり」、修学院車庫にて開催

23.10.28 **南海電気鉄道**
千代田工場にて「南海電車まつり2023」開催

23.10.28 **山陽電気鉄道**
東二見工場にて、「山陽 鉄道フェスティバル2023」開催

23.10.29 **仙台市交通局**
「バス・ちか探検ツアー」開催。南北線用新型車両3000系も公開

23.10.29 **東武鉄道**
森林公園検修区にて「ＴＪライナー運行開始15周年記念車両撮影会in森林公園検修区」開催。「ＴＪライナー 15周年記念」ヘッドマーク掲出開始

23.10.29 **しなの鉄道**
「屋代駅開業135週年記念イベント」開催

23.10.31 **京成電鉄・新京成電鉄**
2022.09.01、京成電鉄の100％子会社となっていた新京成電鉄、2025.04.01、京成電鉄に吸収合併と、京成電鉄取締役会で決議

23.11.01 **西武鉄道**
リアルタイム運行情報を各ルート検索サービスへ提供開始

23.11.01 **東京地下鉄**
土日祝日が１か月間、実質乗り放題になる「休日メトロ放題」開始

23.11.01 **相模鉄道**
星川駅、トイレの空き状況をスマホで確認できる実証実験開始

23.11.01 **叡山電鉄**
700系リニューアル車711、運行開始。10.28から「711号車リニューアル記念乗車券」発売。10.31に車両展示撮影会＆貸切運行実施

23.11.01 **阪急電鉄**
大阪梅田駅、新駅開業50周年記念イベント開催。記念ヘッドマーク掲出列車を神戸線、宝塚線、京都線にて１編成ずつ運転。11.30迄。記念入場券発売

23.11.01 **伊予鉄道**
郊外電車郡中線・市内線のダイヤ改正。「坊っちゃん列車」当分の間 全便運休に。電車運転士の不足および2024年問題に対処するため

23.11.01 **熊本市交通局**
ダイヤ改正。乗務員不足に伴う土日祝ダイヤの一部減便等実施

23.11.02 **新京成電鉄**
80000形、４次車、営業運転開始

23.11.02 **舞浜リゾートライン**
鉄道事業の旅客運賃上限変更認可申請。運賃は260円→300円に

23.11.03 **真岡鐵道**
C1266製造90年記念企画、ＳＬ・ＤＬ重連運転実施。11.26迄の９日間

23.11.03 **東急電鉄**
『ありがとう「(旧)目蒲線全線開通100周年」記念臨時列車』(多摩川→蒲田→雪が谷大塚→五反田→蒲田→多摩川間)運転

23.11.03 **相模鉄道**
相鉄ジョイナス50周年特別企画～おかいもの電車が帰ってきた！～「おかいもの電車」運行開始(11000系11002編成)、記念入場券発売。

「JOINUS×相模鉄道 スタンプラリー」開催。11.19迄

23.11.03 富山地方鉄道
稲荷町車両基地にて「ちてつ電車フェスティバル2023」開催

23.11.03 京阪電気鉄道
大津線錦織車庫で「大津線感謝祭2023」開催

23.11.03 広島電鉄
ＪＲ新広島駅ビルに2025春乗入れる路線の新ルート見学会開催。主催は日本建設業連絡会

23.11.04 東葉高速鉄道
車両基地で「第13回東葉家族車両基地まつり」開催

23.11.04 小田急電鉄
ＶＳＥ、「最後の車庫線ミステリーツアー」催行

23.11.05 東武鉄道
南栗橋の訓練線にて、「6050型車両訓練線運転体験」開催(有料)

23.11.05 三岐鉄道
三岐線丹生川駅前にて「貨物鉄道博物館20周年記念イベント」開催

23.11.06 東京臨海高速鉄道
新型車両71-000形、2025年度下期から営業開始と発表。８編成80両

23.11.07 阪神電気鉄道
阪神タイガース「日本一記念ラッピングトレイン」運行開始。1月下旬迄

23.11.10 名古屋鉄道
ＡＩ画像解析装置を導入した踏切監視システム、運用開始。瀬戸線新瀬戸２号踏切が最初。順次拡大へ

23.11.11 京王電鉄
「ハチ公生誕100年記念乗車券」発売。Ｄ型硬券３枚セット

23.11.11 東京地下鉄
「ハチ公生誕100年記念乗車券」東京メトロオリジナル24時間券発売

23.11.11 岳南電車
「岳南電車まつり2023」開催

23.11.11 近畿日本鉄道
「きんてつ鉄道まつり2023」（塩浜会場）開催。12日も

23.11.11 泉北高速鉄道
光明池車庫で3000系「運転体験」&「写真撮影会」開催[有料]

23.11.11 水間鉄道
「7000系夜間撮影会」、水間観音駅にて開催

23.11.11 筑豊電気鉄道
ダイヤ改正。平日・土曜の日中時間帯(10～15時)の運転間隔を20分間隔に

23.11.12 埼玉新都市交通
開業40周年記念「丸山車両基地まつり」開催

23.11.12 相模鉄道
西横浜駅、ホームドア運用開始

23.11.13 東急電鉄
東横線有料座席指定サービス「Ｑ ＳＥＡＴ」、12.29迄、おためし半額(250円)キャンペーン実施

23.11.14 大阪市高速電気軌道(Osaka Metro)
2025.03までに四つ橋線、中央線全駅に可動式ホーム柵設置、全駅完了と発表

23.11.14 伊予鉄道
郊外電車に新型車両7000系、2025.02頃に導入と発表

23.11.16 阪急電鉄
神戸線御影駅、トイレリニューアル工事完了、供用開始

23.11.16 南海電気鉄道
ＱＲコードを利用した「特急券付きデジタル乗車券」、インバウンド旅客向けに発売開始

23.11.17 東武鉄道
越生線川角駅、学園口(IC専用改札)使用開始

23.11.18 東京地下鉄
「半蔵門線周年記念見学撮影会in鷺沼車両基地」開催

23.11.18 東京都交通局
志村車両検修場にて「都営フェスタ2023in三田線」開催。
浅草線西馬込駅、可動式ホーム柵使用開始。交通局管理駅完了

23.11.18 多摩モノレール
多摩モノレール車両基地(高松駅下車)にて「多磨モノまつり2023」開催

23.11.19 阿武隈急行
「政宗ブルーライナー」（A-9編成）、ラストラン

23.11.19 箱根登山鉄道
青塗装 モハ１形106、営業運転終了。定期検査後は標準色に復帰予定

23.11.19 天竜浜名湖鉄道
天竜二俣駅構内にて「天浜線フェスタ2023」開催

23.11.19 阪神電気鉄道
尼崎車庫等にて「鉄道の日 はんしんまつり2023」開催

23.11.19 長崎電気軌道
第21回「路面電車まつり」、浦上車庫にて開催

23.11.20 富山地方鉄道
20020形(元西武10000系)、「キャニオンエクスプレス」の愛称に決定

23.11.21 阪急電鉄
京都線座席指定サービスの名称、「ＰＲｉＶＡＣＥ(プライベース)」に決定。導入は2024夏頃

23.11.22 京浜急行電鉄
「さようならエアポート急行」（ヘッドマーク付き）、24日迄運行

23.11.23 小湊鐵道
09.08、台風13号の大雨被害にて運転を見合わせていた里見～上総中野間、復旧工事完了、全線運転再開

23.11.23 名古屋鉄道
「枇杷島分岐 特別撮影会」開催(有料)。集合は須ケ口駅

23.11.23 阪急電鉄
千里線山田駅、開業50周年記念イベント、記念入場券発売

23.11.23 阪神電気鉄道
阪神タイガース、オリックス・バッファローズ優勝パレード記念、元町→阪神三宮→阪神梅田間ノンストップ臨時特急運転

23.11.23 大阪市高速電気軌道(Osaka Metro)
「ウォークスルー型顔認証改札機」、御堂筋線なんば駅北東改札に設置、実証実験開始。2024年度末から本格導入予定

23.11.23 広島電鉄
千田車庫周辺で「ひろでんの日2023開催」。鉄カード配布

23.11.24 東京地下鉄
銀座線浅草駅４番出入口上家、丸ノ内線御茶ノ水駅出入口上家、御茶ノ水橋梁及び四ツ谷跨線橋、登録有形文化財として登録

23.11.24 アルピコ交通
「２代目なぎさＴＲＡＩＮ」、クラウドファンディング募集開始

23.11.25 京成電鉄
ダイヤ改正。22時台の上りスカイライナー増発等

23.11.25 北総鉄道
ダイヤ改正。京成線のダイヤ改正を踏まえて実施

23.11.25 東京都交通局
ダイヤ改正。京成線、京急線のダイヤ改正を踏まえて実施

23.11.25 京浜急行電鉄
ダイヤ改正。列車種別「エアポート急行」の名称を「急行」に変更。土休日「ウィング・シート」の運行開始時刻繰上げ。平日「イブニング・ウィング」14・16号の運行形態変更(「快特」の後ろに４両連結)等

23.11.25 上毛電気鉄道
新型車両800形の運行開始を発表

23.11.25 上田電鉄
「ステンレス車誕生65周年記念イベント」開催

23.11.25 沖縄都市モノレール
開業20周年記念！「ゆいレールまつり2023」開催

23.11.26 京王電鉄
井の頭線渋谷駅、１番線降車専用ホーム、ホームドア使用開始

23.11.26 北大阪急行電鉄
南北線延伸線、レール締結式を箕面萱野駅にて実施。
延伸線開業に合わせて、駅名看板・室内サインのデザイン一新を発表

23.11.26 京都丹後鉄道
「丹鉄85記念まつり」開催。KTR8500形(元ＪＲ東海キハ85系)車両見学実施

23.11.29 小田急電鉄
小田急の子育て応援担当「もころん」ラッピング、5000形「もころん号」、運行開始。2024.05頃迄

23.11.29 京阪電気鉄道
大津線松ノ馬場、滋賀里、石場、中ノ庄、唐橋前駅、駅改札口でＡＩ画像解析技術を活用した利用状況および不正乗車調査の実証実験実施。12.12迄

23.11.30 立山黒部貫光
立山トンネル無軌条電車(トロリーバス)、2024.12.01(予定)をもって廃止とする廃止届提出。2026.04からは電気バスにて運行

23.11.30 近畿日本鉄道
大阪・関西万博オリジナルデザインのラッピングトレイン運行開始。9820系、5820系の各１編成

23.11.30 京阪電気鉄道
大阪・関西万博オリジナルデザインのラッピングトレイン運行開始。8000系、3000系の各１編成

23.11.30 阪急電鉄
大阪・関西万博ラッピングトレイン運行開始。神戸線、宝塚線1000系、京都線1300系の各路線１編成

23.11.30 阪神電気鉄道
大阪・関西万博ラッピングトレイン運行開始。1000系１編成

23.11.30 福岡市交通局
地下鉄空港線・箱崎線、新型車両4000系の概要発表。2024秋、運行開始予定

23.12.01 東武鉄道
訪日外国人観光客向け国際手荷物配送サービス実証実験、2024.03.31迄実施

23.12.01 京王電鉄
70歳以上のお客様対象！「シニア全線パス」発売開始。事前申込みは10.13。
井の頭線開業90周年記念、「メッセージトレイン」運行開始

23.12.01 近畿日本鉄道
近鉄八尾駅、リニューアル工事完成

23.12.01 大阪市高速電気軌道(Osaka Metro)
組織改正。マーケティング事業本部リテール事業部を交通事業本部事業推進部へ変更。駅ナカ事業の活性化を図るため

23.12.01 阪堺電気軌道
「一日フリー乗車券」、１日フリー乗車券「堺おもてなしチケット」、価格改定

23.12.02 小田急電鉄
「おだきゅう Family Fun フェスタ2023」、海老名中央公園にて開催。３日も

23.12.02 北大阪急行
箕面萱野駅、初公開。見学イベント開催

23.12.03 東武鉄道
南栗橋車両管区にて「2023東武ファンフェスタ」開催

23.12.03 **能勢電鉄**
鋼索線、索道線(妙見の森リフト)、この日限りにて廃止

23.12.03 **智頭急行**
「名探偵コナン」のキャラクターで装飾した「スーパーはくと名探偵コナン号」運行開始。「スーパーはくと」は運行開始30周年を迎える

23.12.04 **近畿日本鉄道**
志摩線鳥羽～賢島間にて「通学用サイクルトレイン」実証実験開始。2024.03.29までの平日(01.02・03は除く)

23.12.04 **京都丹後鉄道**
JCB/American Express/Diners Club/Discover、運賃支払いタッチ決済可能に

23.12.08 **弘南鉄道**
大鰐線、全線運転再開

23.12.10 **京成電鉄**
京成上野駅、開業90周年記念装飾実施

23.12.10 **小田急電鉄**
特急ロマンスカーＶＳＥ、イベント運行をもって引退(成城学園前20:00頃着)。引退記念撮影会を海老名車両基地にて９日に開催[有料]

23.12.10 **西武鉄道**
「特別列車に乗って鉄道のおしごとと普段できない体験をしよう！」開催。鷹の台駅～玉川上水車両基地～玉川上水駅

23.12.11 **立山黒部貫光**
立山トンネル無軌条電車(トロリーバス)、事業廃止届及び電気バスへの変更計画提出。2024.12.01(予定)を以って無軌条電車は廃止

23.12.14 **京阪電気鉄道**
京阪線全駅、ケーブル八幡宮駅にＱＲコード乗車券対応改札機を導入、ＱＲコードを利用した乗車サービスを2024.06開始と発表

23.12.15 **関東鉄道**
運行情報を配信するＬＩＮＥ公式アカウント解説

23.12.15 **高松琴平電気鉄道**
琴平線綾川駅を有人駅、滝宮駅を無人化。綾川駅近くにイオンモール

23.12.15 **西日本鉄道**
西鉄福岡(天神)駅、「駅案内ロボット temi」、実証試験を01.12迄実施

23.12.16 **札幌市交通局**
東豊線さっぽろ駅、出口15、出口15Ｂ供用開始

23.12.16 **京浜急行電鉄**
梅屋敷駅、２番線ホームドア供用開始。１番線は2024.01.13

23.12.16 **東京地下鉄**
南北線9000系、８両編成列車運行開始

23.12.16 **近畿日本鉄道**
団体列車「乗り継ぎ撮影会ツアー」開催。五位堂検修車庫、青山町車庫を巡る

23.12.16 **阪神電気鉄道**
大阪梅田駅、４番線ホームドア供用開始

23.12.16 **福岡市交通局**
保護者が同伴する幼児、２人目まで無料の制限を人数に関係なく無料に変更

23.12.20 **名古屋鉄道**
2024.09開業予定の神宮前駅西街区、商業施設名称、「あつたnagAya(ナガヤ)」に決定。ロゴ大文字「A」の部分で特徴的な屋根形状を表現

23.12.21 **西武鉄道**
運転士向けの保護メガネを導入

23.12.21 **南海電気鉄道**
高師浜線、高架化工事完了、４月上旬に運転再開と発表

23.12.22 **埼玉新都市交通**
ニューシャトル開業40周年記念「発車式」開催。
ニューシャトル開業40周年記念乗車券発売

23.12.22 **東武鉄道**
「東武鉄道公式ＮＦＴコレクション」、10車種のデジタル電車カード発売

23.12.22 **西武鉄道**
「レッドアロー号」車内にて、モバイルバッテリーシェアリング「ChargeSPOT」設置開始

23.12.22 **阪急電鉄**
服部天神駅、ホームに設置トイレをリニューアル、供用開始

23.12.22 **大阪市高速電気軌道(Osaka Metro)**
北港テクノポート線コスモスクエア～夢洲間 3.2km、第二種鉄道事業許可を取得。第一種鉄道事業許可は大阪港トランスポートシステム
四つ橋線肥後橋駅、可動式ホーム柵運用開始

23.12.23 **京浜急行電鉄**
大師線連続立体交差事業の進捗に伴い大師橋駅、新駅舎供用開始

23.12.24 **東武鉄道**
「100系いちごスペーシア」、運行開始

23.12.26 **京成電鉄**
四ツ木駅、「キャプテン翼」特別装飾のリニューアル。記念乗車券発売

23.12.27 **東京都交通局**
上野懸垂線上野動物園東園～上野動物園西園間0.3km、路線廃止

23.12.28 **東京都交通局**
馬喰横山駅、定期券発売所営業終了

23.12.30 **首都圏新都市鉄道**
回数乗車券・往復乗車券の発売終了

23.12.30 **京成電鉄**
京成上野～京成成田間「スカイライナー運行開始50周年記念企画」実施

24.01.01 **三陸鉄道**
三陸鉄道開業40周年記念、デジタル駅スタンプアプリ「エキタグ」利用開始

24.01.01 **西武鉄道**
100％再生可能エネルギー由来の電力で運行開始

24.01.01 **のと鉄道**
能登半島を震源とする地震のため被災、運転見合わせに

24.01.07 **富山地方鉄道**
電鉄富山駅、高架化工事に伴い改札口、券売機及び駅事務室移転

24.01.09 **のと鉄道**
鉄道・運輸機構から鉄道災害調査隊が派遣

24.01.10 **東武鉄道**
川越れとろトリップきっぷデジタル！スタンプラリー実施。02.25迄

24.01.11 **野岩鉄道**
6050型改修車両「やがびぃカー」(61103+62103)運行開始

24.01.17 **弘南鉄道**
イベント列車「津軽時巡(とぎめぐり)号」(7101＋7154)、お披露目

24.01.17 **東急電鉄**
不動前駅周辺高架下にフィットネス事業「roobby-fit不動前」テストオープン

24.01.20 **南海電気鉄道・泉北高速鉄道**
高野線、泉北高速線、ダイヤ修正。3月、中百舌鳥駅4番線ホームドア設置を踏まえて実施。難波発和泉中央行、準急行の編成量数増等

24.01.21 **阪急電気鉄道**
7000系リニューアル車両、運転開始

24.01.22 **小田急電鉄**
秦野駅。北口に電動キックボードのポートを設置しての実証実験開始

24.01.26 **しなの鉄道**
大屋駅、駅施設をリニューアル、郵便局と一体型施設に

24.01.26 **筑豊電気鉄道**
3000形3009を「黄電(きなでん)」塗装に復刻、運行開始

24.01.27 **札幌市交通局**
東西線大通駅、14番B出入口、札幌駅前通地区計画事業に伴い建設の「桂和大通ビル」接続に伴い供用開始

24.01.28 **東武鉄道**
「100系いちごスペーシア撮影会」、南栗橋車両管区春日部支所にて開催

24.01.28 **大阪市高速電気軌道(Osaka Metro)**
四つ橋線本町駅、可動式ホーム柵運用開始

24.01.29 **のと鉄道**
代行バスによる運転再開

24.01.29 **京阪電気鉄道**
大津の紫式部ゆかりの地探索に便利な「紫式部 大津周遊チケット」発売。23日から石山坂本線石山寺駅を紫色に施す等の装飾、看板設置

24.01.31 **東武鉄道**
ＳＬに、国内初となるバイオ燃料を使用する実験実施開始

24.01.31 **京成電鉄**
「京成上野駅開業90周年記念乗車券」発売

24.01.31 **名古屋鉄道**
輸送と点検・巡視を組み合わせたドローン活用の実証実験実施

24.02.01 **東急電鉄**
ホームの乗降監視用映像にＡＩ画像解析技術を活用の実証実験実施

24.02.01 **箱根登山鉄道**
宮ノ下、小涌谷駅、終日駅係員無配置に

24.02.01 **福井鉄道**
「福井鉄道福武線開業100周年記念乗車券」発売

24.02.01 **嵯峨野観光鉄道**
精神障がい者割引制度を導入(適用開始)。運行開始は03.01～

24.02.01 **近畿日本鉄道**
「近鉄ＩＣＯＣＡポイント還元サービス」開始。
デジタル駅スタンプ、駅スタンプアプリ「エキタグ」開始

24.02.02 **東京都交通局**
新宿三丁目駅、冷凍スイーツ自動販売機設置

24.02.03 **京王電鉄**
「井の頭線開業90周年記念 ファミリー文化祭」、富士見ヶ丘検車区にて開催

24.02.03 **東京地下鉄**
「東西線全線開業55周年記念見学撮影会in深川車両基地」開催

24.02.03 **江ノ島電鉄**
江ノ島駅、構内踏切を廃止、行先別改札の運用開始。新信号システムを導入

24.02.04 **西武鉄道**
南入曽車両基地にて10000系デビュー30周年企画「10000系ＮＲＡ撮影会」開催

24.02.08 **あいの風とやま鉄道**
ＪＲ西日本城端線(高岡～城端間29.6㎞)、氷見線(高岡～氷見間16.5㎞)、2034.03.31迄に第一種鉄道事業者と事業主体変更、認定(申請 2023.12.22)

24.02.10 **東武鉄道**
東武アーバンパークライン七里駅、新駅舎使用開始

24.02.10 **京浜急行電鉄**
梅屋敷駅、1・2番線のホームドア使用開始

24.02.10 **相模鉄道**
【出発進行！幸せの黄色い電車に潜入】モヤ700系乗車体験会、開催

24.02.10 **福井鉄道**
「光る君へ」ラッピング電車(F1004)、運行開始

24.02.10 **近畿日本鉄道**
富田林駅、リニューアル記念「アート散策in富田林じないまち」開催。11日も

24.02.12 **南阿蘇鉄道**
ＭＴ-2003Ａ、ＭＴ-3001、ラストランツアーをもって営業運転終了。廃車に

24.02.13 **近畿日本鉄道**
生駒山上駅、駅舎リニューアル工事完成、供用開始

24.02.14 **伊豆箱根鉄道**
大雄山駅、副駅名「夢をカタチに。」(下田組とスポンサー契約)

24.02.15 **のと鉄道**
七尾～能登中島間、運転再開

24.02.16 **大阪市高速電気軌道(Osaka Metro)**
交通電業社の株式を取得、子会社化

24.02.17 **江ノ島電鉄**
長谷駅、構内踏切を廃止、行先別改札の運用開始。新信号システムを導入

24.02.20 **京成電鉄・東京都交通局**
押上駅、可動式ホーム柵使用開始。都営浅草線全駅でのホームドア整備完了

24.02.21 **東京地下鉄**
東西線全線開業55周年記念「クイズ＆スタンプラリー」実施。03.21迄

24.02.22 **叡山電鉄**
700系リニューアル車両 731「ノスタルジック731改」運行開始

24.02.23 **京阪電気鉄道**
枚方市駅、３番線ホーム可動式ホーム柵使用開始。４番線は03.20から

24.02.24 **宇都宮ライトレール**
「栃木サッカークラブ」、ラッピング電車、運転開始

24.02.24 **京王電鉄**
笹塚駅、2・3番線ホームドア使用開始

24.02.24 **大井川鐵道**
新金谷～家山間にて、史上最初のＳＬ、臨時快速運転

24.02.24 **豊橋鉄道**
市内線3500形3503、車体更新実施、リニューアル記念内覧会、赤岩口車庫で開催

24.02.25 **近畿日本鉄道**
観光列車「つどい」、リニューアル(塗装一新)記念撮影会を青山町車庫で開催

24.02.26 **しなの鉄道**
大屋駅、郵便局窓口業務と駅業務の一体運営開始。郵便局名は大屋駅郵便局

24.02.29 **上毛電気鉄道**
新型車両800形(元東京地下鉄03系)、営業運転開始

24.02.29 **阪神電気鉄道**
鉄道情報と企業情報のＷＥＢサイトを統合、全面リニューアル

24.02.29 **近畿日本鉄道**
回数乗車券の発売終了

24.03.01 **東武鉄道**
東武百貨店池袋店開催に合わせ「アルプスの少女 ハイジ スタンプラリー」を04.09迄実施。東上線１日フリー乗車券発売

24.03.01 **京浜急行電鉄・京成電鉄**
移動制約者ご案内業務支援サービスを導入・運用開始

24.03.01 **相模鉄道**
「相鉄ポイント」と乗車サービス「相鉄ポイントマイル」、サービス開始

24.03.01 **天竜浜名湖鉄道**
アスモ前駅、副駅名「デンソーのモーター生産地」を命名、除幕式開催

24.03.01 **近畿日本鉄道**
特急列車内の喫煙室を廃止。
「あべのハルカス10周年記念きっぷ」発売

24.03.01 **大阪市高速電気軌道(Osaka Metro)**
新サービス、「ＩＣＯＣＡポイントサービス」開始

24.03.02 **名古屋鉄道**
広見線(新可児～御嵩間)、復刻塗装の6000系(いもむし塗装)運行再開

24.03.02 **南海電気鉄道**
「30年前の無塗装6000系」と「現在の6000系」の車両撮影会＆鉄道部品オークションを小原田検車(車庫)で開催

24.03.03 **東武鉄道**
東武アーバンパークライン野田市駅、新駅舎、新ホーム(3・4番線)使用開始(連続立体交差事業に伴う)

24.03.07 **阪急電鉄**
大阪梅田、京都河原町駅、非接触型ＡＩ案内端末を活用した実証実験開始

24.03.09 **近畿日本鉄道**
あべのハルカス10周年記念企画、「電車マルシェin大阪阿部野橋駅」を開催。開催は10日も。ヘッドマーク掲出のほか車両側面に記念シートも掲出

24.03.09 **大阪市高速電気軌道(Osaka Metro)**
中央線森ノ宮駅、可動式ホーム柵運用開始

24.03.11 **アルピコ交通**
3007＋3008編成、運行終了

24.03.12 **南海電気鉄道・泉北高速鉄道**
中百舌鳥駅４番線ホームドア稼働開始

24.03.13 **京王電鉄**
「京王れーるらんど」、リニューアルオープン

24.03.15 **近畿日本鉄道**
伊勢志摩ライナー運行開始30周年を記念、車内にて「記念乗車証」配布。車両は02.10から記念ロゴを掲出(全編成)。
南大阪線針中野駅、長居公園を表現したデザインが、世界三大デザイン賞「iF DESIGN AWARD 2024」を受賞(駅改修は22.07)

24.03.15 **南海電気鉄道**
ＡＩを用いた踏切異常検知システム、中百舌鳥２号踏切にて導入試験開始

24.03.16 **首都圏新都市鉄道**
ダイヤ改正。快速列車が八潮駅に停車、朝・夕ラッシュ時増発等

24.03.16 **東武鉄道**
ダイヤ改正。「スペーシアＸ」２編成を増備、毎日６往復運転に。
「リバティ」、３両編成にて運転の列車を一部６両編成に増強。
竹ノ塚発着日比谷線直通列車の一部を草加駅発着に延長　など
「スペーシアＸ」、一部の特別座席料金を改定

24.03.16 **京成電鉄**
鉄道駅バリアフリー料金制度の活用によりバリアフリー整備のため、１乗車辺り10円を旅客運賃に加算。成田空港線、通学定期旅客運賃は加算なし

24.03.16 **芝山鉄道**
鉄道旅客運賃改定。200円を220円に

24.03.16 **西武鉄道**
ダイヤ改正。池袋線、平日朝上り特急列車１本増発。新宿線、拝島ライナー朝１本増発。新宿線、運転本数を毎時２往復、拝島線及び国分寺線毎時１本増発。運転間隔を12分から10分に。
「LIONS CHRONICLE 西武ライオンズ LEGEND GAME 2024 開催記念乗車券 西武線１日おでかけきっぷ」発売

24.03.16 **京王電鉄**
京王線、井の頭線ダイヤ改正。京王ライナー増発。夕ラッシュ、各駅停車の編成両数増強(新宿駅17:20～19:00発10両化)等

24.03.16 **東京都交通局**
新宿線、京王線ダイヤ改正に合わせてダイヤ改正。朝・夕、急行増発

24.03.16 **小田急電鉄**
ダイヤを一部修正

24.03.16 **東急電鉄**
東横線、目黒線、東急新横浜線にてダイヤ改正。目黒線、新横浜行を増発等

24.03.16 **東京地下鉄**
日比谷線、東西線、千代田線、有楽町線、南北線、副都心線にてダイヤ改正

24.03.16 **東京モノレール**
運賃改定、ダイヤ改正実施。最終電車の繰下げ、空港快速増発等

24.03.16 **相模鉄道**
ＪＲ東日本、東急のダイヤ改正を踏まえて実施

24.03.16 **しなの鉄道**
新型車両3編成6両を増備、ダイヤ改正。約70%の列車、新型車両にて運行

24.03.16 **名古屋鉄道**
ダイヤ改正、朝間・深夜帯の中部国際空港アクセスの利用性向上。名古屋市交通局との相互直通運転列車の輸送力見直し。広見線にてワンマン運転区間を拡大、運行パターンを犬山～新可児間の区間運転に変更　等。
鉄軌道旅客運賃改定。初乗り170円は180円に。
特別車両料金改定。「名鉄ネット予約サービス」の機能拡充。
精神障害者割引制度を導入。
河和線加木屋中ノ池(かぎやなかのいけ)駅(高横須賀1.4km～1.4km加木屋間)開業。２面２線。新駅所在地は東海市加木屋唐畑46
三河線三河知立駅、知立駅付近立体交差事業進捗に伴い、約900m移設、開業。新駅所在地は知立市山町茶碓山、２面２線

24.03.16 **名古屋市交通局**
名鉄ダイヤ改正に合わせて、鶴舞線、上飯田線にて実施

24.03.16 **ハピラインふくい**
北陸新幹線延伸開業を受けて、北陸本線敦賀～大聖寺間84.3kmを承継、営業運転開始。敦賀～福井間にて快速運転。ＩＲいしかわ鉄道と相互直通運転実施。越美北線直通列車は福井発着にて運転等

24.03.16 **ＩＲいしかわ鉄道**
北陸新幹線延伸開業を受けて、北陸本線大聖寺～金沢間46.4kmを承継。
全区間においてワンマン運転開始(七尾線直通列車は改正前から実施)。
加賀笠間～松任間に新駅、西松任駅開業

24.03.16 **あいの風とやま鉄道**
金沢～富山間等、ワンマン運転列車を増発

24.03.16 **えちぜん鉄道**
普通旅客運賃改定。初乗り160円を180円に

24.03.16 **近畿日本鉄道**
ダイヤ改正。京都線平日昼間時急行、運転本数1時間３本から４本に増発。奈良線、長野線、始発列車の運転時刻繰上げ。南大阪線、平日夜間帯の一部準急の編成増大など全線(けいはんな線を除く)にて実施

24.03.16 **京都丹後鉄道**
ダイヤ改正。キハ8500形(元ＪＲ東海キハ85系)、営業運転開始

24.03.16 **西日本鉄道**
天神大牟田線雑餉隈～春日原間に新駅、桜並木駅開業。２面２線。所在地は博多区竹丘町３丁目４。新駅開業に合わせてダイヤ改正。10～15時台に特急復活。春日原駅、特急停車駅に。試験場前駅を聖マリア病院前と改称等

24.03.16 **道南いさりび鉄道・仙台空港鉄道・秋田内陸鉄道・由利高原鉄道・山形鉄道・会津鉄道・阿武隈急行・真岡鐵道・銚子電気鉄道・流鉄・いすみ鉄道・関東鉄道・小湊鐵道・千葉都市モノレール・埼玉都市交通・東京臨海高速鉄道・伊豆急行・伊豆箱根鉄道・富士山麓電気鉄道・岳南電車・上田電鉄・アルピコ交通・長野電鉄・明知鉄道・天竜浜名湖鉄道・愛知環状鉄道・長良川鉄道・東海交通事業・伊勢鉄道・北越急行・えちごトキめき鉄道・のと鉄道・えちぜん鉄道・近江鉄道・嵯峨野観光鉄道・紀州鉄道・北条鉄道・智頭急行・井原鉄道・水島臨海鉄道・広島高速交通・錦川鉄道・若桜鉄道・阿佐海岸鉄道・福岡市交通局空港線・箱崎線・平成筑豊鉄道・甘木鉄道・松浦鉄道・肥薩おれんじ鉄道**　ＪＲグループ等のダイヤ改正に伴い実施

24.03.16 **阪堺電気軌道**
旧海道畑駅撮影会ツアー、22日迄実施

24.03.16　**伊予鉄道**
郊外電車郡中線・市内線、ＩＣＯＣＡなど全国交通系ＩＣカードを導入

24.03.18　**箱根登山鉄道**
ダイヤ改正。鋼索線の始発、最終列車を１本ずつ削減

24.03.19　**東武鉄道**
新型特急用車両「ＳＰＡＣＩＡ Ｘ」、「iF DESIGN AWARD 2024」を受賞。世界で最も重要かつ名誉あるデザイン賞のひとつ

24.03.20　**近畿日本鉄道、阪神電気鉄道**
阪神なんば線開業及び阪神・近鉄相互直通運転開始15周年を記念、記念ロゴマーク掲出列車を運行

24.03.20　**大阪市高速電気軌道(Osaka Metro)**
「さよなら20系！ラストラン＆撮影会」、森之宮←緑木検査場間にて実査

24.03.20　**伊予鉄道**
「坊っちゃん列車」、運行再開

24.03.21　**京浜急行電鉄**
京急線アプリ、リニューアル。現行の走行区間と列車種別に加えて「行先」及び「各駅の到着時刻」を表示

24.03.22　**東京地下鉄**
日比谷線小伝馬町駅、「小伝馬町メトロピア」オープン

24.03.22　**大阪市高速電気軌道(Osaka Metro)**
回数カード及び北急連絡回数券の発売終了

24.03.22　**広島高速交通**
7000系「カープ・トラム」［ラッピング］(31編成)運行開始

24.03.23　**東京地下鉄**
日比谷線南千住駅、ホームドア稼働開始。これにて日比谷線全線完了

24.03.23　**阪急電鉄**
伊丹線(塚口～伊丹間 3.1km)、ワンマン運転開始

24.03.23　**大阪市高速電気軌道(Osaka Metro)**
御堂筋線、四ツ橋線、ニュートラムダイヤ改正。御堂筋線は北大阪急行南北線箕面萱野延伸開業を踏まえて千里中央行の延伸のほか、天王寺行の一部列車をあびこ方面に延長運転。四ツ橋線は各駅でのホームドア設置を踏まえて停車時分の延長等。
中央線谷町四丁目駅、可動式ホーム柵運用開始

24.03.23　**北大阪急行電鉄**
南北線延伸線(千里中央～箕面萱野間 2.5km)開業。新駅は箕面船場阪大前、箕面萱野の２駅。複線

24.03.24　**相模鉄道**
平沼橋駅、ホームドアを設置、稼働開始

24.03.25　**小田急電鉄・東京地下鉄**
新宿駅西口地区開発計画、着工式開催。2029年度竣工予定

24.03.29　**銚子電気鉄道**
22000系(2202-2252)、営業運転開始

24.03.29　**京阪電気鉄道**
枚方市駅、東改札口リニューアル竣工

24.03.30　**東京都交通局**
新宿駅、２番出口、再開発に伴うミヤコ新宿ビル解体工事に伴い閉鎖

24.03.**　**近畿日本鉄道**
クレジットカードなどのタッチ決済による乗車開始

2024年度

24.04.01　**宇都宮ライトレール**
ダイヤ改正。通勤・通学需要に対応した増便等実施

24.04.01　**流鉄**
鉄道旅客運賃改定。初乗り130円は140円に

24.04.01　**京浜急行電鉄**
全線100％再生可能エネルギー由来の電力で運行に

24.04.01　**箱根登山鉄道→小田急箱根**
箱根登山鉄道は、小田急箱根グループ組織再編により、「小田急箱根」と改称。箱根ロープウェイ、箱根観光船は同社経営に

24.04.01　**遠州鉄道**
鉄道事業の運賃改定。初乗り140円は160円に

24.04.01　**近江鉄道**
上下分離方式に移行。線路や駅保有は社団法人近江鉄道線管理機構に。

24.04.01　**阪神電気鉄道・六甲山観光**
六甲山ケーブル、上下分離式を導入。六甲山観光は第二種鉄道事業者に。第三種鉄道事業者は阪神電気鉄道に

24.04.01　**一畑電車**
ダイヤ改正。10～16時台の列車始発時刻のパターン化、特急スーパーライナーの運行時間短縮と編成両数を２両から３両化。出雲大社、川跡駅の駅業務時間変更等

24.04.01　**島原鉄道**
ダイヤ改正。平日の運転本数　諫早～島原間21往復を19往復に　等

24.04.06　**のと鉄道**
全線運転再開

24.04.06　**大阪市高速電気軌道(Osaka Metro)**
中央線堺筋本町駅、可動式ホーム柵運用開始

会社別車両数総括表　①

2024.04.01 現在

	電車(鉄道線)							路面電車														
	Mc	M	Tc	T	他	非営	計	Mc	連接	非営	計	モノ	新交	DC	EL	DL	SL	PC	FC	鋼索	トロ	両数計
札幌市交通局		172	126	70			368	31	5	5	41											409
函館市企業局							0	28	4	5	37											37
道南いさりび鉄道							0				0			9								9
青函トンネル記念館							0				0									1		1
津軽鉄道							0				0			5		2		5	5			17
青い森鉄道	11		11				22				0											22
IGR いわて銀河鉄道	7		7				14				0											14
弘南鉄道	24						24				0				2				4			30
八戸臨海鉄道							0				0					3			0			3
秋田内陸縦貫鉄道							0				0			11								11
由利高原鉄道							0				0			5								5
三陸鉄道							0				0			26								26
岩手開発鉄道							0				0					4			45			49
仙台空港鉄道	3		3				6				0											6
仙台臨海鉄道							0				0					5						5
仙台市交通局	30	72	42				144				0											144
山形鉄道							0				0			6								6
福島交通	6	2	6	0			14				0											14
福島臨海鉄道							0				0					4						4
阿武隈急行	10		10				20				0											20
会津鉄道	0		0				0				0			11								11
野岩鉄道	2		2				4				0											4
わたらせ渓谷鐵道							0				0			9		2		4				15
上信電鉄	16		7				23				0				3				3			29
上毛電気鉄道	10		9				19				0								0			19
秩父鉄道	19	13	19	2			53				0				17		1	4	134			209
ひたちなか海浜鉄道							0				0			8								8
関東鉄道							0				0			55		1						56
宇都宮ライトレール							0		17		51											51
真岡鐵道							0				0			9		1	1	3				14
筑波観光鉄道							0				0									2		2
鹿島臨海鉄道							0				0			14		3						17
銚子電気鉄道	5		3				8				0				1							9
いすみ鉄道							0				0			6								6
千葉都市モノレール							0				0	34										34
小湊鐵道							0				0			16		1		4	3			24
京葉臨海鉄道							0				0					7						7
流鉄	10						10				0											10
埼玉新都市交通							0				0		84									84
埼玉高速鉄道		30	20	10			60				0											60
北総鉄道	14	34		16			64				0											64
千葉ニュータウン鉄道	10	20		10			40				0											40
新京成電鉄	22	69	34	31			156				0											156
山万							0				0		9									9
東葉高速鉄道		55	22	33			110				0											110
舞浜リゾートライン							0				0	42										42
①　小計	199	467	321	172	0	0	1159	59	26	10	129	76	93	190	23	33	2	20	194	3	0	1,922

会社別車両数総括表　②

2024.04.01 現在

	電車(鉄道線)							路面電車														
	Mｃ	M	Tｃ	T	他	非営	計	Mｃ	連接	非営	計	モノ	新交	DC	EL	DL	SL	PC	FC	鋼索	トロ	両数計
首都圏新都市鉄道		152	83	14			249				0											249
芝山鉄道	2	2					4				0											4
京成電鉄	177	273	2	154			606				0											606
京浜急行電鉄	256	266		268		6	796				0											796
東武鉄道	144	895	422	320			1,781				0					2	2	8	2			1795
西武鉄道	22	650	314	223			1,209				0		12									1221
京王電鉄	5	467	225	174		4	875				0											875
小田急電鉄	4	550	282	202		1	1,039				0											1039
多摩都市モノレール							0				0	64										64
東急電鉄	35	637	311	300		3	1286	20			20							1				1307
東京地下鉄	193	1464	479	588			2724				0											2724
東京都交通局	172	744	130	170			1,216	33		0	33	0	100		4							1353
東京臨海高速鉄道		48	16	16			80				0											80
ゆりかもめ							0				0		156									156
横浜高速鉄道	3	24	15	12			54				0											54
東京モノレール							0				0	120										120
御岳登山鉄道							0				0									2		2
高尾登山電鉄							0				0									2		2
大山観光電鉄							0				0									2		2
相模鉄道	0	244	94	104		4	446				0											446
横浜シーサイドライン							0				0		90									90
神奈川臨海鉄道							0				0					7						7
横浜市交通局	34	194	74				302				0											302
湘南モノレール							0				0	21										21
江ノ島電鉄	30						30				0											30
小田急箱根	21	3				1	25				0									4		29
伊豆箱根鉄道	17	17	17			1	52				0				2							54
十国峠							0				0									2		2
伊豆急行	13	32	24	1	2	1	73				0											73
富士山麓電気鉄道	15	8	7	1			31				0								1			32
岳南電車	5		1				6				0				0							6
上田電鉄	5		5				10				0											10
長野電鉄	31	11	7	7			56				0											56
しなの鉄道	40	8	8				56				0											56
アルピコ交通	5		5				10				0											10
静岡鉄道	13		13				26				0											26
遠州鉄道	14		14				28				0				1				3			32
大井川鐵道	8		2				10				0				9	6	5	47	20			97
天竜浜名湖鉄道							0				0			15								15
明知鉄道							0				0			6								6
豊橋鉄道	10	10	10				30	15	1		16											46
愛知環状鉄道	20		20				40				0											40
愛知高速交通	18	9					27				0											27
名古屋臨海高速鉄道		16	16				32				0											32
東海交通事業							0				0			2								2
名古屋市交通局	43	459	227	53			782				0											782
名古屋鉄道	226	340	384	114			1,064				0				2				10			1076
名古屋ガイドウェイバス							0				0			28								28
名古屋臨海鉄道							0				0					6			1			7
②　小計	1,581	7,523	3,207	2,721	2	21	15,055	68	1	0	69	205	358	51	18	21	7	56	37	12	0	15,889

会社別車両数総括表 ③

2024.04.01 現在

	電車(鉄道線)							路面電車														
	Mc	M	Tc	T	他	非営	計	Mc	連接	非営	計	モノ	新交	DC	EL	DL	SL	PC	FC	鋼索	トロ	両数計
衣浦臨海鉄道							0				0					4						4
三岐鉄道	20	5	10	10			45				0				12							57
四日市あすなろう鉄道	5		5	4			14															14
養老鉄道	12	3	12	4			31				0											31
伊賀鉄道	5		5				10				0											10
伊勢鉄道							0				0			4								4
西濃鉄道							0				0					3						3
樽見鉄道							0				0			6								6
長良川鉄道							0				0			11		1						12
北越急行	12						12				0											12
えちごトキめき鉄道	11	1	11				23				0			10								33
立山黒部貫光							0				0									6	8	14
富山地方鉄道	41	1	2	2			46	15	15		30				1	3			2			82
万葉線							0	5	6		11					1						12
黒部峡谷鉄道							0				0			2	23	2		116	145			288
あいの風とやま鉄道	25	3	25				53				0					0						53
IR いしかわ鉄道	24		24				48				0			1								49
ハピラインふくい	16		16				32				0			1								33
北陸鉄道	13		11				24				0				1							25
のと鉄道							0				0			9								9
えちぜん鉄道	22		7				29		2		2				0	1						32
福井鉄道	0		0				0		14		33				0	0						33
近江鉄道	36						36				0				0				0			36
信楽高原鐵道							0				0			4								4
叡山電鉄	22					1	23				0											23
鞍馬寺							0				0									1		1
嵯峨野観光鉄道							0				0					1		5				6
京福電気鉄道	27					1	28				0									2		30
比叡山鉄道							0				0									2		2
京都市交通局	34	118	40	30			222				0											222
近畿日本鉄道	503	558	598	218		8	1,885				0									10		1895
京阪電気鉄道	190	166	30	283			669				0									2		671
阪急電鉄	302	343	121	483		2	1,251				0											1251
阪神電気鉄道	60	191	90	13		2	356				0											356
南海電気鉄道	260	147	122	165			694				0									4		698
泉北高速鉄道	16	50	38	24			128				0											128
大阪市高速電気軌道	96	647	310	241			1,294				0		80									1374
北大阪急行電鉄	14	29	6	51			100				0											100
大阪モノレール							0				0	88										88
能勢電鉄	21	7	5	19			52				0									0		52
山陽電気鉄道	67	57	37	46			207				0											207
神戸電鉄	91	36		20			147				0											147
神戸市交通局	20	107	58	29			214				0											214
神戸新交通							0				0		162									162
六甲山観光							0				0									4		4
こうべ未来都市機構							0				0									2		2
③　小計	1,965	2,469	1,583	1,642	0	14	7,673	20	37	0	76	88	242	48	37	16	0	121	147	33	8	8,489

会社別車両数総括表　④

2024.04.01 現在

	電車(鉄道線)							路面電車														
	Mc	M	Tc	T	他	非営	計	Mc	連接	非営	計	モノ	新交	DC	EL	DL	SL	PC	FC	鋼索	トロ	両数計
阪堺電気軌道							0	31	4		35											35
和歌山電鐵	6		6				12				0											12
水間鉄道	10						10				0											10
紀州鉄道							0				0			3								3
北条鉄道							0				0			4								4
京都丹後鉄道							0				0			35								35
丹後海陸交通							0				0									2		2
智頭急行							0				0			44								44
水島臨海鉄道							0				0			11		1						12
岡山電気軌道							0	19	3		25											25
井原鉄道							0				0			12								12
広島電鉄							0	55	82	1	292											292
スカイレールサービス							0				0	7										7
広島高速交通							0				0		156									156
錦川鉄道							0				0			5								5
若桜鉄道							0				0			4		1		3				8
一畑電車	20		2				22				0											22
高松琴平電気鉄道	78		4			1	83				0								1			84
伊予鉄道	14	10	29				53	38			38					2		3				96
とさでん交通							0	56	4	1	61											61
土佐くろしお鉄道							0				0			21								21
阿佐海岸鉄道							0				0			3								3
四国ケーブル							0				0									2		2
西日本鉄道	71	77	137	13		3	301				0											301
福岡市交通局	42	138	48				228				0											228
北九州高速鉄道							0				0	36										36
筑豊電気鉄道							0		13		22											22
皿倉登山鉄道							0				0									2		2
平成筑豊鉄道							0				0			13								13
北九州市							0				0					2		2				4
甘木鉄道							0				0			8								8
松浦鉄道							0				0			23								23
島原鉄道							0				0			15								15
長崎電気軌道							0	65	6	1	72											72
熊本電気鉄道	9		7				16				0											16
熊本市交通局							0	36	9	0	54											54
南阿蘇鉄道							0				0			5		2		3				10
くま川鉄道							0				0			5								5
鹿児島市交通局							0	39	17	2	58											58
岡本製作所							0				0									2		2
肥薩おれんじ鉄道							0				0			19								19
沖縄都市モノレール							0				0	45										45
①　小計	199	467	321	172	0	0	1,159	59	26	10	129	76	93	190	23	33	2	20	194	3	0	1,922
②　小計	1,581	7,523	3,207	2,721	2	21	15,055	68	1	0	69	205	358	51	18	21	7	56	37	12	0	15,889
③　小計	1,965	2,469	1,583	1,642	0	14	7,673	20	37	0	76	88	242	48	37	16	0	121	147	33	8	8,489
総両数	3,995	10,684	5,344	4,548	2	39	24,612	486	202	15	931	457	849	519	78	78	9	208	379	56	8	28,184

【凡例】

▽項目　Mc＝制御電動車　M＝電動車　Tc＝制御車　T＝付随車　他＝サロ・クロなど、そのほかの客扱い車両
非営＝電動貨車などの客扱いしない車両　連接＝連接車　モノ＝モノレール　新交＝新交通システム　DC＝ディーゼルカー(気動車)
EL＝電気機関車(蓄電池機関車を含む)　DL＝ディーゼル機関車　SL＝蒸気機関車　PC＝客車　FC＝貨車
鋼索＝ケーブルカー　トロ＝トロリーバス

▽連接車は連接車の項では編成数を示すが、両数計では1車体を1両とする事業者(3車体連接車ならば3両)や連接車を1両と計上する事業者と、それが混在する事業者などがあるため、数え方は各掲載頁を参照

▽黒部峡谷鉄道　保線車はDCの項に加えた

編集担当　　坂　正博（ジェー・アール・アール）

編集協力　　楠居　利彦

校正協力　　交通新聞クリエイト（株）

表紙デザイン　早川さよ子（栗八商店）

本書の内容に関するお問合せは、
（有）ジェー・アール・アール までお寄せください。
☎ 03-6379-0181 ／ mail : jrr@home.nifty.jp

ご購読・販売に関するお問合せは、
（株）交通新聞社 出版事業部 までお寄せください。
☎ 03-6831-6622 ／ FAX : 03-6831-6624

私鉄車両編成表　2024

2024年7月11日発行

発 行 人　伊藤　嘉道
編 集 人　太田　浩道
発 行 所　株式会社　交通新聞社
〒101-0062　東京都千代田区神田駿河台2－3－11
☎ 03-6831-6560（編集）
☎ 03-6831-6622（販売）
印 刷 所　大日本印刷株式会社

ISBN978-4-330-03424-9